EXAM PRESS®

情報処理技術者試験学習書

対応試験 ▶ NW

情報処理
教 科 書

うかる！
ネットワーク
スペシャリスト

2025年版

ICTワークショップ 著

SE
SHOEISHA

本書内容に関するお問い合わせについて

このたびは翔泳社の書籍をお買い上げいただき、誠にありがとうございます。弊社では、読者の皆様からのお問い合わせに適切に対応させていただくため、以下のガイドラインへのご協力をお願い致しております。下記項目をお読みいただき、手順に従ってお問い合わせください。

●ご質問される前に

弊社Webサイトの「正誤表」をご参照ください。これまでに判明した正誤や追加情報を掲載しています。

正誤表　https://www.shoeisha.co.jp/book/errata/

●ご質問方法

弊社Webサイトの「書籍に関するお問い合わせ」をご利用ください。

書籍に関するお問い合わせ　https://www.shoeisha.co.jp/book/qa/

インターネットをご利用でない場合は、FAXまたは郵便にて、下記"翔泳社 愛読者サービスセンター"までお問い合わせください。
電話でのご質問は、お受けしておりません。

●回答について

回答は、ご質問いただいた手段によってご返事申し上げます。ご質問の内容によっては、回答に数日ないしはそれ以上の期間を要する場合があります。

●ご質問に際してのご注意

本書の対象を超えるもの、記述個所を特定されないもの、また読者固有の環境に起因するご質問等にはお答えできませんので、予めご了承ください。

●郵便物送付先およびFAX番号

送付先住所　〒160-0006　東京都新宿区舟町5
FAX番号　　03-5362-3818
宛先　　　　（株）翔泳社 愛読者サービスセンター

第7章

性能　　297

第8章

セキュリティ　　327

第9章

移行・運用   469

問題・解答・解説

令和6年度春期 本試験問題・解答・解説   501

ネットワークスペシャリスト試験について

　ネットワークスペシャリスト試験（以下，NW 試験と表記）は，情報処理技術者試験の高度試験区分の中で，情報処理安全確保支援士試験に次いで人気のある資格です。

　令和元年度までは秋期（10 月）に試験が行われていましたが，令和 2 年度はコロナウイルス感染拡大の影響により秋期の試験が令和 3 年の春期（4 月）に延期され，令和 3 年以降もそのまま春期に実施されることになりました。

　令和 3 年度の応募人数は，1 万 2,690 人と減少しましたが，令和 4 年度以降，徐々に復調しています。

年度	応募者数	受験者数	合格者数	合格率
平成 22 年度	25,544	16,649	2,263	13.6%
平成 23 年度	21,465	14,077	2,069	14.7%
平成 24 年度	21,941	14,612	2,019	13.8%
平成 25 年度	20,803	13,288	1,899	14.3%
平成 26 年度	20,220	13,215	1,832	13.9%
平成 27 年度	18,990	12,407	1,811	14.6%
平成 28 年度	18,096	11,946	1,840	15.4%

年度	応募者数	受験者数	合格者数	合格率
平成 29 年度	19,556	12,780	1,736	13.6%
平成 30 年度	18,922	12,322	1,893	15.4%
令和元年度	18,345	11,882	1,707	14.4%
令和 3 年度	12,690	8,420	1,077	12.8%
令和 4 年度	13,832	9,495	1,649	17.4%
令和 5 年度	15,239	10,395	1,482	14.3%
令和 6 年度	16,085	11,089	1,704	15.4%

試験の構成・採点

● 試験形式（試験時間と出題形式）

　NW 試験の時間区分（午前Ⅰ，午前Ⅱ，午後Ⅰ，午後Ⅱ）ごとの試験時間，出題形式は次のとおりです。

表：時間区分ごとの試験時間と出題形式

	午前Ⅰ	午前Ⅱ	午後Ⅰ	午後Ⅱ
実施時間帯	9:30 ～ 10:20	10:50 ～ 11:30	12:30 ～ 14:00	14:30 ～ 16:30
試験時間	50 分	40 分	90 分	120 分
出題形式	多肢選択式	多肢選択式	記述式	記述式
解答数／出題数	30 問／30 問	25 問／25 問	2 問／3 問	1 問／2 問

● 実施時期

　NW 試験は春期（4 月）に実施されます。本書執筆時点では，令和 7 年度春期試験の実施日は発表されていません。情報処理推進機構（IPA）の発表を確認してください。

● 合格基準

NW 試験の時間区分ごとの基準点は次のとおりです。

表：時間区分ごとの基準点

時間区分	満点	基準点
午前Ⅰ	100 点	60 点
午前Ⅱ	100 点	60 点
午後Ⅰ	100 点	60 点
午後Ⅱ	100 点	60 点

各時間区分の得点がすべて基準点以上の場合に合格となります。

各時間区分において得点が基準点に達しない場合，それ以降の時間区分の採点は行われずに不合格となります。

試験結果に問題の難易差が認められた場合には，基準点の変更を行うことがあります。

● 免除制度

午前Ⅰ試験には，以下のとおり免除制度があります。

> 高度試験及び情報処理安全確保支援士試験の午前Ⅰ試験については，次の（1）
> ～（3）のいずれかを満たすことによって，その後 2 年間受験を免除する。
> （1）応用情報技術者試験に合格する。
> （2）いずれかの高度試験又は情報処理安全確保支援士試験に合格する。
> （3）いずれかの高度試験又は情報処理安全確保支援士試験の午前Ⅰ試験で基準点
> 　　　以上の成績を得る。

出題範囲

● 午前試験

午前試験は，午前Ⅰ試験と午前Ⅱ試験から構成されます。

午前Ⅰ試験では，高度試験区分に共通して求められる，技術レベル 3 の問題を，テクノロジ系，マネジメント系，ストラテジ系から幅広く 30 問出題します。

午前Ⅱ試験では，各試験区分の専門に特化した，技術レベル 3 又は 4 の問題を，表「試験区分別出題分野一覧表」に示す○と◎に沿って 25 問出題します。例えば NW 試験では，出題分野の大分類「コンピュータシステム」,「技術要素」及び「開発技術」の中の，○と◎の付いた中分類から出題します。

表：試験区分別出題分野一覧表（IT パスポート試験を除く）

分野	大分類	中分類	情報セキュリティマネジメント試験	基本情報技術者試験（科目A）	応用情報技術者試験	午前I（共通知識）	ITストラテジスト試験	システムアーキテクト試験	プロジェクトマネージャ試験	ネットワークスペシャリスト試験	データベーススペシャリスト試験	エンベデッドシステムスペシャリスト試験	ITサービスマネージャ試験	システム監査技術者試験	情報処理安全確保支援士試験
テクノロジ系	1 基礎理論	1 基礎理論													
		2 アルゴリズムとプログラミング													
	2 コンピュータシステム	3 コンピュータ構成要素						○3		○3	○3	◎4	○3		
		4 システム構成要素	○2					○3		○3	○3	○3	○3		
		5 ソフトウェア		○2	○3	○3						◎4			
		6 ハードウェア										◎4			
	3 技術要素	7 ユーザーインタフェース						○3				○3			
		8 情報メディア													
		9 データベース	○2					○3			◎4		○3	○3	○3
		10 ネットワーク	○2					○3		◎4			○3	○3	◎4
		11 セキュリティ1)	◎2	◎2	○3	○3	◎4	◎4	○3	◎4	○4	◎4	◎4	◎4	◎4
	4 開発技術	12 システム開発技術						◎4	○3	○3	○3	◎4	○3		○3
		13 ソフトウェア開発管理技術						○3	○3	○3	○3	○3			○3
マネジメント系	5 プロジェクトマネジメント	14 プロジェクトマネジメント	○2						◎4				◎4		
	6 サービスマネジメント	15 サービスマネジメント	○2						○3				◎4	○3	
		16 システム監査	○2										○3	◎4	○3
ストラテジ系	7 システム戦略	17 システム戦略	○2				◎4	○3							
		18 システム企画	○2				◎4	◎4	○3				○3		
	8 経営戦略	19 経営戦略マネジメント		○2	○3	○3	◎4						○3	○3	
		20 技術戦略マネジメント					○3						○3		
		21 ビジネスインダストリ					◎4						○3		
	9 企業と法務	22 企業活動	○2				◎4							○3	
		23 法務	◎2				○3		○3					○3	◎4

(注1) ○は出題範囲であることを，◎は出題範囲のうちの重点分野であることを表す。
(注2) 2,3,4は技術レベルを表し，4が最も高度で，上位は下位を包含する。
注1) "中分類11:セキュリティ"の知識項目には技術面・管理面の両方が含まれるが，高度試験の各試験区分では，各人材像にとって関連性の強い知識項目をレベル4として出題する。

●午後試験

　午後試験は，午後Ⅰ試験と午後Ⅱ試験から構成されています。出題形式はいずれも「記述式」です。「試験要項 Ver.5.3」に掲載された「出題範囲」は，次のとおりです。

1　ネットワークシステムの企画・要件定義・設計・構築に関すること

　　ネットワークシステムの要求分析，論理設計，物理設計，信頼性設計，性能設計，セキュリティ設計，アドレス設計，運用設計，インプリメンテーション，テスト，移行，評価（性能，信頼性，品質，経済性ほか），改善提案　など

2　ネットワークシステムの運用・保守に関すること

　　ネットワーク監視，バックアップ，リカバリ，構成管理，セキュリティ管理　など

3　ネットワーク技術に関すること

　　ネットワークシステムの構成技術，トラフィック制御に関する技術，待ち行列理論，セキュリティ技術，信頼性設計，符号化・データ伝送技術，ネットワーク仮想化技術，無線 LAN 技術　など

4　ネットワークサービス活用に関すること

　　市場で実現している，又は実現しつつある各種ネットワークサービスの利用技術，評価技術及び現行システムからの移行技術　など

5　ネットワークアプリケーション技術に関すること

　　電子メール，ファイル転送，Web 技術，コンテンツ配信，IoT/M2M　など

6　ネットワーク関連法規・標準に関すること

　　ネットワーク関連法規，ネットワークに関する国内・国際標準及びその他規格　など

受験の手引き

　試験に関する案内は，情報処理推進機構（以下，IPAという）のWebページ（https://www.ipa.go.jp/shiken/）にあります。変更される場合があるため，必ず最新情報を確認してください。

● 申込みから合格発表までの流れ
　令和3年度から，申込み方法はインターネット個人申込みのみになっています。

ホームページにアクセスして案内書の参照 https://www.ipa.go.jp/shiken/	
↓	
利用者ID（マイページアカウント）の作成	作成していない方のみ
↓	
マイページから受験申込み （申込画面への入力） 　マイページメニューから，申込手順に従って受験者本人が必要事項を入力 　・クレジットカード決済 　・ペイジー（Pay-easy）による払込み 　・コンビニ利用による払込み	申込み期間：1月下旬〜2月上旬 受験手数料：7,500円
↓	
申込後の申込内容の変更	変更可能期間：1月下旬〜2月上旬
↓	
受験票の発送	4月上旬
↓	
受験票再発行受付期間	4月中旬の6日間
↓	
試験日	通例，4月第3日曜日
↓	
合格発表	7月上旬，IPAのホームページに合格者の受験番号を掲載
↓	
合格証書交付	合格者に交付

●受験資格・手数料

受験資格	特になし
受験手数料	全試験区分共通で，7,500 円（税込み）

● IPA のホームページ，受験に関する問合せ先など

ホームページ	https://www.ipa.go.jp/shiken/
問合せ先の URL	https://hw.cbt-s.info/inquiry/user/inquiry/8

※やむを得ず，試験実施の中止，実施内容（試験区分，試験地など）の変更の可能性があります。受験の際には必ず IPA の Web ページ(https://www.ipa.go.jp/shiken)を参照して，常に新しい情報を得るようにしてください。

本書の使い方

本書は，以下のような内容で，ネットワークスペシャリスト試験合格への学習を進めていきます。

- **第 1 〜 4 章**

  ネットワークに関する基本的な要素技術を詳しく解説します。

- **第 5 〜 9 章**

  午後問題に頻出するネットワークの応用的な要素技術を詳しく解説します。

- **令和 6 年度春期 本試験問題・解答・解説**

  令和 6 年度の午後Ⅰ・午後Ⅱ問題と解答，ならびに解答に至るまでの着眼点や考え方を丁寧に解説します。

- **読者特典**

  翔泳社の Web ページで，本書と併せてご利用いただけるコンテンツを提供します。詳しくは次ページを参照してください。

より進んだ理解を得るため，本文の補足説明を次のアイコンで分類しています。

用語解説	用語や略語についての解説
詳説	解説の参考となる事柄や，より高度な事項
関連RFC	解説されている技術が規定されている RFC（Request For Comments：ネットワーク技術仕様を保存・公開するための文書）
試験に出る	解説と関連した過去の出題例と出題ポイント
Column ▶▶▶	補足的な説明や知っておくと役に立つ事柄

● 読者特典

　翔泳社の Web サイト（下記の配布サイト）で，以下のコンテンツを読者特典として提供します。

(1) 過去問アーカイブ ─ 14 年分の試験問題，解答・解説，解答用紙

　平成 21 ～令和 5 年度の全問題及び令和 6 年度の午前 I・Ⅱの解答・解説，及び解答用紙の PDF ファイルです。本書と併せてご利用ください。

※令和 6 年度の午前 I・Ⅱの解答解説は 2024 年 10 月下旬に公開予定

(2) 午前問題 Web アプリ

　午前 I と，午前 Ⅱ のネットワーク及びセキュリティ分野の過去問題を精選した Web アプリです。解説付きで，PC やスマホの画面上で午前問題を解くことができます。

　この他に，本書紙面からは割愛した「補遺」「午後問題の解答テクニック」の PDF ファイルもダウンロードすることができます。

　読者特典をご利用するには，下記サイトにアクセスしてください。

- PDF ダウンロード　https://www.shoeisha.co.jp/book/present/9784798188294

- Web アプリ　　　　https://www.shoeisha.co.jp/book/exam/9784798188294

　PDF のダウンロード及び Web アプリのご利用にあたっては，SHOEISHA iD への登録と，アクセスキーの入力が必要になります。お手数ですが，画面の指示に従って進めてください。アクセスキーは本書の各章の最初のページ下端に記載されています。画面で指定された章のアクセスキーを，半角英数字で，大文字，小文字を区別して入力してください。

　※提供するコンテンツは，本書の読者の方だけがご利用いただけます。

　※PDF のダウンロード期限及び Web アプリの利用期限は，2025 年 10 月 31 日です。

　※なお，読者特典の内容やダウンロード期限・利用期限は予告なく変更になる場合がございます。ご了承ください。

第 1 章

LAN

この章ではイーサネットや無線 LAN などの LAN 関連の技術について解説する。さらに，フロー制御や VLAN といった LAN 関連のプロトコル／規格，スイッチの機能についても解説する。

午後試験では，この知識を前提とした設計問題が出題されている。表面的な理解だけでなく，ネットワーク構成技術の中でこれらの要素技術がどのように機能しているか，しっかりと学習しておく必要がある。

1.1 · 午後試験対策のアドバイス

　ここでは，午後試験の出題例を紹介し，試験対策として押さえておくべき事柄を解説する。出題傾向を踏まえ，効率よく学習していただきたい。

　なお，本章の「試験に出る」には，ここに挙げたもの以外を含め，網羅的に出題例を掲載している。併せて参照していただきたい。

●1. イーサネット

　基本となる要素技術であるが，午後試験では目立った出題例がない。

　表に示すとおり，イーサネットの規格（マルチギガビットイーサネットワーク），オーバレイネットワーク（レイヤ3のネットワーク上にレイヤ2のネットワークを構成），拡張イーサネット（SANとLANの統合），等の出題例がある程度だ。

表：イーサネットに関する出題例

出題例	内容
令和5年午後I問3	・マルチギガビットイーサネット（穴埋め問題）
平成27年午後II問2	・マルチキャストとVXLANを用いたオーバレイネットワークの構築（設問5のみ）
平成25年午後II問2	・VXLANを用いたオーバレイネットワークのトンネリング技術（設問1(2)のみ）（本問は全体としてOpenFlow技術が出題されており，オーバレイネットワークはその比較として軽く触れている程度である）
平成24年午後II問1	・フレームの解析，転送処理（本文から推論する応用問題） ・ホストからストレージ間のアクセスの冗長化
平成23年午後II問1	・拡張イーサネットにおける，仮想リンクごとの優先度付きバッファ制御の仕組みについて

●2. 無線LAN

　複数のアクセスポイントが登場し，それらを無線LANコントローラで制御する事例がしばしば登場する。その中で，ローミング，IEEE802.1Xを利用した認証などが出題されている。他には，IEEE802.11nとIEEE802.11a/gとの混在環境が登場し，新しい伝送規格で採用された要素技術や，衝突を回避する方式などが出題されている。

表：無線 LAN 技術に関する出題例

出題例	内容
令和 5 年午後 I 問 3	・5GHz 帯における気象レーダーとの衝突回避の仕組み（DFS） ・Wi-Fi 6 の特長（トライバンド，MU-MIMO，チャネルボンディング） ・PoE++
平成 29 年午後 II 問 2 平成 25 年午後 II 問 1	・IEEE802.1X の事前認証，PMK キャッシュ ・無線 LAN コントローラを使用したローミング ・AP の配置
平成 24 年午後 I 問 2	・無線 LAN コントローラの導入に伴うトラフィック経路の分析，性能要件の再検討
平成 24 年午後 I 問 3	・IEEE802.11n のチャネルボンディング，MIMO ・IEEE802.11a/g/n 混在環境の衝突回避（IEEE802.11n 端末がプリアンブルを付加）
平成 21 年午後 II 問 1	・IEEE802.1X 認証（EAP-TLS）のシーケンス ・隠れ端末問題の解決のため，及び，IEEE802.11b/g 混在環境の衝突回避のために，CSMA/CA の RTS/CTS 方式を用いる
平成 21 年午後 I 問 1	・バーチャル AP 機能（ESS ID ごとに VLAN を登録）

　複数のアクセスポイントを使用する事例では，ローミングを行ったり，電波干渉を解消したりする必要がある。そのような課題を解決するために，要素技術がどのように使用されているかについて，学習しておく必要がある。

　今日の AP は，基本となるブリッジ機能だけでなく，様々な機能をもっている。近年では無線 LAN コントローラを使用する事例も増えている。こうした技術動向を踏まえ，試験では，様々な機能をもつ AP や無線 LAN コントローラが登場している。本章の「1.3.3　AP と無線 LAN コントローラ」に代表的な機能をまとめているが，余力があれば，自分でも情報収集してみることをお勧めする。

　IEEE802.11n が平成 24 年午後 I 問 3 で出題されていることを踏まえ，IEEE802.11ac についても，特徴を押さえておきたい。

　IEEE802.1X 認証をはじめとするセキュリティは出題頻度が高いので，学習するとよい。なお，セキュリティについて，詳しくは第 8 章を参照していただきたい。

● 3.　LAN 関連のプロトコル／規格

　LAN 関連の規格のうち，**VLAN** は必須の知識である。VLAN を使って構築されたネットワークの出題例は，枚挙にいとまがないからだ。

　VLAN の出題例は多数ある。そこで，試験対策として重要なものに絞り，比較的難易度が高く，かつ，今後とも出題される可能性の高いトピックを扱った出題例を幾つか挙げる。

表：LAN 関連のプロトコル／規格に関する出題例

出題例	内容
令和元年午後Ⅱ問 1 平成 29 年午後Ⅰ問 1 平成 23 年午後Ⅰ問 3	・セキュリティ上の理由から VLAN 間ルーティングを禁止する
平成 25 年午後Ⅰ問 3	・IEEE802.1Q トンネリング技術（VLAN の知識を前提とした応用問題）
平成 24 年午後Ⅱ問 2	・MSTP（VLAN ごとにスパニングツリーを構成する技術）を用いた設計
平成 23 年午後Ⅰ問 3	・通信条件を満たすように，VLAN をポートに割り当てる設計
平成 21 年午後Ⅰ問 1	・バーチャル AP 機能（ESS ID ごとに VLAN を登録）

　上記の出題傾向を踏まえ，試験対策としては，VLAN を使った設計について学習しておく必要がある。

　本章で基礎知識を学習した後，VLAN が登場する出題例を読み，実際にどのように使われているか調べてみることをお勧めする。具体的に言うと，仮想化設計，2 台の L3SW をVRRP で冗長化した LAN の信頼性設計，IEEE802.1X 認証スイッチを使った設計などに，VLAN が登場する。

　仮想化設計については第 5 章「5.2　仮想化設計」，信頼性設計については第 6 章「6.2　冗長化構成」，IEEE802.1X については第 8 章「8.4.3　IEEE802.1X」を，それぞれ参照していただきたい。

● 4.　スイッチ

　スイッチがもつ機能のうち，アドレス学習機能と転送機能は，基本となる要素技術である。フェールオーバ時に MAC アドレステーブルを更新することや，MAC アドレステーブルがクリアされたときの動作など，応用問題が出題されている。

　スイッチの他の機能に関しては，ミラーリング機能の出題例が比較的多い。

　今日のスイッチは，基本となるアドレス学習機能，転送機能だけでなく，様々な機能をもっている。本章の「1.5　スイッチ」に様々な機能をまとめているので，学習しておく必要がある。

表：スイッチに関する出題例

出題例	内容
令和 5 年午後Ⅰ問 3 令和 3 年午後Ⅰ問 3 平成 29 年午後Ⅱ問 2 平成 24 年午後Ⅰ問 2	・PoE の規格名（PoE+，PoE++） ・供給電力の計算 ・PoE 未対応の機器には給電しない

（表は次ページに続く）

出題例	内容
令和 4 年午後 I 問 1 平成 27 年午後 I 問 3 平成 26 年午後 II 問 2	・パケットを収集するため，収集対象のパケットが通過する SW のポートをミラーポートに設定し，ミラーポートに接続する端末の NIC をプロミスキャスモードに設定する
令和元年午後 I 問 1 平成 26 年午後 I 問 2	・冗長構成において，主系から待機系に切り替わったときに MAC アドレステーブルを更新する必要がある
平成 27 年午後 II 問 2	・マルチキャストフレームはフラッディングされる ・IGMP スヌーピング機能を使用したときの，MAC アドレステーブルの推移（本文から推論する応用問題）
平成 24 年午後 II 問 2	・障害発生に伴ってスパニングツリーが再構築されると，スイッチの MAC アドレステーブルがクリアされる。その結果，ユニキャストフレームがフラッディングされる

　機能自体の知識習得は易しいが，試験対策としては，応用問題を解けるように準備しておく必要がある。「1.5　スイッチ」の「試験に出る」に出題例を詳しく列挙しているので，自分の目で確かめてみることをお勧めする。重要な着眼点は，繰り返し出題される可能性があるからだ。

1.2 ・ イーサネット

　現在の LAN においてイーサネットは不可欠な技術である。試験対策としては，DIX 規格のフレームフォーマットを押さえておくとよい。午後試験の出題頻度は低いが，基本的な要素技術なので，しっかり理解しておく必要がある。

1.2.1　イーサネットの種類と仕様

詳説

IEEE

米国電気電子学会 (The Institute of Electrical and Electronics Engineers, Inc.) は，電気・電子分野で世界最大の学会である。「アイトリプルイー」と呼ぶ。ISO のような公的な標準化団体ではないが，様々な規格を標準化している。例えば，情報通信技術分野では，本章で取り上げる有線 LAN や無線 LAN の規格を定めた IEEE802 等が有名である

詳説

IEEE802

LAN (Local Area Network)，MAN (Metropolitan Area Network)，PAN (Personal Area Network) の通信技術を定めた規格群（規格ファミリ）である。

IEEE802 規格ファミリは IEEE802 標準化委員会が管理しているが，標準化活動は下部組織に当たるワーキンググループ (WG：Working Group) が主体的に行っている。例えば，イーサネットの規格を標準化しているのは，IEEE802.3 ワーキンググループである。

802 という名称は，1980 年 2 月に発足したことからその名が付いた

　イーサネットは，1973 年に Xerox 社パロアルト研究所 (Palo Alto Research Center) の Robert Metcalfe 氏らによって，その原型が考案された。その後，Xerox 社は DEC 社（現：Hewlett-Packard 社），Intel 社とともに，1980 年に CSMA/CD をアクセス制御方式とする DIX 規格イーサネット（イーサネット 1.0）を発表した。1980 年 2 月に IEEE802 委員会が設立され，翌年にイーサネットの標準化を審議する IEEE802.3 ワーキンググループが発足した。今日普及しているギガビットイーサネット（1Gbps）はもちろん，マルチギガビットイーサネット（2.5Gbps，5Gbps），10Gbps さらにはそれを超える伝送速度の規格を標準化している。

　一方，先の 3 社は 1982 年に DIX 規格イーサネット（イーサネット 2.0）を発表した。DIX 規格と IEEE802.3 規格は，フレーム構造や信号線のオプションなどが異なっているが，同一の媒体で両者を混在させることが可能である。

　現在，普及しているのは DIX 規格イーサネット 2.0 であり，本書ではこちらの規格を中心に解説していく。したがって，特に断りがない限り，本書では「イーサネット」という語は DIX 規格イーサネット 2.0 を指すものとする。

● 規格の表記

　IEEE 標準の規格名は「IEEE802.3」から始まり末尾に英字が並ぶが，数多くの規格名があるため，世間ではあまり用いられていない。

　それよりも用いられている規格名は，伝送速度，伝送方式，伝送媒体を示す記号や数字からなる規格名だ。次の表に示す。

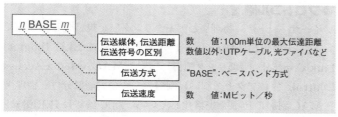

図：IEEE802.3 の規格の表記

表：イーサネット規格（ツイストペアケーブル）

	10GBASE-T	2.5GBASE-T 5GBASE-T	1000BASE-T
伝送速度	10G ビット／秒	2.5/5G ビット／秒	1G ビット／秒
伝送媒体	UTP カテゴリ 6/6A 以上 STP カテゴリ 7 以上	UTP カテゴリ 5e 以上	UTP カテゴリ 5e 以上
最大伝達距離	55m（カテゴリ 6） 100m（カテゴリ 6A/7）	100m	100m

表：イーサネット規格（光ファイバ）

	10GBASE-SR	1000BASE-SX	1000BASE-LX
波長	850nm	850nm	1300nm
伝送媒体	光ファイバ（マルチモード）	光ファイバ（マルチモード）	光ファイバ(マルチモード, シングルモード)
最大伝達距離	80 ～ 300m ※	550m※	550m(マルチモード)※ 5km(シングルモード)

※光ファイバの種類により異なる

試験に出る

マルチギガビットイーサネットについて，令和5年午後I問3で出題された

今日，有線 LAN で普及しているイーサネット規格は，1000BASE-T である。これは，伝送速度が1Gbps であり，カテゴリ 5e のツイストペアケーブルを使用できる。

上位規格の10Gbps は 2006 年に標準化されたが，カテゴリ 6e（55m）もしくはカテゴリ 7（シールド付きより対線，100m）のツイストペアケーブル，又は光ファイバーを必要としていることから，あまり普及していない。

近年では，有線 LAN と共に LAN で普及している無線 LAN の伝送速度は1Gbps を超えるようになり，通信の大容量化が促進する中，1Gbps のイーサネットがボトルネックになることが懸念されるようになった。そこで，カテゴリー 5e のケーブルを使用したまま，1Gbps を超える伝送速度のイーサネット規格が標準化された。これらはマルチギガビットイーサと呼ばれ，2.5GBASE-T の伝送速度は 2.5Gbps，5GBASE-T の伝送速度は 5Gbps である。

● プロトコル階層

　イーサネットは，物理層とデータリンク層を規格化した仕様である。一方，IEEE802.3 は，データリンク層を LLC（Logical Link Control，論理リンク制御）副層と MAC（Media Access Control，媒体アクセス制御）副層の二つの副層に分け，物理層と MAC 副層の仕様を規格化している。LLC 副層は IEEE802.2 で規格化されており，トークンリングなど CSMA/CD 以外のアクセス制御の伝送手順をサポートする機能をもつ。

● CSMA/CD

　イーサネットが規格化された当初は媒体共有型のネットワークだったため，同時に複数の端末がフレームを送信すると信号が衝突してしまい，通信できなくなってしまう。ある端末が送信している間に別の端末が送信しないようにするため，イーサネットは CSMA/CD 方式で通信を制御している。

　今日ではスイッチが一般的に使用されており，媒体共有型のネットワークではないため，全二重通信が可能である。したがって，CSMA/CD 方式による制御は事実上行われていない。とはいえ，午前試験で出題されることがあるので，基礎知識として習得しておく必要がある。

　CSMA/CD（Carrier Sense Multiple Access ／ Collision Detection，搬送波感知多重アクセス／衝突検出）方式の通信は，次の手順に従って行われる。

　　1. 送信端末は，伝送媒体のキャリア信号を監視し，他の端末が送信中かどうかを確認する（搬送波感知）。他の端末が送信中のときはキャリア信号がなくなるのを待ち，フレームギャップ時間（96 ビット長の送信にかかる時間）が経過した後に，搬送波感知を再開する。
　　2. 送信端末は，フレームの送信を開始する。

　複数の端末がほぼ同時にフレームを送信すると，衝突が発生する。フレームの送信中に衝突を検出したときは，次の手順に従う。

　　3. フレームの送信を中断する。

試験に出る

CSMA 方式の LAN 制御について，平成 24 年午前Ⅱ問 6，平成 21 年午前Ⅱ問 3 で出題された

詳説

データリンク層では，「ホスト」のことを「ステーション」や「端末」と表記するのが一般的である。これらは交換可能な用語だが，本章ではデータリンク層について説明している文脈の中では，「端末」を用いる

4. ジャム信号を一定時間（32 ビット長の送信にかかる時間）送信し，全ての端末が確実に衝突を検知できるようにする（衝突又はジャム信号を検出したハブは，全てのポートからジャム信号を送信する）。

5. 送信端末は，バックオフ時間（乱数に従った待ち時間）が経過するのを待つ。その後，手順 1. に戻る。

　端末間で伝送媒体を共有している場合，単位時間当たりの送出フレーム数の増加に伴って，衝突頻度が増大する。平均フレーム長が 64 バイトの場合，利用率がおよそ 35 パーセントを超えたあたりから，伝送待ち時間が急激に増加してスループットが低下する。

1.2.2　DIX 規格のフレームフォーマット

　インターネットで利用するホストについて定義されている RFC1122 の中で DIX 規格への適合が必須とされていることから，TCP/IP 通信では DIX 規格が利用されている。加えて，フロー制御やリンクアグリゲーションの制御用フレームにも DIX 規格が使用されている。

　DIX 規格のフレームフォーマットを次に示す。

(8)	(6)	(6)	(2)	(46〜1500)	(4)
プリアンブル	宛先MAC アドレス	送信元MAC アドレス	タイプ	データ	FCS

注:( )内の数字はバイト長を表す。

図：DIX 規格のフレームフォーマット

　それぞれの領域の意味を次に示す。

●プリアンブル

　フレームを受信する端末が，送信端末側のクロック周波数と同期をとることができるように，端末は送信フレームごとにプリアンブルを先頭に付加する。プリアンブルのデータ長は 64 ビットで，

関連RFC

RFC1122：ネットワーク階層に関するインターネットホストに対する要求仕様
RFC894：DIX 規格にカプセル化して IP データグラムを転送する標準
RFC1042：IEEE802 規格にカプセル化して IP データグラムを転送する標準

その中身は 16 進表記で「AA-AA-AA-AA-AA-AA-AA-AB」である。つまり，2 進表記で「10」が連続したストリーム（1010…）が 62 ビットにわたって送信された後に「11」が送信される。最後の 2 ビット「11」は，プリアンブルの切れ目を表しており，**SFD**（Start Frame Delimiter）という。

●宛先 MAC アドレス／送信元 MAC アドレス

プリアンブルの直後に「宛先 MAC アドレス」「送信元 MAC アドレス」が続く。MAC アドレスは端末を識別するアドレスで，6 バイト（48 ビット）で構成される。

前半の 3 バイトは **OUI**（Organizationally Unique Identifier，管理組織識別子）である。これは組織（製造メーカや標準化団体など）に固有の ID であり，IEEE によって管理されている。例えば，IANA の OUI は「00-00-5E」である。

後半の 3 バイトは，イーサネットインタフェースごとに固有な番号がベンダによって割り振られる。

さらに，上位 8 ビット目の I/G ビット，上位 7 ビット目の G/L ビットが規格化されている。

表：I/G ビット，G/L ビット

	0 のとき	1 のとき
I/G ビット ※	ユニキャストアドレス	マルチキャストアドレス
G/L ビット ※	グローバル（IEEE 管理）	ローカル

※ I/G は「Individual/Group」を，G/L は「Global/Local」を意味している。

全てのビットを「1」にセットした「FF-FF-FF-FF-FF-FF」は，ブロードキャストアドレスで，全てのイーサネットインタフェースに送信するときに用いられる。

宛先がマルチキャスト IP アドレスである IP データグラムをペイロードにもつイーサネットフレームは，その宛先 MAC アドレスがマルチキャスト MAC アドレスになる。

宛先がマルチキャスト IPv4 アドレスであるとき，宛先 MAC アドレスの上位 3 バイトは，IANA の OUI を指定した上で，I/G ビットを「1」に，G/L ビットを「0」にセットする。次いで，上位 25 ビット目を「0」にセットする。残った下位 23 ビットは，IPv4 アドレスの下位 23 ビットをそのまま埋め込む。

　宛先がマルチキャスト IPv6 アドレスであるとき，宛先 MAC アドレスの上位 2 バイトは，「33-33」を指定する。下位 4 バイトは，IPv6 アドレスの下位 4 バイトをそのまま埋め込む。

　例えば，OSPF ルータが宛先であることを示す「224.0.0.5」というマルチキャスト IPv4 アドレスの場合，宛先 MAC アドレスは，「01-00-5E-00-00-05」となる。

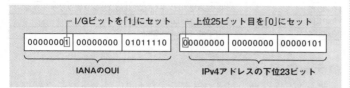

図：IPv4 マルチキャストアドレスを MAC アドレスにマッピングする方法

　イーサネットではバイト内のビット伝送は **LSB**（Least Significant Bit，最下位ビット）から **MSB**（Most Significant Bit，最上位ビット）の順に行われる（通常のパラレル→シリアル伝送も同様）。よって，第 1 バイトの LSB である I/G ビットから伝送されることになる。

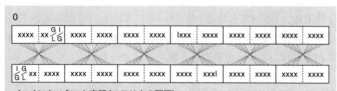

図：MAC アドレスのバイナリ表記と伝送順序の違い

● タイプ

　タイプ領域は，上位層のプロトコル種別を表している。その代表例を次に示す。

表：タイプ領域の代表例

タイプ（16進表示）	意　味
0x0000 ～ 05DC	IEEE802.3規格のデータ長（DIX規格では未使用）
0x05DD ～ 05FF	未使用
0x0800	IPv4
0x86DD	IPv6
0x0806	ARP
0x8035	RARP
0x8100	IEEE802.1Q（VLAN）
0x8808	IEEE802.3x（フロー制御）
0x8809	IEEE802.1ax，IEEE802.3ad（リンクアグリゲーション）
0x8137	PPPoE Discovery Stage
0x8864	PPPoE Session Stage

試験に出る

MTUの値（1500バイト）に基づき，TCPペイロード長（IPヘッダとTCPヘッダを差引いた長さ）を求める問題が令和5年午前Ⅱ問5で出題された。
イーサネットのMTUがペイロード（IPパケット）の最大長であることについて，平成30年午前Ⅱ問4で出題された

●データ

データリンク層のペイロード，すなわち，ネットワーク層のパケットが格納される。

イーサネットの**MTU**（Max Transmission Unit：最大データ転送長），すなわち，ペイロードの最大サイズは，1500バイトである。

●FCS

FCS（Frame Check Sequence，フレームチェックシーケンス）は，宛先MACアドレスからデータ領域までのビット列に基づいて生成される，誤り検出用のデータである。このデータ生成には32ビットのCRC（巡回冗長検査）が用いられている。受信端末はFCSを用いて誤りを検出し，正常であれば上位層にデータを渡す。誤りがあればフレームを破棄し，再送要求は行わない。

1.2.3　IEEE802.3規格のフレームフォーマット

詳説

IEEE802.3規格では，データ長の領域に設定される最大値は1,500バイトであり，これを16進数で表すと「0x05DC」となる。一方，DIX規格では，タイプ領域に設定される値は「0x0600」以上のものが規定されている。したがって，IEEE802.3規格とDIX規格は一
（次ページに続く）

MACフレームには，DIX規格の他に，フレームフォーマットの異なる**IEEE802.3規格**がある。スパニングツリープロトコルの**BPDU**フレーム（IEEE802.1D）など，TCP/IP以外の通信ではIEEE802.3規格が使用されている。

IEEE802.3規格のフレームフォーマットを次に示す。DIX仕様との相違点は，「プリアンブル」領域が「プリアンブル」と「SFD」に分かれていること（ただし，ビット配列は同じ），「タイプ」領域が「データ長」に置き換わっていること，「データ」領域にLLCヘッダが含まれていることである。

(8)	(6)	(6)	(2)	(46〜1500)	(4)
プリアンブル／SFD	宛先MACアドレス	送信元MACアドレス	データ長	LLCヘッダ＋データ	FCS

注：( )内の数字はオクテット長を表す。

図：IEEE802.3 規格のフレームフォーマット

1.2.4　IEEE802.2 規格のフレームフォーマット

　IEEE802 ワーキンググループは，データリンク層を上位の LLC（Logical Link Control）と下位の MAC（Media Access Control）の二つの副層に分け，別々に標準化している。

　LLC 副層は IEEE802.2 で規格化されており，メディア（物理媒体）に依存することなく，同じ手順でデータ転送を行う機能を提供している。つまり，メディアの違いを吸収して，上位層（ネットワーク層）から統一的に扱えるよう，LLC 副層が設けられている。

　MAC 副層は，上位層（LLC 副層）で規定された手順に従い，物理媒体を制御してビット転送を行う機能を提供する。イーサネット（IEEE802.3）や無線 LAN（IEEE802.11）は，MAC 副層と物理層について規定している。MAC 副層の規定には，メディアアクセス制御である CSMA/CD などがある。物理層の規定には，CSMA/CD で使用するケーブルの仕様などがある。

●LLC ／ SNAP カプセル化

　LLC は IEEE802.2 で標準化され，データリンクサービス（コネクション型又はコネクションレス型）を上位層へ提供する機能を有する。次の3種類が規定されており，イーサネット（IEEE802.3），無線 LAN（IEEE802.11）では「タイプ1」が使用されている。

表：LLC タイプ

タイプ	サービス	内　容
1	コネクションレス型サービス	単純なベストエフォートのサービス
2	コネクション型サービス	HDLC を基に規格化された，コネクション型のサービス
3	確認応答コネクションレス型サービス	コネクションレス型なので，コネクションの確立，再送制御，フロー制御を行わないが，確認応答をサポートするサービス

LLC は SAP（Service Access Point）識別子を用いることで，端末内の DTE（Data Terminal Equipment，データ端末装置）を識別する。宛先 SAP（DSAP：Destination SAP）は宛先端末に複数の DTE がある場合の端末番号で，送信元 SAP（SSAP：Source SAP）は送信元端末に複数の DTE がある場合の端末番号である。

しかし，SAP 領域は長さが 1 バイトであるため，識別できる数が最大 256 種に限られている。そこで，より多くのサービスを指定できるよう，SNAP（Sub-Network Access Protocol）によるカプセル化が行われている。RFC1042 では，IEEE802.3（DIX 仕様は除外），IEEE802.4 及び IEEE802.5 で IP データグラムと ARP フレームを伝送する際，SNAP カプセル化を使用しなければならないと規定している。SNAP でカプセル化する場合，DSAP と SSAP の値を「0xAA」に設定する。このとき，LLC 制御フィールドに続く 5 バイトが，SNAP の二つのフィールドとして解釈される。

LLC タイプ 1 SNAP のフレームフォーマットを次に示す。

(8)	(6)	(6)	(2)	(46～1500)	(4)
プリアンブル／SFD	宛先MACアドレス	送信元MACアドレス	データ長	LLCヘッダ＋データ	FCS

IEEE802.3

(1)	(1)	(1)	(43～1497)
宛先SAP	送信元SAP	制御	データ

LLCタイプ1

(3)	(2)	(38～1492)
OUI	プロトコル識別子	データ

SNAP

注:(　)内の数字はバイト長を表す。

DSAP SSAP	スパニングツリーのBPDUは0x42。IPデータグラム，ARPフレームは0xAA（SNAPカプセル化）
制御	BPDU, IPデータグラム，ARPフレームはHDLCプロトコルのUI（Unnumbered Information）に相当するため，0x03
OUI	Organizationally Unique Identifier。後続のプロトコル識別子が属する組織を示す。IPデータグラム，ARPフレームは00-00-00
プロトコル識別子	上位層のプロトコルを示す。OUIが00-00-00の場合，DIX仕様のタイプと同じ値が採用される。IPデータグラムは08-00，ARPフレームは08-06

図：LLC タイプ 1 ／ SNAP のフレームフォーマット

Column ▶▶▶

予約されたマルチキャストアドレス

IEEE802.1D 規格と IEEE802.1Q 規格は，01-80-C2-00-00-00 ～ 0F のマルチキャストアドレスグループを，特殊な用途に割り当てている。一例を次の表に示す。ここに掲載したマルチキャストアドレスを宛先とするフレームは，一部の例外を除き，フラッディングしないことが定められている。

詳しくは，下記の URL に掲載されている。

https://standards.ieee.org/develop/regauth/grpmac/public.html

表：予約されたマルチキャストアドレスの例

アドレス	用　途
01-80-C2-00-00-00	STP（スパニングツリープロトコル：IEEE802.1D）（第 6 章を参照）
	MSTP（IEEE802.1s）
	RSTP（IEEE802.1D:2004（旧 IEEE802.1w））
01-80-C2-00-00-01	IEEE802.3x の PAUSE フレーム
01-80-C2-00-00-02	スロープロトコル
	IEEE802.1ax，IEEE802.3ad の LACP（Link Aggregation Control Protocol）（第 6 章を参照）
	IEEE802.3af の OAM（Operations, Administration, and Maintenance）
01-80-C2-00-00-03	IEEE802.1X（第 8 章を参照）
	隣接するブリッジ間でやり取りされるマルチキャストフレーム ブリッジはこれをフラッディングしない （ただし，Two-Port MAC Relay は，このフレームを転送する）

さらに，「DIX 規格のフレームフォーマット」で解説したとおり，「01-00-5E-xx-xx-xx」のマルチキャストアドレスは，IP マルチキャストパケットの転送に用いられる。これもブリッジによってフラッディングされる。

なお，ここに述べたマルチキャストアドレスは全て，I/G ビットが「1:Group」にセットされている。

1.3 ・ 無線 LAN

　無線 LAN は，屋内の LAN だけでなく，街中での公衆無線 LAN インターネット接続など，至るところで利用されている。しかし，無線という媒体共有型のネットワークであるがゆえに，スループットの低下，通信範囲の制限，通信の傍受などの問題が生じる。それらを克服すべく新しい規格が策定されたり，ベンダ独自の技術が用いられたりしている。

　本節では，主に規格の基本知識を解説する。セキュリティは本書の第 8 章を参照していただきたい。無線 LAN 技術は午後試験の設計問題でしばしば登場するので，基本知識をしっかり身に付けて応用問題に対応できるようにしておく必要がある。

1.3.1 無線 LAN の種類と仕様

試験に出る

無線 LAN の導入について，平成 29 年午後Ⅱ問 2，平成 25 年午後Ⅱ問 1 で出題された。無線 LAN の標準規格について，平成 25 年午前Ⅱ問 3 で出題された。

ZigBee について，平成 29 年午前Ⅱ問 1，平成 27 年午後Ⅱ問 2，平成 22 年午前Ⅱ問 1 で出題された。

　無線 LAN は IEEE802.11 ワーキンググループにより標準化されている。アクセス制御方式として CSMA/CA を採用している点がイーサネットと異なる。

　IEEE802.11 規格以外の無線 LAN 技術には半径 10 ～ 20m 以内のパーソナルエリアをターゲットにした無線 PAN（PAN：Personal Area Network）があり，IEEE802.15 ワーキンググループによって標準化されている。無線 PAN の主な規格として，Bluetooth（IEEE802.15.1），ZigBee（IEEE802.15.4）がある。

　本書では午後試験の出題頻度を考慮し，IEEE802.11 を中心に解説する。特に断りのない限り「無線 LAN」という語は IEEE802.11 を指すものとする。

● WiFi

　無線 LAN 機器ベンダの業界団体である **Wi-Fi Alliance** は，製品を試験し標準仕様を満たしたら「Wi-Fi Certified」（Wi-Fi 認証）を付与している。この制度が生まれた背景として，IEEE801.11 が標準化された当初，仕様解釈の相違により他社製品と接続できないトラブルに見舞われ，無線 LAN を普及させるには業界全体で解決する必要性が生じたことが挙げられる。こうして同団体が発足し，認証制度を導入したことで，標準仕様を満たし相

互接続性が保証された上で競争原理が働くようになり，付加的な機能や価格面で優れた製品が市場に出回るようになった。こうした活動が功を奏し，今日見られるように無線LANはあまねく使われている。

Wi-Fiアライアンスは，幾つかのWi-Fi規格を定義している。今日の高速無線LANの基礎となる数々の技術を標準化したWi-Fi 4以降の規格を次の表に示す。

表：無線LANの主な規格

諸元		Wi-Fi 4	Wi-Fi 5	Wi-Fi 6
IEEE802.11 規格		IEEE802.11n	IEEE802.11ac	IEEE802.11ax
最大通信速度（理論値）		600Mbps	6.9Gpbs	9.6Gbps
周波数帯	2.4GHz	○	×	○
	5GHz	○	○	○
	6GHz	×	×	○（6Eが対応）
変調方式		64-QAM	256-QAM	1024-QAM
空間分割 多重方式	MIMO	4ストリーム	8ストリーム	8ストリーム
	MU-MIMO	×	4台（下りのみ）	8台
多重方式		OFDM	OFDM	OFDMA
チャネル幅 [MHz]		20/40	20/40/80/160	20/40/80/160

注）「下り」はアクセスポイントから端末の方向を指す

Wi-Fi規格は，ある特定のIEEE802.11規格に対応している。例えば，Wi-Fi 6規格はIEEE802.11ax規格に対応している。ただし，厳密に言うと，両規格の守備範囲は必ずしも一致しているとは限らない。

● 高速化技術

今日の無線LAN通信を支える高速化技術のうち，主なものを以下に説明する。

ここに挙げた技術のうち，多重方式のOFDMはWi-Fi 4より前から標準化されていたが，MIME，チャネルボンディングはWi-Fi 4から標準化された。これらを併用することで，Wi-Fi 4以降，1チャネルあたりの伝送速度は大幅に増加した。これらの技術は，今なお継続的に改良が加えられている。

●MIMO

MIMO（Multiple Input Multiple Output）は，送信データを複数のストリーム（信号）に分割し，各ストリームをそれぞれ異な

詳説

Wi-Fi 6の特長の一つに，多数端末の同時利用性の向上がある。ここに述べているMU-MIMO，OFDMAがこれに該当する。後述の「●CSMA/CA」の「●BSSカラー」で説明しているBSSカラーもそうである。

るアンテナを使って同時に伝送することで高速化を実現する技術である。

たとえば，送信側／受信側がそれぞれ2本のアンテナをもつとき，2本のストリーム数を使用できる（送信側／受信側のアンテナ数が異なるとき，少ない側の本数だけストリーム数が作られる）。伝送速度は，ストリーム数に比例して増加する。

Wi-Fi 4で標準化されたMIMOは，アクセスポイントと端末間の通信を時分割多重方式（アクセスポイントは同時に1台の端末とだけ通信し，一定期間ごとに端末を切り替える方式）で行う。Wi-Fi 5で標準化されたMU-MIMO（Multi User MIMO）はこの点を改良し，アクセスポイントと複数の端末の間で同時に通信することができる。

●多重方式

OFDM（Orthogonal Frequency Division Multiplexing，直交周波数分割多重方式）は，高速無線通信で使用されている多重化方式の一つである。これは，1個のチャネルに複数の搬送波（サブキャリア）を共存させ，サブキャリアごとにデータ信号を変調し，相互に干渉することなく同時に伝送する技術である。Wi-Fi 4より前から無線LANで使用されている。

OFDMは，1チャネルの通信を時分割多重方式（1チャネルを同時に利用できる端末は1台だけであり，一定期間ごとに端末を切り替える方式）で行う。つまり，割り当てられた期間内では，チャネル内の全てのサブキャリアを1台の端末が占有する。

Wi-Fi 6で標準化されたOFDMA（Orthogonal Frequency Division Multiple Access）はこの点を改良し，チャネル内のサブキャリアを複数のグループに分割し，それぞれのグループを別々の端末に割り当てて同時に通信することができる。それゆえ，アクセスポイントに多数の端末が接続する場合，従来のOFDMに比べて通信効率が向上する。

●チャネルボンディング

チャネルボンディングは，隣り合うチャネルを束ねて一つのチャネルにする技術である。このように束ねた結果，高速なチャネルが一つ存在しているように見える。

無線LANは，一つのチャネルの帯域幅を20MHz幅に定めている。チャネルボンディングを用いると，束ねるチャネル数に比例してチャネル幅が大きくなる。例えば，8個束ねたら160MHz幅になる。無線LAN通信に割り当てられたチャネルの中から，隣接チャネルを任意に束ねて高速チャネルとし，残りを通常のチャネルとして使用することができる。

チャネルボンディングで二つのチャネルを束ねたら帯域幅は2倍になるが，OFDMのサブキャリア数を2倍以上（2倍より僅かに多い程度）にできるので，この効果により伝送速度を実質2倍以上に増やすことができる。

チャネルボンディングにより高速チャネルを作ると，利用可能なチャネル数が減ってしまう。そのため，アクセスポイント間で干渉しないように，アクセスポイントを適切に配置する必要がある。1台のアクセスポイントに多数の端末が接続する環境では，**CMSA/CA**（詳しくは後述）の働きにより，端末間の干渉を避けようとするため各端末の待機時間が長くなり，かえってスループットが低下する可能性がある。

●マルチバンド

複数の周波数帯を同時に用いて通信する無線技術を，一般的にマルチバンドという。

Wi-Fi 4が標準化された当時，無線LAN通信に割り当てられた周波数帯は，2.4GHz帯と5GHz帯の二つであった。Wi-Fi 4はこれら二つを同時に利用することができる。これをデュアルバンドという。つまり，二つのチャネル（2.4GHz帯から一つ，5GHz帯から一つ）を同時に利用できるので，多くの端末数が接続できるようになる。

Wi-Fi 6は，5GHz帯を二つに区別し（一つ目はW52/W53，二つ目はW56），2.4GHz帯と合わせて，合計三つの周波数帯を同時に利用することができる。これをトライバンドという。つまり，三つのチャネル（2.4GHz帯から一つ，5GHz帯から二つ）を同時に利用できるので，より多くの端末数が接続できるようになる。

現在，無線LAN通信に割り当てられている周波数帯に，6GHz帯が加わっている。Wi-Fi 6Eは，6GHz帯，5GHz帯（W52/

試験に出る

IEEE802.11axのトライバンド，チャネルボンディングについて，令和5年午後I問3で出題された。

チャネルボンディングとMIMOを使用した場合の伝送速度について，平成29年午後II問2で出題された。

IEEE802.11nのMIMO，チャネルボンディング，フレームアグリゲーションについて，平成24年午後I問3で出題された。

IEEE802.11n/acの多重化方式がOFDMであることについて，令和5年午前II問2，令和3年午前II問3，令和元年午前II問3，平成30年午前II問1，平成28年午前II問2，平成24年午前I問2，平成24年午前II問3で出題された。

IEEE802.11nのチャネル幅が20MHzと40MHzであることについて，平成25年午前II問3で出題された

W53），5GHz帯（W56）2.4GHz帯の合計四つの周波数帯を同時に利用することができる。これをクアッドバンドという。

　当然ながら，チャネルボンディングで束ねられた高速チャネルを，マルチバンド技術で同時利用するチャネルとして選択することができる。それゆえ，Wi-Fi 5以降は最大8チャネルを束ねるので，5GHz帯（W52/W53）から一つ，5GHz帯（W56）から一つ，6GHz帯から一つ，高速チャネル（160MHz幅）を選択できるわけだ。

● 周波数帯

　無線LANは，2.4GHz帯，5GHz帯，6GHz帯の一部または全部を利用する。周波数帯の特性を考慮に入れて，無線LAN端末が使用する周波数帯を選択するとよい。

● 2.4GHz帯

　2.4GHz帯は3個のチャネルを同時に使用できる。より正確に言うと，規定されているチャネル数は13個であるが（IEEE802.11g以降），チャネル同士で帯域が重なり合っているため，事実上，3チャネルとなる。

　2.4GHz帯の長所は，電波が届く距離が長く障害物に強いことである。一方，2.4GHz帯の短所は，ISMバンド（Industrial Scientific and Medical band，産業科学医療用バンド）を使用していることから，電子レンジ，Bluetooth端末等の発する電波と干渉する可能性があることだ。原理的にはチャネルボンディングによる高速チャネル（40MHz幅）を一つ確保できるが，たとえ端末の台数が少ないとしても，ISMバンド特有のノイズの影響があるため不安定であり，期待どおりの通信品質が得られない可能性がある。

● 5GHz帯

　5GHz帯は20個のチャネルを同時に使用できる（2019年7月以降）。連続領域が二つに分かれており，前半（W52/W53）は8個，後半（W56）は12個のチャネルが割り当てられている。それゆえ，チャネルボンディングによる高速チャネル（160MHz幅）を二つ（W52/W53から一つ，W56から一つ）確保できる。

チャネルボンディングによる高速化の効果を踏まえると，2.4GHz と比較したときの 5GHz 帯の長所として，伝送速度の速さを挙げることができる。これに加え，2.4GHz のような ISM バンド特有の干渉がなく安定していることも長所である。一方，5GHz 帯の短所は，電波が届く距離が短く障害物に弱いことである。

5GHz 帯の W53/W56 周波数帯は，気象／船舶／航空レーダーと周波数帯が重なっているので，干渉する可能性がある。この干渉を回避する仕組みが DFS（Dynamic Frequency Selection）機能である。これは，気象／船舶／航空レーダーの電波を検知したとき，それとの干渉を避けるために W52 のチャネルに切り替える機能である。チャネルの切替えには一定の時間（60 秒）がかかり，その間は端末の通信が停止してしまう（なお，ベンダ依存であるが，この停止時間を短くする仕組みを備えた製品がある）。

●6GHz帯

6GHz 帯は 24 個のチャネルを同時に使用でき（2022 年 9 月現在），Wi-Fi 6E がこの周波数帯に対応している。チャネルボンディングによる高速チャネル（160MHz 幅）を三つ確保でき，5GHz より多くの端末が通信できる。

6GHz 帯は，2.4GHz のような ISM バンド特有の干渉がないだけでなく，5GHz 帯のような気象／船舶／航空レーダーとの干渉がなく，DFS による停波がない。したがって，6GHz 帯の長所は，5GHz より多くの端末を収容し，かつ，より安定した通信を行えることである。一方，6GHz 帯の短所は，5GHz と同様に電波が届く距離が短く障害物に弱いことである。

● アクセスポイント

今日の無線 LAN 環境は，アクセスポイント（以下，AP と称する）を介した通信形態で構築するのが一般的である。AP とは，無線 LAN におけるブリッジである。AP を使用せず，端末同士が直接通信する形態を採ることもできる。

AP を使用するとき，端末の通信モードをインフラストラクチャモードに設定する。AP を使用しないとき，端末の通信モードをアドホックモードに設定する。

詳説

5GHz 帯 は，W52, W53, W56 の三つの周波数帯に分かれている。このうち，W52 とW53 は連続した周波数帯であり，8 個のチャネルを割り当てられている。W56 は 12 個のチャネルを割り当てられている。トライバンドやクアッドバンドは 5GHz 帯を二つのバンド（一つ目は W52/W53，二つ目は W56）に区別している。

屋外で利用できる周波数帯は，2.4GHz 帯，5GHz 帯の一部（W56，条件付きで W52），及び，6GHz 帯である（2018 年時点）

試験に出る

トライバンドは，5GHz 帯の周波数帯を「W52/W53」と「W56」に区別していることについて，令和 5 年午後Ⅰ問 3 で出題された。

気象／船舶／航空レーダーと干渉する周波数帯（W53/W56），及び，衝突回避機能（DFS）について，令和 5 年午後Ⅰ問 3 で出題された。

IEEE802.11n/ac のそれぞれで使用される周波数帯について，令和 5 年午前Ⅱ問 15，令和 3 年午前Ⅱ問 15，平成 30 年午前Ⅱ問 12，平成 29 年午後Ⅱ問 2 で出題された

詳説

アドホックモードで自動生成されるBSS IDは，I/G（Individual/Group）ビットが「0」で，G/L（Global/Local）ビットが「1」にセットされ，残り46ビットを乱数が占める。端末のMACアドレスはI/Gビットが「0」，G/Lビットが「0」であり，マルチキャストアドレスはI/Gビットが「1」，G/Lビットが「0」なので，BSS IDはどのアドレスとも重複しない値になる

同一環境に複数のESSを設け，ESS IDごとにVLANを登録する技術について，平成21年午後I問1で出題された

● 無線LANセグメント

無線LANのセグメントは，**BSS**と**ESS**の二つに大別される。

• BSS（Basic Service Set）

インフラストラクチャモードにおいては，1台のAPがカバーする無線LANのセグメントである。

アドホックモードにおいては，通信し合う1対の端末のみで構成された無線LANのセグメントである。IBSS（Independent BSS）とも呼ばれる。

BSSを識別するため，48ビットの長さをもつBSS IDが自動的に設定される。

インフラストラクチャモードでは，APのMACアドレスがBSS IDに採用される。アドホックモードではAPを使用しないため，ユニークなBSS IDを生成する。

• ESS（Extended Service Set）

1台のAPだけでは電波の到達距離に限界がある。そこで，AP同士を有線LANなどで接続し，より広い範囲をカバーできるように無線LANセグメントを構成する。これを**ESS**という。

AP同士を結んだネットワークをDS（Distribution System）という。なお，DSは一般に有線LANだが，AP同士が無線LANで通信し合うWireless DS（WDS）も構成可能である。

同一環境に複数のESSを構築することができる。そこで，ネットワークを構築する際，ESSを識別するために**ESS ID**を設定する。ESS IDは，最大32文字までの英数字で表される。なお，ESS IDを**SSID**（Service Set ID）と呼ぶことが多い。

● 端末によるAPの検知と接続

APは，ビーコン信号を定期的に発信し，近辺の端末に自らの存在を知らしめている。通常，そのビーコン信号の中に自分のSSIDを格納しているので，端末は近辺のAPが発信しているSSIDを受信し，利用者に表示している。

このように，端末がSSIDを受動的に入手する方法を，パッシ

ブスキャンと呼ぶ。通常，この方法が用いられる。

　端末は，複数の AP からそれぞれ異なる SSID を受信すること
があるので，利用者は自分の SSID を指定して AP に接続する。
その後，PSK 認証や RADIUS 認証など，AP に設定された認証
の手続きに成功すれば，同 AP を経由して無線 LAN 通信を行う
ことができる。

　SSID を指定せずに，通信状態が最も良い AP に接続すること
も可能である。これを **ANY 接続**という。この ANY 接続を端末
が試みた場合，AP がこの接続を許可したときは，当該端末はそ
の AP の ESS に収容された上で通信ができる。一方，AP がこの
接続を拒否したときは，当然ながらその AP を介した通信ができ
ないので，適切な SSID に設定し直してから接続を試みなければ
ならない。

　AP は，正当な端末だけが接続できるようにするアクセス制御
機能を備えている。これには，SSID 隠蔽，ANY 接続拒否，
MAC アドレスフィルタリングといった複数の方法があり，それら
を組み合わせて用いることができる。

　アクセス制御機能について詳しくは「1.3.3 AP と無線 LAN コ
ントローラ」の「●アクセス制御機能」で解説しているので，参
照していただきたい。

●CSMA/CA

　無線 LAN は媒体共有型のネットワークであるため，複数の端
末が同時にフレームを送信すると衝突が発生してしまう。しかし，
無線通信の場合は受信レベルが不安定であるため，衝突を検出
できない可能性がある。そこで，無線 LAN ではアクセス制御方
式として **CSMA/CA**（Carrier Sense Multiple Access with
Collision Avoidance，搬送波感知多重アクセス／衝突回避）方式
を採用している。

　簡単に説明すると，これは衝突を検出するのではなく，衝突を
回避する方法を採っている。CSMA/CA 方式では，**ACK**
（Acknowledgement，確認応答）制御方式と **RTS/CTS**（Request
To Send ／ Clear To Send）制御方式の二つの方式が規格化され
ている。

試験に出る

CSMA/CA について，令和 3
年午前II問 5，平成 30 年午前
II問 2 で出題された

試験に出る

媒体共有型の通信である以上，
多数の端末一斉に通信すれば，
当然ながら各端末の実効転送
速度が低下し，通信遅延も発
生するはずである。
平成 23 年午後I問 1 では，そ
の着眼点について出題された

●ACK制御方式

ACK制御方式では，次の手順に従って通信を行う。

1. 送信端末は，通信中の端末が他にないことを確認する。
2. 端末は，送信前にランダム時間待つ。この期間を「コンテンションウィンドウ」又は「バックオフウィンドウ」という。この仕組みにより，直前の通信が終了してから一定時間が経過した後で，複数の端末が一斉に送信する事態を防ぐことができる。
3. 送信端末は，データフレームを送信する。フレームのデュレーション領域には通信を予約する時間が格納される。この時間をNAV（Network Allocation Vector，ネットワーク割当てベクタ）という。他の端末は，フレームを受信するとNAV値を更新し，その予約期間が満了するまで送信を行わない。この仕組みにより，送信が完了するまで衝突が回避される。
4. 正常に通信できたら，APはACKフレームを送信端末に返信する。なお，ACKフレームのNAV値には「0」がセットされる。
5. 送信端末はACKフレームを受信する。一定期間内にACKフレームを受信できなかった場合，通信障害が発生したと判断してフレームを再送する。

詳説

ACKフレームのNAV値に「0」がセットされるのは，フラグメンテーションが発生しないときである。通常は「0」がセットされる

次の図は，ACK制御方式において，端末Aがフレームを送信し，次に端末Bが送信するまでの様子を示している。NAVにはACKフレームの送信が終わる時間までが含まれている。よって，端末Aの送信が完了するまで，他の端末に邪魔されることはない。

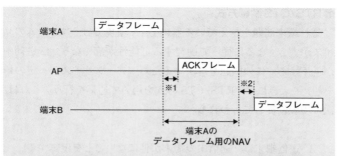

※1：SIFS（Short Inter-Frame Space）と呼ばれる期間，AP は待機する。
※2：DIFS（Distributed Inter-Frame Space）と呼ばれる期間，端末 B は待機する。その後，手順2で解説したコンテンションウィンドウだけさらに待機する。

図：ACK 制御方式で送信が行われる様子

●隠れ端末問題

次の図に示すように，端末 A と端末 B の間に遮蔽物があったり，端末 A と端末 B の距離が離れていたりする場合，端末 A から送信された電波は AP に届くが端末 B には届かない。これを「隠れ端末問題」という。このとき，衝突回避が行えなくなる。

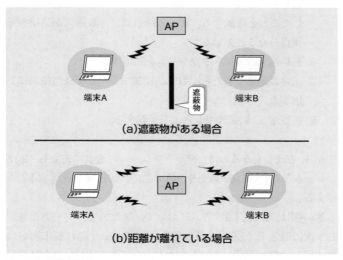

図：隠れ端末問題

● RTS/CTS制御方式

　隠れ端末問題を抱えている無線 LAN 環境では，フレームのサイズが大きくなるに従って衝突する可能性が高くなり，伝送効率が低下する。この問題を解決するため，データサイズが一定の値を超えたときには，RTS/CTS 方式を用いて通信を行う。これは，次の手順に従って行われる。

1. 送信端末は，通信中の端末が他にないことを確認する。
2. 送信する前に，端末はコンテンションウィンドウの時間，待機する。
3. 送信端末は，RTS フレームを送信し，AP に対しての送信権の獲得を要求する。フレームのデュレーション領域には，RTS フレーム用の NAV 値が格納されている。
4. AP は当該端末に送信権を割り当てる。それを全ての端末に通知するため，CTS フレームを送信する。全ての端末は，AP とは通信できるので，CTS フレームを受信する。フレームのデュレーション領域には，CTS フレーム用の NAV 値が格納されている。
5. 送信端末は CTS フレームを受信し，自分が送信権を獲得したことを確認する。残りの端末は，当該端末が送信権を獲得したことを知る。
6. 送信端末は，データフレームを送信する。
7. 正常に通信できたら，AP は ACK フレームを送信端末に返信する。
8. 送信端末は ACK フレームを受信する。

　ACK 方式と異なるのは，データフレームの送信に先立ち，RTS フレームと CTS フレームをやり取りして，送信権を獲得することである。

　次の図は，RTS/CTS 方式において，端末 A がフレームを送信し，次に端末 B が送信する様子を示している。隠れ端末問題は端末同士の位置関係に起因しており，全ての端末は AP とは通信できる。よって，少なくとも CTS フレームを受信できるので，その NAV 値が満了するまでの間，衝突を回避することができる。

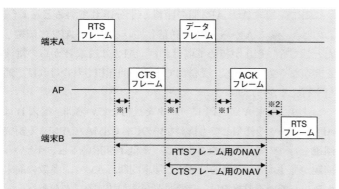

※1：SIFS（Short Inter-Frame Space）と呼ばれる期間，APは待機する。
※2：DIFS（Distributed Inter-Frame Space）と呼ばれる期間，端末Bは待
　機する。その後，手順2で解説したコンテンションウィンドウだけさ
　らに待機する。

図：RTS/CTS方式で送信が行われる様子

●さらし端末問題

　次の図に示すように，端末間の距離が近い場合，CSMA/CA
による衝突回避が生じやすくなる。図の中で，AP1，AP2は同じチャ
ンネルを使用し，端末Aは最近傍のAP1に接続し，端末Bは最
近傍のAP2に，それぞれ接続している。

　端末Aと端末Bの距離が近いとき，互いに相手の電波を検知
できる。両端末は同じチャネルを使用して通信するので，端末A
がAP1にデータを送信している間，端末Bはこれを検知し，
AP2への送信を抑制する。

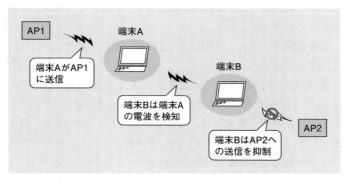

図：さらし端末問題

ここで，端末 A と AP2 間の距離が十分離れているとしよう。このとき，端末 A から AP1 へ送信している電波が AP2 に伝搬したとしても，それが極めて弱ければ，AP2 は端末 B からの電波を問題なく受信できる。受信側で干渉が問題視されなければ，通信を行えるからだ。

つまり，端末 A が AP1 にデータを送信している間，端末 B は AP2 にデータを送信しても構わないのに，CSMA/CA による衝突回避を行うので，無駄なスループット低下を招いてしまうという問題が発生する。これを「さらし端末問題」という。多数の端末が密集している環境では，この問題が深刻化することがある。

●BSSカラー

さらし端末問題を解決し，多数端末の同時利用性を高めるため，Wi-Fi 6 は BSS カラーを標準化した。これは，AP を識別する技術，言い換えれば，BSS（1 台の AP がカバーする無線 LAN セグメント）を識別する技術である。

BSS カラーは，フレームの先頭部分（プリアンブル）埋め込まれている。端末は，AP に接続した時点で，自分が所属する BSS カラーを認識している。さらに，ビーコン信号やフレームを受信することで，近傍の AP や端末の BSS カラーを知ることができる。

CSMA/CA の衝突回避を行う際，他端末が送信したフレームの BSS カラーが自分と同じであれば，自分とその端末は同じ AP を使用しているわけだから，従来どおり衝突を回避する。一方，BSS カラーが異なれば，その必要がないと判断する。BSS カラーはフレームの先頭部分を読み取れば分かるので，その判断を即座に行うことができる。

今の説明を，上記の「図：さらし端末問題」で説明した状況に当てはめてみよう。

端末 A は AP1 に接続し，端末 B は AP2 に接続し，それぞれが自分の BSS カラーを認識している。端末 A が AP1 にデータを送信している間，端末 B はこの電波を受信する。このとき，端末 B は，端末 A の BSS カラーが自分とは異なることを識別できるので，CSMA/CA の衝突回避を行わない。したがって，端末 B は，送信 A が送信している最中に AP2 にデータを送信することができるので，無駄なスループットの低下が生じなくなる。

詳説

端末は，異なる BSS カラーのフレームを受信した際，衝突回避の要否を閾値によって判断している。この閾値を適宜調整しながら通信を行う。

端末は，自 BSS の接続先 AP に送信する電波の出力を自動的に小さくする仕組みを備えており，周辺の他 BSS に対して「さらし端末問題」を引き起こさないようにしている。これは自端末の省電力化にも役立っている

1.3.2 無線LAN規格のフレームフォーマット

　IEEE802.3と同様，IEEE802.11はデータリンク層をLLC副層とMAC副層の二つの副層に分け，物理層とMAC副層の仕様を規格化している。LLC副層は，LLCタイプ1を用いる。

　IEEE802.11には様々な伝送速度をもつ規格が存在している。とはいえ，フレームフォーマットは，データリンク層以上の部分はどれも同じである。

　端末が送受信するデータフレームのフォーマット（全体）を次に示す。

試験に出る

IEEE802.11フレームフォーマットについて，平成24年午後I問2，平成21年午後II問1で出題された

図：IEEE802.11データフレームのフォーマット（全体）

　データフレームのフォーマット（データリンク層以上）を次に示す。

(2) フレーム 制御	(2) デュレー ション/ID	(6) アドレス 1	(6) アドレス 2	(6) アドレス 3	(2) シーケンス 制御	(6) アドレス 4	(0〜2312) LLCヘッダ＋データ	(4) FCS

MACヘッダ

注:（　）内の数字はバイト長を表す。
　　アドレス4はオプションであり，WDSのときに使用される。

図：IEEE802.11データフレームのフォーマット（データリンク層以上）

　フレーム制御領域は，フレームのタイプ（管理用／制御用／データ用），WEP暗号化の有無，ToDS，FromDSなどを設定する。

表：フレームタイプ領域（データフレームの場合）

	0のとき	1のとき
ToDS	宛先が端末	宛先がAP
FromDS	送信元が端末	送信元がAP

　　デュレーション /ID 領域は，端末がデータを送信できるように
なるまでの待機時間などを表す。

　　アドレスは 4 種類あるが，この点について詳しくは「● 通信形
態」で後述する。

● フレームアグリゲーション

　　フレームアグリゲーションは，宛先が同じ複数のフレームを連
結して送信する技術である。CSMA/CA 方式におけるスループッ
トの低下を軽減するために，IEEE802.11n から導入された。

　　IEEE802.11 は，CSMA/CA 方式を用いてフレームの衝突を回
避している。CSMA/CA 方式は，その仕組み上，スループットの
低下をもたらす要因を二つ抱えている。

　　CSMA/CA 方式では，送信端末がフレームを送信するたびに，
受信端末は確認応答を返信する仕組みになっている。つまり，フ
レーム送信と確認応答の 1 往復のやり取りがセットになっている。
したがって，スループットの低下をもたらす一つ目の要因として，
「フレームを送信するたびに，確認応答が発生すること」を挙げ
ることができる。

　　さらに，CSMA/CA 方式は，フレームの衝突を回避するため，
ある端末が送信している間（つまり，CSMA/CA 方式の 1 往復の
やり取りが完了するまでの間），残り全ての端末は送信を差し控
える仕組みになっている。したがって，スループットの低下をも
たらす二つ目の要因として，「端末がフレームを送信している間，
送信待ち時間が発生すること」を挙げることができる。まとめると，
CSMA/CA 方式におけるスループットの低下要因は，「確認応答」
と「フレームの送信待ち時間」である。

　　フレームアグリゲーションを使用することによって，フレーム
を 1 個ずつ送信する従来の方法と比べると，「確認応答」と「フレー
ムの送信待ち時間」の回数を減らすことができる。したがって，
全フレームの送信にかかる所要時間を短縮できるので，CSMA/
CA 方式におけるスループットの低下が軽減される。

試験に出る

IEEE802.11n のフレームアグリ
ゲーションについて，平成 24
年午後I問 3 で出題された

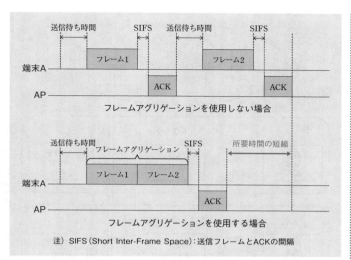

注）SIFS（Short Inter-Frame Space）：送信フレームとACKの間隔

図：フレームアグリゲーションによる所要時間の短縮

　なお，フレームアグリゲーションを使用すると，1フレーム当たりの送信時間が長くなるので，無線チャネルを占有する時間が長くなる。この結果，他の端末の送信待ち時間も長くなってしまう。

● 通信形態

　無線LANの通信形態は4種類ある。それぞれの通信形態によって，アドレス領域に格納される値は異なる。各通信形態を次に示す。

詳説

無線LAN通信ではAPが中継するので、通信形態によっては、無線LANフレームを送信／受信する機器がAPになる。つまり、無線LANフレームの送信機が、データリンク層の送信元と同じであるとは限らない。同様に、無線LANフレームの受信機が、データリンク層の宛先と同じであるとは限らない。

IEEE802.11フレームは、送信元／宛先だけでなく、送信機／受信機のMACアドレスを格納することにより、送信元と送信機の区別、宛先と受信機の区別を行うことができる。

IEEE802.11フレームのアドレス1には、無線LANフレームの受信機のMACアドレス（RA：Receiver Address）が格納される。アドレス2には、無線LANフレームの送信機のMACアドレス（TA：Transmitter Address）が格納される。

通信形態①は、RA＝DAとなり、TA＝SAとなる。

通信形態②は、RA＝DAとなり、TA＝「APのMACアドレス」となる。

通信形態③は、RA＝「APのMACアドレス」となり、TA＝SAとなる。

通信形態④は、RA＝「受信側APのMACアドレス」となり、TA＝「送信側APのMACアドレス」となる

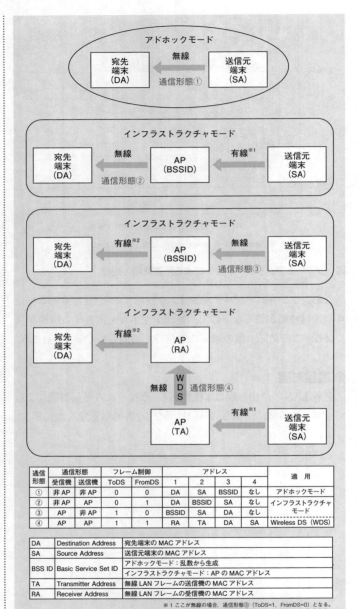

通信形態	通信形態 受信機	通信形態 送信機	フレーム制御 ToDS	フレーム制御 FromDS	アドレス 1	アドレス 2	アドレス 3	アドレス 4	適用
①	非AP	非AP	0	0	DA	SA	BSSID	なし	アドホックモード
②	非AP	AP	0	1	DA	BSSID	SA	なし	インフラストラクチャモード
③	AP	非AP	1	0	BSSID	SA	DA	なし	インフラストラクチャモード
④	AP	AP	1	1	RA	TA	DA	SA	Wireless DS (WDS)

DA	Destination Address	宛先端末のMACアドレス
SA	Source Address	送信元端末のMACアドレス
BSS ID	Basic Service Set ID	アドホックモード：乱数から生成 インフラストラクチャモード：APのMACアドレス
TA	Transmitter Address	無線LANフレームの送信機のMACアドレス
RA	Receiver Address	無線LANフレームの受信機のMACアドレス

※1 ここが無線の場合、通信形態③（ToDS=1, FromDS=0）となる。
※2 ここが無線の場合、通信形態②（ToDS=0, FromDS=1）となる。

図：通信形態に応じたアドレス領域の役割の区別

1.3.3　AP と無線 LAN コントローラ

今日の無線 LAN 環境は，AP を介したインフラストラクチャモードで構築するのが一般的である。

このとき，AP はブリッジとして機能する。すなわち，有線 LAN（イーサネット）のスイッチと同じく，MAC アドレステーブルをもち，アドレス学習機能と転送機能を装備している。加えて，無線 LAN と有線 LAN を接続する機能をもつ。

無線 LAN の普及に伴い，AP に求められる機能が増えている。例えば，ローミング機能，バーチャル AP 機能，セキュリティ機能などがある。

今日では，多数の AP を配置した無線 LAN 環境において，AP を一元管理する目的で無線 LAN コントローラの普及が進んでいる。

● ローミング機能

無線 LAN 環境を構築する際，AP の電波が届く範囲を考慮に入れる必要がある。1 台の AP では広い空間をカバーすることができないので，複数の AP を設置することが多い。隣接する AP は，電波干渉を避けるために異なるチャネルを用いなければならない。

その空間内を端末が移動する際，通信が途絶えないようにするには，移動しながら最寄りの AP に自動的に接続する機能が必要となる。この機能をローミングという。

端末，及び，ローミングの移動範囲に配置された全ての AP は，同一の ESS に属している必要がある。

● バーチャル AP 機能

1 台の AP の上で，複数の仮想的な AP（バーチャル AP）を稼働させる機能を，バーチャル AP 機能という。

個々のバーチャル AP は，それぞれが AP としての機能を装備している。したがって，別個に ESS ID や VLAN を割り当てることができる。

試験に出る

無線 LAN（IEEE802.11）のローミング機能について，平成 29 年午後Ⅱ問 2，平成 25 年午後Ⅱ問 1，平成 24 年午後Ⅰ問で出題された。PMK キャッシュ機能について，平成 25 年午後Ⅱ問 1 で出題された。ESS ID ごとに VLAN を登録する技術について，平成 21 年午後Ⅰ問 1 で出題された。
本書で説明を割愛した AP の機能についても，出題例を挙げておく。ステルス機能について，平成 28 年午後Ⅰ問 2 で出題された。プライバシセパレータ機能（アクセスポイントアイソレーション）について，平成 28 年午前Ⅱ問 21 で出題された

● アクセス制御機能

APは，正当な端末だけがアクセスできるように制御する機能を備えている。これをアクセス制御機能という。

アクセス制御機能は，SSID隠蔽，ANY接続拒否，MACアドレスフィルタリングといった複数の方法があり，それらを組み合わせて用いることができる。

- ### SSID隠蔽（ステルス機能）

  通常，APは自分のSSIDを周囲に定期的に発信している。SSID隠蔽は，この定期的な通知を止める機能である。これにより，SSIDをあらかじめ知っている正当な利用者だけに無線LAN通信を行わせることができる。

- ### ANY接続拒否

  ANY接続を拒否することにより，SSIDを指定した接続を強制させることができる。これにより，PSK認証やRADIUS認証に成功した利用者だけに無線LAN通信を行わせることができる。

- ### MACアドレスフィルタリング

  APに接続させる端末を限定するため，端末のMACアドレスをあらかじめAPに登録することができる。

  MACアドレスは物理的に設定されているため，詐称することが難しい。したがって，正当な端末を有する利用者だけに無線LAN通信を行わせることができる。

● 認証機能

認証機能は，認証に成功した端末だけが無線LAN通信を行えるようにする機能である。

● エンタープライズモード

無線LANのエンタープライズモードでは，IEEE802.1X規格に基づく認証を行う。IEEE802.1X規格では，実際の認証を認証サーバ（RADIUSサーバ）が実行する仕組みになっている。

暗号化機能は，無線LAN通信を傍受されないように，端末とAP間の通信を暗号化する機能である。

　実際の認証をRADIUSサーバが実行する場合，端末がAPに接続してからデータ用通信を行うまでのシーケンスは，おおよそ次のとおりとなる。

①端末がAPに接続し，アソシエーションが確立される。
②RADIUSサーバは端末を認証する。APは，両者のやり取りを中継する。
③認証に成功すると，APは，端末との間で共通鍵を生成する。
④端末は，APを経由したデータ用通信を行う。その際，③で生成した共通鍵で通信を暗号化する。

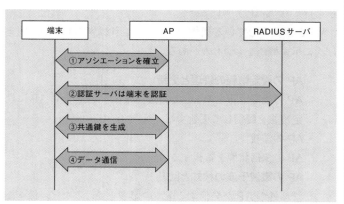

図：エンタープライズモードのシーケンス

詳説

無線LANの認証方式は，エンタープライズモードの他にパーソナルモードが規定されている。簡潔に説明すると，パーソナルモードでは，①でアソシエーションを確立したら，②③を行わずに，④のデータ通信を行う。詳しくは「8.4.7　無線LAN」を参照していただきたい

　②の認証に成功すると，端末とRADIUSサーバは，共通鍵の基になる乱数情報を共有する。これを**PMK**（Pairwise Master Key）という。②の処理の終了時に，RADIUSサーバはPMKをAPに送信する。その後，③の処理に移る。

　③の処理では，端末とAP間で乱数を交換し，その乱数とPMKから共通鍵を生成する。この共通鍵は，アソシエーションを確立するたびに生成されるので，寿命が短い。同じ鍵が長い間使われ続けると暗号を解読される危険が高まるので，この仕組みは暗号化通信のセキュリティ強化に役立っている。

　IEEE802.1X認証に対応した機能をもつAPのことを，IEEE802.1X規格の用語で「オーセンティケータ」と呼ぶ。オーセンティケータがもつべき機能には，②のやり取りを中継すること，認証

試験に出る

IEEE802.1X認証を導入する場合，APがオーセンティケータの機能を実装する必要があることについて，平成30年午後Ⅱ問2，平成26年午前Ⅱ問18で出題された

が成功するまでは④の通信を許可しないことなどがある。

　これまでの解説に登場した，エンタープライズモード，IEEE802.1X について，詳しくは第 8 章で解説している。エンタープライズモードは「8.4.7　無線 LAN」，IEEE802.1X 規格は「8.4.3　IEEE802.1X」をそれぞれ参照していただきたい。

●無線 LAN コントローラ

　無線 LAN コントローラ（以下，WLC と称する）は，複数の AP を一元管理する機器である。通常，WLC とその管理下にある AP は，製造元が同じ製品である。WLC と AP は管理用の通信を行うので，IP アドレスをもつ。

　WLC が装備している機能は，製品により様々であるが，例えば次に示す機能をもつものがある。

- **AP の設定情報の管理と更新**
　AP の設定情報を WLC で一元管理し，WLC から AP に設定情報を配信して更新する。
- **AP の監視**
　AP の稼働状態を監視する。
- **AP の電波干渉の検知と回避**
　管理外の AP が発信する電波の影響を受けるなど，様々な原因で管理下の AP が電波干渉を起こすことがある。その状況を検知し，AP のチャネルを適宜変更して電波干渉を回避する。
- **AP の負荷分散**
　複数の AP が設置されている無線 LAN セグメント内で，多数の端末が接続している場合，AP の負荷を分散するために，端末とアソシエーションを確立する AP を調整する。
- **セキュリティ機能とローミング機能の強化**
　IEEE802.1X 規格の認証処理を，個々の AP が実行するのではなく，WLC が実行する。すなわち，WLC がオーセンティケータとなる。このとき，AP は，端末と WLC 間の認証用通信のフレームを中継する役割を担う。
　WLC の中には，PMK をキャッシュする機能をもつものがある。移動に伴って別の AP とアソシエーションを確立し

試験に出る

無線 LAN コントローラがもつ
様々な機能（AP の負荷分散，
セキュリティ機能，ローミング機
能など）について，平成 29 年
午後Ⅱ問 2 で出題された

たとき，キャッシュされた PMK を再利用できるので，ローミングの処理が高速化される。

- ● **DHCP**

  管理下にある AP に対し，IP アドレス，サブネットマスク，デフォルトゲートウェイ等のネットワーク情報を自動的に設定するため，WLC が DHCP サーバの機能をもち，AP が DHCP クライアントの機能をもつ。

　製品によっては，WLC がブリッジとして機能するものがある。このとき，AP は，端末と WLC 間のデータ用通信のフレームを中継する役割を担う。このような機能をもつ WLC を使用する場合，端末を送信元／宛先とするデータ用通信は，必ず，WLC を経由することになる。このトラフィックの集中に起因する性能劣化が生じないよう，ネットワークを設計する必要がある。

WLC の導入に伴うトラフィック経路の分析，性能要件の再検討について，平成 24 年午後I問 2 で出題された

1.4 ・ スイッチ

　午後試験では，スイッチのアドレス学習機能，転送機能，VLANなどの基礎知識を前提とした，設計の問題が出題されている。このうち，VLANは午後試験に頻出の要素技術である。IEEE802.1Q規格のポートベースVLAN，タグVLANの基礎知識をしっかり身に付けておく必要がある。さらに，スイッチの機能は基本的な要素技術であるが，応用問題にも対応できるようにしっかり理解しておく必要がある。

1.4.1　アドレス学習機能と転送機能

　どのスイッチも必ず装備している機能は，アドレス学習機能と転送機能である。

●アドレス学習機能

　スイッチは，MACフレームの受信を契機に，受信したポートの先に送信元ノードが存在していることを学習する。ただし，直接収容しているのか，別のスイッチを介して収容しているのかまでは分からない。

　このとき学習した内容（受信ポートと送信元MACアドレスの対応付け）を，MACアドレステーブルに登録する。これがアドレス学習機能である。

　スイッチをVLANで分割している場合，VLANごとにMACアドレステーブルが存在する。

　言うまでもなく，ポートとMACアドレスの対応付けは，変化し得るものである。例えば，PCをスイッチからいったん切り離し，別のポートにつなぎ直すかもしれない。

　その点を考慮し，スイッチは，エージングタイムと呼ばれる期間内に同一の内容を再学習しないと，MACアドレステーブルからその登録を抹消する。

●転送機能

　スイッチは，MACフレームを受信すると，どのポートの先にどのノードがあるかをMACアドレステーブルから判定し，特定の

試験に出る

ミラーポートから出力されたフレームを取り込んでそれを別のポートから送出するためにアドレス学習機能を停止する必要があることについて，平成26年午後II問2で出題された

詳説

多くの製品では，エージングタイムは300秒である

ポートからフレームを送り出す。これが転送機能である。

しかし，スイッチが特定のポートからフレームを転送せず，（受信ポートを除く）各ポートから一斉にフレームを転送することがある。この動作をフラッディングという。

スイッチがフラッディングするのは，次に示す三つのケースである。

- **ブロードキャストフレームの転送**
  ブロードキャストフレームは，必ずフラッディングする。
- **マルチキャストフレームの転送**
  マルチキャストフレームは，特別なマルチキャストアドレスを宛先とするフレームを除き，フラッディングする。IEEE802.1D 規格と IEEE802.1Q 規格は，様々な用途のマルチキャストアドレスを規定している。このうち，隣接するスイッチ間で用いられるものは，フラッディングしないことを規定している。詳しくは，本章の「1.2.4 IEEE802.2 規格のフレームフォーマット」のコラム「予約されたマルチキャストアドレス」を参照していただきたい。
- **宛先ノードのアドレス学習が済んでいない場合のユニキャストフレームの転送**
  ユニキャストフレームを受信した際，その宛先 MAC アドレスが MAC アドレステーブルに登録されていない場合がある。当然ながら，スイッチは，どのポートから転送したらよいかを判断することができない。
  それゆえ，宛先ノードがどのポートの先に存在するかをまだ学習していないユニキャストフレームを受信すると，スイッチはこれをフラッディングする。

これら三つのフレームを合わせて **BUM**（Broadcast, Unknown Unicast, Multicast）フレームという。

●MAC アドレステーブルの更新

サーバの信頼性を向上させるため，主系と待機系の 2 台のサーバを稼働させ，主系の障害時に待機系に切り替える方式を採ることが多い。

宛先ノードのアドレス学習が済んでいない場合のユニキャストフレームがフラッディングされることについて，令和 6 年午後II問 1，令和 3 年午後 I 問 1 で出題された。
障害発生に伴ってスパニングツリーが再構築されると，スイッチの MAC アドレステーブルがクリアされる。その結果，ユニキャストフレームがフラッディングされることについて，平成 24 年午後II問 2 で出題された。
IEEE802.1X 認証で用いられる EAP フレームは，マルチキャストフレームである。EAP フレーム透過機能をもつスイッチを除き，通常のスイッチは EAP フレームをフラッディングしない。EAPフレーム透過機能をもつスイッチについて，平成 25 年午後II問 2 で出題された。
マルチキャストフレームがフラッディングされることについて，令和 5 年午後 I 問 2，平成 27 年午後II問 2 で出題された

VRRP は，バックアップルータからマスタルータへの昇格時に，Gratuitous ARP を使って MAC アドレステーブルを更新する。この点について，令和元年午後 I 問 1 で出題された。
冗長構成において，主系から待機系に切り替わったときに MAC アドレステーブルを更新する必要性について，平成 26 年午後 I 問 2 で出題された。
仮想マシンがライブマイグレーションしたときに MAC アドレステーブルを更新する必要性について，平成 30 年午後II問 2 の事例の中で登場した

詳説

MAC アドレステーブルの更新に用いるフレームは，標準化されていない。ある製品は，RARP を用いる。RARP について，詳しくは第3章「3.4.2　特別な用途の ARP」を参照していただきたい

試験に出る

ブロードキャストストームについて，平成21年午後Ⅰ問1，平成21年午後Ⅱ問2で出題された

主系から待機系に切り替わるとき，IP アドレスと MAC アドレスを引き継ぐ方式がある。同一セグメント内にあるスイッチの MAC アドレステーブルには，MAC アドレスと収容ポートとの対応付けがキャッシュされている。したがって，サーバの切替えに伴って，スイッチとサーバとの物理的な位置関係が変化するので，このキャッシュを更新しなければならない。

●ブロードキャストストーム

ブロードキャストドメインの中で，スイッチを介した経路がループ状になっていると，ブロードキャストフレームがループした経路を巡回し続ける。なぜなら，フラッディングしたフレームを再び受け取ってしまうため，フラッディングによる転送を繰り返すことになるからだ。

ブロードキャストフレームは，ARP 要求をはじめ様々な種類があり，通信には欠かせない存在である。それゆえ，四六時中，端末はブロードキャストフレームを送信している。このブロードキャストフレームがいつまでも消えることなく転送されているなら，ブロードキャストフレームの数が増えるにつれて，ネットワークの帯域を次第に埋め尽くしてゆく。これをブロードキャストストームという。

ブロードキャストストームが発生すると，通常のデータ用通信の転送処理が追いつかなくなり，通信に支障が生じる。スイッチの CPU 使用率が高まってダウンしてしまうこともある。

1.4.2　VLAN

試験に出る

セキュリティ上の理由から VLAN 間ルーティングを禁止することについて，令和元年午後Ⅱ問1，平成29年午後Ⅰ問1で出題された。VLAN のセグメント化によるセキュリティ効果について，平成25年午前Ⅱ問20で出題された。タグ VLAN
（次ページに続く）

VLAN（Virtual LAN）機能とは，端末をグループ化し，論理的なサブネットを構成する機能である。一つのグループは，あたかも一つの LAN セグメント（ブロードキャストドメイン）に属しているかのように通信できる。VLAN 機能は IEEE802.1Q で規定されており，ポートベース VLAN とタグ VLAN がある。

●ポートベース VLAN

グループを一意に識別する番号は VLAN ID である。グループ

化の設定は，スイッチングハブのポートごとに VLAN ID を割り当てる方式が採用されている。この方式をポートベース VLAN という。

なお，VLAN 機能を装備しているスイッチングハブの全てのポートは，デフォルトで VLAN ID が「0x1」の VLAN に収容されている。この VLAN（VLAN ID が「0x1」の VLAN）のことを，デフォルト VLAN と呼ぶ。

● タグ VLAN

タグ VLAN とは，所属する VLAN が異なる複数の論理的なリンクを，1 本の物理的なリンクの上に束ねる技術のことであり，IEEE802.1Q で規格化されている。その物理リンクを収容するポートは，タグ VLAN で束ねた全ての VLAN に所属することになる。タグ VLAN を用いない場合と用いる場合の違いは次ページの図のとおりである。なお，この構成では，スイッチングハブをまたがって，VLAN10，VLAN20 の二つの VLAN セグメントが存在している。

図の上段に示した構成は，タグ VLAN を用いない場合の構成である。この場合は，単純にポートベース VLAN を使用することになるので，スイッチングハブのポートには一つの VLAN ID を登録する。よって，VLAN ごとに 1 本ずつのリンクを用意する必要がある。

一方，図の下段に示した構成は，タグ VLAN を用いる場合の構成である。図から明らかなとおり，スイッチングハブ間の物理リンクが 1 本になっている。実は，VLAN10，VLAN20，それぞれの VLAN には 1 本ずつの論理リンクが用意されており，論理的な構成はタグ VLAN を用いない場合と同等だが，この 2 本の論理リンクが 1 本の物理リンクに重畳されている。つまり，タグ VLAN を使用することで，VLAN ごとに論理リンクを設けることができるというメリットを得ることができる。

これらの論理リンクを識別するため，この物理リンク上を流れるフレームには，「VLAN タグフレーム」と呼ばれる特別なフレームが用いられている。単に「VLAN フレーム」と呼ばれることも多い。これは，「VLAN タグ」と呼ばれる 4 バイトのデータが挿入されたフレームである。この VLAN タグの中には，VLAN ID が格納されている。例えば，VLAN10 に収容された端末間で通

について，平成 24 年午後II問2 で出題された

試験に出る

IEEE802.1Q トンネリング技術（IEEE802.1ad）について，平成 25 年午後I問 3 で出題された

詳説

IEEE802.1Q トンネリングは，IEEE802.1Q の VLAN タグフレームを，さらに別の VLAN タグを付けることによってカプセル化する技術である。これは，IEEE802.1ad によって標準化されている。

IEEE802.1ad の VLAN タグは，IEEE802.1Q の VLAN タグの前に挿入される（IEEE802.1Q の VLAN タグがないフレームであれば，タイプ領域の前に挿入される）。

VLAN タグの構造は，IEEE802.1Q と同じである。すなわち，2 バイトのタグプロトコル識別子（TPID）と，2 バイトのタグ制御識別子（TCI）で構成される。VLAN タグの各領域の意味も，IEEE802.1Q と同じである。異なるのは，TPID の値である。IEEE802.1ad は，TPID の値を「0x88A8」と定めている。TPID 領域の位置は，VLAN タグがないときのタイプ領域の位置に該当する。それゆえ，「0x88A8」という TPID の値は，事実上，フレームのタイプが「IEEE802.1ad 規格の VLAN タグ付きフレーム」であることを意味している。この VLAN タグフレームを受信したネットワーク機器は，TPID の値を見て，後続の 2 バイトを TCI として解釈することになる。この TCI の中に格納されている VID が，トンネルの識別子となる

信する場合，VLAN タグフレームには「VLAN ID = 10」が格納される。同様に，VLAN20 間で通信する場合は，「VLAN ID = 20」が格納される。

　タグ VLAN を使用してネットワークを構成する場合，スイッチングハブのポートに対し，格納できる VLAN ID の値を事前に設定しておく必要がある。図の下段の例では，「10」と「20」の二つである。

　VLAN タグフレームを送受信するポートを「タグポート」や「トランクポート」と呼ぶ。トランクポート間の接続を「トランク接続」と呼ぶこともある。トランクポートから送信されるとき，フレームには VLAN タグが挿入され，送信元端末が収容されている VLAN ID の値が格納される。そして，対向のトランクポートでフレームが受信されるとき，タグが取り除かれて VLAN ID の値が評価される。その後，スイッチングハブ内の各 VLAN のアドレステーブルの値に従い，フレームが転送される。

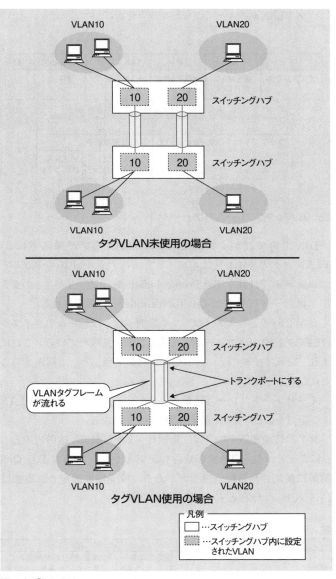

図：タグ VLAN

タグ VLAN のフレームフォーマットを次に示す。

(8)	(6)	(6)	(4)	(2)	(46〜1500)	(4)
プリアンブル	宛先MAC アドレス	送信元MAC アドレス	VLAN タグ	タイプ	データ	FCS

(2)	(2)		
タグプロトコル識別子[=0x8100]	タグ制御識別子		
	優先度 [3ビット]	DEI [1ビット]	VLAN ID [12ビット]

注：（　）内の数字はバイト長を表す。

図：VLAN タグフレームのフォーマット

　DIX 規格ではタイプ領域の前に VLAN タグが挿入される。VLAN タグのバイト長は 4 バイトであり，2 バイトのタグプロトコル識別子（TPID：Tag Protocol Identifier）と，2 バイトのタグ制御識別子（TCI：Tag Control Identifier）で構成される。

　前半 2 バイトのタグプロトコル識別子は，フレームのタイプが「IEEE802.1Q タグフレーム」であることを意味している。これにより，端末は後続の 2 バイトをタグ制御識別子として解釈することになる。

　イーサネットフレームは最大 1,518 バイトであるため，VLAN タグが付くことにより，最大 1,522 バイトになる。

　タグ制御識別子の中身は，先頭ビットから順に，次の表のとおりになっている。VLAN を識別する 12 ビットの **VLAN ID**，QoS 制御に使用される優先度などがある。優先度に設定される値は **CoS**（Class of Service）と呼ばれている。

表：タグ制御識別子の中身

領　域	ビット数	内　容
優先度	3	優先度は 0 〜 7（十進数表記）の 8 段階ある。特定の VLAN には属さないが優先度を設定したいとき，VLAN ID を「0」に設定する
DEI (Drop Eligible Indicator)	1	「1」であるとき，輻輳時に優先的に破棄してもよいフレームとなる
VLAN ID	12	VLAN を識別する番号。「1」〜「4094」までを使用する。「0」の場合，「優先度タグ」と呼ばれる

試験に出る

VLAN ID のビット数について，平成 29 年午前Ⅱ問 4 で出題された。
VLAN タグに優先度が格納されていることについて，令和 3 年午後Ⅰ問 3 で出題された

詳説

優先度は，デフォルトが「0」で，最高が「7」だが，値が大きいほど優先度が高いわけではない。また，デフォルトより低い優先度も規定されている。
詳しくは第 7 章「7.2.3 イーサネットの QoS 制御」を参照していただきたい

1.4.3 スイッチの様々な機能

ここでは，フレーム転送以外の様々な機能について解説する。

● フロー制御

イーサネットの全二重モードにおけるフロー制御方式を規定したのが IEEE802.3x である。輻輳を検知したスイッチングハブは，フレームを送信している端末やスイッチングハブに対し，PAUSE フレームを送出する。PAUSE フレームを受け取ったら，一定時間フレームの送信を延期する仕組みになっている（フレームの中に，停止時間が格納されている）。こうして，輻輳中のスイッチングハブのバッファからフレームがあふれて廃棄されてしまうことを防ぐ。

詳説

PAUSE フレームのフォーマットは DIX 規格である。宛先 MAC アドレスは「01-80-02-00-00-01」（フラッディングされないマルチキャストアドレス），送信元 MAC アドレスは送信元端末の MAC アドレス，タイプ領域の値は「0x8808」である

● ミラーリング

ミラーリング機能とは，あるポートを経由するフレームを，特定のポートにコピー（ミラーリング）して出力する機能である。

ミラーリングしたフレームは，ミラーポートから出力する。

ミラーリング機能は通信フレームを収集する目的で主に使用され，フレームを取り込む端末をミラーポートに接続する。

この端末の NIC（Network Interface Card）は，プロミスキャスモードに設定しておく必要がある。通常の NIC は，自分を宛先としないユニキャストフレームを破棄する仕様になっている。しかし，ミラーポートから出力されたフレームを取り込む場合，自分を宛先としないユニキャストフレームを含め，全てのフレームを受信するように動作させる必要がある。このような NIC の動作を，プロミスキャスモードという。

試験に出る

ミラーリング機能を利用したフレームの収集について，平成26年午後II問2，平成25年午後I問2，平成21年午後I問1，平成21年午後II問2で出題された。
プロミスキャスモードについて，令和4年午後I問1，平成27年午後I問3で出題された

● 認証スイッチ

IEEE802.1X 規格に準拠したスイッチは，ポートに割り当てる VLAN を動的に切り替える機能をもっている。切り替える VLAN ID は，認証サーバから受け取る仕組みになっている。

IEEE802.1X について，詳しくは第8章「8.4.3 IEEE802.1X」を参照していただきたい。

試験に出る

IEEE802.1X 認証機能をもつスイッチ（無線 LAN の AP を含む）について，平成29年午後II問2，平成25年午後II問2，平成21年午後II問1で出題された

試験に出る

MAC アドレスフィルタリングに
ついて，平成 25 年午後Ⅱ問 2
で出題された

● MAC アドレスフィルタリング

特定の MAC アドレスを送信元とするフレームだけを転送する
アクセス制御機能を，MAC アドレスフィルタリング機能という。
これにより，あらかじめ登録された端末だけが LAN を利用でき
るように制限できる。

● ループ防止

経路がループしているとブロードキャストストームが発生する
ので，ネットワーク障害の原因となる。

そこで，ブロードキャストフレームの巡回を検知すると，その
ブロードキャストフレームを破棄してブロードキャストストーム
の発生を未然に防ぐ機能をもつスイッチがある。この機能をルー
プ防止機能という。

ループを検知する方法は，前述のものの他にも幾つか存在し，
例えば次に示すものがある。

- ### ループ検知用フレームの定期送信
  スイッチは，ループ検知用のフレームを定期的に送信する。
  これを自分が再び受信すると，ループしていると判断する。
- ### フラッピングの検知
  経路がループしていると，「同じ MAC アドレスを送信元と
  するフレームを複数のポートからほぼ同時に受信する」と
  いう現象が見られることがある。
  スイッチは，別のポートから受信するたびに，アドレス学
  習機能により MAC アドレステーブルを更新する。経路が
  ループしているとき，この更新が短時間のうちに頻発して
  しまう。この現象をフラッピングやスラッシングという。
  フラッピングが発生すると，ループしていると判断する。

試験に出る

フラッピングについて，平成 22
年午後Ⅱ問 2 で出題された

● SNMP エージェント

SNMP の監視対象とする場合，スイッチは SNMP エージェン
ト機能をもつ。SNMP マネージャと通信するため，IP アドレス，
サブネットマスク，デフォルトゲートウェイをスイッチに設定する。

このように IP アドレスをもつスイッチを，インテリジェントス
イッチという。

　なお，SNMPによるネットワーク監視について，詳しくは付録PDF「9.5　ネットワーク監視」を参照していただきたい。

● PoE

　PoE（Power over Ethernet）は，イーサネットのLANケーブルを介して，あるネットワーク機器から別のネットワーク機器に電力を供給する技術である。

　給電側のネットワーク機器をPSE（Power Source Equipment）と呼び，受電側のネットワーク機器をPD（Powered Device）という。あるネットワーク機器がPSEに接続されると，PSEはまず検出用の弱電圧をかけて電気抵抗を計測し，当該機器がPoEに対応しているか否かを確認する仕組みになっている。PoE対応のL2SWにPoE未対応の機器を接続したとき，当該機器に給電は行わず，通常のL2SWと同様にイーサネット通信を行う。

　PDとして製品化されているネットワーク機器は低消費電力のものに限られるが，無線LANのアクセスポイント，IP電話機，Webカメラなど，その種類は多岐にわたる。LANケーブルを敷設するだけで電力を供給できるという導入容易性から，無線LANやIP電話網の普及とともに，PoE対応機器の導入も広がりを見せている。

　2003年に標準化されたIEEE802.3af規格は，1ポート当たり最大15.4Wの電力を供給できる。2009年に標準化されたIEEE802.3at規格は，PoE+という通称で知られており，1ポート当たり最大30Wの電力を供給できる。2018年に標準化された最新規格のIEEE 802.3btは，PoE++という通称で知られており，2.5G/5G/10GBイーサネットに対応している。1ポート当たり90Wの電力を供給できる。

試験に出る

L2スイッチが監視対象となることについて，平成25年午後I問3で出題された

試験に出る

PoE++について令和5年午後I問3で，PoE+について平成29年午後II問2で，PoEについて平成24年午後I問2で出題された。
PoE対応のL2SWにPoE未対応の機器を接続したとき当該機器に給電しないことについて，令和3年午後I問3で出題された。
供給電力の計算について，平成29年午後II問2で出題された

第2章

特定用途向けのネットワーク

この章では，特定用途向けのネットワークとして，WAN，ストレージネットワーキング，ユニファイドコミュニケーションについて解説する。

午後試験では，本文中で動作原理や仕組みを説明しており，要素技術を理解していれば解答できるように配慮されている。前章で解説したLAN関連技術に比べて習得が難しい分野だが，過去問題の出題例を踏まえて，基本的な用語や概念を理解しておきたい。

アクセスキー **v**
（小文字のブイ）

2.1 ・ 午後試験対策のアドバイス

　ここでは，午後試験の出題例を紹介し，試験対策として押さえておくべき事柄を解説する。出題傾向を踏まえ，効率よく学習していただきたい。

　なお，本章の「試験に出る」には，ここに挙げたもの以外を含め，網羅的に出題例を掲載している。併せて参照していただきたい。

● 1.　WAN

　IP-VPN 網，広域イーサ網を用いたネットワークは毎年のように出題される。もっとも，その出題の狙いはネットワーク設計であり，WAN サービスそのものの知識を問うものはそれほど多くない。

表：WAN に関する出題例

出題例	内容
令和元年午後Ⅱ問 1 平成 30 年午後Ⅰ問 3	・IP-VPN 網の内部は MPLS でルーティングされている
平成 26 年午後Ⅰ問 1	・WAN 経由の通信はラウンドトリップタイムが大きいため，WAN 高速化装置を使って一括転送することにより，転送時間を改善する

● 2.　ユニファイドコミュニケーション

　VoIP システムの設計やインスタントメッセージを利用したシステムの設計が出題されている。その中で，**SIP のシーケンス**，**SIP サーバ**や **VoIP GW** の役割などを問う応用問題がよく出題されている。

　SIP は，IP 電話網だけではなく，音声と映像を同時に利用したマルチメディア，プレゼンス情報の通知など，様々な形態のコミュニケーションの呼制御を行う要素技術である。出題頻度は数年に一度程度だが，いざ出題されたら深い知識が求められている。試験勉強では，SIP の仕様について正確に理解しておく必要がある。

表：ユニファイドコミュニケーションに関する出題例

出題例	内容
令和元年午後Ⅱ問 1	・IaaS とクラウド PBX サービスを利用することによってオンプレミスのサーバと PBX を自社拠点から一掃するという要件を実現するための設計（本文から推論する応用問題） ・スマートフォンを含む端末を用いた，保留転送の SIP シーケンス ・新システムへの段階的移行

（表は次ページに続く）

出題例	内容
平成 26 年午後Ⅱ問 2	・通話セッションの録音という要件を実現するための設計 (本文から推論する応用問題) ・内線 IP 電話網と公衆 IP 電話網の接続に使用する, VoIP GW の機能 (B2BUA), 動作シーケンス ・SIP メッセージに記載されたプライベート IP アドレスが NAT 装置を通過するときに発生する問題とその解決

SIP シーケンスの知識を前提とした, 設計の応用問題がよく出題されている。

SIP サーバを利用したシーケンス, VoIP GW を介した二つの SIP ネットワークの接続とシーケンスについて, 学習しておく必要がある。

●3. ストレージネットワーキング

FC-SAN, IP-SAN, 拡張イーサネットなどのストレージネットワーキングの技術は, ここしばらく出題されていない。とはいえ, 世の中で使われている技術であり, 出題される可能性はあるので, 要素技術の基礎知識は身につけておきたい。例えば, iSCSI の特徴や仕組み, IP-SAN 技術を使ったネットワークの冗長化構成, などを学習しておくとよいだろう。

表：SAN に関する出題例

出題例	内容
平成 24 年午後Ⅱ問 1	・FCoE でカプセル化されたフレームや, TRILL でカプセル化されたフレームの解析 (本文から推論する応用問題) ・TRILL を用いたファブリックの冗長化 (本文から推論する応用問題) ・ホストからストレージ間のアクセスの冗長化
平成 23 年午後Ⅱ問 1	・拡張イーサネットにおける, 仮想リンクごとの優先度付きバッファ制御の仕組みについて (本文から推論する応用問題) ・FSPF を用いた複数経路制御方式 ・FC-SAN のフロー制御 (クレジット方式) ・SAN の冗長化設計
平成 23 年午後Ⅱ問 2	・ファイルサーバの集約 (NAS の導入) に伴う, ネットワークの再構築 ・データ移行を含む, システムの移行

リモートバックアップについても余力があれば, 世の中で使用されている方式について学習しておくとよいだろう。

表：リモートバックアップに関する出題例

出題例	内容
平成 22 年午後Ⅱ問 1	・重複除外機能をもつバックアップ方式

2.2 · WAN

　午後試験において，WANサービスやアクセス回線を利用する立場から問われることはあるが，その頻度は高くない。試験対策の観点から言えば，優先度を下げてよい分野である。もっとも，午後試験の事例には，IP-VPNや広域イーサネットなどのWANサービスを利用したネットワークがよく登場する。WANが問われることはないとしても，事例のネットワーク構成を理解するために，WANを利用する立場でサービスの概要を学習しておくとよい。

2.2.1 アクセス回線

　WANやインターネットへのアクセス回線として，FTTx，xDSL，ワイヤレスなどが用いられている。ここでは，過去10年以内の午後試験で出題例がある，**FTTx**を取り上げる。

●FTTx

　FTTxは，FTTH（Fiber To The Home），FTTC（Fiber To The Curb），FTTB（Fiber To The Building）などの総称で，通信事業者から各家庭（Home），街区（Curb），ビル（Building）までのアクセス回線を光ファイバで接続して，高速で広帯域な通信を行う方法である。

　現在主流になりつつあるのは，IEEE802.3ah標準の**GE-PON**（Gigabit Ethernet - Passive Optical Network）である。その接続構成例を次の図に示す（ただし，事業者によって詳細は異なる）。

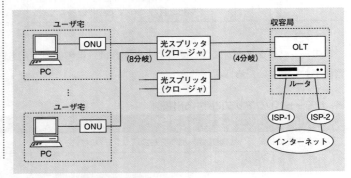

図：GE-PONの接続構成例

　宅内の LAN と宅外の光回線を収容する装置は **ONU**（Optical Network Unit）と呼ばれ，電気信号と光信号を変換する機能をもつ。複数のユーザ宅の光回線は，電柱などに設置されたクロージャに収容される。その中に光スプリッタと呼ばれる装置があり，これが収容局からの光回線を分岐している。収容局の光回線終端装置は **OLT**（Optical Line Terminal）と呼ばれる。OLT は ONU と対になる装置で，OLT の先にインターネットが接続されている。ONU と OLT の間にある光ファイバや光スプリッタは，光信号を通すだけの「受動的」（Passive）な装置であり，**PON** という名称の由来となっている。OLT 側で，各 ONU に帯域を割り当て，信号のタイミングを調整することにより，複数の ONU を収容することができる。

2.2.2　WAN サービス

　国内で利用されている WAN サービスは，**IP-VPN** 網，広域イーサ網などがある。IP-VPN や広域イーサネットを利用したネットワークは試験にもよく登場するが，WAN サービスそのものが問われることはあまりない。

　ここでは，両サービスの一般的な特徴，通信事業者が提供する WAN サービスのプランについて，簡単に解説する。

●IP-VPN 網

　IP-VPN サービスは，ネットワーク層プロトコルとして IP（Internet Protocol）を使用し，通信事業者の提供する閉域網を利用して VPN を実現するサービスである。

　IP-VPN サービスの特徴を次に示す。

- レイヤ3サービス

  IP を用いて VPN を構築するサービスである。
  ネットワーク層プロトコルが IP に限定されるため，IP 以外のプロトコルを用いる場合は，カプセル化が必要になる。

- VPN 通信

  IP-VPN 網内は，RFC3031 で標準化されている **MPLS** 技

MPLS

Multi-Protocol Label
Switching。IP-VPN網など
LSR（Label Switching
Router：MPLS対応ルータ）で
構成された網では、「ラベルヘッ
ダ」と呼ばれる固定長のヘッダ
をIPパケットに付与してカプセ
ル化し、網内を高速に転送する。
網の入口にあるルータ（PE：
Provider Edge）がラベルヘッ
ダを挿入し、出口にあるPEが
これを取り去る。ラベルヘッダ
は32ビットであり、このうちの
20ビットが「ラベル」と呼ばれ
る識別子である。MPLSを利用
したIP-VPN網ではラベルヘッ
ダを二つ挿入し、網内の経路を
識別するラベルと、利用者を識
別するラベルを用いている

試験に出る

MPLSについて、平成30年午
後Ⅰ問3、令和3年午前Ⅱ問
11、令和元年午前Ⅱ問2、平成
29年午前Ⅱ問9、平成24年
午前Ⅱ問15で出題された。顧
客拠点のルータをカスタマエッ
ジルータと呼ぶことについて、
令和6年午後Ⅰ問2で出題さ
れた。CE、PEという呼び方は
IP-VPN網以外の閉域網でも使
われる。この名称は試験でたび
たび登場するので、覚えておく
とよい

術を用いてパケットを転送している。MPLSでは、ラベル
と呼ばれる、利用者を識別する固有のVPN情報が、網に
入るときにパケットに付与される。網を出るときにこれは
除去される。それゆえ、利用者はその存在を意識する必要
がない。

網内では、このVPN情報に基づいて利用者ごとにルーティ
ングテーブルが作られる。これによりVPNが実現され、
専用線と同等のセキュリティが保たれる。

IP-VPN網を利用するときは、各拠点からIP-VPN網に接続す
る構成を採る。

IP-VPNサービスに接続している全拠点は、仮想的にフルメッ
シュで接続される。

利用者の拠点からIP-VPN網に接続するために用いるルータを
カスタマエッジルータ（Customer Edge Router，以下，CEと称
する）、IP-VPN網に設置されるルータをプロバイダエッジルータ
（Provider Edge Router，以下，PEと称する）という。CEとPE
間はアクセス回線で接続する。

このように構成されたネットワークは、あたかもPE間がフル
メッシュで接続しているように利用者には見える。IP-VPN網の
内奥にあるプロバイダルータ（Provider Router）の存在は、利用
者に意識されない。

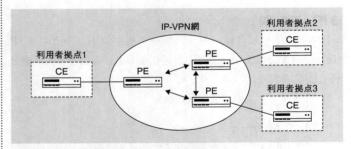

図：IP-VPN網を用いたネットワーク構成の例

利用者が拠点間の経路制御を行う場合、IP-VPN網を介し、CE
間でダイナミックルーティングプロトコル（例：BGP）を設定す
ることができる。

　拠点数が少なければ CE にスタティックルートを設定してもよい
だろう。他拠点を宛先とする経路情報を設定する際，ネクストホッ
プには，CE の対向側に位置する PE を設定する。IP-VPN 網内の
経路制御は透過的に行われるので，利用者は気にしなくてよい。

● 広域イーサ網

　広域イーサネットサービスは，通信事業者の提供するイーサ
ネット閉域網を利用して VPN を実現するサービスである。
　広域イーサネットサービスの特徴を次に示す。

- **レイヤ 2 サービス**
  イーサネットを用いて VPN を構築するレイヤ 2（第 2 層）
  のサービスである。
  IP-VPN と異なり，ネットワーク層プロトコルが IP に限定
  されることはない。

- **VPN 通信**
  広域イーサ網内の VLAN 技術を用いてパケットを転送し
  ている。網に入るときに独自の VLAN タグ（拡張 VLAN
  タグ）をパケットに付与し，網を出るときにこれを除去する。
  よって，利用者はその存在を意識する必要がない。
  網内では，拡張 VLAN タグ内の VLAN ID が，利用者を識
  別する固有の VPN 情報として用いられる。これに基づい
  て利用者ごとに VLAN が作られ，VPN が実現される。なお，
  この拡張 VLAN タグは，利用者が使用する IEEE802.1Q
  の VLAN タグより前の位置に挿入されるため，利用者側
  は自由に VLAN を用いることができる。

　広域イーサ網を利用するときは，各拠点から広域イーサ網に接
続する構成を採る。
　通常，各拠点にルータを設置して，ブロードキャストドメイン
を分割する。このとき，各拠点のルーティング設計は利用者が行
う必要がある。
　通信事業者が提供する回線終端装置のインタフェースは，イー
サネットになっていることが多い。それゆえ，各拠点の LAN をシー
ムレスに接続し，一つの巨大な LAN を構築するイメージとなる。

詳説

試験では，広域イーサネットサー
ビスの VPN 網のことを「広域
イーサ網」と表記している。本
書でもそれに倣って記述する

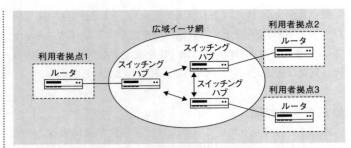

図：広域イーサ網を用いたネットワーク構成の例

詳説

試験では，WANサービスのプランが問われることはない。とはいえ，帯域保証があることや，SLAが提供されていることなどを知っておくことは，試験に登場する事例を理解するのに役立つだろう。なお，ここに示したのはあくまで参考例に過ぎない。通信事業者のホームページにアクセスし，自分の目で様々なプランを確かめてみるとよいだろう

●WAN サービスのプラン

　IP-VPN網にせよ，広域イーサ網にせよ，通信事業者が閉域網のプランを提供するときは，次に示すようなメニューを提供する。

- **契約帯域**

  1Mbps〜10Gbpsの中から，契約する通信帯域を選択できる。

- **品質**

  ギャランティード（帯域保証）型，ベストエフォート型など，品質保証のプランを選択できる。

  必要最小限の帯域（契約帯域よりも狭い帯域）を保証し，保証帯域から契約帯域までをベストエフォートとすることでコストを下げるプランなど，通信事業者によって市場のニーズを踏まえた様々なプランを提供している。

- **信頼性**

  アクセス回線の種類，及び，アクセス回線を二重化するか否かを選択できる。

  閉域網のバックボーンネットワークは，国内の主要な通信事業者であれば，高信頼性が確保されていると考えてよい。もちろん，必要であれば，閉域網を二重化してもよいだろう。

- **サービス**

  24時間体制で利用者からの電話相談を受け付けたり，故障を検知したら迅速に利用者に通知したり，トラフィックレポートを定期的に報告したりするなど，充実したサポートが提供されている。

国内の主要な通信事業者は，SLA（Service Level Agreement）を提供している。具体的なサービス品質の指標として，パケット往復遅延時間（RTT：Round Trip Time），故障通知時間，故障回復時間，パケット損失率などがある。

2.2.3 WAN 高速化装置

WAN 高速化装置（以下，WAS と称する）は，WAN 回線経由の拠点間ファイル転送を高速化する機能をもつ装置である。

WAS は，WAN 回線を挟んだ 2 拠点のそれぞれ（WAN 回線の両端）に設置する。詳しい説明は後述するが，WAS 独自のデータ一括転送を，回線両端の WAS 間で行う。この仕組みにより，WAS は，回線を経由するファイル転送の高速化を実現している。

WAS を用いたネットワーク構成の例を次に示す。解説を分かりやすくするため，以下，この例をたびたび登場させることにしよう。なお，この例では WAN 回線に広域イーサ網を選んでいるが，IP-VPN 網でも変わりはない。

図：WAS を用いたネットワーク構成

この図の中で，本部のファイルサーバ（以下，FS と称する）と支部の PC との間でファイル転送を行う。ファイル転送には，ファイル共有プロトコルが用いられているものとする。

本部と支部間の通信は WAS を経由している。WAS は，ファイル共有における受信確認を代理応答し，WAS 間ではサーバと PC 間よりも大量のデータを一括転送する仕組みになっている。

WAS が高速化を実現できる理由を理解するには，WAN 回線経由のファイル転送の特徴について理解する必要がある。そこで，まずはその点について解説する。次いで，WAS の特徴である代理応答と一括転送に着目しながら，WAS による高速化の仕組み

試験に出る

WAN 高速化装置について，平成 26 年午後I問 1，平成 20 年午後I問 3 で出題された

SMB（Server Message Block）

SMB は Windows に搭載されたファイル共有プロトコルであり，Windows ネットワークで他の PC にアクセスするとき，暗黙裡に使用されるものである。例えば，Windows のエクスプローラーを開いて「ネットワーク」をクリックすると他の PC が見えたり，他の PC 上で共有設定したディレクトリが見えたりするが，このときに SMB のやり取りが行われている

本書の解説は，平成 26 年午後I問 1 の出題例を参考にしている。その問題では，ファイル共有プロトコルとして SMB 1.0（CIFS）が採用されていた。SMB 1.0 は，ここで解説しているとおり，リクエストとレスポンスの組（1 往復）のやり取りが主に行われている。

（次ページに続く）

を解説する。

● WAN 回線経由のファイル転送の特徴

SMB などのファイル共有プロトコルは，基本的に，「リクエストとレスポンス」の組（1 往復）を単位にして，やり取りが行われる。例えば，PC が FS からファイルを読み出すとき，PC はリクエスト（読出しのコマンド）を送信する。FS はレスポンス（指定されたファイルのデータ）を返信する。

ファイル共有プロトコルの例として，SMB 1.0（CIFS）を取り上げる。CIFS（Common Internet File System）の仕様上，リクエストとレスポンスの 1 往復でやり取りできるデータサイズには，上限がある。したがって，この上限値よりも大きいファイルサイズを読み出すには，リクエストとレスポンスの組が何往復もやり取りされることになる。

さらに，リクエストとレスポンスの 1 往復でやり取りできるデータサイズとして，TCP パケットの最大長よりも大きな値を指定することができる。このとき，レスポンスは複数の TCP パケットに分割される。

ここまで解説した内容に基づき，PC が FS から 1 個のファイルを読み出すときのシーケンスを次の図で示す。

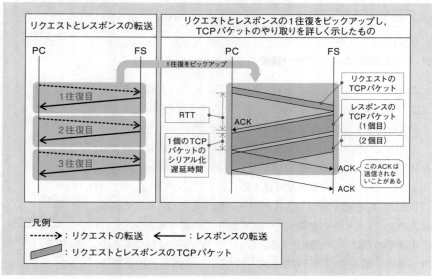

　図：リクエストとレスポンスの転送シーケンス

　ここで，図の左側は，CIFS のリクエストとレスポンスのやり取りを示している。ここでは，1 個のファイルを読み出すのに 3 往復のやり取りをしている。

　図の右側は，リクエストとレスポンスの 1 往復をピックアップし，TCP パケットのやり取りを詳しく示している。ここでは，リクエストのサイズは TCP パケットの 1 個分，レスポンスのサイズは TCP パケットの 2 個分としている。FS から PC 宛てにレスポンスを転送するとき，TCP の連続転送の仕組みにより，2 個の TCP パケットを，ACK（確認応答）パケットを待たずに転送している。

　ピックアップした図の PC 側に示した「シリアル化遅延時間」は，パケットを 1 ビットずつ伝送するのに要する時間である。シリアル化遅延時間は「伝送時間」ともいう。伝送効率を無視すると，シリアル化遅延時間は次の式で求められる。

$$シリアル化遅延時間[秒] = \frac{パケットサイズ[ビット]}{帯域[ビット／秒]}$$

　同じくピックアップした図の PC 側に示した「**RTT**」（Round Trip Time）は，パケットの往復時間（相手ノードに TCP パケットを送信してから，相手ノードからの ACK パケットを受信するまでの時間）である。

　したがって，1 往復当たりの所要時間は，シリアル化遅延時間と RTT の合計値となる。

1 往復当たりの所要時間 [秒] =
シリアル化遅延時間 [秒] + RTT [秒]

　前述のとおり，CIFS は，「リクエストとレスポンス」の組（1 往復）を単位に，やり取りを行う。支部の PC と本部の FS 間で CIFS のやり取りを行うとき，PC は，リクエストを送信すると，RTT が経過してレスポンスを受信するまで，新たなリクエストを送信できない。したがって，1 個のファイルを読み出すのに何往復も必要とする場合，転送の所要時間はその往復分の時間となる。つまり，次の式で求められる。

転送の所要時間 [秒] =
1 往復当たりの所要時間 [秒] × 往復数

今日では，SMB 2.0 以降が広く用いられている。SMB 2.0 では，1 回のリクエストパケットで複数のコマンドを送信する機能，直前のリクエストに対するレスポンスを待たずに次のリクエストを送信する機能など，数々の機能強化が図られている

第 **2** 章

　具体例として，前述したネットワーク構成図に基づき，ファイル転送の所要時間を次の条件に従って求めてみよう。

表：転送の所要時間を求めるための条件

広域イーサ網の帯域幅	100×10^6［ビット／秒］
広域イーサ網の RTT	30×10^{-3}［秒］
ファイルサイズ	60,000,000 バイト
1 往復当たりの転送データサイズ	3,000 バイト
往復数	20,000 回（＝ 60,000,000 ÷ 3,000）

$$\text{シリアル化遅延時間［秒］} = \frac{3000 \times 8 \text{［ビット］}}{100 \times 10^6 \text{［ビット／秒］}}$$

$$= 0.24 \times 10^{-3} \text{［秒］}$$

$$\text{1 往復当たりの所要時間［秒］}$$

$$= 0.24 \times 10^{-3} \text{［秒］} + 30 \times 10^{-3} \text{［秒］}$$

$$= 30.24 \times 10^{-3} \text{［秒］}$$

$$\text{転送の所要時間［秒］} = 30.24 \times 10^{-3} \text{［秒］} \times 20000$$

$$= 604.8 \text{［秒］}$$

　この具体例から分かることは，1 往復当たりの所要時間の大半を，RTT が占めていることである。これが，WAN 回線経由のファイル転送の特徴である。

　シリアル化遅延時間は RTT に比べて無視できる程度まで小さいので，広域イーサ網の帯域幅を増速させても，所要時間を短縮する効果はほとんどない。

● WAS の代理応答と一括転送の仕組み

　WAS は，代理応答と一括転送の仕組みにより，WAN 経由のファイル転送を高速化することができる。

　代理応答について具体的に言うと，WAS は次のように動作する

- 支部1においては，支部1の WAS があたかも FS であるかのように振る舞う。
- 本部においては，本部の WAS があたかも PC であるかのように振る舞う。

　代理応答をする目的は，WAS 間で一括してデータを送信するためであり，この一括転送こそ高速化の鍵を握っている。

この様子を次の図に示す。

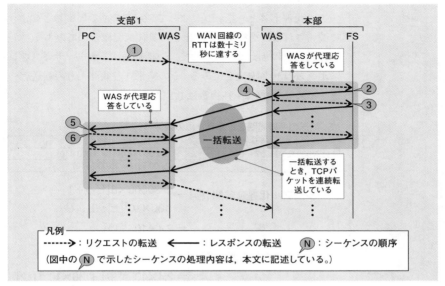

図：WASを用いた，リクエストとレスポンスの転送シーケンス

1. 支部1のPCは，支部1のWASにリクエスト（1回目）を転送する。支部1のWASは，本部のWASにこれを転送する。本部のWASは，FSにこれを転送する。
2. FSは，リクエストを受信すると，本部のWASにレスポンス（1回目）を転送する。
3. 本部のWASは，すぐに，FSにリクエスト（2回目）を転送する。このWASの振舞いは，「代理応答」と呼ばれている。この代理応答は，何度も行われる。LAN上でやり取りしているため，RTTはほぼゼロである。
4. 本部のWASは，代理応答をするとともに，レスポンスをキャッシュする。このキャッシュしたデータを支部1のWASに一括転送する。支部1のWASも，一括転送されたデータをキャッシュする。
5. 支部1のWASは，PCにレスポンス（1回目）を転送する。
6. 支部1のPCは，すぐに，支部1のWASにリクエスト（2回目）を転送する。支部1のWASは，キャッシュしたデー

　　　タからレスポンス（2回目）を転送する。このWASも，「代
　　　理応答」をしている。

　この代理応答と一括転送によって，転送の所要時間はどのよう
に改善されるのだろうか。先ほどの具体例で確かめてみよう。

　新たに付け加える条件として，一括転送するデータサイズをレ
スポンスの10回分としてみる。その結果，1往復当たりの転送デー
タサイズは10倍に，往復数は0.1倍になる。

表：転送の所要時間を求めるための条件

一括転送するデータサイズ	レスポンスの10回分
1往復当たりの転送データサイズ	30,000バイト（＝3,000×10）
往復数	2,000回（＝20,000÷10）

$$\text{シリアル化遅延時間}[\text{秒}] = \frac{30000 \times 8[\text{ビット}]}{100 \times 10^6[\text{ビット／秒}]}$$

$$= 2.4 \times 10^{-3}[\text{秒}]$$

$\text{1往復当たりの所要時間}[\text{秒}]$

$$= 2.4 \times 10^{-3}[\text{秒}] + 30 \times 10^{-3}[\text{秒}]$$

$$= 32.4 \times 10^{-3}[\text{秒}]$$

$\text{転送の所要時間}[\text{秒}] \quad = 32.4 \times 10^{-3}[\text{秒}] \times 2000$

$$= 64.8[\text{秒}]$$

　この例では，転送の所要時間は約1/10になることが分かる。
その理由は，往復数が0.1倍になったからである。1往復当たり
の所要時間の大半をRTT（30ミリ秒）が占めているため，往復
数が減った分だけ転送の所要時間が短くなるわけだ。

　このように，**RTT**が大きい場合，WASの高速化処理の効果が
より高くなることが分かる。

第3章

TCP/IP

この章では，まず IP，TCP，UDP について解説する。次に，IP ネットワークの制御用／管理用プロトコルである，ARP，ICMP，DHCP について解説する。また，今日の IP ネットワークにおいて欠かせない技術である，NAT，ルーティングについても解説する。

午後試験では，この知識を前提とした設計問題が出題されている。表面的な理解だけでなく，ネットワーク構成技術の中でこれらの要素技術がどのように機能しているか，しっかり学習しておく必要がある。

アクセスキー **M**

（大文字のエム）

3.1 ・ 午後試験対策のアドバイス

　ここでは，午後試験の出題例を紹介し，試験対策として押さえておくべき事柄を解説する。出題傾向を踏まえ，効率よく学習していただきたい。

　なお，本章の「試験に出る」には，ここに挙げたもの以外を含め，網羅的に出題例を掲載している。併せて参照していただきたい。

● 1.　IP

　IP については，ブロードキャストやフラグメンテーションなどのプロトコルの基礎知識が出題されている。

表：IP に関する出題例

出題例	内容
令和 5 年午後 I 問 2 平成 27 年午後 II 問 2	・マルチキャストを用いたネットワーク設計（IGMP，マルチキャストルーティングプロトコル，等）
令和元年午後 II 問 2	・ディレクテッドブロードキャストを用いた smurf 攻撃
平成 25 年午後 II 問 1	・リミテッド（制限）ブロードキャスト
令和 6 年午後 I 問 3 平成 29 年午後 I 問 3 平成 28 年午後 II 問 2 平成 26 年午後 I 問 3 平成 25 年午後 II 問 2	・フラグメンテーション（カプセル化に伴うもの，等）

● 2.　TCP/UDP

　TCPについては，TCPの再送処理やフロー制御などの基本機能がしばしば出題されている。

　再送処理やフロー制御は今後も出題される可能性があるので，学習しておく必要がある。本章の「3.3.4　TCP コネクション」の「試験に出る」に出題例を詳しく列挙しているので，自分の目で確かめてみることをお勧めする。重要な着眼点は，繰り返し出題される可能性があるからだ。

表：TCP/UDP に関する出題例

出題例	内容
平成 27 年午後 I 問 2	・障害を検知して主系から待機系にフェールオーバする際，TCP リセットフラグを送信する。これにより，TCP 再送タイムアウトを待つことなく，直ちに TCP 通信を終了できる
平成 27 年午後 II 問 1	・UDP は，TCP と異なりコネクション確立と終了の手順が不要であるため，性能が良い ・TCP コネクションの保持時間を短縮するため，再送タイムアウト値を調整する。ただし，正常な通信に支障が出ない範囲とする
平成 26 年午後 I 問 2	・TCP の再送処理によりアプリケーション層通信の信頼性を確保
平成 22 年午後 I 問 1	・プロキシサーバの先読み機能の有無による TCP コネクションの発生状況の相違 ・TCP 通信のスループット
平成 22 年午後 I 問 2	・非優先の TCP 通信でパケットが廃棄されると，再送処理による遅延，及び，ウインドウサイズ縮小に起因する速度低下による遅延が発生する

● 3. ARP

ARP 自体の知識習得は易しいが，**Gratuitous ARP** などの応用問題を解けるように学習しておく必要がある。

本章の「3.4.2 特別な用途の ARP」の「試験に出る」に出題例を詳しく列挙しているので，自分の目で確かめてみることをお勧めする。重要な着眼点は，繰り返し出題される可能性があるからだ。

表：ARP に関する出題例

出題例	内容
令和元年午後 I 問 3	・ARP スプーフィング
平成 26 年午後 I 問 2	・フェールオーバ時に，クライアント端末の ARP キャッシュを更新するために Gratuitous ARP を送信する
平成 30 年午後 II 問 2	・仮想マシンのライブマイグレーション時に，同一ブロードキャストドメイン内のスイッチから見たときに仮想 MAC アドレスとポートの対応関係が変化する。スイッチの MAC アドレステーブルを更新するために RARP を送信する
平成 25 年午後 II 問 2	・モバイル IP を用いたローミングの設計において，Gratuitous ARP, Proxy ARP が使用される目的（本文から推論する応用問題）

● 4. ICMP

ICMP の出題頻度は高くないが，ICMP の重要な応用である，ping, traceroute, 経路 MTU について学習しておくとよいだろう。

ICMP については，パケットフォーマットやメッセージの詳細な知識までは問われていない。知識習得の優先度を下げてよいだろう。

● 5. DHCP

　DHCPについては，DHCPスヌーピングなどの応用問題が出題されている。本文中に動作原理が解説されているので，基礎知識の習得が重要となる。初期リースの取得，リースの更新と解放，DHCPリレーエージェントなど，DHCPの一連の動作について学習しておく必要がある。

　DHCPについては，パケットフォーマットやメッセージの詳細な知識までは問われていない。基本的なシーケンスの流れを学習しておけばよいだろう。

表：DHCPに関する出題例

出題例	内容
令和元年午後Ⅰ問2 平成25年午後Ⅰ問2	・DHCPスヌーピング
令和5年午後Ⅰ問3 令和3年午後Ⅱ問1 令和元年午後Ⅰ問2	・DHCPリレーエージェント
平成25年午後Ⅰ問2	・DHCPクライアントのMACアドレスに基づき，DHCPサーバから固定IPを割り当てる方法

● 6. NAT

　NAT自体の知識習得は易しいが，試験対策としては，**NAT越え**などの応用問題を解けるように学習しておく必要がある。

　本章の「3.7.2　NAT越え」の「試験に出る」に挙げた出題例を読み，実際にどのように技術的課題が克服されているかを調べてみることをお勧めする。

表：NATに関する出題例

出題例	内容
平成30年午後Ⅱ問2	・1対1の静的NATの設定
平成28年午後Ⅱ問1	・P2P通信（ピアツーピア通信）のNAT越えにSTUNサーバを用いる
平成27年午後Ⅱ問2	・グローバルIPアドレス枯渇対策として，NAT444を用いる（本文から推論する応用問題） ・NATを越えるとき，IPsec通信において，AH，ESP，IKEのそれぞれに問題があり，それを解決するためにNATトラバーサルが必要である
平成26年午後Ⅱ問2	・セッション生成時のSIPメッセージで発信元端末のプライベートIPアドレスを通知しているため，通常のNAT装置を通過すると，通話セッションが行えなくなる
平成24年午後Ⅱ問2	・NAT64方式のIPv6トランスレータを用いた設計（本文から推論する応用問題）
平成22年午後Ⅱ問2	・プライベートIPアドレスを割り当てられたモバイル端末からIPsecを使用するとき，IPsecではNATを越えられないため，ルータにVPNパススルー機能が必要となる

●7. ルーティング

基本となるロンゲストマッチアルゴリズムを，まずはしっかり学習しておく必要がある。

ルーティングについては，設計の応用問題として出題される傾向がある。

ダイナミックルーティングプロトコル（OSPF，BGP4）については，ここ数年の過去問題で出題頻度が高くなっている。WAN 回線を冗長化するため，OSPF と BGP4 を組み合わせた冗長化設計，及びそれに関連する各種設定（優先度，経路再配布）など，プロトコルの知識を具体的に問うものが増えている。冗長化設計を中心に基礎知識を整理しておく必要がある。

表：ルーティングに関する出題例

出題例	内容
令和 6 年午後 I 問 1	DDoS 検知サーバと BGP の仕組みを組み合わせた DDoS 対策（BGP RTHB 方式，BGP Flowspec 方式）
令和 6 年午後 I 問 2	閉域網側で as-override を設定した上で，閉域網を介した拠点間接続の経路制御に BGP を使用する
令和 6 年午後 I 問 2 平成 29 年午後 I 問 3	・BGP から OSPF の再配布に起因するルーティングループの発生
令和 5 年午後 II 問 1 令和 3 年午後 II 問 2	・アクティブ／スタンバイ型のマルチホーム接続を行うため，BGP のパスアトリビュート（LOCAL_PREF），ネクストホップセルフを用いる ・静的経路情報は動的経路情報より優先度が高い
令和 5 年午後 II 問 1 平成 26 年午後 I 問 1	・PBR（Policy Based Routing）を用い，特定の IP アドレスとポート番号の組をもつパケットを特定のデバイスにルーティングする。その際，通常のルーティング方式よりも PBR の優先度を高く設定しておく
令和 5 年午後 II 問 1	・移行時の不適切な手順によるルーティングループの発生
令和 4 年午後 I 問 2 平成 25 年午後 I 問 3	・VRF（Virtual Router Forwarding）技術を利用し，1 台の IPsec ルータの中に，トンネルインタフェースをもつ VRF とインターネット接続インタフェースをもつ VRF を設置して，ネットワークを設計する
令和 4 年午後 I 問 2	・OSPF でデフォルトルートを配布する ・静的経路から OSPF に再配布する
令和 4 年午後 II 問 1	・WAN 側は OSPF のイコールコストマルチパス機能を用い，LAN 側は VRRP トラッキング機能を用いて，トラフィック分散と経路冗長化を実現する
令和 3 年午後 I 問 2	・ABR で経路集約を実施する際，null インタフェースを用いてルーティングループを防止する ・バーチャルリンクを用い，エリア 0 の分断を解消する ・同一エリアのリンクステート情報を，複数の ABR で広告する場合，双方とも同じように経路集約する
令和 3 年午後 II 問 2	・複数のダイナミックルーティングプロトコル（BGP，OSPF）を用いた，インターネット接続の冗長化設計 ・BGP のリカーシブルックアップ ・BGP のアトリビュート（LOCAL_PREF，NEXT_HOP）

（表は次ページに続く）

出題例	内容
令和元年午後Ⅱ問2	・uRPF (unicast Reverse Path Forwarding) の説明 (ルータが受信したパケットの送信元 IP アドレスがルーティングテーブルにない場合, パケットを破棄する技術)
平成30年午後Ⅰ問3	・複数のダイナミックルーティングプロトコル (BGP, OSPF) を用いた, WAN 回線の冗長化設計 ・インターネット VPN で, GRE over IPsec にカプセル化して OSPF リンクステート情報を交換し合う
平成28年午後Ⅱ問2	・インターネット VPN, 広域イーサ網, 専用線の3系統で WAN 回線を冗長化し, OSPF を用いてダイナミックルーティングを実施する。インターネット VPN では, GRE over IPsec にカプセル化して OSPF リンクステート情報を交換し合う
平成26年午後Ⅰ問1	・WAN 側は OSPF を用い, LAN 側は VRRP (複数の VRRP グループを設定) を用いることにより, ネットワークを冗長化し, かつ, トラフィックの種類ごとに正常時の経路を別々にする ・エリア境界ルータでどのようにアドレスが集約されるか
平成23年午後Ⅱ問1	・VPN トンネルを使用したときのルーティングテーブルの設定 (本文から推論する応用問題) ・ロンゲストマッチアルゴリズムでは同等の経路が複数存在する場合, 最もメトリックの小さい経路が選択される ・null インタフェースを用いてパケットを破棄する
平成21年午後Ⅰ問3	・デフォルトゲートウェイとサブネットマスクの設定ミスによる障害の原因解析と解決策
平成21年午後Ⅱ問2	・ルーティングテーブルの設定ミスに起因する障害の原因分析と対策
今後出題される可能性がある	・フローティングスタティックを用い, 障害発生時に動的経路から静的経路に切り替える

● 8. IPv6

IP については, **IPv6** が平成 24 年午後Ⅱ問 2 で出題された。なお, IPv6 は新技術 (応用問題) として扱われたため, 本文に動作原理が詳しく解説されていた。その出題趣旨の中で, IPv6 について「昨今, 活用事例も増えてきた。IPv6 は, ネットワーク技術者にとって避けて通ることのできない技術である」とコメントされていたことに注目できる。それゆえ, またいつか出題される可能性がある。

次回は, 近隣探索やアドレス自動設定など, IPv4 との相違点が問われるかもしれない。

IPv6 が出題されるとしたら, おそらく次回も「新技術」の扱いとなると考えられるので, 本文にヒントが書いてあるはずだ。したがって, 真に問われているのは, 基礎知識の正確な理解である。本章でしっかり身に付けておきたい。

表：IPv6 に関する出題例

出題例	内容
平成24年午後Ⅱ問2	・NAT64 方式の IPv6 トランスレータを用いた設計 (本文から推論する応用問題)

3.2 · IP

IPは，TCP/IP のネットワーク階層モデルではインターネット層に位置するプロトコルである。インターネットでは，TCP と並んで中核をなすプロトコルなので，プロトコルの特徴，ヘッダの主要なフィールドについてしっかり学習しておく必要がある。

3.2.1 IP の特徴

IP（Internet Protocol）は，TCP/IP のネットワーク階層モデルではインターネット層に位置するプロトコルである。次世代のバージョンとして IPv6（バージョン 6）の規格も定まっている。割当て可能な IPv4 アドレスブロックの枯渇を機に，インターネットに公開しているサーバは IPv4 と IPv6 の双方に対応することが求められており，重要性を増していく技術である。以下，特に断りがない場合，「IP」という表記は IPv4 を指すものとする。

IP はコネクションレス型のプロトコルである。通信する両端のホスト間でパケットを伝送する機能を有し，パケット単位のエラーチェック機能，**MTU** を超えるパケットの分割機能／再構築機能をもつ。パケット廃棄の検知及び再送が必要な場合は，上位層に TCP を用いて通信する。

IP はコネクション方式とは異なり，パケットの順序管理，パケット廃棄に伴う再送要求，ウィンドウを用いたフロー制御，輻輳制御（スロースタートや輻輳回避）などを行わない。したがって，コネクション確立フェーズ，確認応答処理，再送処理，スロースタートといった，コネクション管理に特化したやり取りに伴う遅延が発生しない。

用語解説

MTU
Max Transmission Unit。データリンク層プロトコルのペイロードの最大転送長。イーサネットの場合，1500 バイト

第3章

3.2.2 IPヘッダ

関連RFC

RFC791（STD5）

IPパケットは，次のような構造のヘッダをもつ。

0 4	8	16 19	31
Version(4) バージョン	IHL (4) ヘッダ長	Type of Service (8) サービスタイプ	Total Length (16) パケット長
Identification (16) 識別子			Flags (3) フラグ	Fragment Offset (13) フラグメントオフセット
Time To Live (8) 生存時間		Protocol (8) プロトコル番号	Header Checksum (16) ヘッダチェックサム
Source Address (32) 送信元IPアドレス			
Destination Address (32) 宛先IPアドレス			
Options オプション			Padding パディング

注：( )内の数字はビット数。

図：IPヘッダ

　それぞれの領域（フィールド）の意味を次に示す。過去の午前問題の出題例があるものなど，試験対策上重要な項目に★印を付している。

- **バージョン**
  バージョン4を表す「0x04」が格納される。
- **ヘッダ長**
  単位は4バイトである。オプションがない場合，IPヘッダは20バイトなので，「0x05」が格納される。
- **ToS（Type of Service）（★）**
  パケットの優先度を示す情報が格納されている。ルータは，優先度の高いパケットを優先的に転送する。
  当初，RFC791では，ToSフィールドの上位3ビットのIP Precedenseに8種類の優先度を格納するように定義されていた。RFC2474で標準化された**DiffServe**（Differenciated Services）では，上位6ビットのDSフィールドに64種類の優先度を格納するように再定義された。
  ToSフィールドを用いた優先制御について，詳しくは本書の第7章「7.2 QoS制御」を参照していただきたい。

試験に出る

ToSについて，令和3年午後I問3で出題された。
DiffServについて，令和3年午後I問3で出題された

- **識別子**

  送信側でIPパケットを送出するたびにID値を割り当てる。

- **フラグ，フラグメントオフセット（★）**

  ルータは，IPデータグラムを転送する際，データグラムの長さがリンクの **MTU**（Max Transfer Unit, 最大転送単位）を超えていたら，MTUに収まるようにIPデータグラムを分割する。分割した各々のデータグラムにIPヘッダを付加し，複数個のIPパケットを生成する。これをフラグメンテーションという。分割されたIPパケットは，宛先ホストで再構築される。このフラグメント処理を行うため，IPヘッダにフラグ（3ビット）とフラグメントオフセット（13ビット）が定義されている。フラグの種類には，フラグメント化禁止ビット，分割パケットの末尾であるか否かを表示するビットがある。送信ホストによって「分割禁止」がセットされていた場合，そのIPデータグラムの長さがMTUを超えたときはルータによって破棄される。その際，ルータは送信元ホストにICMPパケット（宛先到達不能）を送信する。

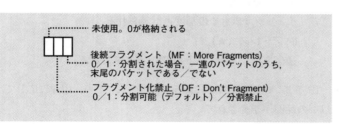

図：フラグ（3ビット）の内訳

  フラグメントオフセットには，分割されたデータグラムがオリジナルデータのどこに位置していたかを示すオフセット値（単位は8バイト）が入っている。分割されたパケットが全て届いていれば，順番どおりではなくても，フラグメントオフセットを用いて元どおりに復元することができる。

- **生存時間（TTL：Time To Live）（★）**

  ルータを経由するごとに，この値が一つずつ減っていく。この値が「0」になるとパケットは破棄され，ルータからICMPパケット（時間超過）が送信元ホストへ送信される。

試験に出る

フラグメンテーションについて，平成6年午後I問3，平成29年午後I問3，平成28年午後II問2，平成26年午後I問3で出題された。トンネリングに伴うヘッダ追加によりフラグメンテーションが発生することについて，平成25年午後II問2で出題された。フラグメンテーションに伴う負荷の増大について，令和6年午後I問3で出題された

第**3**章

71

- プロトコル番号（★）

    上位層のプロトコルを識別する番号で，ICANNによって管理されている。最新情報は以下のサイトから入手できる。

    http://www.iana.org/assignments/protocol-numbers

    主要なプロトコル番号を次に示す。

表：IP ヘッダのプロトコル番号

プロトコル番号	プロトコル
1	ICMP
2	IGMP
4	IP in IP (encapsulation)
6	TCP
17	UDP
46	RSVP
50	ESP
51	AH
89	OSPF（ICANN には「OSPFIGP」として登録）

- ヘッダチェックサム

    IPヘッダのビットレベルの整合性チェックを行う。TTLがルータを経由するたびに一つ減算されるため，このヘッダチェックサムもその都度再計算される。

- IP アドレス（★）

    通信を行う両端ホストのIPアドレスである。

    IPアドレスはICANNによって管理されており，用途に応じて，以下の範囲が予約されている。

表：予約されている IP アドレス

IP アドレスの範囲	用　途
127.0.0.0 ～ 127.255.255.255	ループバックアドレス。通常は，127.0.0.1 が使用されている
169.254.0.0 ～ 169.254.255.255	リンクローカルアドレス。自動プライベートIP アドレス指定（APIPA：Automatic Private IP Addressing）で使用される。APIPA とは，DHCP サーバがないとき，ホスト自身がこの範囲から IP アドレスをランダムに設定する機能である。なお，サブネットマスク長は 16 ビットである
224.0.0.0 ～ 239.255.255.255	マルチキャストアドレス
255.255.255.255 ～ 255.255.255.255	制限ブロードキャストアドレス。限定的ブロードキャストアドレスともいう。ネットワークアドレスを指定せずに，送信元ホストが所属するサブネットにブロードキャストを送出するときに使用する

IGMP

Internet Group Management Protocol。マルチキャストグループへの参加や離脱をホストが通知したり，マルチキャストグループに参加しているホストの有無をルータがチェックするときに使用するプロトコル

IANA

Internet Assigned Number Authority。インターネット上で利用される資源（IP アドレス，ドメイン名，ポート番号など）を管理する組織だったが，1998 年に ICANN に移管された

ICANN

Internet Corporation for Assigned Names and Numbers。インターネット上で利用されるアドレス資源（IP アドレス，ドメイン名，ポート番号など）を管理する組織で，1998 年に設立された民間の非営利法人である。IANA の後継に当たる

ルータは，APIPA で割り当てられた IP アドレスをもつパケットをルーティングしてはいけないことになっている。そのため，通信できる範囲は同一のブロードキャストドメイン内に限定される。デフォルトゲートウェイは設定されない

IP アドレスの範囲	用　途
10.0.0.0 〜 10.255.255.255	プライベートアドレス
172.16.0.0 〜 172.31.255.255	
192.168.0.0 〜 192.168.255.255	

最新情報は以下のサイトから入手できる。

https://www.iana.org/assignments/ipv4-address-space

3.2.3 IP パケット

IP パケットは，その到達範囲により次の三つに分類できる。

- ユニキャストパケット
  宛先が 1 台のホストであるパケット。
- マルチキャストパケット
  宛先が特定の機能や役割をもつ複数のホストであるパケット（宛先は同一ネットワークに限定されてはいない）。
- ブロードキャストパケット
  宛先が同一ネットワーク内の全てのホストであるパケット。

ブロードキャストパケットが到達する範囲をブロードキャストドメインという。ブロードキャストパケットには，次に示す二つの種類がある。

表：ブロードキャストパケットの種類

種類	説明
ディレクテッドブロードキャスト	指定されたサブネットの全ホストを宛先とするブロードキャスト。自分と異なるサブネットを指定することができる。宛先 IP アドレスは，ネットワーク部に送信対象のネットワークアドレスが指定され，ホスト部は全てのビットが「1」になる
制限ブロードキャスト（リミテッドブロードキャスト）	宛先 IP アドレスに 255.255.255.255 を使用し，自分と同じサブネットの全ホストを宛先とするブロードキャスト。 制限ブロードキャストパケットを使用しているプロトコルの例は，DHCP である。DHCP クライアントは，ホストを起動した直後に DHCP 発見パケットを送信する。起動時には IP アドレスやサブネットなどの情報がないので，宛先 IP アドレスに制限ブロードキャストアドレスが用いられる

詳説

上位層が TCP であるとき，ユニキャストパケットしか使用できない。UDP であるとき，ユニキャスト／マルチキャスト／ブロードキャストパケットのいずれも使用できる

試験に出る

「BGP エニーキャスト通信」が，令和 6 年午後I問 1 で出題された。同技術について，詳しくは「3.8.6 BGP」の「●経路選択」「● BGP エニーキャスト通信を利用した経路選択」を参照していただきたい。
IGMP とマルチキャストルーティングプロトコルを用いたネットワーク設計の問題が，令和 5 年午後I問 2 で出題された。マルチキャスト通信を用いたオーバレイネットワークの設計問題が，令和 6 年午後II問 1，平成 27 年午後II問 2 で出題された。なお，マルチキャスト通信の仕組みについては，本問に詳しく解説されていた。マルチキャストについて，平成 26 年午前II問 4，平成 22 年午前II問 12 で出題された。
マルチキャストへの参加と離脱をホストが通知したり，グループに参加しているホストの有無を

（次ページに続く）

ルータがチェックしたりする機能をもつ IGMP について，令和 4 年午前Ⅱ問 7，平成 27 年午前Ⅱ問 8，平成 27 年午後Ⅱ問 2，平成 24 年午前Ⅱ 問 11 で出題された

IP データグラム

IP のデータ転送の単位であり，IP ヘッダと IP データからなる。IP パケットと同義である。
ただし，フラグメンテーションが発生したとき，一個の IP データグラムは複数の IP パケットに分割されるので厳密には両者は異なる

　RFC1122「Requirements for Internet Hosts – Communication Layers」によると，ルータは制限ブロードキャストパケットをルーティングしない。一方，他ネットワーク宛てのディレクテッドブロードキャストにそのような規定はない。

　しかし，ディレクテッドブロードキャストのルーティングを許してしまうと，指定されたサブネットワーク内の全ホストに DoS 攻撃（smurf 攻撃）が可能となる。これを防ぐために，デフォルトで禁止している FW やルータがある（Cisco IOS など）。

3.3 ・ TCP／UDP

IP同様，午後問題においてTCP／UDPそのものについて出題されることはない。しかし，TCP／UDPについても，表面的な理解だけでなく，構成例の中でそれぞれの技術がどのように機能しているかというところまで理解を深めてほしい。

3.3.1 TCP／UDPの特徴

TCP（Transmission Control Protocol）と UDP（User Datagram Protocol）は，TCP/IPのネットワーク階層モデルではトランスポート層に位置するプロトコルである。いずれも通信する両端のアプリケーション間でパケットを送受信する機能を有するが，TCPはコネクション型，UDPはコネクションレス型である点が異なる。IPヘッダ中のIPアドレスにより両端のホストが識別され，TCP又はUDPヘッダ中のポート番号により両端のアプリケーションが識別される。

TCPはコネクションを確立した後，コネクション単位でパケットの順序管理を行う。コネクションを確立する以上，通信形態は1対1（ユニキャスト通信）となる。エラーを検知した際は，再送要求を行うことにより，信頼性の高い通信を実現している。加えて連続転送やフロー制御など，様々な機能を実装している。

UDPはコネクションを確立しないので，IPと同様，パケット単位の通信を行う。そのため，アプリケーションデータ単位の通信では信頼性が保証されていない。その代わり，確認応答処理や再送処理に伴う遅延が発生しない。

UDPは，DNSなど，概して要求／応答の1往復で事足りるプロトコルで，使用頻度が高い通信に用いられる。また，音声通信など，多少のパケット廃棄は許容できるので再送処理は不要であるが，大幅な遅延が問題視される通信に用いられる。

UDPを使用する際，パケット廃棄の検知と再送の処理が必要であれば，アプリケーション層で行う。

用語解説

コネクション
通信を行う両端のアプリケーション間に結ばれた仮想的な通信路

第 **3** 章

3.3.2　TCPヘッダ

関連RFC

TCP は RFC793（STD7）。ただし、一部はアップデートされ、別の RFC で標準化されているので注意

TCP のヘッダフォーマットを次に示す。

0	4	10	16	19	31

```
0        4          10        16    19                    31
┌─────────────────────────────┬────────────────────────────┐
│ Source Port (16)            │ Destination Port (16)      │
│ 送信元ポート番号             │ 宛先ポート番号              │
├─────────────────────────────┴────────────────────────────┤
│ Sequence Number (32)                                      │
│ シーケンス番号                                            │
├───────────────────────────────────────────────────────────┤
│ Acknowledgement Number (32)                               │
│ 確認応答番号                                              │
├──────────┬───────────┬────────────────┬──────────────────┤
│ Data     │ Reserved(3)│ Control flag(9)│ Window (16)      │
│ Offset(4)│ 予約       │ コントロールフラグ│ ウィンドウサイズ  │
├──────────┴───────────┴────────────────┼──────────────────┤
│ Checksum (16)                          │ Urgent Pointer(16)│
│ チェックサム                           │ 緊急ポインタ      │
├───────────────────────────────────────┴─────────┬────────┤
│ Options                                          │ Padding│
│ オプション                                        │パディング│
└──────────────────────────────────────────────────┴────────┘
注：（　）内の数字はビット数。
```

図：TCP ヘッダ

それぞれの領域（フィールド）の意味を次に示す。

試験に出る

過去の午前問題の出題例があるものなど、試験対策上重要な項目に★印を付けている

● **ポート番号（★）**

通信を行うアプリケーション（アプリケーションプロトコル）を識別する番号である。パケットを受信したホストの OS は、宛先ポート番号に基づき、該当するアプリケーションにデータを受け渡す。HTTP などのように広く使用されているアプリケーションプロトコルは、ポート番号が標準で定められている。これは ウェルノウンポート番号（Well-known Port Number）と呼ばれ、ポート番号の 0 ～ 1023 までの範囲がこれに該当する。（HTTP サーバなどの）サーバアプリケーションは、サーバホストの OS からポート番号が割り当てられた状態で起動しており、クライアントからのリクエストを処理できるよう待機している。通常、サーバアプリケーションのポート番号はウェルノウンポート番号（1023 以下の値）を使用しているが、アプリケーションプロトコルによっては、別のポート番号を使用しているケースもある。例えば、パッシブモードの FTP サーバは、データチャネルのポート番号として 1024 以上のものを使用する（動的に決定される）。更

に，ベンダ独自のプロトコルでは 1024 番以上のポート番号が使用されることが多い。例えば，RDBMS 製品の一つである Oracle は，リスナーのポート番号として 1521 番を使用している。Web ブラウザなどクライアントアプリケーションは，クライアントホストの OS が，起動時に動的にポート番号を割り当てる（通常は，1024 番以上のポート番号の中から割り当てられる）。ポート番号は ICANN が管理しており，最新情報は以下のサイトから入手できる。

https://www.iana.org/assignments/port-numbers

TCP と UDP における代表的なポート番号を次に示す。

表：代表的なウェルノウンポート番号（TCP）

ポート番号	プロトコル	説　明
20	ftp-data	File Transfer Protocol [Data]
21	ftp-control	File Transfer Protocol [Control]
22	ssh	Secure Shell Remote Login Protocol
23	telnet	Telnet
25	smtp	Simple Mail Transfer Protocol
43	nicname	Whois
53	domain	Domain Name System
80	http	Hyper Text Transfer Protocol
110	pop3	Post Office Protocol version 3
113	auth (ident)	Authentication Service
137	netbios-ns	NETBIOS Name Service
139	netbios-ssn	NETBIOS Session Service
143	imap	Internet Message Access Protocol
179	bgp	Border Gateway Protocol
389	ldap	Lightweight Directory Access Protocol
443	https	http protocol over TLS/SSL
445	microsoft-ds	Direct Hosting SMB Service

表：代表的なウェルノウンポート番号（UDP）

ポート番号	プロトコル	説　明
53	domain	Domain Name System
67	dhcps	Dynamic Host Configuration Protocol Server
68	dhcpc	Dynamic Host Configuration Protocol Client
69	tftp	Trivial File Transfer Protocol
123	ntp	Network Time Protocol
137	netbios-ns	NETBIOS Name Service
138	netbios-dgm	NETBIOS Datagram Service
161	snmp	Simple Network Management Protocol
162	snmp-trap	Simple Network Management Protocol Trap
520	rip	Routing Information Protocol

試験に出る

TCP のポート番号について，平成 25 年午前Ⅱ問 15 で出題された

第**3**章

- **シーケンス番号（★）**

  データ通信フェーズの期間中，送信したデータの順番は
  シーケンス番号によって管理されている。コネクションが
  確立された後，両端はシーケンス番号，確認応答番号（相
  手のシーケンス番号）を保持している。パケットを送信す
  るとき，自分が保持しているシーケンス番号，確認応答番
  号をヘッダに格納する。その後，送信側は自分が保持して
  いるシーケンス番号にデータのバイト数を加算する。なお，
  コネクション確立フェーズの SYN フラグ，コネクション切
  断フェーズの FIN フラグも，1 バイト分のデータと見なし
  てシーケンス番号に加算される。シーケンス番号，確認応
  答番号のサイズは 4 バイトであり，32 ビット値が巡回的に
  使用される（「0xFFFFFFFF」の次の値は「0x00000000」
  になる）。

- **確認応答番号（★）**

  次に受信すべきシーケンス番号。送信側は，返された確認
  応答番号と次に送るシーケンス番号が同じであることを確
  認すれば，正常に通信が行われているか確認することがで
  きる。

- **データオフセット**

  TCP セグメント内のデータ開始位置。事実上，ヘッダ長と
  同じ意味である。単位は 4 バイトである。オプションがな
  い場合，TCP ヘッダは 20 バイトなので，「0x05」が格納
  される。

- **予約**

  将来のために予約されており，「0」が格納される。

- **コントロールフラグ（★）**

  コントロールビットとも呼ばれ，次の図に示す 9 ビットで
  構成されている。各ビットを「フラグ」という。

N S	C W R	E C E	U R G	A C K	P S H	R S T	S Y N	F I N

図：コントロールフラグ

それぞれのフラグの意味を次に示す。

・NS（Nonce Sum）
・CWR（Congestion Window Reduced）
・ECE（ECN-Echo）

　これら三つのフラグは，IP ネットワークで明示的輻輳制御（**ECN**：Explicit Congestion Notification）を実現する目的で追加された。

　RFC3186 は，IP ヘッダの TOS フィールドの一部を ECN フィールドとして再定義し，TCP ヘッダのコントロールフラグフィールドに ECN 用のフラグ（ECE,CWR）を追加した。これらは，輻輳の発生を通信相手に通知するために使用される。

　RFC3540 は，コントロールフラグフィールドに ECN 用のフラグ（NS）を追加した。これは，明示的輻輳制御を保護するために使用される。

・URG（Urgent）

　このビットが立っている場合，緊急に処理すべきデータが含まれていることを示している。ホストが緊急データを受信すると，受信アプリケーションの割込みが入るので，アプリケーションは緊急データをただちに処理する。

・ACK（Acknowledgement）

　このビットが立っている場合，確認応答番号のフィールドが有効である。コネクション確立フェーズで最初に送られるパケット以外は，このビットは必ず「1」になっている。

・PSH（Push）

　このビットが立っている場合，受信したデータはバッファリングされずに，ただちに上位アプリケーションに渡される。例えば，HTTP ではサーバへファイル取得を要求するが，サーバから返信される TCP セグメントには，PSH がセットされている。よって，クライアント OS は，受信したデータをブラウザに渡すことができる（複数セグメントに分割された場合は，最後のセグメントに PSH がセットされている）。

・RST（Reset）

　このビットが立っている場合，コネクションが強制的に

詳説

RFC3186 が標準化した，IP ネットワークにおいて明示的輻輳制御を実現する仕組みについて，詳しくは本書の第 7 章「7.2.2 IP ネットワークの QoS 制御」を参照していただきたい

第
3
章

試験に出る

障害を検知して主系から待機系にフェールオーバする際，RST フラグをオンにしたパケットを送信する。これにより，TCP 再送タイムアウトを待つことなく，直ちに TCP 通信を終了できることについて，平成 27 年午後I 問 2 で出題された

リセットされる。

・SYN（Synchronize）

コネクション確立フェーズで使用される。このビットが立っている場合，コネクション確立要求を意味している。

・FIN（Fin）

コネクション切断フェーズで使用される。このビットが立っている場合，コネクション切断要求を意味している。

● ウィンドウサイズ

ウィンドウサイズとは，受信確認を待たずに送信できるデータサイズの最大値であり，簡単には，「受信バッファの空き容量」と言い換えることができる。通常，ウィンドウサイズの初期値は TCP の **MSS**（Max Segment Size，最大セグメント長）を整数倍した値が設定されるが，通信中の受信状態に応じて変動する。ホストは，送信時に現在の空き容量をウィンドウサイズに格納して相手に通知する。相手ホストは，通知されたウィンドウサイズに達するまで，確認応答を待たずにデータを連続転送することができる。確認応答パケットを受けると，次はそのパケットに格納されているウィンドウサイズまでデータを連続転送する。そのパケットに格納されている確認応答番号は，次に受信すべきシーケンス番号を示しているので，送信側から見た連続転送可能なデータ範囲は，確認応答番号を起算点とするウィンドウサイズ分となる。確認応答のたびに，連続転送可能な範囲がウィンドウで示され，これが次第に移動（スライド）していく。このような方式をスライディングウィンドウ方式と呼ぶ。この方式では，確認応答を待つ時間を省くことによって単位時間当たりのデータ転送量が増すので，効率の高いデータ通信を実現することができる。

詳説

ウィンドウサイズは，ウィンドウスケーリング（RFC1323）が有効でない限り，最大値は64kバイトである

試験に出る

ウィンドウサイズについて，平成28年午前II問12で出題された。ウィンドウによるフロー制御について，令和元年午前II問11，平成29年午前II問11，平成26年午前II問14で出題された

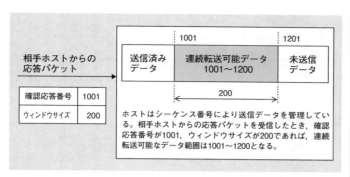

図：スライディングウィンドウ方式

なお，受信側ホストのウィンドウサイズが「0」と通知されることがある。この場合，送信側ホストはこれ以上パケットを送信できない。この状態を「ゼロウィンドウ」という。受信側ホストは，ウィンドウサイズが0より大きくなったら送信側ホストに通知する。これを「ウィンドウ更新」といい，データを格納しない確認応答パケットが用いられ，ウィンドウ領域に更新された値がセットされている。この仕組みにより，送信を再開できる。しかし，ウィンドウ更新パケットが消失するリスクに備えて，送信側ホストは定期的にウィンドウプローブと呼ばれる，1バイト分のデータを格納したパケットを送信して，確認応答パケットの返信を促す。その確認応答パケットのウィンドウサイズが「0」より大きな値に更新されていれば送信を再開する。

- **チェックサム**

TCP セグメント（TCP ヘッダと TCP データ）のビットレベルの整合性チェックを行う。

- **緊急ポインタ**

TCP セグメント内の緊急データの位置を示す。

3.3.3 UDP ヘッダ

UDP のヘッダフォーマットを次に示す。

試験に出る

UDPについて, 平成26年午前I問10, 平成25年午前I問12で出題された。UDPは, TCPと異なりコネクション確立と終了の手順が不要であるため, 性能が良い。この点について, 平成27年午後II問1で出題された

試験に出る

過去の午前問題の出題例があるものなど, 試験対策上重要な項目に★印を付けている

用語解説

UDPデータグラム
UDPのデータ転送の単位であり, UDPヘッダとUDPデータからなる。UDPパケットと同義である

Source Port (16) 送信元ポート番号	Destination Port (16) 宛先ポート番号
Length (16) パケット長	Checksum (16) チェックサム

注:( )内の数字はビット数。

図:UDPヘッダ

それぞれの領域（フィールド）の意味を次に示す。

- **ポート番号（★）**
  通信を行うアプリケーション（アプリケーションプロトコル）を識別する番号である。詳細はTCPヘッダの項を参照のこと。同じポート番号でも, TCPとUDPでは異なるアプリケーションに割り当てられることがある。
- **パケット長**
  単位はバイトで,データグラム（UDPヘッダとUDPデータ）の長さ。
- **チェックサム**
  データグラム（UDPヘッダとUDPデータ）のビットレベルの整合性チェックを行う。

3.3.4 TCPコネクション

●TCP通信の三つのフェーズ
TCP通信は, 次の三つのフェーズからなる。

1. コネクション確立フェーズ
2. 通信フェーズ
3. コネクション終了フェーズ

以下, 順に説明する。

試験に出る

スリーウェイハンドシェークについて, 令和元年午後II問2, 平成25年午前II問13, 平成23年午前II問12で出題された。コネクションについて平成22年午前II問14で出題された

●コネクション確立フェーズ
コネクション確立フェーズは三つのパケット（SYN, ACK／SYN, ACK）のやり取りからなる。このスリーウェイハンドシェークと呼ばれるやり取りを通して, 互いのIPアドレス, ポート番号,

シーケンス番号，確認応答番号，ウィンドウサイズ，MSS などを交換し合い，以降の通信に備える。

　次の図は，ホスト A（クライアント）からホスト B（サーバ）へコネクション確立が要求される場合の，コントロールフラグ，シーケンス番号及び確認応答番号の推移を示している。

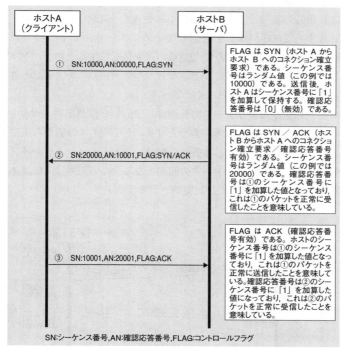

SN:シーケンス番号,AN:確認応答番号,FLAG:コントロールフラグ

図：コネクション確立フェーズ

● **通信フェーズ**

　送信側のアプリケーションデータは，受信側のアプリケーションに順番どおり受信される。データのバイト数が MSS より大きい場合，MSS に収まるよう，複数個のパケットに分割されて送信される。このとき，相手に順番どおりデータが送られることを保証するため，シーケンス番号と確認応答番号が用いられている。

　データを送信した後，送信側は自分のシーケンス番号に送信データのバイト数を加算した値を保持する。

通常，TCP はデータパケットを受信したとき，すぐには確認応答パケットを返信しない。これを遅延 ACK という。

遅延 ACK の仕組みにより，その ACK と同じ方向にデータを送信する場合，そのデータパケットに便乗して確認応答を通知することができる。これをピギーバック（piggy-back，便乗）という。

具体例として，図「通信フェーズ」で説明しよう。ホスト B は，タイムアウト値以内に③を返信できれば，②の応答確認パケットの送信を省くことができる。なぜなら，③のデータパケットに格納されている確認応答番号（AN:11001）から，ホスト A は，①が正常に受信できたことを確認できるからである。

この遅延 ACK はタイムアウト値をもっており，多くの実装では 200 ミリ秒に設定されている。つまり，この時間以内にピギーバックできなければ，確認応答パケットを返信する。なお，Windows10 では，TCP ACK Frequency（既定値：2）で指定された個数のパケットを受信したら遅延 ACK の時間が満了していなくても確認応答パケットを返信する

データを受信したとき，受信側は自分が保持しているシーケンス番号とパケットの確認応答番号，及び自分が保持している確認応答番号とパケットのシーケンス番号が，ともに一致していることを確認する。正常に受信したことを確認できると，自分の確認応答番号に受信データのバイト数を加算した値を保持する。

次の図は，通信フェーズにおける，シーケンス番号，及び確認応答番号の推移を示している。ホストAから1,000バイト，ホストBから2,000バイトを送信している。イーサネットの場合はMSSが1,460バイトなので，2,000バイトを送信するため2パケットを要する（パケット③，④）。なお，パケット②，⑤は確認応答パケットであり，送信データはない。

連続転送が可能なデータの範囲は，受信した確認応答パケットに格納されている確認応答番号とウィンドウサイズの値から決定される。つまり，確認応答番号を起算点としたウィンドウサイズ分が，連続転送可能なデータの範囲となる。この範囲は，確認応答パケットを受信するたびに更新される。

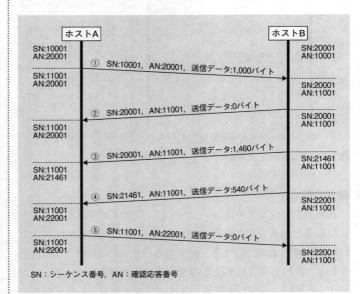

SN：シーケンス番号，AN：確認応答番号

図：通信フェーズ

通信フェーズでエラーが発生した場合，再送制御が行われる。

それは大きく分けて、「再送タイムアウトによる方法」と、「高速再転送による方法」である。

- **再送タイムアウト**

  送信したパケットに対するACKパケットが返ってこなかった場合、途中経路でパケットが消失したか、受信側で何らかのトラブルが発生してACKを返せなかったためと考えられる。このとき、送信側は一定期間待ってからパケットを再送する。この再送するまでの時間を**RTO**（Retransmission Time Out, 再送タイムアウト）と呼ぶ。再送タイムアウト値は、コネクションの接続中に計測されたRTT（Round Trip Time：往復時間）に基づいて決定される。

  再送が繰り返し行われる場合は途中経路で輻輳が発生していることが原因として考えられる。そこで、RTOの値は再送のたびに2倍になる。RTOの最大値は、RFC6298（Computing TCP's Retransmission Timer）によれば60秒以上が推奨値である。しかし、詳細は実装により異なる。LinuxではRTOの最大値が用いられ、Windowsでは再送回数の最大値が用いられている。

- **高速再転送**

  TCPにはもう一つ、高速再転送と呼ばれる再送制御の仕組みが規定されている。これは、連続転送している状況下で特定のTCPセグメントだけが欠落した場合、受信ホストから送信ホストに対し、当該TCPセグメントを再送するよう通知する仕組みである。その際、3回以上連続してACKを再送する（以下、便宜的に「重複ACK」と称する）。ホストAは、①、②及び③を送信する。しかし、②が途中で喪失している。ホストBは、③を受信することにより、②が欠落したと判断する。そこで、①、③のセグメントをバッファに保存しておき、②のセグメントの再送をホストAに要求する。これが④である。ホストBは①まで正常に受信できているので、④は①の確認応答である。つまり、返信する確認応答番号（次に受信すべきシーケンス番号）は、②の先頭を示している。

  その後、ホストBは、ホストAから⑤、⑥を受け取るたびに、②が欠落していることを伝えるために④を送信する。

試験に出る

障害を検知して主系から待機系にフェールオーバする際、TCPリセットフラグを送信する。これにより、TCP再送タイムアウトを待つことなく、直ちにTCP通信を終了できることについて、平成27年午後I問2で出題された。

TCPコネクションの保持時間を短縮するため、再送タイムアウト値を調整することについて、平成27年午後II問1で出題された。

パケットが廃棄されると、再送処理による遅延、及び、ウインドウサイズ縮小に起因する速度低下による遅延が発生することについて、平成22年午後I問2で出題された

第**3**章

ホストAは，3個以上連続した④（重複ACK）を受信する。
④に格納された確認応答番号から，②のセグメントだけを
再送する必要があると判断する。

ホストAは，⑦（②の再送）を送信する。その後，ホスト
Bは⑧（⑦の確認応答）を送信する。⑥まで正常に受信
できているので，このとき返信する確認応答番号（次に受
信すべきシーケンス番号）は，⑥の後続（⑨の先頭）を示
している。ホストAは，⑨（⑥の後続）を送信する。その
後，ホストBは⑩（⑨の確認応答）を送信する。なお，連
続転送を行っているので，ホストAは⑧を受信する前に⑨
を送信してもよい。

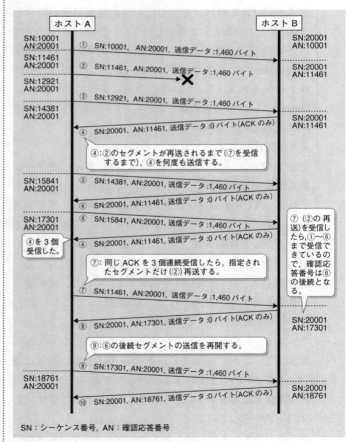

SN：シーケンス番号，AN：確認応答番号

図：高速再転送

● コネクション切断フェーズ

コネクション切断フェーズは，四つのパケット（FIN／ACK，ACK，FIN／ACK，ACK）からなる（ただし，タイムアウトの場合など，例外もある）。

次の図は，コネクション切断フェーズにおける，コントロールフラグ，シーケンス番号，及び確認応答番号の推移を示している。

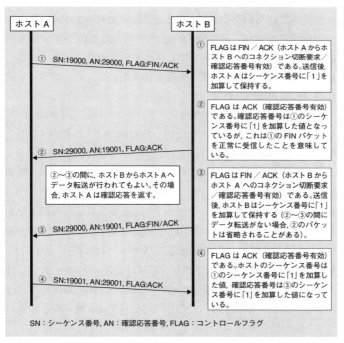

① SN:19000, AN:29000, FLAG:FIN/ACK	① FLAG は FIN／ACK（ホスト A からホスト B へのコネクション切断要求／確認応答番号有効）である。送信後，ホスト A はシーケンス番号に「1」を加算して保持する。
② SN:29000, AN:19001, FLAG:ACK	② FLAG は ACK（確認応答番号有効）である。確認応答番号は①のシーケンス番号に「1」を加算した値となっているが，これは①の FIN パケットを正常に受信したことを意味している。
②～③の間に，ホスト B からホスト A へデータ転送が行われてもよい。その場合，ホスト A は確認応答を返す。	③ FLAG は FIN／ACK（ホスト B からホスト A へのコネクション切断要求／確認応答番号有効）である。送信後，ホスト B はシーケンス番号に「1」を加算して保持する（②～③の間にデータ転送がない場合，②のパケットは省略されることがある）。
③ SN:29000, AN:19001, FLAG:FIN/ACK	
④ SN:19001, AN:29001, FLAG:ACK	④ FLAG は ACK（確認応答番号有効）である。ホストのシーケンス番号は①のシーケンス番号に「1」を加算した値，確認応答番号は③のシーケンス番号に「1」を加算した値になっている。

SN：シーケンス番号，AN：確認応答番号，FLAG：コントロールフラグ

図：コネクション切断フェーズ

● 輻輳制御

これまで解説したとおり，コネクション確立フェーズ中に，ホストは互いにウィンドウサイズを通知し合う。その後，通信フェーズ中もウィンドウサイズを通知し合う。つまり，ウィンドウサイズは動的に変化する。

実際に送信されるバイト数は，以下に述べる「**輻輳ウィンドウ**」の値と，通知されたウィンドウサイズの値を比較し，小さい方が採用される。言い換えると，通知されたウィンドウサイズは，輻輳ウィンドウの最大値を定める役割をもつ。

詳説

ここで解説している輻輳制御の方式は，Tahoe（1988 年に提唱）とReno（1990 年に提唱）である。現在では，これらに改良を加えた複雑なアルゴリズムが採用されている。その一つが，Google が 開 発 し た BBR（Bottleneck Bandwidth and Round-trip propagation time）である。これは，ネットワークの帯域幅とラウンドトリップタイムの計測に基づいて送出量を制御する方式である

試験に出る

輻輳アルゴリズムの一つに
BBR (Bottleneck Bandwidth
and Round-trip propagation
time) があることについて，令
和5年午前II問4で出題され
た

詳説

MSS の大きさに応じ，スロース
タート時の輻輳ウィンドウのサイ
ズを1MSS よりも大きな値から
開始できる。例えば，イーサネッ
トの場合は MSS は 1460 バイ
トとなるが，このときは 3MSS
(4380 バイト) から開始してよ
い

輻輳を回避するため，ホストはさらに「輻輳ウィンドウ」と呼
ばれる変数を管理している。

ホストは，輻輳を回避するように輻輳ウィンドウの値を調整す
る。これを輻輳制御という。

● **スロースタートアルゴリズム**

ホスト同士が同じ LAN 上に存在しておらず，途中経路にルー
タや低速な回線が存在しているとき，ウィンドウサイズの最大値
で通信するならば，通信能力の限界を超えて輻輳が発生する可
能性がある。そこで，輻輳を生じさせずに十分な伝送効率が得ら
れる適切なウィンドウサイズを探し出すため，スロースタートア
ルゴリズムが用いられる。

通信フェーズ開始時，輻輳ウィンドウを $1 \times MSS$ から開始する。
その後，確認応答パケットを受信した個数だけ，輻輳ウィンドウ
を MSS ずつ増やしていく。

具体的に数値を使って，この仕組みを説明する。最初は，輻輳
ウィンドウ：1，送信パケット：1個である。確認応答パケット：1
個を受信すると，輻輳ウィンドウ：2に更新される（輻輳ウィン
ドウ：1＋確認応答パケット：1）。次に，輻輳ウィンドウ：2，送
信パケット：2個である。確認応答パケット：2個を受信すると，
輻輳ウィンドウ：4に更新される（輻輳ウィンドウ：2＋確認応答
パケット：2）。その後，輻輳ウィンドウは，8，16，32という具合
に指数関数的に増加する（ただし，送信パケット数＝確認応答パ
ケット数の場合）。

輻輳ウィンドウの最大値は，相手ホストから通知されたウィン
ドウサイズである。その値に到達したら，以降はそれを用いて通
信を行う。

● **輻輳回避アルゴリズム**

重複 ACK を3回以上連続して受信すると，輻輳が発生したと
判断し，輻輳ウィンドウサイズをいったん半分に縮小する。次い
で，輻輳ウィンドウを1MSS ずつ（直線的に）増やしていく。こ
れを「輻輳回避アルゴリズム」という。

この仕組みにより，輻輳がすぐに再発しないようにしている。

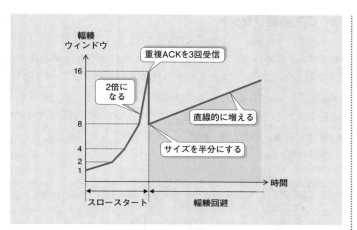

図：スロースタートと輻輳回避における輻輳ウィンドウの変化

一方，再送タイムアウトが発生した場合は，スロースタートからやり直す。

再送タイムアウトが発生した時点の輻輳ウィンドウサイズの半分に到達してからは，輻輳回避フェーズに入る。つまり，輻輳ウィンドウサイズを 1MSS ずつ増やしてゆく。

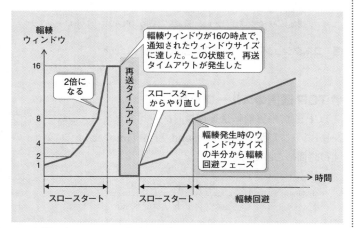

図：再送タイムアウト発生時の輻輳ウィンドウの変化

詳説

実を言うと，重複 ACK を 3 回受信したら，ただちに「輻輳回避フェーズ」に遷移するわけではない。

重複 ACK を 3 回受信した後，輻輳ウィンドウサイズの値をいったん「半分の値＋3MSS」に縮小する。相手ホストからパケット（4 回目以降の重複 ACK を含む）を受信するごとに 1MSS ずつ増やしてゆきながら，重複 ACK の対象となった TCP セグメントを再送する。

その再送に対する ACK を受信したら，本文に解説したとおり，「輻輳回避フェーズ」に遷移する。すなわち，輻輳ウィンドウサイズの値を，輻輳発生時（重複 ACK を 3 回受信した時点）の「半分の値」に縮小して，その後は 1MSS ずつ増やしてゆく

試験に出る

パケットが廃棄されると，再送処理による遅延，及び，ウインドウサイズ縮小に起因する速度低下による遅延が発生することについて，平成 22 年午後I問 2 で出題された

●TCP 接続リセット

　コネクション確立フェーズ又は通信フェーズで，受信した TCP セグメントのヘッダに解決不能のパラメタが存在している場合，TCP 接続がリセットされる。その代表例は，コネクション確立フェーズにおいて，最初の確立要求パケットの宛先ポート番号が，宛先ホスト上で実行されているアプリケーションで対応していない場合である。このとき，RST ／ ACK フラグをセットしたパケットが返信される。

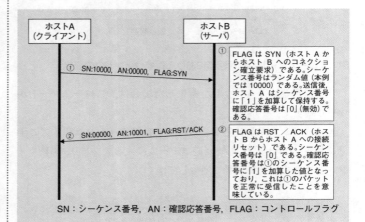

図：コネクション確立フェーズの接続リセットビット

●TCP 通信のスループット

　TCP 通信の実効転送速度は，次の式で求まる。ここで，ラウンドトリップ時間（RTT：Round Trip Time）とは，パケットの往復時間のことである。

$$実効転送速度 = \frac{ウィンドウサイズ}{ラウンドトリップ時間}$$

　ホスト A がホスト B に向けてパケットを連続転送している様子を例に，この点を解説する。

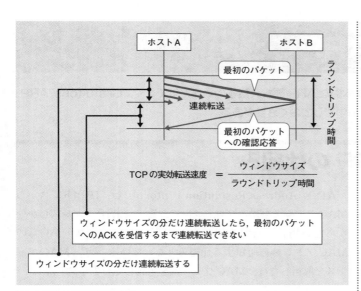

図：TCP の実効転送速度

詳説

この図では，パケットの伝送時間（シリアル化遅延時間）は，ラウンドトリップ時間に比べ，無視できるほど小さいものとしている

用語解説

ラウンドトリップタイム
相手にリクエストを送信し，その相手がレスポンスをただちに返信すると仮定した場合，ラウンドトリップタイムは，リクエストパケットを送信してからレスポンスパケットを受信するまでの時間を指している

用語解説

シリアル化遅延時間
パケットを1ビットずつ伝送するのに要する時間である。通常，「伝送時間」と言えば，このシリアル化遅延時間のことを指している

ホスト A は，送信したいデータ量がウィンドウサイズ以下であれば，確認応答を待たずにデータを連続転送できる。しかし，送信したいデータ量がウィンドウサイズを超えている場合，ウィンドウサイズの分まで連続転送した後は，ホスト B から最初のパケットへの確認応答を受信するまで，後続するパケットを転送できない。この例から分かるように，ラウンドトリップ時間（パケットが往復する時間）に送信できるデータ量の上限値は，ウィンドウサイズとなる。したがって，TCP 通信のホスト間の実効転送速度は上の式で求まることになる。

通信フェーズの開始直後は，スロースタートアルゴリズムが作用し，ウィンドウサイズが小さい。例えば，Web 通信のように数往復でファイルの取得を終えてしまう通信の場合，ラウンドトリップが大きいと通信回線の帯域を十分に使い切れないことがある。現在，この問題を改良するための方式が幾つか提唱されており，一部ではあるが，対応している OS もある。

3.4 · ARP

ARPについては，基本的なARP要求／応答の動作だけでなく，Gratuitous ARP，Proxy ARPについても学習しておく必要がある。

3.4.1 ARPの仕組み

試験に出る

ARPについて，令和元年午後I問3，平成25年午後II問1，平成21年午前II問7で出題された。MACアドレスからIPアドレスを取得するプロトコルであるRARP（Reverse ARP）について，平成25年午前I問12（平成21年午前II問11と同じ問題）で出題された

関連RFC

RFC826, 5227（STD37）

ARP（Address Resolution Protocol）は，IPアドレスからMACアドレスを得るプロトコルである。宛先IPアドレスしか分からない場合，ARPを用いることにより，宛先ホストが自らのMACアドレスを通知する仕組みとなっている。宛先MACアドレスを取得した後，MACフレームを生成して宛先ホストにIPパケットを送信する。

ARP要求は，ヘッダにIPアドレスを格納し，ブロードキャストパケットを用いて全ホストに問い合わせる。該当するIPアドレスをもつホストは，自分のMACアドレスをヘッダに格納し，ARP応答を返す。ARP応答にはユニキャストパケットが用いられる。

ARP要求を送信したホストは，ARP応答を返信したホストの（アドレス解決対象の）IPアドレスとMACアドレスをARPテーブルに一定期間キャッシュする。これをARPキャッシュという。キャッシュされている間は，同じARP要求を出さなくてもMACフレームを送信することができる。

同様に，ARP応答を返信したホストは，ARP要求を送信したホストのIPアドレスとMACアドレスをARPテーブルにキャッシュする。

ARPのフレームフォーマットを次に示す。

(14)	(28)	(18)	(4)
MACヘッダ	ARPフレーム	パディング	FCS

(2)	(2)	(1)	(1)	(2)	(6)	(4)	(6)	(4)
H/W種別 [イーサネット]	プロトコル 種別[IP]	H/W アドレス 長[=6]	プロトコル アドレス 長[=4]	コード 要求：1 応答：2	送信元H/W アドレス [イーサネット]	送信元 プロトコル アドレス [IP]	目標H/W アドレス [イーサネット]	目標 プロトコル アドレス [IP]

H/W…「ハードウェア」の略

注：( )内の数字はオクテット長を表す。

図：ARP のフレームフォーマット

詳説

ARP フレームは 28 バイトであるため，最小データ長の 46 バイトになるよう 18 バイト分がパディングされる

MAC ヘッダ及び ARP ヘッダの各フィールドには，次の表に示す値が格納される。

表：ARP パケットの各フィールド

	フィールド名	ARP 要求	ARP 応答
MAC ヘッダ	送信元アドレス	ARP 要求送信端末の MAC アドレス	ARP 応答送信端末の MAC アドレス
	宛先 MAC アドレス	FF-FF-FF-FF-FF-FF	ARP 要求送信端末の MAC アドレス
	タイプ領域	ARP フレームを表す値 (0x0806)	同左
ARP ヘッダ	送信元ハードウェア アドレス	ARP 要求送信端末の MAC アドレス	ARP 応答送信端末の MAC アドレス
	送信元プロトコル アドレス	ARP 要求送信端末の IP アドレス	ARP 応答送信端末の IP アドレス
	目標ハードウェア アドレス	00-00-00-00-00-00	ARP 要求送信端末の MAC アドレス
	目標プロトコル アドレス	アドレス解決対象の IP アドレス	ARP 要求送信端末の IP アドレス

かいつまんで言うと，ARP 要求／応答のやり取りは次のように行われている。

1. ARP 要求送信端末は，アドレス解決対象の IP アドレスを「目標プロトコルアドレス」に格納した ARP 要求をブロードキャストする。
2. ARP 応答送信端末は，自 IP アドレス，すなわち，アドレス解決対象の IP アドレスを「送信元プロトコルアドレス」に格納した ARP 応答を，ARP 要求送信端末宛てにユニキャストする。

図は，PC から IP パケットを転送する際に ARP がどのように

第**3**章

用いられているかを示している。まず，サーバ A が PC と同じサブネット上にあり，直接ルーティングにより所用のパケットを送信する例を示す。

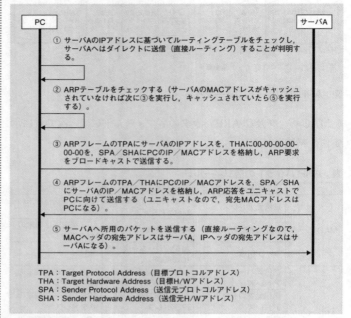

PC　　　　　　　　　　　　　　　　　　　　　　　　サーバA

① サーバAのIPアドレスに基づいてルーティングテーブルをチェックし，サーバAへはダイレクトに送信（直接ルーティング）することが判明する。

② ARPテーブルをチェックする（サーバAのMACアドレスがキャッシュされていなければ次に③を実行し，キャッシュされていたら⑤を実行する）。

③ ARPフレームのTPAにサーバAのIPアドレスを，THAに00-00-00-00-00-00を，SPA／SHAにPCのIP／MACアドレスを格納し，ARP要求をブロードキャストで送信する。

④ ARPフレームのTPA／THAにPCのIP／MACアドレスを，SPA／SHAにサーバAのIP／MACアドレスを格納し，ARP応答をユニキャストでPCに向けて送信する（ユニキャストなので，宛先MACアドレスはPCになる）。

⑤ サーバAへ所用のパケットを送信する（直接ルーティングなので，MACヘッダの宛先アドレスはサーバA，IPヘッダの宛先アドレスはサーバAになる）。

TPA：Target Protocol Address（目標プロトコルアドレス）
THA：Target Hardware Address（目標H/Wアドレス）
SPA：Sender Protocol Address（送信元プロトコルアドレス）
SHA：Sender Hardware Address（送信元H/Wアドレス）

図：直接ルーティングにおける ARP フレーム及び IP パケットの送信

受信した ARP パケットを処理するフローを次の図に示す。

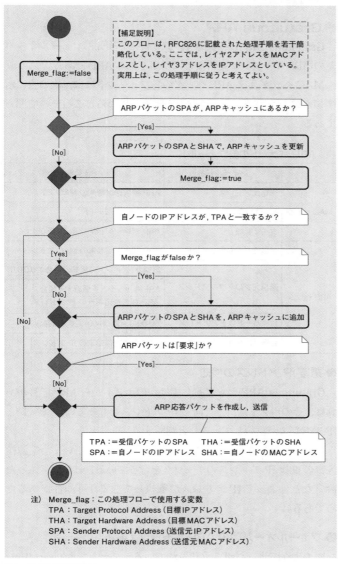

図：ARP の処理フロー

3.4.2　特別な用途の ARP

関連RFC

RFC5227：IPv4 Address
Conflict Detection

試験に出る

Gratuitous ARP による ARP
キャッシュ更新について，平成
26 年午後I問2，平成25年
午後II問1で出題された。
Gratuitous ARP の説明につい
て，平成28年午前II問6で出
題された

詳説

重複 IP アドレスの検知方法を
標準化した RFC5227 は，目標
ハードウェアアドレスに無効値
（00-00-00-00-00-00）を格納
すべきであると述べている。し
かし，ここにブロードキャストアド
レスを格納している実装（Linux
端末）がある。
同 RFC は，重複 IP アドレスの
検知を目的とする Gratuitous
ARP では，送信元プロトコルア
ドレスに「0.0.0.0」を格納する
ように規定している。その理由は，
IP アドレスを格納しないことによ
り，ARP キャッシュが更新され
ないようにするためである。
しかし，フェールオーバ時の
ARP キャッシュ更新を目的とす
る Gratuitous ARP では，同
RFC の規定とは異なり，自IP
アドレスを格納している

●Gratuitous ARP

　Gratuitous ARP は，重複 IP アドレスの検知，フェールオーバ
時の ARP キャッシュ更新などに利用される ARP である。

　MAC ヘッダ及び ARP ヘッダの各フィールドには，次の表に示
す値が格納される。通常の ARP 要求と異なるところを枠で囲っ
てある。

表：ARP パケットの各フィールド

	フィールド名	ARP 要求
MAC ヘッダ	送信元アドレス	ARP 要求送信端末の MAC アドレス
	宛先 MAC アドレス	FF-FF-FF-FF-FF-FF
	タイプ領域	ARP フレームを表す値（0x0806）
ARP ヘッダ	送信元ハードウェアアドレス	ARP 要求送信端末の MAC アドレス
	送信元プロトコルアドレス	重複 IP アドレスの検知の場合：0.0.0.0
		ARP キャッシュを更新する場合：ARP 要求送信端末の IP アドレス
	目標ハードウェアアドレス	00-00-00-00-00-00（実装依存）
	目標プロトコルアドレス	ARP 要求送信端末の IP アドレス

● 重複 IP アドレスの検知

　Gratuitous ARP 要求に対してほかのホストから ARP 応答があ
れば，そのホストは自分と同じ IP アドレスをもっている（つまり，
IP アドレスが重複している）と判断する。

　クライアント端末は，この Gratuitous ARP を用いて，電源投
入後の重複 IP アドレスのチェックを行っている。これは，誤った
設定などによって IP アドレスが重複してしまう可能性があるた
めである。

● フェールオーバ時の ARP キャッシュ更新

　図のようにサーバが二重化されているシステムでも Gratuitous
ARP は活用されている。この構成では，主系サーバと待機系サー
バは仮想 IP アドレスを共有しているが，MAC アドレスは個別に
保持しているものとする。

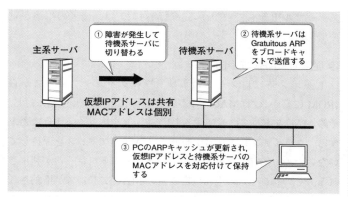

図：Gratuitous ARP を使用したフェールオーバの仕組み

主系サーバがダウンし，待機系サーバに切り替わるとき，仮想 IP アドレスも待機系サーバに引き継がれる。このとき，待機系サーバは，仮想 IP アドレスを送信元プロトコルアドレスに，自分の MAC アドレスを送信元ハードウェアアドレスに格納した Gratuitous ARP をブロードキャストで送信する。

Gratuitous ARP を受信した全てのホストは，ARP キャッシュを更新する仕組みとなっている。

これにより，それまで仮想 IP アドレスと主系サーバの MAC アドレスを対応付けていたホストは，今後は待機系サーバの MAC アドレスと対応付けることになる。

なお，VRRP のような仮想 IP アドレスと仮想 MAC アドレスを共有する方式で二重化を行っている場合は，Gratuitous ARP で ARP キャッシュを更新する仕組みを導入する必要はない。

試験に出る

Gratuitous ARP で ARP キャッシュを更新する必要はないが，Gratuitous ARP はブロードキャストパケットなので，これを使ってスイッチの MAC アドレステーブルを更新することができる。実際，VRRP は，バックアップルータからマスタルータへの昇格時に，Gratuitous ARP を使ってこれを行っている。この点について，令和元年午後I問1で出題された

●RARP

RARP（Reverse Address Resolution Protocol）とは，外部記憶装置を持たないノードが，RARP サーバから自装置の IP アドレスを取得するために用いるデータリンク層のプロトコルである。

以下，「● 従来の RARP の用途」に，上記の定義に沿った，従来の RARP フレームの用途を解説する。しかし，今日では RARP を必要とするノードを使用しないため，RARP サーバを設置することはない。この状況を踏まえ，今日では全く異なる用途で RARP が使用される。その点を「● L2 スイッチの MAC アドレ

ステーブル更新」で解説する。試験対策上は，後者の用途が重要である。

● 従来の RARP の用途

　電源オン時に自ノードのネットワークインタフェースから（ROM に書かれた）MAC アドレスを取得し，RARP サーバに対し，その MAC アドレスに対応する IP アドレスを応答するように要求する。クライアントは RARP サーバの MAC アドレスを保持していないため，RARP 要求にはブロードキャストフレームが利用される。そのフレームの中には自装置の MAC アドレスが格納されている。RARP サーバはこのフレームを受け取ると，ユニキャストフレームを用いてクライアントの IP アドレスを応答する。

● L2 スイッチの MAC アドレステーブル更新

　主系サーバから待機系サーバへ切り替わるとき，待機系サーバが主系の仮想 IP アドレスと仮想 MAC アドレスを引き継ぐ方式を採ることがある。この切替え時に，主系サーバと待機系サーバが収容されたブロードキャストドメイン内で，L2 スイッチの MAC アドレステーブルを更新する必要がある。

　なぜなら，主系サーバから待機系サーバに切り替わったとき，仮想 MAC アドレスとポート番号との対応付けが変化する L2 スイッチが存在するからである。

　この MAC アドレステーブルの更新のために，切替え直後にサーバから RARP 要求が用いられることがある。

　RARP 要求フレームの宛先はブロードキャストアドレスであり，送信元アドレスは送信元ホストの MAC アドレスである。今述べている切替え動作においては，仮想 MAC アドレスが送信元となる。

　したがって，RARP 要求フレームを送信すれば，ブロードキャストドメイン内の全てのスイッチに到達でき，切替え先のサーバが存在するポートの位置に応じて，MAC アドレステーブルを適切に更新できる。

試験に出る

RARP フレームとは明記されていないが，主系サーバから待機系サーバに切り替わったとき MAC アドレステーブルを更新することについて，平成 26 年午後I問2で出題された。
MAC アドレステーブルの更新は，仮想マシンのライブマイグレーションでも必要となる。仮想マシンが別の物理サーバに移動した結果，仮想マシンの MAC アドレスとポート番号の対応付けが変化するスイッチが存在するからだ。
ライブマイグレーション時に MAC アドレステーブルを更新するため，RARP フレームが使用されることについて，平成 30 年午後II問2の事例の中で登場した

詳説

仮想マシンのフェールオーバ時，又は，ライブマイグレーション時に，MAC アドレステーブル更新する必要がある。その際に RARP 要求フレームを用いることについて，詳しくは第5章「5.2.2 仮想マシンの設計」を参照していただきたい

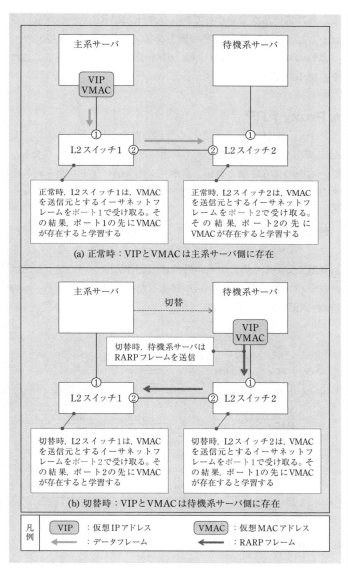

図：主系サーバから待機系サーバの切替え

　実は，MAC アドレステーブルの更新には，必ずしも RARP を用いる必要はない。宛先がブロードキャストアドレスであり，送信元が仮想 MAC アドレスであれば，どのフレームでもよい。

　RARP が用いられる理由は，MAC アドレステーブルを更新す

る以外に副作用がないからである。今日，RARP サーバが設置されることはないので，RARP は無害なフレームである。RARP サーバ以外のホストは，RARP パケットを受信すると，ただ単にこれを破棄するだけである。

●Proxy ARP

Proxy ARP は，あらかじめ登録された IP アドレスに対する ARP 要求を受けると，あたかも自ホストがその IP アドレスをもっているかのように振る舞い，自ホストの MAC アドレスを回答とする ARP 応答を返信する機能である。ルータやファイアウォールがこの機能を装備している。

試験に出る

Proxy ARP 機能について，平成 25 年午後II問1で出題された

例えば，次の図のネットワークでは，非武装セグメント（DMZ）にサーバが収容されており，プライベートアドレス（IP-Ps）を割り当てているものとする。外部に公開するサーバのアドレスはグローバルアドレス（IP-Gs）であるため，ファイアウォールの Proxy ARP 機能を活用する。

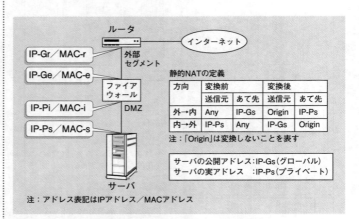

図：Proxy ARP が使用されるネットワークの構成例

インターネットからサーバ（IP-Gs）にアクセスするパケットは，ルータを経由する。ルータは，IP-Gs を目標プロトコルアドレスとする ARP 要求を送信する。ファイアウォールは，Proxy ARP 機能により外側セグメントの MAC アドレスである MAC-e を ARP 応答として返信する。

この結果，ルータからファイアウォールに向けて，次の図のと

おり MAC フレームが送信される。

あて先MACアドレス MAC-e	送信元MACアドレス MAC-r	タイプ	IP-Gs向けの IPパケット	FCS

図：ファイアウォールへ送信される MAC フレーム

　ファイアウォールがこの MAC フレームを受信すると，静的NAT の定義に従い，宛先 IP アドレスに格納されている公開アドレス IP-Gs を実アドレス IP-Ps に変換する。

　その後，ファイアウォールは，DMZ に向けて，IP-Ps を目標プロトコルアドレスとする ARP 要求を送信する。サーバは，通常の ARP 機能により MAC-s を ARP 応答として返信する。

　この結果，ファイアウォールからサーバに向けて，次の図のとおり MAC フレームを送信する。

あて先MACアドレス MAC-s	送信元MACアドレス MAC-i	タイプ	IP-Ps向けの IPパケット	FCS

図：ファイアウォールから送信される MAC フレーム

3.5 · ICMP

ICMP は，ping などで馴染み深いプロトコルだが，ほかにも様々な機能や役割を担っている。エコー要求／応答,宛先到達不能,リダイレクト,時間超過など,主要な ICMP メッセージの仕組みについて学習しておく必要がある。

3.5.1 ICMP のパケットフォーマット

関連RFC

RFC792（STD5）

ICMP（Internet Control Message Protocol）は，IP から見ると上位プロトコルとなるが，機能的には OSI 基本参照モデルの第3層（ネットワーク層）に類別される。

ICMP のパケットフォーマットを次に示す。

| IP ヘッダ | タイプ (8) | コード (8) | チェックサム(16) | ICMP データ |

ICMP ヘッダ
ICMP パケット

注：（　）内の数字はビット数。

図：ICMP のパケットフォーマット

なお，ICMP データのフォーマットは，次に説明する ICMP メッセージごとに規定されている。

3.5.2 ICMP メッセージ

試験に出る

ICMP の役割について，平成29年午前Ⅱ問7，平成24年午前Ⅱ問10で出題された

ICMP は，IP パケットの転送でエラーが発生した場合，それを送信元に通知する機能や，接続性を確認するエコー要求／応答メッセージを転送する機能などをもつ。代表的な ICMP メッセージの種類を次に示す。

表：ICMP メッセージ

タイプ	コード	内　容	照　会	エラー
0	0	エコー応答	○	
3		宛先到達不能（エラーメッセージ）		
	0	ネットワーク到達不能		○
	1	ホスト到達不能		○
	2	プロトコル到達不能		○
	3	ポート到達不能		○
	4	フラグメンテーションが必要だが，DF ビット（フラグメント化禁止ビット）が設定されている		○
	5	送信元ルート失敗		○
	6	宛先ネットワーク不明		○
	7	宛先ホスト不明		○
		送信元ホスト隔離		○
		宛先ネットワークとの通信が管理上禁止されている		○
		宛先ホストとの通信が管理上禁止されている		○
		ToS のためネットワーク到達不能		○
		ToS のためホスト到達不能		○
		ファイアウォールが原因で通信が管理上禁止されている		○
	6	宛先ネットワーク到達不能		○
	7	宛先ホスト到達不能		○
4	0	送信元抑制		○
5		リダイレクト		○
	0	ネットワークへのリダイレクト		○
	1	ホストへのリダイレクト		○
	2	特定の ToS を要求するネットワークへのリダイレクト		○
	3	特定の ToS を要求するホストへのリダイレクト		○
8	0	エコー要求	○	
9	0	ルータ広告	○	
10	0	ルータ要請	○	
11	0	時間超過		○
12	0	パラメタ異常		○
13	0	タイムスタンプ要求	○	
14	0	タイムスタンプ応答	○	
15	0	情報要求	○	
16	0	情報応答	○	
17	0	アドレスマスクの要求	○	
18	0	アドレスマスクの応答	○	

第3章

　ICMP メッセージは，照会メッセージとエラーメッセージの二つに分類できる。ICMP エラーメッセージを格納した IP データグラムの転送に失敗したとき，そのための ICMP エラーメッセージは例外的に通知されない。よって，エラー通知の失敗が新たなエラー通知を誘発するという悪循環が避けられることになる。

　以下，主要な ICMP メッセージについて解説する。

試験に出る

ICMPエコー要求／応答(ping)
について，令和元年午後I問1,
平成30年午後I問2，平成
29年午後I問3，平成26年
午後II問1，平成21年午後II
問2で出題された。
ICMPエコー要求／応答(ping)
を悪用したサイバー攻撃につい
て，平成30年午後II問16，平
成26年午後I問3で出題され
た

試験に出る

ICMP宛先到達不能について，
令和元年午後II問2，令和元
年午前II問19，平成27年午
後I問3で出題された

● **エコー要求／応答**

エコー要求／応答は最もよく使われるICMP機能であり，
ネットワークのループバックテストに使用されている。エ
コー要求メッセージは，**ping**コマンドを実行することによ
り送信される。宛先IPアドレスはコマンドの引数(ひきすう)で渡さ
れる。エコー要求を受け取ったホストは，その要求元にエ
コー応答メッセージを返信する。

● **宛先到達不能**

経路途中のルータで転送エラーが発生したときや，宛先ホ
ストで受信エラーが発生したときは，エラーとなったIPパ
ケットを破棄した上で，その送信元ホストに向けて宛先到
達不能メッセージを送信する。宛先到達不能メッセージで
は，ICMPヘッダのコード領域に値をセットする。全部で
14種類あるメッセージのうち，代表的なものを次に示す。

表：主要な宛先到達不能メッセージ

コード（値）	説　明
ホスト到達不能 (0x1)	宛先へのルートがルーティングテーブル内に見つ からない
プロトコル到達不能 (0x2)	プロトコル（IPヘッダのプロトコル番号領域で指定）が受信ホストで使用されていない
ポート到達不能 (0x3)	UDPヘッダ内の宛先ポートが受信ホストで使用されていない（なお，TCPヘッダ内の宛先ポートが見つからない場合は接続リセットを返信する）
フラグメンテーションが必要だが，DFビットが設定されている (0x4)	途中経路のルータがフラグメント化を試みたが，DFビットが設定されているために失敗した（データリンクのMTUの値が返答される）

● **リダイレクト**

同一サブネットに2台以上のルータが存在しており，送信
元ホストが最適ではないルータを経由してIPパケットを送
信したとする。このとき，そのルータはパケットを適切なルー
タへ転送する。同時に，送信元ホストにリダイレクトメッセー
ジを送信し，同一サブネット上には自分より適切なルータ
が存在することを通知する。これを受け，送信元ホストは
ルーティングテーブルを変更する。それ以降は，最適なルー
タを経由してIPパケットを送信するようになる。なお，途
中経路のルータが最適ではないルートを使ってIPパケット
を転送しても，リダイレクトメッセージは発行されない。

試験に出る

ICMPリダイレクトについて，令
和4年午前II問6，平成24
年午後II問2，平成29年午前
II問7，平成27年午前II問7
で出題された

- **時間超過**

  ルータはIPパケットを転送する際，IPヘッダ内のTTL領
  域を読み取り，値を一つ減らして格納し直す（このとき，ヘッ
  ダ内のチェックサム領域も更新される）。TTL領域の値が
  「0」になったとき，ルータはIPパケットを破棄して，送信
  元ホストに時間超過メッセージを送信する。TTL領域の値
  が「0」になる典型的なケースは，ルーティングループが
  発生してIPパケットが複数のルータを循環して転送され
  ている状態である。

3.5.3 ICMP の利用

ICMPの利用例は次のとおりである。

● ping コマンド

IPホストの接続性を検査する目的で使用される。利用者は，
検査対象のホスト（以下，「目標ホスト」）を指定してpingコマ
ンドを投入する。OSはエコー要求（タイプ：8）を送信し，目標ホ
ストから規定時間内にエコー応答（タイプ：0）を受信できれば，
接続性が確保できていると判断する。一方，IPホストや途中経
路がダウンしているときはエコー応答が返信されないため，タイ
ムオーバによって，障害を検知する。

なお，ダウンではなくエラーが発生した場合，宛先到達不能（タ
イプ：3）が返信されることがある。

pingコマンドは，応答時間も計測しており，合否判定結果と併
せて出力する。

● traceroute コマンド

OSが提供するコマンドで，IPホストに到達する経路上のIP
ノードを調査する目的で使用される。これは，経路上のルータが
IPパケットをルーティングする際，IPヘッダのTTL値が「0」に
なったら，送信元ホストに時間超過メッセージ（タイプ：11）を
通知する仕組みを応用したものである。利用者は，検査対象のホ
スト（以下，目標ホストという）を指定してtracerouteコマンド

試験に出る

pingがICMPを使用している
ことについて，令和元年午後I
問1，平成29年午後I問で出
題された。
事例のネットワーク構成におけ
るtracerouteコマンドの実行結
果をという問題が，令和3年午
後I問1で出題された

（Linux，MacOS の場合），又は tracert コマンド（Windows の場合）を投入する。ここでは，コマンド名の表記を traceroute に統一する。

　このコマンドは，目標ホストを宛先とする IP パケットを生成し，その TTL 値を増やしながら順次送信する。なお，送信する IP パケットの種類は，OS により異なる。Linux，MacOS は UDP パケット（ポート番号：33434 〜 33534 のいずれか）であり，Windows は ICMP echo request パケットである。Linux，MacOS はポート番号を指定することも，UDP から TCP に変更することも，さらには ICMP echo request パケットに変更することも可能だ（言うまでもなく，ICMP の場合，ポート番号は指定不可となる）。

　さて，traceroute コマンドは，最初に送信するパケットの TTL 値を「1」にセットする。すると，最初のパケットは 1 個目のルータで TTL 値が 0 となるので，利用者端末はルータから ICMP の時間超過メッセージを受け取る。これにより，コマンドは，このルータの IP アドレスを取得することができる。

　次のパケットの TTL 値には「2」，その次は「3」という具合に，一つずつ TTL 値を増やしながら，目標ホストに向けて IP パケットを順次送信する。すると，次は 2 個目のルータから，その次は 3 個目のルータから，時間超過メッセージを順次受け取ることになる。

　このように，1 から順に一つずつ TTL 値を増やしながらパケットを送信することにより，目標ホストに至る経路上のルータの IP アドレスを，利用者端末から近い順に，次々に取得することができる。

　十分な大きさの TTL まで増えると，最終的に目標ホストに到達する。目標ホストは利用者端末に応答パケットを返信する。ポート番号：33434 〜 33534 は通常使用されていないので，traceroute コマンドが送信した IP パケットが UDP パケットである場合，ICMP port unreachable が返信される。TCP パケットである場合，RST フラグを ON にしたパケットが返信される。ICMP echo request の場合，ICMP echo reply パケットが返信される。いずれにせよ，利用者端末が目標ホストから応答パケットを受け取った時点で，コマンドの実行が完遂される。

　これら一連の動作を経て，traceroute コマンドは，経路上のルータ及び目標ホストの IP アドレスのリストを作成することができる。言わば，これは，目標ホストに至る経路（ルート）をたどった（トレースした）リストである。コマンドは，このリストを利用者に出力する。

　なお，目標ホストが利用者端末と同一サブネットワークに所属する場合，ルータを経由しないので，通信経路のリストには目標ホストだけが記載されることになる。

● 経路 MTU

　経路 MTU とは，宛先ホストまでパケットを送信する際，フラグメント化が必要とならない最大 MTU である（つまり，経路上のデータリンクの最小 MTU である）。送信元ホストで事前に経路MTU のサイズに分割して送信すれば，途中のルータでフラグメンテーションを発生させないので，多くの OS が実装している。

　経路 MTU の検出では，IP ヘッダの DF ビット（フラグメント化禁止ビット）を設定して，パケットを送る。途中経路のデータリンクの MTU を超えていた場合，そのルータから ICMP 到達メッセージのコード「0x4」が返答される。これにより MTU を取得できるので，この値を経路 MTU に採用し，次からはこのサイズに分割してパケットを送信する。これを繰り返し，ICMP 到達メッセージが返答されなくなった時点で，真の経路 MTU の値が得られたことになる。

　このようにして得られた経路 MTU の値は，一定時間キャッシュすることになっている。キャッシュが破棄されたら検出を再開する。

第3章

3.6 · DHCP

DHCP は単純なプロトコルだが，実際の運用において注意しなければならないことも多く，運用上の出題が多い。初期リースの取得，リースの更新と解放，リレーなどの動作の仕組みについて学習しておく必要がある。

3.6.1　DHCP の機能

DHCP（Dynamic Host Configuration Protocol）は，クライアントがネットワーク設定をサーバから自動的に読み込むためのプロトコルである BOOTP を拡張し，アドレス情報などの設定情報の動的な割当て機能を追加したプロトコルである。

DHCP を使用すると，クライアント端末の設定情報を DHCP サーバが自動的に割り当てるため，管理者の運用負担が軽減される。主な設定情報として，クライアントの IP アドレスとサブネットマスク，デフォルトゲートウェイの IP アドレス，ローカル DNS サーバの IP アドレスなどがある。なお，DHCP から割り当てられた設定情報には有効期限がある。これをリース期間という。

同一サブネットに複数の DHCP サーバを設置する場合は，それぞれのサーバがプールしている IP アドレスの範囲が重複しないように設定しておく。

3.6.2　DHCP による設定情報の割当て順序

DHCP は UDP の上位アプリケーションプロトコルであり，DHCP サーバはポート番号 67 番を，DHCP クライアントはポート番号 68 番を使用する。

起動時，DHCP クライアントの IP アドレス，サブネットマスクは「0.0.0.0」が設定されている。DHCP サーバとのやり取りでは，通常，制限ブロードキャストアドレス（255.255.255.255）が用いられる。

以下，設定情報の割当て順序について解説する。

● 初期リースの取得

DHCP 設定情報の割当て順序を次に示す。なお，ここでは説明を簡単にするため，構成情報として「IP アドレス」についてのみ言及する。

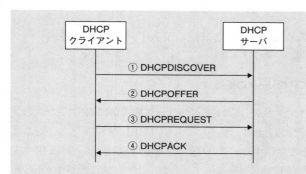

① クライアントは，サーバを見つけるため，DHCPDISCOVERを送信する。

② サーバは，クライアントにIPアドレスを提供するため，DHCPOFFERを送信する。サーバが複数ある場合，クライアントは複数のDHCPOFFERを受信する。

③ クライアントは，提供されたIPアドレスの割当てを要求するため，DHCPREQUESTを送信する。複数のサーバからDHCPOFFERを受信した場合，その中から一つを選び，提供されたIPアドレスやサーバID（DHCPOFFERパケットに格納）をセットして要求する。

④ サーバは，確認応答としてDHCPACKを送信する。その際，提供したIPアドレスが割当て可能かどうかをチェックし，この時点でIPアドレスが割当て不能だった場合，DHCPNACKを送信する。サーバが複数ある場合，DHCPACKを送信するのは，DHCPREQUESTで指定を受けたサーバだけである。

図：DHCP の IP アドレス割当ての順序

● リースの更新と解放

クライアントが起動されたとき，まだ IP アドレスのリース期間内であれば，同じ IP アドレスの取得を要求する。これをリースの更新という。リース期限の残り半分を過ぎていた場合は，自動的にリースの更新（延長）を要求する。

このとき，DHCPREQUEST パケットが DHCP クライアントから送信され，DHCP サーバから DHCPACK パケットが返信される。クライアントの実行中もリース更新は定期的に行われる。なお，サーバの IP アドレスを取得済みなので，クライアント実行中はユニキャストでやり取りする。

試験に出る

DHCP の機能を使った端末管理と DHCP スヌーピング機能について，平成 25 年午後I問2で出題された

詳説

下記のメッセージは，通常，ブロードキャストされる。
　DHCPDISCOVER
　DHCPREQUEST
ただし，DHCP の標準を定めた RFC2131 によれば，DHCP サーバの IP アドレスが分かっている場合はユニキャストで送信してもよいことになっている（「4.4.4 Use of broadcast and unicast」を参照）。
DHCPOFFER，DHCPACK は，ブロードキャスト又はユニキャストで送信される。どちらで送信するかは，DHCPDISCOVER，DHCPREQUEST パケットの中で指定する。
DHCPOFFER，DHCPACK のブロードキャスト送信が指定可能になっている理由は，クライアント端末の中には，IP アドレス等のネットワーク情報が設定されるまで，ユニキャストパケットを処理できないものがあるからである

第3章

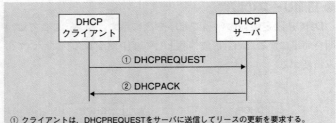

① クライアントは，DHCPREQUESTをサーバに送信してリースの更新を要求する。

② サーバは，DHCPACKを返信する。

図：DHCP のリースの更新

　クライアントが IP アドレスのリース期間前に IP アドレスの使用を終了するときは，サーバに DHCPRELEASE パケットをユニキャストで送信する。このパケットを受け取ったサーバは IP アドレスを解放してプールに戻す。なお，サーバはこのパケットに対して，確認応答を返さない。

● IP アドレス重複の検出

　DHCP クライアントは，DHCP サーバから設定情報を受け取った後，Gratuitous ARP を送信し，IP アドレスの重複チェックを行う。これは，手動による設定などで，IP アドレスが同一サブネット内に重複してしまう可能性があるためである。

● DHCP リレーエージェント

　DHCP クライアントが DHCP サーバから TCP/IP 設定情報を取得するときには，ブロードキャストパケットを用いたやり取りが行われる。DHCP クライアントと DHCP サーバがルータを介して接続されている場合，両者は異なるブロードキャストドメインに収容されているため，ブロードキャストパケットが到達しない。そこで，ルータ上で **DHCP リレーエージェント**機能を動作させる必要がある。

　DHCP リレーエージェントは DHCP クライアントが送信したブロードキャストパケットを受信すると，そこに格納されているDHCP メッセージを取り出し，ユニキャストパケットを用いてDHCP サーバに転送する。この転送先 DHCP サーバの IP アドレ

試験に出る

DHCP リレーについて，令和5年午後I問3，令和3年午後II問1，令和元年午後I問3，令和元年午前II問7，平成25年午後I問2で出題された

スはあらかじめ登録しておく。

　DHCPサーバはこのユニキャストパケットを受信すると，パケット内の情報から，クライアントからの要求がリレーエージェントを経由したものであることを識別する。そして，クライアントが所属するサブネットワークの中から適切なIPアドレスを提供するため，ユニキャストパケットを用いてDHCPリレーエージェントに応答する。

　DHCPリレーエージェントはこれを受信すると，そこに格納されているDHCPメッセージを取り出し，ブロードキャストパケットを用いてDHCPクライアントに転送する。DHCPクライアントからは，あたかもDHCPサーバが同一ブロードキャストドメイン内に存在しているかのように見える。

　このようにDHCPリレーエージェントを中継することにより，DHCPクライアントとDHCPサーバ間でやり取りを行うことができる。

　リレーエージェントがRFC3046で規定されたDHCPリレー情報オプションをサポートしているとき，DHCPクライアントから受け取ったDHCPパケットにリレーエージェント固有の情報を付加して，DHCPサーバに転送することができる。その情報は，リレーエージェント情報オプション（オプションコード：82）としてDHCPオプションの最後に追加される仕組みになっている。付加される情報は二つあり，一つはリモートIDサブオプションと呼ばれ，リレーエージェント（L3SW）のMACアドレスが格納される。もう一つは回線IDサブオプションと呼ばれ，DHCPクライアントからのパケットを受信したポート番号など（ほかにはVLAN番号なども付加可能）である。

● DHCPスヌーピング

　DHCPスヌーピングとは，SWがもつ機能であり，正規のDHCPサーバからIPアドレスを割り当てられた端末だけ通信を許可する機能である。

　この機能をもつSWは，DHCPサーバと端末の間に設置される。そして，DHCPサーバを経由するフレームを監視（スヌーピング）し，SWを経由した通信を「正規の接続先」と「許可されたクラ

試験に出る

DHCPスヌーピングについて，令和元年午後I問3，平成25年午後I問2で出題された

イアント」にのみ許可する。なお，ここで言う「正規の接続先」と「許可されたクライアント」については，すぐ後で説明する（これらは，解説を分かりやすくするために，本書が独自に定義した用語である）。

　DHCP スヌーピング機能を動作させると，SW のポートは，Untrusted ポートと Trusted ポートの2種類となる。DHCP スヌーピング機能を有効にすると，すべてのポートはいったん Untrusted ポートになる。

　Untrusted ポートとは，「許可されたクライアント」にのみ通信を許可するポートである。Trusted ポートとは，無条件に通信を許可するポートである。「許可されたクライアント」の通信相手となるサーバやネットワーク機器を SW に接続したときは，接続したポートを Trusted ポートに指定する必要がある。

　Untrusted ポートと Trusted ポートの定義が明らかになったところで，前述の「正規の接続先」と「許可されたクライアント」の用語について説明しよう。SW は，ポートに接続されたホストが，「正規の接続先」，「許可されたクライアント」又は「許可されていないクライアント」のどれであるかを識別している。

　「正規の接続先」とは，Trusted ポートに接続された機器のことである。Trusted ポートに接続された DHCP サーバだけが，「正規の DHCP サーバ」となる。Untrusted ポートに接続された機器は，「許可されたクライアント」又は「許可されていないクライアント」のいずれかになる。このうち，「許可されたクライアント」になるものは，「正規の DHCP サーバ」から IP アドレスの割当てを受けた DHCP クライアントだけである。

　「正規の DHCP サーバ」からクライアントが IP アドレスを割り当てられた後，SW は，当該クライアントの IP アドレス，MAC アドレス，接続しているポートの番号などをバインディングデータベースに登録する。これ以降，SW は，当該クライアントを「許可されたクライアント」として識別し，バインディングデータベースに登録されたポートを経由した通信を許可する。Untrusted ポートに接続されたクライアントは，「許可されたクライアント」であると識別されるまでは，「許可されていないクライアント」とみなされる。「許可されていないクライアント」は，「正規の DHCP サー

バ」との IP アドレス割当ての通信を除き，一切の通信が遮断される。

Untrusted ポートに DHCP サーバが接続された場合，「許可されていないクライアント」とみなされるので，通信が遮断される。したがって，管理者の意図しない IP アドレスを PC に割り当てることはない。

DHCP スヌーピング機能を有効にした SW を経由した通信を，次の図に示す。図中の DHCP サーバ 1，Web サーバ，及び外部ネットワークは，正規の接続先である。PC1 は許可されたクライアントであり，PC2 と DHCP サーバ 2 は許可されていないクライアントである。このとき，PC1 と Web サーバ間の通信は許可されている。PC2 の通信，及び DHCP サーバ 2 の通信は，それぞれ遮断されている。

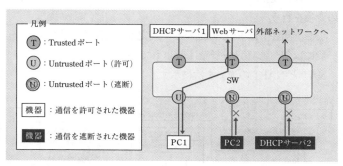

図：DHCP スヌーピング

3.7 ・ NAT

NATは利用頻度が高いため，その仕様について詳細に把握している学習者も多いだろう。ここでは，基本的な項目について網羅的に解説するので，理解が不十分な部分がないかを確認してほしい。

3.7.1　NAT／NAPT

今日ではNAPTが一般的に用いられていることから，広義のNATにNAPTを含めて説明している文献が増えつつある。しかし，狭義のNATとNAPTは異なっている。狭義の**NAT**は，IPアドレスの変換だけを行い，**NAPT**はIPアドレスとポート番号の変換を行う。

なお，NAPTはRFC3022などで規定された正式名称であるが，一般には**IPマスカレード**とも呼ばれている。

NATとNAPTの違いを次に示す。

関連RFC

RFC3022

試験に出る

NAT技術の応用問題としてNAT444（グローバルIPアドレス枯渇対策）が平成27年午後II問2で出題された。NATトラバーサルについて，平成27年午後II問2，平成22年午後II問2で出題された。なお，IPsecのNATトラバーサルについては，詳しくは第8章「8.4.5 IPsec」を参照していただきたい

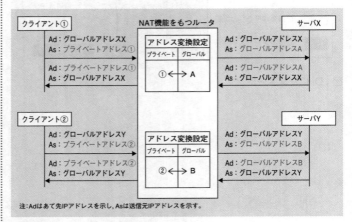

注：Adはあて先IPアドレスを示し，Asは送信元IPアドレスを示す。

図：NATのアドレス変換の機能

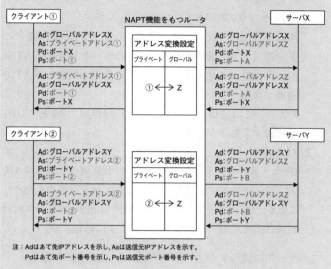

図：NAPT のアドレス変換の機能

3.7.2 NAT 越え

NAPT は，IP ヘッダと TCP（又は UDP）ヘッダを書き換える。この動作は，次に示す二つのケースにおいて，通信に支障をもたらす。

1. IP の上位層がポート番号をもたないプロトコルである。
2. アプリケーション層に，送信元ホストの IP アドレスやポート番号の情報を格納している。

これら二つのケースについて，それぞれ，NAT を越えるための対応が必要となる。

●IP の上位層がポート番号をもたないプロトコルである

NAT の対象であるトランスポート層が TCP 又は UDP でない

詳説

ここに挙げた二つのケース以外にも，プロトコルによっては通信に支障が出る場合がある。例えば，IPsec プロトコルを AH にした場合，IP ヘッダがメッセージ認証の対象となるため，NAT でIP ヘッダを書き換えると認証エラーになる

第**3**章

ならば，ポート番号に該当するフィールドを書き換えると，通信できなくなってしまう。

これを解決するには，次のいずれかの方法を採る。

1. UDPヘッダの挿入

NATに対応できるように，IPの上位層の位置にUDPヘッダを挿入する。このUDPヘッダのポート番号をNAT装置に書き換えさせることで，通常の通信と同様にNATを通過できる。

ただし，この通信の送信元でUDPを付与し，宛先でUDPを除去する処理が必要となる。

2. パススルー

IPヘッダのプロトコルフィールド（上位層のプロトコルを表すフィールド）を見て，上位層がポート番号をもたないことが分かったとき，IPヘッダの送信元IPアドレスだけを書き換え，ポート番号を書き換えずに転送する。

詳説

パススルーでは送信元IPアドレスのみ書き換わるので，2台以上の端末がパススルーを使用した通信を同時に行うことができない

このケースに該当するプロトコルとして，IPsecがある。

IPsecを使用したインターネットVPNを例に取り上げ，NATに起因する問題とその解決策を紹介する。

● インターネットVPNの仕組み

送信側の拠点と受信側の拠点の間にインターネットが存在し，インターネットを経由した業務用通信を暗号化したい場合，インターネットVPNで通信する。

このとき，送信側拠点と受信側拠点のそれぞれにVPN処理用のゲートウェイを設置し，両拠点間の通信はゲートウェイを必ず経由するようにする。

送信側のゲートウェイでは，送信元端末から業務用のIPパケットを受け取ると，これを暗号化してからVPN用のIPパケットにカプセル化する。これを，受信側のVPNゲートウェイに転送する。この仕組みにより，インターネット上では，このVPN用のIPパケットが転送されている。

受信側のVPNゲートウェイは，VPN用のIPパケットを受け取ると，カプセル化を解除し，業務用のIPパケットを取り出して復号する。そして，これを宛先端末に転送する。

この様子を次の図に示す。ここでは LAN-A 拠点と LAN-B
拠点の間で，インターネット VPN 通信を行っている。「オ
リジナル IP パケット」と書かれているのが，業務用の IP
パケットであり，「IPsec パケット」と書かれているのが
VPN 用の IP パケットである。「ESP ヘッダ」と書かれて
いるのが，IPsec のヘッダである。

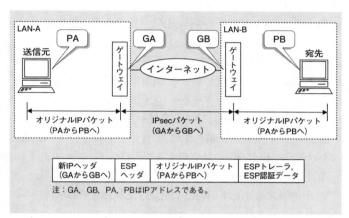

図：インターネット VPN 通信のパケット転送

● **NAT に起因する問題**

　IPsec パケット（VPN 用の IP パケット）の ESP ヘッダはポー
ト番号をもたない。

　インターネット VPN 通信のカプセル化処理を行うゲート
ウェイがプライベート IP アドレスをもち，VPN 用の IP パ
ケットが NAT 装置を通過する構成になっていると，NAT
の書換えにより通信が行えなくなる。

● **解決策**

　インターネット VPN では，前述した二つの方法がいずれ
も使われている。

　一つ目の方法は，**NAT トラバーサル**と呼ばれている。こ
の点について，詳しくは第 8 章「8.4.5　IPsec」の「●
NAT 環境下の IPsec の利用形態」で解説しているので，
参照していただきたい。

　二つ目の方法は，**VPN パススルー**と呼ばれている。

試験に出る

一つ目の方法（NAT トラバーサ
ル）について，平成 27 年午後
Ⅱ問 2 で出題された。二つ目の
方法（VPN パススルー）につ
いて，平成 22 年午後Ⅱ問 2 で
出題された

アプリケーション層にIPアドレスやポート番号の情報を格納している通信で、NATやNAPTが介在するために不具合が生じることについて、しばしば出題されている。
FTPのアクティブモードでは、インターネット上のサーバから、クライアントが指定したポートに対してTCPコネクションの確立を試みる。このポート番号がNATで変換されると不具合が生じる。この点について、平成27年午後II問2で出題された。
SIPでは、通信相手に対し、自分のIPアドレスを通知する（詳しくはこのページの解説を参照）。このIPアドレスがNATで変換されると不具合が生じる。この点について、平成26年午後II問2で出題された。
P2P通信でNAT越えを行うとき、STUNサーバをインターネット上に設置しておき、自端末とインターネットの間にNATが介在するか否かをSTUNサーバで事前に調べてからP2P通信を開始する方法が採られる。NATが介在する場合、送信元IPアドレスと送信元ポート番号がどのように変換されてインターネットに出てゆくかをSTUNサーバから通知してもらい、これを相手端末に伝えた後、P2P通信を実施する。この方法について、平成28年午後II問1で出題された

●アプリケーション層に，送信元ホストのIPアドレスやポート番号の情報を格納している

アプリケーションの中には，自ホストのIPアドレスやポート番号をアプリケーション層（ヘッダ又はペイロード）に格納し，互いに通信相手に通知し合う仕様になっているものがある。そして，何かしらの状態遷移により，通知し合ったIPアドレスで新しい通信を開始することがある。

例えば，ホストがプライベートIPアドレスをもっており，かつ，インターネット経由で通信するとしよう。このとき，アプリケーション層で自IPアドレス（プライベートIPアドレス）を相手に通知するならば，状態遷移後の新しい通信に失敗してしまう。プライベートIPアドレスはインターネットを経由できないからだ。

これを解決する方法は，NATの対象外であるアプリケーション層を解析し，ここに格納されたプライベートIPアドレスを適切なグローバルIPアドレスに置換することである。

このケースに該当するプロトコルの例として，SIPがある。

VoIPを例に取り上げ，NATに起因する問題とその解決策を紹介する。

● VoIP の仕組み

VoIPは，二つのフェーズからなる。一つ目は，SIPを用いたセッション生成である。二つ目はRTPによる通話セッションである。

セッションを生成する際，端末同士は直接やり取りせず，プロキシ機能をもつSIPサーバを経由することができる。SIPサーバを経由する場合，TCPコネクションは，SIPサーバで終端する。

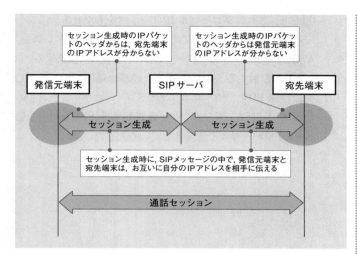

図：セッション生成時と通話時の通信

この状況を端末から見ると，セッション生成時に IP パケットをやり取りするのは SIP サーバであり，通話セッション時に IP パケットをやり取りするのは相手端末となる。言い換えると，セッション生成時に発信元から受信した IP パケットの送信元 IP アドレスは，通信の相手ではない。

このような SIP サーバを経由した通信形態に対応するため，セッション生成時にやり取りする SIP メッセージの中で，端末が自分の IP アドレスを通信相手に通知する仕様になっている。通話セッションは，このとき通知し合った IP アドレスで通信する。

● **NAT に起因する問題**

端末がプライベート IP アドレスをもっており，かつ，インターネット経由で通信するとき，セッション生成時の通信が NAT 装置を経由するなら，通話セッションが行えなくなる。

SIP メッセージで通知された相手端末の IP アドレスはプライベート IP アドレスなので，通話セッションがインターネットを経由できないからである。

● **解決策**

通話セッションを中継する機能をもつ VoIP ゲートウェイを

用意し，これにグローバル IP アドレスをもたせる。

そして，セッション生成時に通知し合う IP アドレスを，VoIP ゲートウェイのグローバル IP アドレスに変換する。NAT に起因する SIP の問題とその解決策について，詳しくは付録PDF「2.3　ユニファイドコミュニケーション」の「2.3.2　VoIP ネットワーク」の「●NAT に起因する問題」「●NAT トラバーサル」を参照していただきたい。

3.8 ・ ルーティング

試験では，経路設計についてしばしば出題されている。ルーティングの仕組み（ロンゲストマッチアルゴリズム），スタティックルーティング，ダイナミックルーティングについて学習しておく。ダイナミックルーティングプロトコルの代表例として，OSPF，BGPの基本動作を押さえておく。

3.8.1 ルーティングの仕組み

ルータはパケットを受け取ると，宛先 IP アドレスを調べる。宛先が自分ではない場合，ルーティングテーブルに基づき，次に転送するホストの IP アドレスを決定する。

● ルーティングテーブル

ルータの OS によって違いはあるが，ルーティングテーブルの主要な構成要素を次に示す。

表：ルーティングテーブル

1	Destination	宛先ネットワークアドレス		
2	Subnet Mask	サブネットマスク		
3	Next Hop	パケットを転送するホストの IP アドレス		
4	Interface	パケットを送信するインタフェース		
5	Protocol	経路情報のソース		
		直接ルーティング	「直接接続（directly connected）」を自動判別	
		間接ルーティング	静的経路	「static」を指定（※）
			動的経路	rip, egp, ospf など，ルーティングプロトコルを指定（※）
6	優先度	Protocol（経路情報のソース）の優先度		
7	メトリック	OSPF のコストなど，特定の Protocol（経路情報のソース）ごとに定められた，経路選択のための距離やコストなどの値		

※ルータの OS により指定方法は異なる。

● 経路選択

ルータは，ルーティングテーブルの中から最適経路を一つ選択する。その際，以下の順序に従う。

試験に出る

ロンゲストマッチアルゴリズムと優先度によって選択された経路が複数存在する場合，メトリックに基づいて最適経路が選択される点について，平成 23 年午後Ⅱ問 1 で出題された。ルーティングテーブルの中からどの経路情報が採択されるかについて，平成 28 年午前Ⅱ問 13 で出題された

121

1. ロンゲストマッチアルゴリズムに基づく選択
2. 優先度に基づく選択
3. メトリックに基づく選択

最初に試みるのが，ロンゲストマッチアルゴリズムに基づく経路選択である（詳しくはすぐ後で解説する）。

ロンゲストマッチアルゴリズムによって選択された経路が複数ある場合，次に試みるのが優先度に基づく経路選択である。

二つの方法によって選択された経路がまだ複数ある場合，最後に試みるのがメトリックに基づく経路選択である。

● ロンゲストマッチアルゴリズム

ルータが経路を決定する際，ロンゲストマッチアルゴリズムが使用される。Subnet Mask がロンゲストであるということは，宛先ネットワークに存在し得るホストの数を最も限定している経路情報であることを意味している。

次のネットワーク構成図に基づいて，具体的な仕組みを説明しよう。

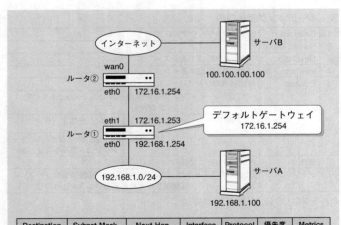

Destination	Subnet Mask	Next Hop	Interface	Protocol	優先度	Metrics
192.168.1.0	255.255.255.0	(N/A)	eth0	直接接続	0	1
172.16.1.0	255.255.255.0	(N/A)	eth1	直接接続	0	1
0.0.0.0	0.0.0.0	172.16.1.254	eth1	static	1	1

図：ルーティングテーブル（設定例ルータ①）

ルータ①は，eth0，eth1という二つのイーサネットのインタフェースをもつ。ルータ①のデフォルトゲートウェイは，eth1側のネットワークにあるルータ②（172.16.1.254）である。

このとき，ルータ①において，ロンゲストマッチアルゴリズムは次のように動作する。

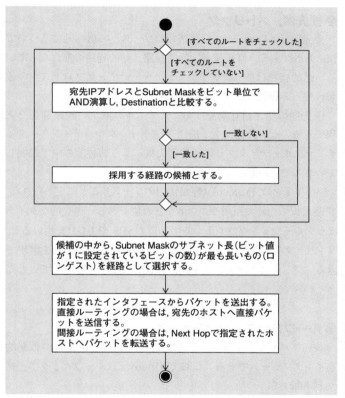

図：ロンゲストマッチアルゴリズム

詳説

本項で用いている「ホスト」は，ルータ，サーバ，端末など，IPアドレスをもつ機器を意味している。あるサブネットワークにおいて，ネットワークアドレスとブロードキャストアドレスを除いたものが，ホストアドレスとして割当て可能である。そのホストアドレスを割り当てられた機器を指している

直接ルーティング
自ルータに直接接続されたネットワークに宛先が収容されている場合，自ルータから宛先に直接パケットを転送する。これを直接ルーティングという

間接ルーティング
自ルータに直接接続されたネットワークに宛先が収容されていない場合，ルーティングテーブルに基づいて選択された経路情報のNext Hopにパケットを転送する。これを間接ルーティングという

[サーバBへ送信する場合]

サーバBのIPアドレスは100.100.100.100である。この場合，候補となるのは前ページにあるルーティングテーブルの3行目しかない。よって，eth1を通って172.16.1.254へ間接ルーティングされる。

[サーバ A へ送信する場合]

サーバ A の IP アドレスは 192.168.1.100 である。この場合，候補となるのは 1 行目と 3 行目の二つある。Subnet Mask がロンゲストなものは 1 行目である。よって，eth0 を通って 192.168.1.100 へ直接ルーティングされる。

● 優先度，メトリック

優先度は，Protocol（経路情報のソース）の信頼性に基づいて決められており，直接接続，静的経路，動的経路の順になっている。動的経路はさらにダイナミックルーティングプロトコルの種類に従って優先度が定められている。

優先度の値を適宜調整することで，きめ細かい経路制御を実現できる。その具体例を「3.8.2 スタティックルーティング／ダイナミックルーティング」の「●優先度による切替」の中で説明しているので，参照していただきたい。

メトリックは，Protocol（経路情報のソース）ごとに定められた，経路選択のための距離やコストなどの値である。代表的なダイナミックルーティングプロトコルである OSPF や BGP を用いると，メトリックを適切に設定することできめ細かい経路制御を実現できる。詳しくは，「3.8.5 OSPF」，「3.8.6 BGP」を参照していただきたい。

● ループバックインタフェース

ループバックインタフェースは，ルータやサーバがもつ仮想的なインタフェースである。なお，Windows はループバックアダプタと呼称する。

ループバックインタフェースは仮想的なものなので，機器本体がダウンしない限りダウンしない。これを送信元／宛先とする通信は，機器のどの物理インタフェースを経由しても行うことができる。それゆえ，ループバックインタフェースは，インタフェース障害やリンク障害への耐障害性を有している。

ループバックインタフェースには，任意の IP アドレスを割り当てることができる。

ループバックインタフェースは，その特徴（仮想的なものであ

詳説

Cisco Systems 社は，優先度をアドミニストレイティブディスタンスと呼ぶ。同社の説明によれば，この値は，Protocol（経路情報のソース）の信頼性に基づいて決められている。値が小さいほど優先度が高い。同社の設定例をいくつか示す。

　0　直接接続
　1　静的経路
　20　BGP（eBGP）
　110　OSPF
　120　RIP
　200　BGP（iBGP）

詳説

一部のサイトや文献では，ループバックインタフェースに付与された IP アドレスを「ループバックアドレス」と称している。これは，IETF が規定したループバックアドレス（自分自身を表す IP アドレスで，127.0.0.0～127.255.255.255 の範囲にあるもの）とは全く異なるものなので，留意しておきたい

ること，任意のIPアドレスを設定できること）を利用し，様々な用途で使用されている。

- OSPF のルータ ID

OSPF は，ルータを識別するためにルータ ID を使用する。コマンドを投入して明示的にルータ ID を設定しなければ，通常，インタフェースの IP アドレスの中からルータ ID が自動的に選択される。

このとき，もしループバックインタフェースが存在していれば，それがルータ ID として採用される。なぜなら，機器本体がダウンしない限りループバックインタフェースは稼働しているので，ルータ ID が変わらないからだ。

もし複数のループバックインタフェースが存在していれば，（Cisco Systems 社の場合）最も大きな IP アドレスがルータ ID となる。

もしループバックインタフェースがないときは，（Cisco Systems 社の場合）インタフェースの中で最も大きな IP アドレスがルータ ID となる。このとき，もしもそのインタフェースがダウンしてもルータ ID は変化しないが，ルータを再起動すると変化してしまう。

- BGP の iBGP ピアリング

BGP 接続を行う 2 台のルータ間では，TCP の 179 番ポートを使用し，経路情報の交換を行う。このコネクションを BGP ピアリングと呼ぶ。ピアリングを設定する BGP ルータを BGP ピアと呼ぶ。

自 AS 内に BGP ルータが複数存在するとき，それら BGP ルータはフルメッシュで BGP ピアリングを設定する。自 AS 内の BGP ピアを iBGP ピアと呼ぶ。

通常，この iBGP ピアリングを安定させる目的で，BGP 接続で用いる IP アドレスは，インタフェース障害やリンク障害への耐障害性をもつループバックインタフェースの IP アドレスを用いる。ピアリングの経路に冗長性があれば，BGP ルータがダウンしない限り，ピアリングは継続されるからだ。

詳説

OSPF について，詳しくは本書の第 3 章「3.8.5 OSPF」を参照していただきたい。
BGP について，詳しくは本書の第 3 章「3.8.6 BGP」を参照していただきたい。
DSR について，詳しくは本書の第 6 章「6.2.3 サーバの冗長化」の「●負荷分散装置」「●DSR（Direct Server Return）」を参照していただきたい。

第**3**章

試験に出る

ピアリングにループバックインタフェースの IP アドレスを用いることについて，令和 3 年午後Ⅱ問 2 で出題された。
DSR（Direct Server Return）において，振り分け先サーバのループバックインタフェースに仮想 IP アドレスを設定すること，及び，ARP 要求に応答しないように設定することについて，平成 27 年午後Ⅰ問 1，平成 21 年午後Ⅰ問 3 で出題された

- DSR（Direct Server Return）

負荷分散を行うとき，通常，負荷分散対象のサーバのIP
アドレスを仮想IPアドレスにし，それを負荷分散装置に
割り当てる。

DSRで負荷分散を行うとき，これに加え，振り分け先のサー
バにループバックインタフェースを設け，そこにも同じ仮
想IPアドレスを設定する。このループバックインタフェー
スは，仮想IPアドレスを目標アドレスとするARP要求に
応答しないように設定しておく。

● null インタフェース

nullインタフェースについて，令
和6年午後I問1，令和3年
午後I問2，平成23年午後II
問1で出題された

ルータにパケットを破棄させたいとき，ルーティングテーブル
の転送先インタフェースとして，**null** インタフェースを指定する
ことができる。これは仮想的なインタフェースであり，ここを転
送先とするパケットをルータは破棄する仕組みになっている。

null インタフェースを使用すべき典型例として，ルーティング
ループの防止がある。

この点について，OSPFを用いた例であるが，本書の第3章「3.8.5
OSPF」の「● 経路集約」「● 経路集約に起因するルーティング
ループの発生とその対策」の中で詳しく解説しているので，参照
していただきたい。

● ポリシベースルーティング

アプリケーショントラフィックを
識別したポリシーベースルー
ティングについて，令和6年午
後I問2で出題された。
ポリシベースルーティングを行う
際に優先度を最も高くすること
について，令和5年午後II問1，
平成26年午後I問1で出題さ
れた

ポリシベースルーティング（PBR：Policy Based Routing）とは，
通常の経路制御とは異なる方法で経路を選択する経路制御であ
る。PBRを動作させるには，通常の経路制御より優先度を高くす
る必要がある。

PBRで使用する経路制御の条件には次のようなものがあり，こ
れらの条件に合致した通信に対してネクストホップを設定するこ
とで，当該通信のトラフィック経路を思いのまま制御できる。なお，
許容される条件設定は製品により異なっている。

- IPアドレス
- ポート番号

- トランスポート層プロトコル
- パケットサイズ
- ToS（Type of Service）値

PBR を行うときは，ルートマップを作成する。

ルートマップとは，条件と処理内容を記述したもので，条件に合致した処理内容が実行する仕組みになっている。

なお，ルートマップは，PBR 以外にもルータの様々な動作を指定するのに使用することができる。

● VRF

VRF（Virtual Routing and Forwarding）機能は，1 台の物理ルータの中に，複数の仮想的なルータを稼働させる機能である。各々の仮想ルータはそれぞれ固有のルーティングテーブルをもち，個別に経路制御を行っている。

VRF 機能の設定は，物理ルータのインタフェースごとに，経路制御に使用する仮想ルータをどれか一つ指定する仕様になっている。仮想ルータはそれぞれ独立しているため，使用する仮想ルータが異なるインタフェース同士は通信できない。

試験に出る

VRF について，令和 4 年午後 I 問 2，平成 25 年午後 I 問 3 で出題された。さらに，深く問われることはなかったがネットワーク構成図に登場した例として，令和 6 年午後 II 問 1 がある

3.8.2 スタティックルーティング／ダイナミックルーティング

経路情報を登録する方法はスタティックルーティングとダイナミックルーティングという二つに大別できる。

● スタティックルーティング（静的経路制御）

スタティックルーティングとは，経路情報を手動で設定することで経路制御を行う方式である。手動設定すると変化しないことから，「スタティック（静的)」と呼ばれている。

スタティックルーティングは，デフォルトルートだけを設定するようなクライアント端末や，サブネットワークの数が少ない小規模ネットワークの SOHO ルータなど，管理対象となる経路情報が少ないときに使用される。

スタティックルーティングを用いるメリットは次のとおりである。

- **導入容易性**
  ダイナミックルーティングに比べて，技術の習得が容易であり，設定が簡単である。
- **トラフィック**
  経路情報交換のためのトラフィックが発生しない。

一方，デメリットは次のとおりである。

- **信頼性**
  障害の検知，ルーティングテーブルの書換えを手動で行う必要があるため，障害発生時に時間と労力がかかる。
- **負荷分散**
  トラフィックの負荷分散を行うことができない。

● ダイナミックルーティング（動的経路制御）

ダイナミックルーティングとは，経路情報を自動的に設定することで経路制御を行う方式である。ダイナミックルーティングを実現するため，OSPF や BGP などのダイナミックルーティングプロトコルが用いられている。

これらプロトコルは，ルータ間で経路情報を交換することによって，ルーティングテーブルに経路情報を自動的に登録する仕組みを備えている。さらに，定期的にルータ間で疎通確認を行うことによって，リンク障害やルータ障害を検知し，障害が発生した箇所を迂回するようにルーティングテーブルを更新する仕組みを備えている。障害から復旧したときも，それに合わせて自動的に更新される。

このように，ネットワークの構築時点の自動設定だけでなく，ネットワークの経路が変化した時点の自動更新も行うことから，「ダイナミック（動的)」と呼ばれている。

ダイナミックルーティングは，サブネット数が多い中大規模のイントラネット，あるいは，インターネットのバックボーンネットワークで使用される。

ダイナミックルーティングを用いるメリット／デメリットは，スタティックルーティングと対称的である。

まず，メリットは次のとおりである。

試験に出る

スタティックルーティングと比較したダイナミックルーティングの利点について，平成29年午後I問3で出題された

- **信頼性**

  経路上の機器，回線の障害を自動的に検知する。迂回ルートがある限り，ルーティングテーブルが自動的に書き換えられて迂回ルートによる通信が継続される。

- **負荷分散**

  OSPF など一部のプロトコルは，イコールコストマルチパス機能を用いて，負荷分散を行うことができる。

一方，デメリットは次のとおりである。

- **導入容易性**

  スタティックルーティングに比べて，技術の習得が難しく，設定が複雑である。

- **トラフィック**

  経路情報交換のためのトラフィックが発生する。

● 優先度による切替

スタティックルートとダイナミックルートを混在させた上で，それぞれ別々の経路を設定することで，経路の冗長化を実現することができる。具体的に説明すると，スタティックルートの優先度を下げておき，障害発生などでダイナミックルートが失われたときだけ利用されるように設定することができる。これをフローティングスタティックという。

同様に，複数のダイナミックルーティングプロトコルを混在させることでも，経路の冗長化を実現することができる。具体的に説明すると，例えば OSPF と BGP4 を用いた上で，BGP4 のプロトコルの優先度（アドミニストレイティブディスタンス）を上げておく。こうして，BGP4 が広告した経路が障害発生で失われたとき，OSPF の経路が利用されるように設定することができる。

● 再配布

スタティックの経路情報を，ダイナミックルーティングプロトコルを使って通知することが可能である。同様に，二つのダイナミックルーティングプロトコルを動かしておき，一方のプロトコルの経路情報を他方に通知することが可能である。これを再配布という。

試験に出る

スタティックルートとダイナミックルートを併用すると，デフォルトではスタティックルートの優先度が高いためにこちらが優先されることについて，令和 3 年午後II問 2 で出題された。
複数のダイナミックルーティングプロトコル（OSPF と BGP4）を用いた経路の冗長化設計について，平成 30 年午後I問 1 で出題された。
BGP から OSPF への再配布について，再配布されたものを再び自分に再配布することに起因するルーティングループの発生について，平成 29 年午後I問 3 で出題された

詳説

再配布について，詳しくは本書の第 3 章「3.8.5 OSPF」の「● 外部ネットワークの経路情報の交換と再配布」を参照していただきたい

3.8.3 AS（自律システム），EGP ／ IGP

試験に出る

ASについて，令和6年午前II
問1，平成29年午後I問3で
出題された

詳説

IX

IX（Internet Exchange）は，
上位ISPをトランジットせずに
複数のAS間をL2ネットワーク
で直接接続している。IXを運営
しているのは私企業，非営利団
体，政府機関（一部の途上国）
である。

IXの利用料は上位ISPのトラ
ンジット費より低価格である場
合が多いので，IXを利用するこ
とでコストを削減できる。直接
接続する二つのASがネット
ワーク的に近い位置にある場
合，上位ISPをトランジットする
よりも遅延を抑えることができる

詳説

プライベートAS番号

エンドユーザのネットワークで
BGPを使用する場合，エンド
ユーザの拠点にプライベート
AS番号を割り当てる。プライ
ベートAS番号は，64512～
65535，4200000000～
4294967294の範囲であり，
インターネットに経路広告しては
ならない。ちょうど，IPv4のプラ
イベートIPアドレスがプライ
ベートネットワークの内部でのみ
使用できるのと同じである。

なお，プライベートAS番号と
区別するため，インターネットで
使用するAS番号のことをグ
ローバルAS番号と呼ぶ

エンドユーザ（個人や一般企業）がインターネットにアクセス
には，ISPのアクセス回線に接続し，ISPからIPアドレスを払い
出される必要がある。

それでは，ISPはどこからIPアドレスを払い出されているのだ
ろうか？

インターネットでは，IPアドレスの全空間をICANNが管理し
ており，**AS**（Autonomous System，自律システム）と呼ばれる
組織にIPアドレスをまとめて割り振っている。ASとは，ある組
織によって管理され，独自のルーティングポリシをもつネットワー
クである。インターネットでASを一意に識別するため，2オクテッ
ト又は4オクテットのAS番号がICANNから割り当てられている。

ASの代表例は，エンドユーザの接続先ISPである。エンドユー
ザは，接続先ISPのポリシーの下で管理されているわけだ。

ASは，エンドユーザの接続先ISP以外にも存在する。例えば，
大規模なデータセンター，CDN（Content Delivery Network），
政府機関等の大規模ネットワークなどがある。

加えて，それらASに対しインターネットバックボーンへのア
クセスを提供し，AS間通信を中継（トランジット）する役割を担
う，上位ISPも存在している。上位ISPは他の上位ISPと接続し
合い，インターネットのバックボーンネットワークを形成してい
る。それら上位ISPは，グローバルな規模のネットワーク基盤を
有しており，通常，複数のASが割り当てられている。

●ESP，ISP

ASに着目してダイナミックルーティングプロトコルを大別する
と，AS間で使用される**EGP**（Exterior Gateway Protocol），AS
内で使用される**IGP**（Interior Gateway Protocol）に分類できる。
EGPでは，**BGP**（ver4）が広く用いられている。IGPでは，
OSPF，**RIP**（ver2），ベンダ独自のプロトコルが広く用いられて
いる。

ASに着目したEGPとIGPの分類は，インターネットに接続し
ているネットワークに当てはまる。しかし，実を言うと，エンドユー

ザのネットワークに目を向ければ，EGP と IGP のどちらのダイナ
ミックルーティングプロトコルも用いられているのだ。

　ネットワークスペシャリスト試験で出題されるネットワークは，
エンドユーザのものが大多数を占めている。近年よく出題される
のは，OSPF，BGP を経路制御に用いたネットワークである。

　OSPF の仕組みについて，詳しくは「3.8.5 OSPF」を参照して
いただきたい。BGP の仕組みについて，詳しくは「3.8.6 BGP」
を参照していただきたい。

　特に，「3.8.6 BGP」の「● BGP の代表的な用途」では，インター
ネットのバックボーンネットワークに加えて，エンドユーザのネッ
トワークにおいて BGP がどのように用いられているかを解説し
ている。

3.8.4　RIP

　RIP は，AS 内を接続するルーティングプロトコルであり，距離
ベクトル方式が採用されている。RIP の概要を次の表に示す。

試験に出る

RIP について，平成 26 年午前
II問 11 で出題された

表：RIP の概要

EGP ／ IGP の種別	IGP
経路制御の方式	距離ベクトル方式
下位プロトコル	UDP
通信形態	マルチキャスト（224.0.0.9）

● 経路制御の特徴と仕組み

　RIP は，比較的小規模な AS 内で使用されている。後述する
OSPF と比べると，シンプルな経路制御の仕組みをもつ。その主
な特徴と仕組みは，次のとおりである。

1. 経由するルータのホップ数が最小の経路を選択する。
2. ルータが広告するのは，ルーティングテーブルにエントリ
　　された全ての経路情報である。
3. 上記 2 のやり取りは死活監視を兼ねている。
4. RIP は，バージョン 1（RIPv1）とバージョン 2（RIPv2）
　　の 2 種類がある。前者はサブネットマスクに対応していな
　　いが，後者は対応している。

● 経路選択

1番目の特徴に挙げた経路選択は，距離ベクトル方式と呼ばれている。これは，宛先ネットワークとそのサブネットマスクが等しい経路情報が複数存在する場合（つまり，ロンゲストマッチアルゴリズムでは同等の経路である場合），経由するルータのホップ数が最小の経路を選択する方式である。

RIP は，ホップ数が 15 を超える経路は，経路選択の対象から除外する仕組みになっている。言い換えるなら，宛先に到達可能なホップ数は，15 が最大になる。

● 死活監視

「● 経路制御の特徴と仕組み」の 2 番目と 3 番目の箇条書きに述べたとおり，経路広告は死活監視を兼ねている。そのため，たとえ経路情報が変化しなくても一定期間で実施される。この経路広告の間隔は，30 秒である。経路障害が発生したと判断する時間の長さは，その 6 回分（180 秒）である。

このため，広告する経路情報が多いと，帯域を圧迫してしまう。したがって，RIP は小規模なネットワークで使用するべきである。

3.8.5 OSPF

OSPF（Open Shortest Path First）は，AS 内を接続するルーティングプロトコルであり，リンクステート方式が採用されている。OSPF の概要を次の表に示す。

表：OSPF の概要

EGP ／ IGP の種別	IGP		
経路制御の方式	リンクステート方式		
下位プロトコル	IP		
通信形態	マルチキャスト		
	224.0.0.5	全 OSPF ルータを宛先とするやり取り（Hello，リンクステート情報の更新，等）	
	224.0.0.6	代表ルータ，バックアップ代表ルータを宛先とするやり取り（リンクステート情報の同期）	
	ユニキャスト		
	相手のルータ	一部のやり取り（詳細は割愛）	

● 経路制御の特徴と仕組み

　OSPFは，比較的大規模なAS内で使用されている。その主な特徴と仕組みは，次のとおりである。

1. 最小のコストで到達できる経路を選択する。
2. エリアを単位とする経路制御を行う。
3. ルータが広告するのは，**LSA**（Link State Advertisement）と呼ばれるリンクステートの情報である。各ルータのルーティングテーブルは，LSAに基づいて構成される。
4. **Hello** パケットを交換して死活監視を行う。
5. 可変長サブネットマスクに対応している。

　それでは，OSPFを特徴付ける経路選択，エリア，LSA，死活監視について，以下で解説しよう。

　なお，OSPFは，ネットワークの種類（ブロードキャスト通信が可能であるか否か，マルチアクセスかポイントツーポイントであるか）により，動作が若干異なっている。

　本書は，試験対策に的を絞って解説することを趣旨としている。そこで，イーサネット（ブロードキャスト可能なマルチアクセスネットワーク）を対象とした，ごく基本的な仕組みを解説する。それでもかなりの分量になってしまったが，近年の出題傾向を考慮すると，ここに書かれている内容はぜひ理解しておくことをお勧めしたい。

　より詳しい内容は専門書をご覧いただきたい。

● 経路選択
● ダイクストラアルゴリズムによる最小経路選択

　OSPFは，リンクごとにコストを設定することができる。なお，コストを明示的に設定しなかった場合，物理ポートの帯域幅に基づき，帯域幅が大きいほどコストが小さくなるように，自動的に割り当てられる。

　OSPFの経路選択は，宛先ネットワークとそのサブネットマスクが等しい経路情報が複数存在する場合（つまり，ロンゲストマッチアルゴリズムでは同等の経路である場合），コストが最小の経路を選択する。

試験に出る

午前試験では，プロトコルの特徴を問うものが比較的多く出題されている。令和6年午前Ⅱ問4，令和5年午前Ⅱ問3，令和元年午前Ⅱ問1，問3，平成29年午前Ⅱ問3，平成28年午前Ⅱ問4，平成27年午前Ⅱ問4，平成25年午前Ⅱ問4，平成24年午前Ⅱ問7，平成21年午前Ⅱ問4で出題された。午後試験では，冗長化設計の観点からコスト計算が比較的よく出題されている。令和6年午後Ⅰ問2，令和4年午後Ⅰ問2，午後Ⅱ問1，令和3年午後Ⅰ問2，午後Ⅱ問2，令和元年午後Ⅰ問1，平成30年午後Ⅰ問3，平成29年午後Ⅰ問3，平成28年午後Ⅱ問1，平成26年午後Ⅰ問1で出題された

試験に出る

ダイクストラの最短経路アルゴリズムが使用されていることについて，令和3年午後Ⅰ問2で出題された。リンクステート情報からLSDBというデータベースを作成し，それを基に最短経路ツリーを作成してルーティングテーブルに経路情報を登録することについて，令和6年午後Ⅱ問1で出題された

　その経路選択に用いられるアルゴリズムは，ダイクストラ（Dijkstra）の最短経路アルゴリズムである。OSPFは，広告されたリンクステート情報を収集し，それを基に最短経路ツリーを作成して，ルーティングテーブルに経路情報を登録する。なお，本書ではアルゴリズムの詳細を割愛する。

● イコールコストマルチパス機能

　コストが最小の経路が複数ある場合は，それら経路間でトラフィックを分散する。これをイコールコストマルチパス機能という。略して，ECMP（Equal Cost Multi-path）機能ともいう。ECMPの振り分けアルゴリズムには，フローモード（送信元／宛先IPアドレスの組のハッシュ値で，複数ある経路の中から一つを選択する方式），パケットモード（パケット単位にランダムに経路に振り分ける方式）がある。

　通常，フローモードが採用される。なぜなら，パケットモードを用いると，宛先に到着するIPパケットの順序が入れ替わる場合があり，これが不必要なTCP再送制御を引き起こす可能性があるからだ。

● 経路選択の例

　コストに基づく経路選択の例として，午前Ⅱ試験に登場したネットワークを取り上げて解説しよう（一部改変している）。

　この図で，〇印はルータを表しており，リンクに割り当てられた数値はコストを表している。

試験に出る

複数ある経路のそれぞれの経路についてコストの合計値が等しくなるように設定することでECMP機能を利用できることについて，令和6年午後Ⅱ問1で出題された。
ECMP使用時のコスト計算，特にECMPのパケットモードの問題点について，令和4年午後Ⅱ問1で出題された。
コストに基づく経路選択について，令和元年午前Ⅱ問1，平成28年午前Ⅱ問4，平成25年午前Ⅱ問4，平成21年午前Ⅱ問4で出題された。これらはすべて同じ問題である。
この問題に登場したネットワークを「●経路選択の例」の解説で用いている

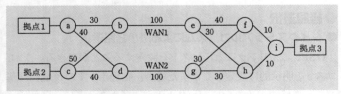

図：コストに基づく経路選択の例

　拠点1から拠点3に至る経路は，次の表に示すとおり，4通りが考えられる。

　このうち，最小コストをもつ経路は，項番②である。したがって，この経路が選択される。

表：拠点１から拠点３に至る経路

	経路	コスト
①	拠点1 → a → b → e → f → i → 拠点3	30 + 100 + 40 + 10 = 180
②	拠点1 → a → b → e → h → i → 拠点3	30 + 100 + 30 + 10 = 170
③	拠点1 → a → d → g → f → i → 拠点3	40 + 100 + 30 + 10 = 180
④	拠点1 → a → d → g → h → i → 拠点3	40 + 100 + 30 + 10 = 180

　拠点２から拠点３に至る経路は，次の表に示すとおり，４通りが考えられる。

　このうち，最小コストをもつ経路は，項番③，④である。したがって，イコールコストマルチパス機能の働きにより，これら二つの経路がともに選択されてトラフィック分散が行われる。

表：拠点２から拠点３に至る経路

	経路	コスト
①	拠点2 → c → b → e → f → i → 拠点3	50 + 100 + 40 + 10 = 200
②	拠点2 → c → b → e → h → i → 拠点3	50 + 100 + 30 + 10 = 190
③	拠点2 → c → d → g → f → i → 拠点3	40 + 100 + 30 + 10 = 180
④	拠点2 → c → d → g → h → i → 拠点3	40 + 100 + 30 + 10 = 180

●エリア

　OSPFは，OSPFドメイン（OSPFで経路制御されているネットワーク全体）を複数のエリアに分割することができる。分割しない場合，エリアは一つだけとなる。

　どのようにエリアを構成するにせよ，必ず存在しなければならないエリアがある。これをバックボーンエリアという。バックボーンエリアの番号は0番である。基本的に，バックボーンエリアを除く全てのエリアは，バックボーンエリアに隣接させる。

　一つのエリアには，複数のサブネットワークを含めることができる。あるサブネットワーク（ネットワークセグメント）は，必ず一つのエリアに所属している。

　サブネットワークは，収容し得るOSPFルータの構成に基づき，ポイントツーポイントネットワークとマルチアクセスネットワークに分けることができる。

試験に出る

バックボーンエリアについて，令和元年午後I問1で出題された。バックボーンエリアの番号が「0」であることについて，平成26年午後I問1で出題された

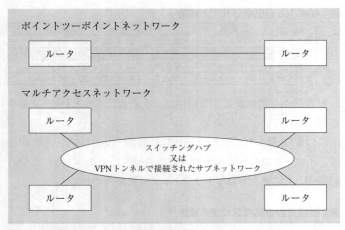

図：エリア内のサブネットワークの構成

● ポイントツーポイントネットワーク

　ポイントツーポイントネットワークは，その名のとおり，2台のルータが1本のリンクで接続された構成のネットワークである。

　リンクで結ばれたルータのインタフェースに対し，IPアドレスを割り当てるか否か選ぶことができる。

　IPアドレスを割り当てる場合，ポイントツーポイントネットワークのサブネットワークのサブネットマスク長は，通常，「30」にする。これにより，割り当て可能なホストは2台だけとなるので，IPアドレスを無駄なく使用できる。

　IPアドレスを割り当てない場合，「unnumbered」という設定を行う。

● マルチアクセスネットワーク

　3台以上のOSPFルータを技術的に収容し得るサブネットを，マルチアクセスネットワークという（実際の収容台数は3台未満であってもよい）。言い換えると，2点間（ポイントツーポイント）で接続されたネットワークではないわけだ。

　マルチアクセスネットワークは，収容しているルータの台数に応じ，トランジットネットワーク，スタブネットワークの2種類のネットワークに大別される。

　トランジットネットワークは2台以上，スタブネットワークは1

試験に出る

インターネットVPN経由でOSPFの経路情報を交換する事例が，平成30年午後I問3，平成28年午後II問2で出題された

台のみである。

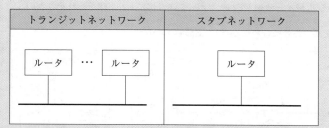

図：トランジットネットワーク，スタブネットワーク

　マルチアクセスネットワークは，ブロードキャストが可能であるか否かによって，次の2種類に大別される。

種類	説明
ブロードキャスト マルチアクセス	イーサネットのような，ブロードキャストドメインのサブネットである。 ブロードキャストパケットやマルチキャストパケットによる1対多の同報通信を行うことができる
非ブロードキャスト マルチアクセス （NBMA：Non Broadcast Multi Access)	インターネットVPN（IPsec-VPN）のような，VPNトンネルで構成されたサブネットである。 ブロードキャストパケットやマルチキャストパケットによる1対多の同報通信を行うことができない

● エリア分割の例

　エリアのイメージをつかんでいただくため，平成26年午後I問1のネットワーク構成図を用い，ネットワーク全体をエリアに分割する具体例を示す。

【エリア分割の方針】
本部，広域イーサ網1及び広域イーサ網2をバックボーンエリアに，各支部をそれぞれ別の
エリアに分ける。
支部のエリア番号は，支部の番号に合わせる（例：支部1のエリアはエリア1）。

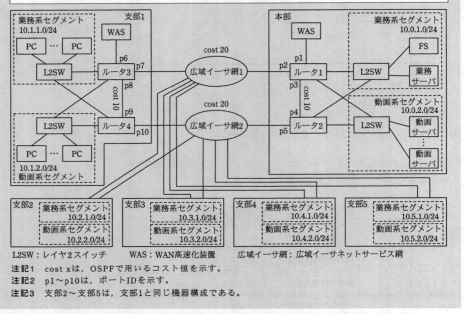

L2SW：レイヤ2スイッチ　　　WAS：WAN高速化装置　　　広域イーサ網：広域イーサネットサービス網
注記1　cost xは，OSPFで用いるコスト値を示す。
注記2　p1～p10は，ポートIDを示す。
注記3　支部2～支部5は，支部1と同じ機器構成である。

図：平成26年午後I問1のネットワーク構成図

　　エリア分割の方針に従って，バックボーンエリア，及び，支部
のエリアに色分けした図を次に示す。なお，支部2～支部5は支
部1と同様の構成であるため，割愛している。

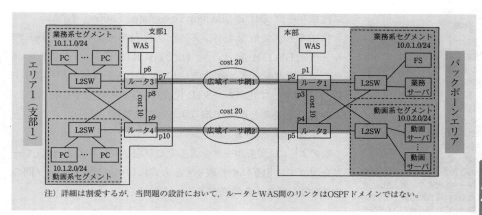

注）詳細は割愛するが，当問題の設計において，ルータとWAS間のリンクはOSPFドメインではない。

図：平成 26 年午後 I 問 1 のネットワークをエリア分割した図

支部1のサブネットワークは，次に示すとおり，ポイントツーポイントネットワークとマルチアクセスネットワークから構成されている。

詳説

表：支部 1 のサブネットワークの種別

	サブネットワーク	ネットワークアドレス	種別
1	ルータ 3 の p8 とルータ 4 の p9 間のリンク	問題本文に明記されていないため，不明	ポイントツーポイント
2	業務系セグメント	10.1.1.0/24	マルチアクセス
3	動画系セグメント	10.1.2.0/24	マルチアクセス

● 代表ルータ，バックアップ代表ルータ

ブロードキャストマルチアクセスにせよ，NBMA にせよ，マルチアクセスネットワークである以上，複数台の OSPF ルータを収容できる

このとき，OSPF ルータ間のリンクステート情報をどのようにやり取りしたらよいだろうか。

仮に，相互にやり取りする場合，OSPF ルータの台数が増えるにつれて，やり取りの数がどんどん増加していくことになる。仮に N 台あるとき，やり取りするペアの数は「N ×（N − 1）／ 2」，つまり $O(n^2)$ となる。

マルチアクセスネットワークでは，このやり取りを削減するため，OSPF ルータの中から 1 台を代表ルータ（**DR**：Designated Router）に選ぶ。さらに，代表ルータの障害に備えて，バックアッ

ブロードキャストマルチアクセスネットワークでは，マルチキャストパケットを使用することで，実際に送信するパケットの数を削減することができる。例えば，宛先マルチキャストアドレスを「224.0.0.5」に指定したパケットを1個送信すれば，全てのOSPF ルータがこれを受信できる。あるいは，「224.0.0.6」に指定したパケットを1個送信すれば，代表ルータとバックアップ代表ルータがこれを受信できる。

実は，OSPF はマルチキャストパケットだけを使用しているわけではない。ユニキャストパケットを適宜使用することもあるが，代表ルータを選ぶ方式を採用することで，ユニキャストパケットのやり取りを削減できている。本書では，読者が全体像を理解しやすくするため，代表ルータ／バックアップ代表ルータとのやり取りはマルチキャストで行うものとして解説している

第 **3** 章

詳説

DRとBDRの選出は、プライオリティ値の大きい順に行われる。プライオリティ値はインタフェースごと（サブネットワークごと）に設定する。したがって、一つのルータは、あるサブネットワークでは代表ルータであっても、別のサブネットワークではそうではないことがある。

あるサブネットワーク内では自ルータを代表ルータに選出させたくない場合、当該サブネットワークに収容されているインタフェースのプライオリティ値を「0」に設定する。

すでに代表ルータが選出されているサブネットワークにおいて、新たに追加されたルータのプライオリティ値が既存の代表ルータより高くても、ネットワークを安定的に稼働させるため、代表ルータは交代しない。

代表ルータに障害が発生した場合、次に代表ルータに選出されるのは、それまでバックアップ代表ルータであったものである。一方、バックアップ代表ルータに選出されるのは、残ったルータの中で最もプライオリティ値が大きいルータである。

代表ルータは稼働しているがバックアップ代表ルータに障害が発生した場合、バックアップ代表ルータに選出されるのは、上記と同様、残ったルータの中で最もプライオリティ値が大きいルータである

プ代表ルータ（**BDR**：Backup Designated Router）も選ぶ。

代表ルータでもなくバックアップ代表ルータでもない残りのルータを，DROTHERという。DROTHERは，代表ルータ及びバックアップ代表ルータとの間で，リンクステート情報をやり取りする。バックアップ代表ルータは，代表ルータとの間でやり取りする。

仮にN台あるとき，やり取りするペアの数は「(N－2)×2＋1」，つまりO（n）となる。

このように，代表ルータを選んでやり取りする方式は，代表ルータを選ばずに相互にやり取りする方式に比べ，OSPFルータ間のやり取りを削減する効果があるわけだ。

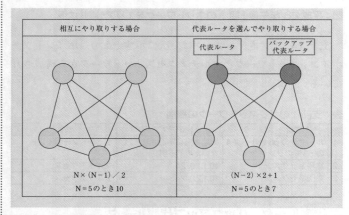

図：やり取りの比較

●エリア内のリンクステート情報の交換

OSPFの概要を手っ取り早く理解していただくため，ここでは，サブネットワークがイーサネットの場合，つまり，ブロードキャストマルチアクセスネットワークの場合に焦点を当てて説明する。このとき，先ほど述べたとおり，各サブネットワークの中で，代表ルータ，バックアップ代表ルータが選出される。以下に述べるとおり，この代表ルータが仲介役となることで，イーサネットではリンクステート情報交換が効率よく実行される。

● Adjacency（隣接関係）

　サブネットワークの各ルータは，同一サブネット内の代表ルータ及びバックアップ代表ルータとの間でのみ，**Adjacency**（隣接関係）を確立する。二つ以上のサブネットワークに接続しているルータは，それぞれのサブネットワークにおいて，代表ルータ及びバックアップ代表ルータとの間で Adjacency を確立する。

　各ルータは，Adjacency を確立する間，リンクステート情報を交換する。差分を補完し合い，互いのリンクステートデータベースが同期した時点で，Adjacency が確立される。

　上記の説明は一つのサブネットに着目した振る舞いであるが，通常,ルータは複数のサブネットワークに接続している。したがって，こうしたやり取りが各サブネットで行われることになる。

　エリア内にリンクステート情報が伝搬し，すべての Adjacency が確立されたとき，それは，エリア内のすべてのルータでリンクステートデータベースが同期したことを意味している。

　この後，各ルータはリンクステートデータベースに基づき，自分を起点とする最短経路を計算してルーティングテーブルを作成するのである。

● リンクステート情報の更新

　障害発生等によりネットワークの構成が変化したならば，前述の振る舞いと同様に，リンクステートの変化したルータがこれを代表ルータに向けてマルチキャスト（224.0.0.6）で広告する。これを受けて，代表ルータは，このリンクステート情報を同一サブネットのルータに向けてマルチキャスト（224.0.0.5）で広告する。こうして，ネットワークの構成が変化したとき，エリア内でリンクステート情報が更新され，それがエリア内に伝播される。それに伴い，ルーティングテーブルが動的に変化する。

　なお，ネットワークの構成が変化しなくても，30分間隔でリンクステートの情報を交換する仕様になっている。

　例えば,次の「図:リンクステート情報の伝播」に示すネットワークにおいて，ネットワーク構成が変更されたり，障害が発生したりすることにより，サブネット内のリンクステート情報が変化したとしよう。

試験に出る

プライオリティ値を「0」にすると代表ルータに選出されないことについて，平成30年午後I問3で出題された

141

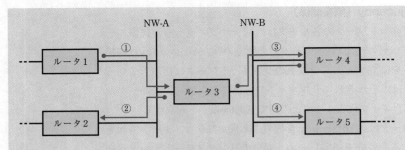

ルータ3：サブネットNW-Aの代表ルータ
ルータ4：サブネットNW-Bの代表ルータ
NW-A，NW-B：同一エリアに存在

項番	内容
①	ルータ1がリンクステート情報の変化を検知すると，NW-Aの代表ルータであるルータ3に広告する
②	ルータ3は，NW-A内の他のルータに広告する
③	ルータ3は，NW-Bの代表ルータであるルータ4に広告する
④	ルータ4は，NW-B内の他のルータに広告する

注）バックアップ代表ルータへの広告，広告を受けた旨の確認応答を省略。

図：リンクステート情報の伝播

詳説

エリア内で伝搬するリンクス
テート情報は種類が複数ある。
詳しくは後述の「●LSA」を参
照していただきたい

　今，図中のルータ1がこの変化を検知したとする。このとき，ルータ1は，サブネット内の代表ルータであるルータ3宛てに，変化したリンクステート情報を広告する（図中の①）。

　ルータ3は，サブネット内のルータにマルチキャストでこれを広告する（図中の②）。

　ルータ3は，当該サブネットとは別のサブネットに接続している。それゆえ，次にその別のサブネットの代表ルータに向けて，変化したリンクステート情報を広告する（図中の③）。

　このようにして，リンクステート情報が伝播していくわけだ。この伝播は，エリアの全域に及ぶ。

● パッシブインタフェース

　複数の OSPF ルータから構成された OSPF のエリアにおいて，OSPF ルータは，「他の OSPF ルータに囲まれているか／否か」の2種類に大別される。

　他の OSPF ルータに囲まれているルータは，いわばエリアの内

側に位置している。全てインタフェースで，他の OSPF ルータとの間で OSPF の通信を行う。すなわち，互いに Hello パケットで死活監視し，隣接関係にある OSPF ルータに対してリンクステート情報を広告する。

　一方，他の OSPF ルータに囲まれていないルータは，いわばエリアの縁側に位置している。自分が接続しているネットワークのうち，一部のネットワークのみ，OSPF ルータが隣接しており，OSPF の通信を行っている。しかし，残りのネットワークには OSPF ルータが存在していない（ルータが全く存在していないか，あるいは，非 OSPF ルータのみ存在している）。このネットワークは，スタブネットワークである。

　この縁側にいる OSPF ルータは，スタブネットワークに接しているインタフェース上では，OSPF のパケットを送受信する必要はないが，スタブネットワークの経路情報を他の OSPF ルータに広告する必要がある。このとき，インタフェースをパッシブインタフェースに設定する。

　パッシブインタフェースにすると，Hello パケットを送信しない。その結果，隣接関係を結ぶ相手がそもそもいないわけだから，リンクステート情報も広告しなくなるのである。

●エリア間のリンクステート情報の交換

　エリアの境界に位置するルータを，エリア境界ルータ（ABR：Area Border Router）という。エリアのリンクステート情報は，双方のエリア間で，ABR を仲介して交換される。

　ただし，ABR が仲介する二つのエリアは，そのうちの一つが必ずバックボーンエリアでなければならない。言い換えると，非バックボーンエリア間では，たとえ両者の間にルータが実在していようとも，リンクステート情報は交換されないのである（つまり，そのルータは両者の ABR にならないわけだ）。

● 交換されるリンクステート情報

　エリア間で交換されるリンクステート情報は，エリア内で交換されるものとは内容が異なっている。

　エリア内では，ルータが接続しているサブネットワークのインタフェース毎にコストが設定されており，エリア内のネットワー

試験に出る

パッシブインタフェースについて，平成 29 年午後I問 3 で出題された

ク構成に関する情報がエリア内で共有される。

　一方，エリア間で交換されるリンクステート情報は，もっと簡素な内容になっている。

　具体的に言うと，ABRは，「エリアに存在するサブネットワークの経路（ネットワークアドレス，サブネットマスク，コスト）」の一覧を，一方のエリアから他方のエリアに伝えている。エリアのリンクステート情報は，後述する経路集約を行わない限り，サブネットワークの数だけ送信される。

　ABRの背面はあたかもブラックボックスになっており，外部のネットワーク構成は伝わらない。それを簡素化した経路情報が広告される。ABRが生成するリンクステート情報は，言わば，エリアに存在するネットワークのサマリー（概要）を伝えているわけだ。以降の解説で，これを「エリアのサマリーのリンクステート情報」と呼ぶことにしよう。

　このリンクステート情報は，バックボーンエリアのルータ，さらに他のエリアのルータに伝搬される。

●「エリアのサマリーのリンクステート情報」が広告される例

　例えば，OSPFドメインに，エリア0（バックボーンエリア），エリア1，エリア2が存在するとしよう。エリア2のABRが生成する，エリア2のサマリーのリンクステート情報は，次に示すようにエリア0，エリア1に広告される。

　　エリア2のABR　→　エリア0内のルータ　→　エリア1のABR　→　エリア1内のルータ

　今の説明を補足するため，ルータを具体的に書き加えたのが次の図である。

　ここで，エリア2のABRは，ルータ5，ルータ6である。エリア2のサマリーのリンクステート情報は，このABRによってエリア0の内部へと広告され，やがてエリア1のABRに到達し，そこからさらにエリア1の内部へ広告される。

　なお，この図ではエリア0のサマリーのリンクステート情報，エリア1のサマリーのリンクステート情報の広告は割愛している。

<table>
<tr><td>

詳説

ABRが生成するリンクステート情報は，Type3（Network-Summary-LSA）である。「●エリア内のリンクステート情報の交換」で解説した，エリア内の各ルータが生成するリンクステート情報（Type1,Type2）は，そのエリアから外には伝搬されない。その代わり，それらをサマライズしたType3が伝搬されるわけだ

</td></tr>
</table>

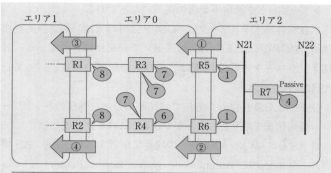

凡例 | Rx：ルータ　　Nx：サブネットワーク
🔵：コスト　　⬅：エリア２のサマリーのリンクステート情報

	送信元ルータ	広告される内容
①	R5	N21のネットワークアドレス，サブネットマスク，コスト（1） N22のネットワークアドレス，サブネットマスク，コスト（5）
②	R6	N21のネットワークアドレス，サブネットマスク，コスト（1） N22のネットワークアドレス，サブネットマスク，コスト（5）
③	R1	N21のネットワークアドレス，サブネットマスク，コスト（16） N22のネットワークアドレス，サブネットマスク，コスト（20）
④	R2	N21のネットワークアドレス，サブネットマスク，コスト（15） N22のネットワークアドレス，サブネットマスク，コスト（19）

（備考）　③：N21のコストは，R1→R3→R5→N21で計算
　　　　　　：N22のコストは，R1→R3→R5→R7→N22で計算
　　　　　④：N21のコストは，R2→R4→R6→N21で計算
　　　　　　：N22のコストは，R2→R4→R6→R7→N22で計算

図：エリア２のサマリーを示すリンクステート情報の広告

● 経路集約

　ABRは，「エリアのサマリーのリンクステート情報」を広告する際，サブネットワークの経路（ネットワークアドレス，サブネットマスク，コスト）を集約して，他のエリアに送信することができる。これを経路集約という。

　ABRの経路集約は自動的に行われるわけではないため，どのように行うかを明示的に設定する必要がある。

　なお，経路集約について，詳しくは「●経路集約」で後述する。

● 外部ネットワークの経路情報の交換と再配布

　通常，OSPFはAS内部で使用されるので，OSPFドメインの「外部」は，自ASの外側に存在するネットワークである。要するに，

詳説

経路集約したときのコストは，RFCにより指定が異なる。RFC2328は，集約対象のサブネットワークのうち，最大のコストの値を採用すると定めている。これに対し，RFC1583は最小コストの値を採用すると定めている。もちろん，任意のコストを明示的に与えることができる

試験に出る

静的経路からOSPFへの再配布について，令和4年午後I問2で出題された。BGPからOSPFへの再配布について，平成29年午後I問3で出題された。経路集約について，平成26年午後I問1で出題された

インターネットや通信事業者の閉域網などである。

これら外部ネットワークは，OSPF以外の方法（例：静的経路制御，BGP等による動的経路制御）で経路制御されている。外部ネットワークの経路情報は，その経路制御の方法に則って自ASに広告される。

OSPFは，OSPF以外の方法で経路制御された外部のネットワークの経路情報を取り込むことができる。これを再配布という。

自ASと外部のネットワークの境界に位置するルータを，**AS境界ルータ**（**ASBR**：Autonomous System Border Router）という。ASBRは，AS外部で経路制御された経路情報をリンクステート情報に変換し，自ASのOSPFドメインに向けて再配布する。

ASBRが広告するリンクステート情報は，ABRが広告する「エリアのサマリーのリンクステート情報」のように，簡素な内容になっている。

具体的に言うと，ASBRは，「AS外部に存在するサブネットワークの経路（ネットワークアドレス，サブネットマスク，コスト）」の一覧を，AS外部から自ASに伝えている。エリアのリンクステート情報は，後述する経路集約を行わない限り，サブネットワークの数だけ送信される。

コストに関して補足しておくと，当然ながら，AS外部のネットワークの経路制御に，OSPFのコストは存在しない。再配布に際しては，どのようにOSPFのコストに換算するのかを慎重に設計しておく必要がある。

ASBRの背面はあたかもブラックボックスになっており，AS外部のネットワーク構成は伝わらない。それを簡素化した経路情報が広告される。ASBRが生成するリンクステート情報は，言わば，外部に存在するネットワークのサマリー（概要）を伝えているわけだ。以降の解説で，これを「AS外部のリンクステート情報」と呼ぶことにしよう。

このリンクステート情報は，ASBRが所属するエリアのルータ，さらに他のエリアのルータに伝搬される。なお，他のエリアに伝搬する際，ASBRが所属するエリアのABRは，ASBRに至る経路をリンクステート情報として生成する。これも他のエリアに伝搬される。

詳説

自拠点をインターネットに接続する場合，一つのISPとだけ接続するときは，ISP側をデフォルトルートとする静的経路制御を用いるのが一般的である。

二つ以上のISPと接続（マルチホーミング）するときは，BGPによる動的経路制御を用いることができる。インターネットのバックボーン（AS間）はBGPで経路制御されているので，BGPによるベストパスを選択できるからだ。このとき，自拠点（自AS）をOSPFで経路制御するならば，ISPに接続しているルータは，ASBRになる

詳説

ASBRが生成するリンクステート情報は，Type5（AS-External-LSA）である。ASBRに至る経路情報を広告するため，ABRが生成するリンクステート情報は，Type4（ASBR-Summary-LSA）である。

ASBRの広告するType5とABRの広告するType3（Network-Summary-LSA）の共通点と相違点を整理すると，およそ次のようになる。

共通点は，サブネットワークの経路（ネットワークアドレス，サブネットマスク，コスト）を広告していること，経路集約しない限りサブネットワークごとにリンクステート情報を生成することである。

相違点は，「外部ネットワークのリンクステート情報」に関して，コストの設定が2種類あって，そのいずれかを選択する必要があること，ASBR以外に転送先ルータを指定できることである

● 再配布に起因するルーティングループの発生とその対策

経路情報の再配布は，二種類の経路制御を行うドメイン間で行われる。

例えば，OSPF ドメインと BGP ドメインの二つの経路制御ドメインがあったとしよう。

再配布をするルータでは，OSPF と BGP が両方とも稼働している。今，このルータで，BGP から OSPF に再配布するものとしよう。このとき，OSPF のコスト値を付与し，OSPF の形式に経路情報に変換してから，OSPF ドメインに向けて広告する。

経路のループは，BGP から OSPF に再配布された経路情報が，BGP ドメインに改めて再配布されることによって，つまり，再び自分に戻されることによって，発生し得る現象である。

当然ながら，OSPF から BGP に再配布された経路情報が，OSPF ドメインに改めて再配布されることによっても，ルーティングループは発生し得る。

もっとも，再び自分に戻されたとしても，ルーティングループが必ず発生するわけではない。再び戻されたときに付与される属性の値によって，ループが発生する可能性があるのだ。

具体例を挙げて説明しよう。

次の「図：再配布によって経路のループが発生する手順」に示すネットワークは，BGP と OSPF の二つのダイナミックルーティングプロトコルが稼働している。

これから説明する四つの手順（①から④）によって，ここにルーティングループが生じる。

注目すべきは，ルータ A がもつ，ネットワーク X の経路情報である。

試験に出る

再配布時のルーティングループの発生とその対策について，令和6年午後I問2，平成29年午後I問3で出題された

第**3**章

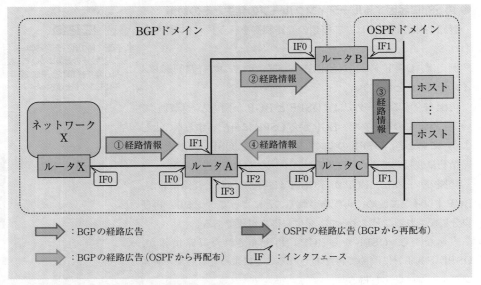

図：再配布によって経路のループが発生する手順

自説明を簡潔にするため，この
図では，ルータX→ルータ
A→ルータB→ルータC→ルー
タAの経路広告だけを図示して
いる。
実際には，ルータA→ルータC
のBGPの経路広告，ルータ
C→ルータBのOSPFの経路
広告（BGPから再配布），ルー
タB→ルータAのBGPの経
路広告（OSPFから再配布）も
あるので，これらを含むルータ
X→ルータA→ルータC→ルー
タB→ルータAの経路広告が，
ルーティングループを発生させ
る可能性もある

● **手順①：ルータ A**

ルータAは，図の左側にあるネットワークXの経路情報
（BGP）を，ルータXよりインタフェースIF0から受け取る。
この時点で，ルータAは次に示す経路情報をもつ。

　宛先ネットワーク：ネットワークX
　ネクストホップ　　：ルータXのIF0

本来，ルータAは，宛先IPアドレスがネットワークXで
あるIPパケットを受け取ったとき，この経路情報に基づ
いてインタフェースIF0に転送しなければならない。この
点を念頭に置いて，続きを読んでいただきたい。

● **手順②：ルータ B**

ルータBは，ネットワークXの経路情報（BGP）を，ルー
タAよりインタフェースIF0から受け取る。
この時点で，ルータBは次に示す経路情報をもつ。

　宛先ネットワーク：ネットワークX
　ネクストホップ　　：ルータAのIF1

その後，ルータ B は，この経路情報を OSPF に再配布する。

● **手順③：ルータ C**

ルータ C は，ネットワーク X の経路情報（OSPF）を，ルータ B よりインタフェース IF1 から受け取る。

この時点で，ルータ C は次に示す経路情報をもつ。

> 宛先ネットワーク：ネットワーク X
> ネクストホップ　：ルータ B の IF1

その後，ルータ C は，この経路情報を BGP に再配布する。

● **手順④：再びルータ A**

ルータ A は，ネットワーク X の経路情報（BGP）を，ルータ C よりインタフェース IF2 から受け取る。

この時点で，ルータ A は二つの経路情報をもつことになる。一つは，手順①で受け取ったものである。

もう一つは，今，この手順④で受け取った，次に示す経路情報である。

> 宛先ネットワーク：ネットワーク X
> ネクストホップ　：ルータ C の IF0

再配布では，属性の値を比較的自由に付与することができる。

もしも，手順④の経路情報の属性が，手順①のそれに比べて，高い優先度をもつ値に設定されていたならば，どうなるだろうか。

このとき，ルータ A は，手順④の経路情報に基づいて，ルーティングしてしまうのだ。

この結果，このネットワークにおいて，経路のループが発生する。

宛先 IP アドレスがネットワーク X であるパケットを，ルータ A が受け取ったとしよう。すると，このパケットは，次のように三つのルータの間を周回し続ける（TTL が 0 になるまで）。

> ルータ A →ルータ C →ルータ B →ルータ A　……

　このルーティングループの対策として，幾つか考えられる。

　一つ目の対策は，「再配布したものを再び自分に再配布させないこと」である。

　これは，比較的よく採られる方法だ。

　前述の手順に適用してみると，手順③において，ルータCがBGPの再配布を実施しなければ，手順④そのものが起こらないので，経路のループは発生しない。あるいは，ルータCにルートフィルタリング（ある経路情報を広告するか否かをフィルタリングする技術）を設定しても，同様の効果が得られる。

　二つ目の対策は，「再配布したものを再び自分に再配布させるときは，属性値を慎重に付与すること」である。

　これは，首尾よく成し遂げるのが結構大変な方法だ。

　前述の手順に適用してみると，手順④に至ったとき，ルータAが，手順①で受け取った経路情報の方を優先すれば，経路のループは発生しない。それゆえ，手順③のルータCが，BGPに再配布する際に，ループが発生しないように属性値を付与すればよいわけだ。ただ，ここで例示した簡素なネットワークはいざ知らず，数多くのサブネットワークとルータから構成された，現実に存在する大規模なネットワークでは，適切な属性値を見出すのは難しい作業となる。

　三つ目の対策は，もし可能であれば，「再配布しなくてすむように，経路制御を統一すること」である。

● 経路集約

　ASBRは，「AS外部のリンクステート情報」を広告する際，サブネットワークの経路（ネットワークアドレス，サブネットマスク，コスト）を集約して，他のエリアに送信することができる。ASBRの経路集約は自動的に行われるわけではないため，どのように行うかを明示的に設定する必要がある。

　なお，経路集約について，詳しくは「●経路集約」で後述する。

● 経路集約

　ABRが「エリアのサマリーのリンクステート情報」を生成する場合，及び，ASBRが「AS外部のリンクステート情報」を生成する場合，デフォルトではサブネットワーク毎にリンクステート

情報を生成する。しかし，サブネットワークのネットワークアドレスを集約した，1個のリンクステート情報を生成して広告することができる。これを経路集約という。

経路集約することにより，広告されるリンクステート情報の数が少なくなり，ルーティングテーブルがよりいっそうシンプルになるので，ネットワークや OSPF ルータの負荷を減らすことができる。

同一エリアのリンクステート情報を，複数の ABR で広告する場合，双方とも同じように経路集約する必要がある。もし一方で経路集約し，他方で経路集約せずに広告したとしよう。当然ながら，経路集約しないルートはサブネットマスク長が長いため，ロンゲストマッチアルゴリズムの仕組み上，こちらが選択される。つまり，経路集約した方のルートは意味をなさなくなってしまう。

● デフォルトルートの広告

ABR，ASBR ともに，デフォルトルート（0.0.0.0/0）を広告することができる。これは最も集約された経路である。

ABR の配下にあるエリア（バックボーンエリアに接しているエリア）が，スタブエリアである場合，スタブエリアに向けて広告する経路は，自分をデフォルトゲートウェイとするデフォルトルートを広告することができる。

スタブエリアとは，簡単に言うと，バックボーンエリアとだけ接しているエリアである。正確に言うと，自エリアと他エリアの境界が ABR だけであり，かつ，非 OSPF ドメインとの境界をもたない（ASBR をもたない）エリアである。

定義から明らかなように，スタブエリアは，外部のネットワークと通信するとき ABR を必ず経由する。したがって，ABR をデフォルトゲートウェイとするデフォルトルートを広告するのは合理的である。

ASBR がインターネットに接続しているルータである場合，自分をデフォルトゲートウェイとするデフォルトルートを広告するのが一般的である。

ASBR に関して具体例を示そう。ある拠点が複数の ISP（マルチホーミング）を用いており，

試験に出る

同一エリアのリンクステート情報を，複数の ABR で広告する場合，双方とも同じように経路集約することについて，令和3年午後I問3で出題された。デフォルトルートの広告について，令和4年午後I問2，令和3年午後I問2で出題された

詳説

Type4（ASBR-Summary-LSA），Type5（AS-External-LSA）のリンクステート情報は，スタブエリア内に広告されない。スタブエリアを配下にもつ ABR は，これらリンクステート情報をバックボーンエリアから受け取ると，自分をデフォルトゲートウェイとするデフォルトルートに変換し，Type3（Network-Summary-LSA）のリンクステート情報としてスタブエリア内に広告する。ABR は，他のエリアの Type3 のリンクステート情報を受け取ると，デフォルトではそのままスタブエリア内に広告する。もちろん，これらも同様に，自分をデフォルトゲートウェイとするデフォルトルートに集約し，改めて Type3 として広告することができる。このように Type3，Type4，Type5 を一括してデフォルトルートに変換するスタブエリアを，トータリースタブエリアという

- インターネット接続回線（ISPと自拠点間の回線）はBGP
で経路制御
- イントラネット（プライベートIPアドレス）はOSPFで経
路制御

という二つのダイナミックルーティングプロトコルにより経路制
御していたとする。

インターネット（BGPドメイン）とOSPFドメインの境界に位
置するルータは，インターネット接続回線を収容している自拠点
のルータである。これがASBRとなる。

このとき，もしもインターネット（BGPドメイン）からイント
ラネット（OSPFドメイン）に，経路集約せずに再配布したらど
うなるだろうか？ ISPから広告されるインターネットの経路情報
（フルルート）は数十万に及ぶが，これがイントラネットの各ルー
タに広告されてしまうことになる。通常のルータでは処理しきれ
ないだろう。

このネットワーク構成において，ASBRはどのみちデフォルト
ゲートウェイになるはずだ。したがって，ASBRをデフォルトゲー
トウェイとするデフォルトルート「0.0.0.0/0」をOSPFドメインに
再配布するのが合理的である。

インターネットのバックボーンで
交換される経路情報の総数（フ
ルルート）は，IPv4が60万超，
IPv6が4万超もある（2017
年12月現在）。この数は年々増
加している

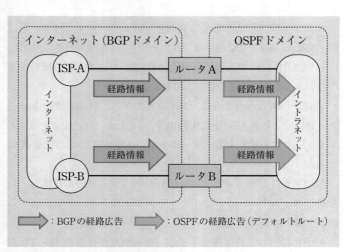

図：ASBRによるデフォルトルートの広告

このケースでは，ルータA，ルータBともにデフォルトルート
を広告している。イントラネットの各ルータは，ルータA，ルー
タBのそれぞれに至る経路のコストに基づき，最小コストの経路
を選択する。もしも二つの経路のコストが等しければ，イコール
コストマルチパス機能により二つの経路が選択されてトラフィッ
ク分散される。

詳説

このケースでは，OSPFドメイン
（イントラネット）からBGPドメイ
ン（インターネット）に再配布す
べきではない。なぜなら，OSPF
ドメインにプライベートIPアドレ
スを割り当てているからである。
プライベートIPアドレス宛ての
パケットはインターネット空間で
ルーティングされないので，再
配布する意味がないからだ

● 経路集約に起因するルーティングループの発生とその対策

　経路集約を行う際，集約対象となる経路（以下，「集約対象ルー
ト」と称する）のアドレスブロックと，実際に集約した経路（以下，
「集約ルート」と称する）のアドレスブロックを比較したとき，集
約ルートのアドレスブロックが広くなるケースがある。

　つまり，集約ルートのアドレスブロックに，集約対象外の経路（以
下，「集約対象外ルート」と称する）が存在することがある。

　例えば，次の表に示す三つの経路を集約したとき，集約対象外
ルートが過剰に包含されてしまう。

集約対象ルートのアドレスブロック	集約ルートのアドレスブロック
172.16.0.0/24	
172.16.1.0/24	172.16.0.0/22
172.16.2.0/24	

集約対象外ルートのアドレスブロック	集約ルートのアドレスブロック
172.16.3.0/24	172.16.0.0/22

　実は，集約対象外ルートが原因で，ルーティングループが発生
することがある。

　具体例を挙げて説明しよう。次の図に示すネットワークは，イ
ンターネットに接続している。自拠点はOSPFで経路制御されて
おり，エリア0（バックボーンエリア），エリア1に分割している。

　インターネットと自拠点の境界に位置するFWはASBRである。
FWは，自分をデフォルトゲートウェイとするデフォルトルートの
リンクステート情報が広告している。

　エリア0とエリア1の境界に位置するルータ0はABRである。
ルータ0は，エリア0に向けて，エリア1を経路集約したリンク
ステート情報を広告している。さらに，エリア1に向けて，自分
をデフォルトゲートウェイとするデフォルトルートのリンクステー
ト情報を広告している。

試験に出る

経路集約をした際のルーティン
グループ対策について，令和3
年午後I問2で出題された

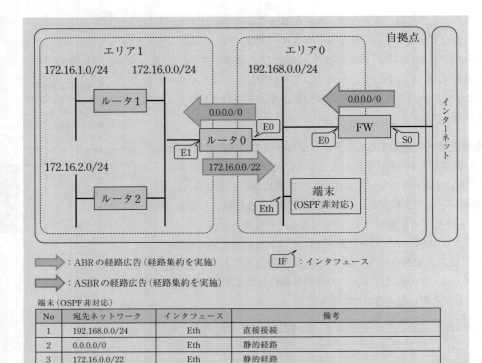

：ABRの経路広告（経路集約を実施）　　　IF ：インタフェース

：ASBRの経路広告（経路集約を実施）

端末（OSPF非対応）

No	宛先ネットワーク	インタフェース	備考	
1	192.168.0.0/24	Eth	直接接続	
2	0.0.0.0/0	Eth	静的経路	
3	172.16.0.0/22	Eth	静的経路	

FW

No	宛先ネットワーク	インタフェース	備考	
1	192.168.0.0/24	E0	直接接続	
2	0.0.0.0/0	S0	静的経路	
3	172.16.0.0/22	E0	OSPFによる動的経路	ルータ0から広告

ルータ0

No	宛先ネットワーク	インタフェース	備考	
1	192.168.0.0/24	E0	直接接続	
2	172.16.0.0/24	E1	直接接続	
3	172.16.1.0/24	E1	OSPFによる動的経路	ルータ1から広告
4	172.16.2.0/24	E1	OSPFによる動的経路	ルータ2から広告
5	0.0.0.0	E0	OSPFによる動的経路	FWから広告
6	172.16.0.0/22	Null0	静的経路（ルーティングループ防止）	

注）「宛先ネットワーク」の欄には，宛先のネットワークアドレスとサブネットマスクを併記している。
　　インタフェース「Null0」は，パケットを捨てることを意味する。

図：経路集約を実施して広告されているネットワーク

さて，エリア1の集約ルートは「172.16.0.0/22」である。この中には，集約対象外ルートである「172.16.3.0/24」が過剰に包含されている。

実を言うと，この例のネットワークでは，ルーティングループを防止する対策がすでに実施されている。ルータ0のルーティングテーブルの最後の行にある「静的経路（ルーティングループ防止）」と書いてある経路が，これに該当する。インタフェース欄には，null インタフェースを示す「Null0」が設定されている。それゆえ，この経路が選択されると，パケットはルーティングされずに破棄される。

ここで，エリア0の端末が，集約対象外ルートのアドレス「172.16.3.1」にパケットを送信したケースを考えてみよう。

端末はOSPF非対応であり，FWをデフォルトゲートウェイとするデフォルトルートを静的経路として登録している。さらに，エリア1側のネットワークにパケットを転送するため，エリア1の集約ルートを静的経路として登録している。

このとき，次に示すようにパケットが転送される。集約対象外ルートを宛先とするパケットが，ルータ0で破棄されていることに注目していただきたい。

①端末は，ルーティングテーブルの第3行に基づき，ルータ0にパケットを転送する。

②ルータ0は，ルーティングテーブルの第6行に基づき，パケットを破棄する。

null インタフェースについて，詳しくは本書の第3章「3.8.1 ルーティングの仕組み」の「● null インタフェース」を参照していただきたい

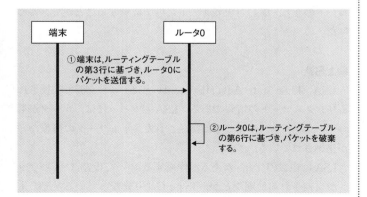

図：端末が「172.16.3.1」にパケットを送信（ルーティングループが防止されているケース）

　では, ルータ0のルーティングテーブルの「静的経路（ルーティングループ防止）」が登録されていない場合はどのように振る舞うだろうか？

　実はこのとき, 集約対象外ルートを宛先とするパケットは破棄されないため, ルーティングループが発生してしまう。

①端末は, ルーティングテーブルの第3行に基づき, ルータ0にパケットを転送する。

②ルータ0は, ルーティングテーブルの第5行に基づき, FWにパケットを転送する。

③FWは, ルーティングテーブルの第3行に基づき, ルータ0にパケットを転送する。

以下, ②と③が繰り返される。すなわち, ルーティングループが発生する。IPヘッダのTTLが0になるまで, ②と③が繰り返される。

　このように, 経路集約をする場合, 集約対象外ルートを過剰に包含するケースでは, ルーティングループが発生してしまう。これを防止するには, すでに解説したとおり, 集約ルートを宛先とするパケットを破棄する静的経路を, 経路集約したルータに登録すればよい。

　経路集約したルータには, 集約対象ルートが元から存在している。集約ルートのサブネットマスク長より, 個々の集約対象ルートのサブネットマスク長のほうが長いため, 集約対象ルートを宛先とするパケットは正常にルーティングされる。それゆえ, 集約ルートのうち, 集約対象外ルートだけを破棄することができるわけだ。

●LSA

　LSA（Link State Advertisement）とは, ルータ間で交換されるリンクステートの情報である。LSAパケットには, ルータがもつインタフェースやルータに接続されたネットワークの情報などが格納されている。

　LSAは複数のTypeがある。作成するルータ, 役割, LSAパケットが交換される範囲などが, Typeにより異なっている。その主なものを次の表に示す。

詳説

Cisco Systems 社のOSPFルータは, ABRで経路集約をしたとき, ルーティングループを防止する静的経路を自動的に登録する

詳説

OSPFが経路制御のためにやり取りする情報はリンクステート情報であり, 経路そのもの（ルーティングテーブルにエントリされる経路）ではない。とはいえ, 慣用的に, OSPFが「経路情報を交換する」という表現が使われることがある。事実, 平成29年後期I問3でそのような表現が使われている

表：LSA の複数の Type

Type	名称	作成ルータ	役割	交換される範囲
1	Router-LSA	全 OSPF ルータ	作成ルータに接続しているリンクの情報を通知する。以下に示すとおり，リンクによって通知内容が異なっている。 ・ポイントツーポイントネットワーク： 　対向側のルータ，コスト ・トランジットネットワーク： 　当該リンクの DR の IP アドレス，当該リンクの IP アドレス，コスト ・スタブネットワーク： 　当該リンクのネットワークアドレス，サブネットマスク，コスト ・バーチャルリンク： 　仮想リンクの対向側のルータ，仮想リンクに対応付けられたリンクの IP アドレス，コスト	同一エリア（作成ルータが接続しているインタフェースが所属しているエリア）
2	Network-LSA	代表ルータ(DR)	DR の IP アドレス，サブネットマスク，及び，DR に接続しているルータのリストを通知する	（同上）
3	Network-Summary-LSA	エリア境界ルータ (ABR)	自エリアに存在する各サブネットワークの，ネットワークアドレス，サブネットマスク，コストを通知する	自エリア以外のエリア
4	ASBR-Summary-LSA	エリア境界ルータ (ABR)	自エリア内に存在する ASBR(AS 境界ルータ)の情報を通知する	自エリア以外のエリア（スタブエリア以外）
5	AS-External-LSA	AS 境界ルータ (ASBR)	自 ASBR が有している，OSPF ネットワークの経路情報を OSPF ドメインに通知する	OSPF ドメイン全体（スタブエリア以外）

実は，これまでの解説の中に，これら LSA が用いられている。

「●エリア内のリンクステート情報の交換」で解説したリンクステート情報は，Type1（Router-LSA），及び，（マルチアクセスネットワークの場合）Type2（Network-LSA）である。この二つの LSA を用いることにより，同一エリアの全ルータは，そのエリアのリンクステート情報（いわばエリアのネットワーク構成図）を共有することができる。これに基づき，ダイクストラの最短経路アルゴリズムを用いてルーティングテーブルを作成する。

「●エリア間のリンクステート情報の交換」で解説した，ABR が生成する「エリアのサマリーのリンクステート情報」は，Type3（Network-Summary-LSA）である。表の中で「自エリア」と簡潔に述べたが，これは，ABR の配下にある一つのエリアを指している。ABR がこのエリアのサマリーを Network-Summary-LSA として作成し，他のエリアに向けて通知する。さらに，他エリアの Network-Summary-LSA を通知されると，このエリアに通知する。

 試験に出る

AS-External-LSA（Type 5）について，令和6年午後I問2で出題された。Router-LSA（Type 1）について，令和3年午後I問2で出題された

 詳説

ルータに接続しているリンク（ネットワーク）の種類について，詳しくは「●エリア」の「●ポイントツーポイントネットワーク」，「●マルチアクセスネットワーク」を参照していただきたい

詳説

OSPF が装備する Hello パ
ケットの代わりに、**BFD**
(Bidirectional Forwarding
Detection) を用いることで、
より短い時間間隔を設定して
迅速な死活監視を行うことも
できる。
BFD について、詳しくは第6章
「6.2.6 経路の冗長化」の「●
BFD」を参照していただきたい

「●外部ネットワークの経路情報の交換と再配布」で解説した，ABR が生成する「ASBR に至る経路情報を広告するリンクステート情報」は，Type4（ASBR-Summary-LSA）である。ASBR が生成する，「AS 外部のリンクステート情報」は，Type5（AS-External-LSA）である。

●死活監視

OSPF は，Hello パケットを交換し合って死活監視を行う。

イーサネットの場合，この Hello の間隔は 10 秒，経路障害が発生したと判断する時間の長さは 40 秒である。

3.8.6 BGP

試験に出る

午前試験では、令和5年午前
Ⅱ問7,平成26年午前Ⅱ問7(平
成25年午前Ⅱ問6、平成22
年午前Ⅱ問8と類似の問題)、
平成24年午前Ⅱ問1、平成
22年午前Ⅱ問8で出題された。
午後試験では、令和6年午後
Ⅰ問1、問2、午後Ⅱ問1、令和
5年午後Ⅱ問1、令和3年午
後Ⅱ問2、令和元年午後Ⅰ問1、
平成30年午後Ⅰ問3、平成
29年午後Ⅰ問3で出題された。
BGPとOSPFを組み合わせた
経路の冗長化設計が出題され
ており,優先度の設定(平成30
年)、経路再配布(令和6年、
平成29年)が取り上げられた。
令和3年午後Ⅱ問2ではBGP
について比較的深い知識が問
われた(本文から推論できるよ
うに配慮されていた)。そこでは、
iBGPのIPアドレス(ループバッ
クインタフェースのIPアドレス)
をOSPFで広告すること,BGP
のアトリビュートについて出題さ
れた

BGP は，AS 間を接続するルーティングプロトコルであり，経路ベクトル方式（パスベクトル方式）が採用されている。BGP の概要を次の表に示す。

表：BGP の概要

EGP ／ IGP の種別	EGP
経路制御の方式	経路ベクトル方式
下位プロトコル	TCP
通信形態	ユニキャスト（TCP コネクション）

●経路制御の特徴と仕組み

インターネットのバックボーンで交換される経路情報は，数十万に上る。BGP は，この膨大な経路情報の交換を実現するために，様々な工夫を取り入れている。

その主な特徴と仕組みは，次のとおりである。

1. 経路選択はパスアトリビュートによって行われる。これには様々な種類があり，AS のポリシに基づく柔軟な経路選択を可能にしている。パスアトリビュートについて，詳しくは「●経路選択」で後述する。

2. ルータが広告するのは，NLRI(Network Layer Reachability Information) とパスアトリビュートである。NLRI は，ネッ

ワークアドレスとサブネットワークの組である。パスア
トリビュートは NLRI に紐づいて設定されている。

3. 経路が変化したときだけ UPDATE パケットを送信し，差
分だけ広告する仕組みを備えている。これにより，経路情
報の交換にかかるトラフィックを抑えている。

4. 広告する通信の信頼性を確保するため，TCP のコネクショ
ンを用いている。コネクションを張る 2 台のルータを BGP
ピアと呼ぶ。

5. KEEPALIVE パケットを交換して死活監視を行う。

それでは，BGP を特徴付ける経路選択，BGP ピア，死活監視
について，以下で解説しよう。

● 経路選択

BGP は，パスアトリビュートを用い，複数ある経路の候補の中
からベストパス（最適経路）を一つ選択する。

パスアトリビュートは，他のルーティングプロトコルのメトリッ
クに相当するものだ。RIP では距離が，OSPF ではコストが用い
られているのに対し，BGP では様々な種類の属性が定義されて
いるという特徴をもつ。

数々のパスアトリビュートには優先順位があり，それらを調整
することで，AS は，自ら定めたポリシに基づいてベストパスを選
択することができる。詳しくは「●パスアトリビュート」で後述
する。

● AS_PATH

BGP の主要なパスアトリビュートは，AS_PATH である。

これは，宛先ネットワークに至る経路（パス）を表しており，
このパスが「AS 番号の羅列」として記述されている。言い換え
ると，AS_PATH は，宛先ネットワークに至る AS を表す属性で
ある。

AS_PATH に基づいてベストパスを決定するときは，AS_
PATH 長が短いものを選択する仕様になっている。要するに，経
由する AS の合計数が少ない方を優先するわけだ。

AS_PATH は必ず付与されるパスアトリビュートである。BGP

詳説

インターネットのバックボーンで
交換される経路情報の総数（フ
ルルート）は，IPv4 が 60 万超，
IPv6 が 4 万超もある（2017
年 12 月現在）。この数は年々増
加している

第
3
章

詳説

あるアドレスブロックに関し、正しい AS 番号を設定した経路(正経路)を広告している AS と、ハイジャックを企図して自 AS 番号を設定した経路(不正経路)を広告している AS があるとする。他 AS が、正経路と不正経路の両方を受け取り、そのアドレスブロック宛てにパケットを送信するとき、正経路、不正経路のどちらが選ばれるだろうか。サブネットマスク長の短い経路が、(サブネットマスク長が同じで、BGP の AS パス長に基づく経路選択が行われるときは) AS パス長の短い経路が選択されるため、ハイジャックが成立し得る。この点について、令和6年午後I問1設問2(4)で出題されている。興味ある読者は、付録 PDF の過去問題解説を参照していただきたい。この対策として、広告された経路が正当であるか否かを IRR (Internet Routing Registry) に確認し、不正経路をフィルタリングする方法がある。

は、特にパスアトリビュートの調整をしなければ、AS_PATH に基づいてベストパスを選択する。BGP が経路ベクトル方式と呼ばれる理由はここにある。

BGP はルーティングループを回避するため、隣接する AS から経路情報を受信する際、自身の AS 番号が含まれていたら、その経路情報を破棄する。

● AS_PATH による経路選択の例

今ここに、AS10、AS20、AS30 という三つの AS があるとする。

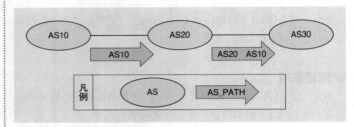

図：AS_PATH の例

AS10 が自ネットワークを広告するとき、AS_PATH は「AS10」である(見やすくするために「AS10」という AS 名を記したが、本当は AS 番号である)。

AS20 がこれを受け取り、AS30 に広告するとしよう。このとき AS20 は、AS_PATH の先頭に「AS20」を追加してから広告する。この結果、AS20 が広告する、「AS10 ネットワークの経路情報」の AS_PATH は、「AS20 AS10」となる。

AS30 がこれを受け取ると、AS10 ネットワークに到達するには「AS20 → AS10」というパスを通ることが分かる。

AS30 が他の AS からも AS10 ネットワークの経路情報を広告されている場合は、AS_PATH 長を比較し、経由する AS の合計数が少ない方を優先する。

● パスアトリビュートによる経路選択の例

AS_PATH 以外のパスアトリビュートを組み合わせた場合、どのように経路選択が行われるのだろうか。そのときは、パスアトリビュートごとに定められた優先順位に従う仕組みになっている。

例として，次の「図：BGP のパスアトリビュートを活用した経路制御」に示すネットワークを使って説明する。

自 AS はマルチホーム接続（インターネット接続の冗長化）を行っており，ある外部ネットワーク X に至る経路情報を AS1 と AS2 から受け取っているとしよう。要は，自 AS からネットワーク X に到達できる経路として，AS1 経由と AS2 経由の 2 通りがあるわけだ。

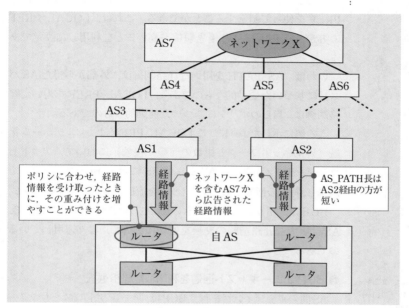

図：BGP のパスアトリビュートを活用した経路制御

このとき，次のいずれかの経路制御が可能となる。

- パスアトリビュートの AS_PATH を見ると，ネットワーク X に到達するまでに通過する AS のパス長は，AS1 経由が「AS1 → AS3 → AS4 → AS7」の 4 個分であり，AS2 経由が「AS2 → AS5 → AS7」の 3 個分なので，AS2 経由の方が短い。そこで，AS2 経由の方をベストパスにしよう。

- パスアトリビュートの AS_PATH に基づけば，AS2 経由の方を選択するのが適切だ。しかし，このたびは意図的に AS1 経由の方を選択したい。これを実現するため，AS1 から受け取った経路情報に，パスアトリビュートの LOCAL_

試験に出る

令和3 年午後 II 問2 ではBGP について比較的深い知識が問われた（本文から推論できるように配慮されていた）。その中で，BGP のパスアトリビュートについて出題された

161

PREF をデフォルト値より大きく設定して重み付けを増や
し，AS1 経由がベストパスになるように自 AS 内の全 BGP
ルータに学習させよう。

このように，自 AS の複数のルータがネットワーク X の経路情
報を受け取った場合，自 AS からネットワーク X にパケットを送
信するときに経由するルータを，パスアトリビュート LOCAL_
PREF を使って制御することができる。これは，LOCAL_PREF
の方が AS_PATH より優先順位が高いことを利用した設定であ
る。

いわば，AS_PATH を用いた経路制御は，外部から得た AS パ
ス長に基づいた受動的なものであり，LOCAL_PREF を用いた経
路制御は，自らのポリシに基づいた能動的なものである。

この例に示したように，こ LOCAL_PREF は，マルチホーム接
続（外部ネットワークと複数の回線で接続）において，アウトバ
ウンドトラフィック（自 AS から他 AS に向かうトラフィック）を
制御し，特定の回線からトラフィックを流出させたいときに用いる。

BGP は，ポリシに基づくきめ細かな設定を実施することで，
AS は膨大な経路情報の交換を適切に制御し，日々運用している
のである。

● BGP エニーキャスト通信を利用した経路選択

AS 間のルーティングを行う BGP は，同一 IP アドレスをもつノー
ドがインターネット上の複数の拠点に存在していても，送信元か
ら見てベストパスとなる拠点（例えば，AS_PATH 長に基づく経
路選択であれば最短パスで到達する経路）を選択し，そこにルー
ティングする機能をもつ。

より正確に言うと，BGP は一つのベストパスを選択する仕組み
になっている。同一 IP アドレスブロックを宛先ネットワークとす
る経路情報が複数広告されたとき，それを受信した各 AS におい
て，ベストパスとなる経路が選ばれる。

まず，送信元 AS が，宛先に至る最適な AS をネクストホップ
として選択する。以下同様に，経路上の各 AS は，宛先に至る最
適な AS をネクストホップとして選択する。順次これが繰り返さ
れるので，ラストホップとして選ばれるのは，宛先 AS の複数あ

る拠点のうち，送信元から見たベストパスのものになるわけだ。

BGP を利用したエニーキャスト通信の実例が，ルート DNS サーバである。多くのルート DNS サーバは，同一 IP アドレスをもつホストが分散配置されており，エニーキャスト通信の仕組みによって，問合せ元から見てベストパスとなるものが選択されている。この技術は，RFC3258（Distribu ting Authoritative Name Servers via Shared Unicast Addresses）で文書化されている。

BGP を利用したエニーキャスト通信は，CDN でも同様の仕組みで利用されている。CDN が有する複数の拠点に同一の IP アドレスブロックと同一の AS を割当てることで，接続元から見てベストパスとなる拠点が選択される。

● BGP ピア

BGP 接続を行う 2 台のルータ間では，TCP の 179 番ポートを使用し，経路情報の交換を行う。このコネクションをピアリングと呼ぶ。ピアリングを設定する BGP ルータのことを **BGP ピア**と呼ぶ。

● eBGP ピア

自 AS の BGP ルータは，他 AS の BGP ルータとピアリングを設定し，経路情報を交換している。このように，異なる AS に属するルータ間でピアリングが設定されるとき，この BGP ルータのことを，eBGP ピア（external BGP ピア）と呼ぶ。

● iBGP ピア

自 AS の BGP ルータは，お互いにピアリングを設定し，経路情報を交換している。このように，同じ AS に属するルータ間でピアリングが設定されるとき，この BGP ルータのことを，iBGP ピア（internal BGP ピア）と呼ぶ。

iBGP ピアリングを設定する目的は，外部 AS とマルチホーム接続を行っている場合，それぞれの接続先から広告される経路情報が異なっている可能性があるので，自 AS 内で共有する必要があるからだ。

まず，eBGP ルータは，自分が受け取った経路情報を，自分と iBGP ピアリングを設定している iBGP ピアに広告する。次いで，

令和 3 年午後Ⅱ問2 ではBGPについて比較的深い知識が問われた（本文から推論できるように配慮されていた）。その中で，iBGP のIP アドレスには，物理的にダウンしないループバックインタフェースのIP アドレスを用いること，このIP アドレスをOSPF で広告することについて出題された

「BGP ピア」は，ピア間のコネクション（ピアリング）を指す語として用いられることがある。ネットワークスペシャリスト試験の場合，近年（令和3年午後Ⅱ問2，令和5年午後Ⅱ問1）ではBGP ルータを指しているが，令和6年午後Ⅰ問1と午後Ⅱ問2，平成29 年午後Ⅰ問3ではピアリングを指している。試験勉強においては，文脈に応じて適宜判断しよう

その iBGP ピアは，他の iBGP ピアに広告する。こうして，自マルチホーミング接続で得られた経路情報は，AS 内の全 BGP ルータに伝搬される。

iBGP ピアリングを設定している相手から学習した経路情報は，他の iBGP ピアに通知しない。これは，AS 内で BGP によるルーティングループを防ぐためである。

● iBGP ピアリングの接続方法

iBGP ピアリングは，通常，iBGP ルータをフルメッシュ構成で接続する。それゆえ，iBGP ルータが N 台あるとき，接続する TCP コネクション数は $N*(N-1)/2$ 個になるため，ルータの数が増えるにつれてルータの負荷が増加してしまう。

このコネクション数を削減するため，1 台の iBGP ルータをハブとし，他の iBGP ルータをスポークとするハブアンドスポーク構成で接続することができる。ハブとなる iBGP ルータをルートリフレクタと呼び，スポークとなる iBGP ルータをクライアントと呼ぶ。ルートリフレクタを用いると，接続する TCP コネクション数は $N-1$ 個になる。ルートリフレクタと全クライアントからなる iBGP ルータの集合（1 つのハブアンドスポーク構成）をクラスタと呼ぶ。iBGP ルータ間の経路広告は，ルートリフレクタを経由して実施される。

iBGP ピアリングで結ばれた 2 台の iBGP ルータは，直に接続していなくてもよい。つまり，それぞれの iBGP ルータが iBGP ピアリングに用いる IP アドレスは，別々のサブネットワークに所属していてもよい。極端な話，非 BGP ルータ（BGP が稼働していないルータ）を中継していても構わない。その場合，それら 2 台の iBGP ルータ，及び，それらを中継する位置にある非 BGP ルータは，全て，何らかの IGP（例えば OSPF）が稼働している必要がある。iBGP ピアリング用の IP アドレスを宛先とするパケットは，IGP の経路制御により，AS 内でルーティングされる。

● iBGP ピアリングの安定性確保

iBGP ピアリングを安定させる目的で，ピアリングに用いる IP アドレスは，インタフェース障害やリンク障害への耐障害性をもつように設計する。そのため，ループバックインタフェース（仮

試験に出る

ルートリフレクタについて，令和 6 年午後 II 問 1 で出題された。ループバックインタフェースの IP アドレスを用いて iBGP ピアを張ったネットワークを題材に，BGP による冗長化設計の問題が令和 3 年午後 II 問 2 で出題された。ループバックインタフェースについて，詳しくは「3.8.1 ルーティングの仕組み」の「●ループバックインタフェース」を参照していただきたい

想的なインタフェース）のIPアドレスを用いる。さらに，iBGP ピア間の経路を冗長化し，インタフェース障害やリンク障害が発生してもそのIPアドレスに到達できるようにする。この結果,ルータ自身がダウンしない限り，iBGPピアは維持される。

● BGP の代表的な用途

「8.6.3 AS, EGP／IGP」で解説したとおり，ASの代表例は，ISP等，インターネットのバックボーンネットワークを形成する，独自のルーティングポリシで管理されたネットワークである。この点を踏まえるなら，BGPの主な用途の一つは，インターネットのバックボーンネットワークの経路制御である，と言える。

BGPには別の重要な用途がある。エンドユーザのネットワークを冗長化したい場合，障害発生時に迂回経路に切り替えるにはダイナミックルーティングプロトコルを用いた動的経路制御が必要である。このとき,エンドユーザのネットワークをASとみなせば，BGPを用いた経路広告が可能となる。それゆえ，BGPの別の用途として，エンドユーザのネットワークの経路制御がある。

エンドユーザのネットワークをASとして扱うとき，プライベートAS番号を割り当てる。これは，64512～65535，4200000000 ～4294967294の範囲に限定し，プライベートネットワークの内部でのみ使用が認められたAS番号であり，インターネットに広告してはならない。ちょうど,IPv4のプライベートIPアドレスが，プライベートネットワークの内部でのみ使用できるのと同じである。

エンドユーザのネットワークにおいて，BGPの動的経路制御を用いた冗長化を実施する箇所として，二つの典型例を挙げることができる。

一つ目は,インターネット接続回線を冗長化する構成,すなわち，マルチホーミングである。

二つ目は，複数の拠点を有するエンドユーザのネットワークで,拠点間を接続するWAN回線を冗長化する構成である。もちろん，WAN回線がBGPを利用可能でなければならない。

それでは,ここに述べた用途について,過去問題の出題例を使って具体的に解説しよう。

● インターネットのバックボーンネットワークにおける経路制御

次に示すネットワーク「AS-E, AS-F, AS-G で構成されたネットワーク（その1）」には，エンドユーザ接続先 ISP（AS-E），トランジット ISP（AS-F），エンドユーザ接続先 ISP（AS-G）の三つの AS が示されている。

このネットワークは，令和6年午後I問1で出題されたものを簡略化したものだ。

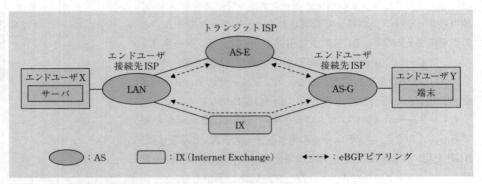

トランジット ISP

エンドユーザ
接続先ISP

エンドユーザX

サーバ

LAN

AS-E

AS-G

エンドユーザ
接続先ISP

エンドユーザY

端末

IX

⬭ ：AS　　☐ ：IX（Internet Exchange）　◄---► ：eBGP ピアリング

図：AS-E, AS-F, AS-G で構成されたネットワーク（その1）

詳説

IX

IX を運営しているのは私企業，非営利団体，政府機関（一部の途上国）である。
IX の利用料は上位 ISP のトランジット費より低価格である場合が多いので，IX を利用することでコストを削減できる。直接接続する二つの AS がネットワーク的に近い位置にある場合，上位 ISP をトランジットするよりも遅延を抑えることができる

エンドユーザ Y の端末が，エンドユーザ X のサーバにパケットを送信する。このとき，AS-G から見た，AS-E に至る AS_PATH は二つある。

一つ目は，AS-E, AS-F を経由して AS-G が受信した AS_PATH であり，その内容は「AS-F　AS-E」である。

二つ目は，AS-E, IX を経由して AS-G が受信した AS_PATH であり，その内容は「AS-E」である。IX（Internet Exchange）は，AS 間を L2 ネットワークで直接接続するネットワーク相互接続点であり，eBGP ピアリングは IX を介して張られている。

AS-G が，AS_PATH に基づいて AS-E に至る経路を選択する場合，AS_PATH 長の短い方を選択する。したがって，エンドユーザ Y の端末からエンドユーザ X のサーバにパケットを送信するとき，選択される経路は二つ目の方，すなわち「AS-G → IX → AS-E」となる。

次に示すネットワーク「AS-E, AS-F, AS-G で構成されたネットワーク（その2）」は，令和6年午後I問1で実際に出題された

ものであり，先ほどのネットワークとの変更点は AS-E の構成で
ある。

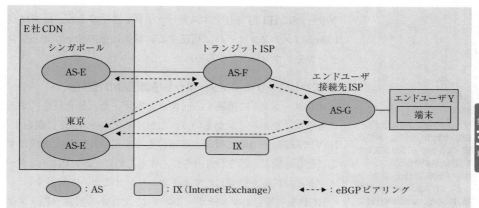

図：AS-E，AS-F，AS-G で構成されたネットワーク（その 2）

　AS-E は，CDN（Content Delivery Network）を提供する E 社
のネットワークであり，シンガポールと東京の 2 か所に拠点があ
る。E 社 CDN は，二つの拠点に同じ IP アドレスブロックと同じ
AS 番号を割り当てている。このように同じアドレスブロックと
AS 番号を用いて広告する方法を，**BGP anycast** という。

　BGP は一つのパスを選択する仕様になっているため，AS-E の
アドレスブロックを宛先とするトラフィックは，シンガポールまた
は東京のいずれかの拠点に到達する。どの拠点が選ばれるかは，
送信元の AS により異なる。

　AS-G から見た，AS-E に至る AS_PATH は三つある。

　一つ目は，AS-E（シンガポール拠点），AS-F を経由して AS-G
が受信した AS_PATH であり，その内容は「AS-F　AS-E」である。
二つ目は，AS-E（東京拠点），AS-F を経由して AS-G が受信した
AS_PATH であり，その内容は一つ目と同じ「AS-F　AS-E」であ
る。

　三つ目は，AS-E（東京拠点），IX を経由して AS-G が受信した
AS_PATH であり，その内容は「AS-E」である。IX を経由して
AS-G が受信した AS_PATH であり，その内容は「AS-E」である。

　AS-G が，AS_PATH に基づいて AS-E に至る経路を選択する

試験に出る

AS anycast 方式に基づく経路
制御について，令和 6 年午後
I 問 1 で出題された

場合，AS_PATH 長が最も短いものが選ばれる。すなわち「AS-G → IX → AS-E（東京拠点）」となる。

したがって，エンドユーザ Y の端末が，E 社 CDN のコンテンツサーバに HTTPS リクエストパケットを送信すると，東京拠点にあるコンテンツサーバに到達する。端末はそのサーバからコンテンツをダウンロードするわけだ。

● エンドユーザのインターネット接続回線の冗長化

インターネットに接続する回線を 2 本用いた冗長化構成にすることをマルチホーミングという。なお，インターネットに限らず，IP-VPN 等の閉域網に接続する回線を 2 本用いた冗長化構成にすることも可能だ。話を分かりやすくするために，ここではインターネットとの接続を想定したマルチホーミングについて解説する。

BGP を利用したマルチホーミングは，2 本ある接続回線をアクティブ／スタンバイ構成で冗長化する。なぜなら，BGP は一つの経路（ベストパス）しか選択できないからだ。

具体例を示して解説しよう。次に示すネットワーク「マルチホーミング構成のネットワーク」は，自社と Z 社 ISP 間のインターネット接続回線をアクティブ／スタンバイ構成で冗長化している。

このネットワークは，令和 3 年午後 II 問 2 で出題されたものを簡略化したものだ。

詳説

マルチホーミングを大別すると，BGP を利用した構成，専用装置（マルチホーミング装置）を利用した構成がある。
BGP を利用した場合，通常，アクティブ／スタンバイ型の冗長構成になる。なお標準仕様ではないが，BGP マルチパスを用いることで，複数の経路をベストパスとして選択できる。詳しくは後述の「●パスアトリビュート」の「● BGP マルチパス」を参照していただきたい。
マルチホーミング装置を利用した場合，アクティブ／アクティブ型の冗長構成になる。詳しくは，第 6 章「6.2.5 インターネット接続回線の冗長化」の「● マルチホーミング装置を利用した構成」を参照していただきたい。

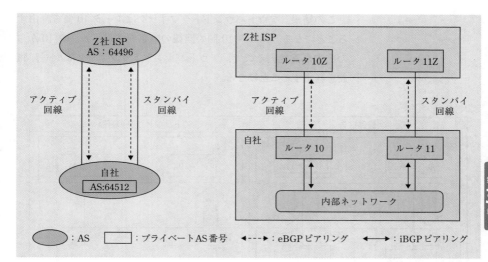

図：マルチホーミング構成のネットワーク

Z社ISPのAS番号はグローバルAS番号の64496であり，自社のAS番号はプライベートAS番号の64512である。これら二つのAS間でBGPの経路広告を行う。

自社からインターネット向けのアウトバウンドトラフィックの経路は，Z社ISPを経由する以外にない。そのため，Z社ISPから自社に向けて，デフォルトルートが広告される。一方，自社からZ社ISPに向けて，自社のグローバルIPアドレスブロック（Z社ISPから払い出されたもの）が広告される。

ルータ10，ルータ11は，デフォルトルートを内部ネットワークに広告する。そこで，内部ネットワークのルータ（図では省略）とiBGPピアリングを張っている。

自社からインターネット向けのアウトバウンドトラフィックは，平常時，ルータ10側の回線を通って外部に向かう。この回線で障害が発生した場合，ルータ11側の回線を通って外部に向かう。

このアクティブ／スタンバイ構成を実現するため，ルータ10がデフォルトルートを内部ネットワークに広告する際，パスアトリビュート**LOCAL_PREF**を大きくする。なぜなら，同一の宛先ネットワーク（本例ではデフォルトルート）を有する経路情報が複数広告されたとき，BGPはLOCAL_PREFの大きい経路情報を選択するからだ。

第**3**章

この結果，アウトバウンドトラフィックはルータ10側を経由することになる。ルータ10側の回線の障害発生時，ルータ10からの広告が途絶えるので，アウトバウンドトラフィックはルータ11側を経由することになる。

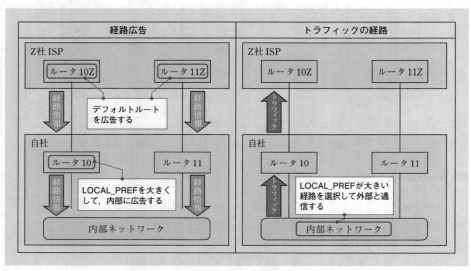

図：デフォルトルートの経路広告とアウトバウンドトラフィック

上図において，内部ネットワークから見た，デフォルトルートのネクストホップ（デフォルトゲートウェイ）は，平常時はルータ10のLAN側インタフェースとなり，障害発生時はルータ11のLAN側インタフェースとなる。デフォルトルートを広告する際，ルータ10，ルータ11はそれぞれ，自身のIPアドレスをネクストホップにするように，自身のIPアドレスをパスアトリビュートNEXT_HOPに設定する。この仕組みをネクストホップセルフという。

この結果，デフォルトルートの経路情報を受信した内部ネットワークのルータは，LOCAL_PREFの大きい経路情報を選択し，そこに設定されたNEXT_HOPの値を用いて，ルーティングテーブルにデフォルトルートをエントリする。

LOCAL_PREF及びNEXT_HOPについて，後述の「●パスアトリビュート」で詳しく解説しているので，参照していただきたい。

● エンドユーザの拠点間を接続する WAN 回線の冗長化

エンドユーザの拠点が複数あり，二つの WAN 回線で拠点間を
それぞれ接続することにより，WAN 回線を冗長化することがで
きる。その経路制御に BGP を用いることができる。他のダイナミッ
クルーティングプロトコル（例えば OSPF）と組み合わせてもよい。

具体例を示して解説しよう。次に示すネットワーク「WAN 回
線を冗長化したネットワーク（全体像）」は，自社の 3 拠点（本社，
大阪支店，名古屋支店）を，二つの WAN 回線で接続している。

このネットワークは，平成 30 年午後 I 問 3 で出題されたものを
簡略化したものだ。

試験に出る

BGP と OSPF の二つのダイナ
ミックルーティングプロトコルを
組み合わせて WAN 回線を冗
長化したネットワークについて，
平成 30 年午後 I 問 3 で出題さ
れた。冗長化構成ではなかった
が，WAN 回線を介して複数拠
点を接続したネットワークで
BGP による経路制御を行うこと
について，令和 6 年午後 I 問 2
で出題された

第 **3** 章

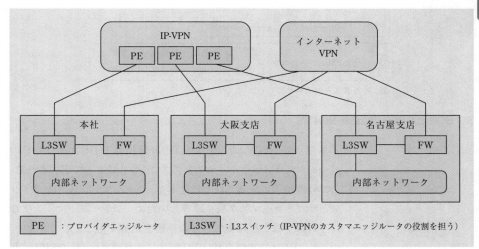

図：WAN 回線を冗長化したネットワーク（全体像）

一つ目の WAN 回線は IP-VPN であり，平常時はこの WAN 回
線を使用する。拠点間の経路情報は BGP で広告する。

二つ目の回線はインターネット VPN であり，障害発生時のバッ
クアップ回線として使用する。拠点間の経路情報は OSPF で広
告する。マルチキャストパケットである OSPF のリンクステート
情報交換の IP パケットを IPsec で伝送するため，GRE over
IPsec で OSPF のパケットをカプセル化している。

BGP と OSPF の経路制御の範囲を次の図に示す。

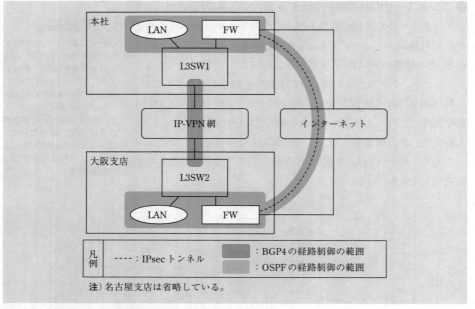

図：BGP と OSPF の経路制御の範囲

　　各拠点の L3SW は，他の拠点の経路情報を BGP と OSPF の二つのダイナミックルーティングプロトコルによって広告される。この経路情報に記載された宛先ネットワークアドレス（IP アドレスとサブネットマスク長）は等しいため，ロンゲストマッチアルゴリズムでは，どちらか一方の経路を選択することができない。つまり，BGP に基づく IP-VPN 経由にすればよいか，OSPF に基づくインターネット VPN 経由にすればよいのか，判断できないのだ。このとき，ダイナミックルーティングプロトコルにあらかじめ優先度を付与しておくことで，どちらか一方の経路を選択させることができる。

　　もしも優先度の高い方の経路において障害が発生し，その経路広告が途絶えたならば，この経路情報がルーティングテーブルから消去される。その結果，優先度の低い方の経路情報だけが残されるので，今度はそちらの経路情報が選択されるのである。

　　このネットワークの例では，BGP の優先度を OSPF より高くすることによって，平常時の拠点間通信は IP-VPN 経由で行われ，

IP-VPN の障害発生時はインターネット VPN で行われるようになり，WAN 回線の冗長化を実現できる。

● パスアトリビュート

BGP の経路選択や BGP ピアなどの基礎的な知識が理解できたので，いよいよ具体的なパスアトリビュートについて解説しよう。

BGP は，**NLRI**（Network Layer Reachability Information）と呼ばれる，宛先ネットワークのプリフィックス情報（宛先ネットワークアドレスとサブネットマスク）を広告している。各々の NLRI に対してパスアトリビュートを付与することができる。

ルータは，受信した経路情報を BGP テーブルに格納する。同じ宛先ネットワークの中からパスアトリビュートに基づいてベストパスを選択する。この経路情報が，ルーティングテーブルにエントリされる。

パスアトリビュートを使ったベストパス選択は，次に示す評価順に従う。あるパスアトリビュートの値が等しければ，次の順位のもので評価する仕組みになっている。

表：ベストパス選択に使用される主なパスアトリビュート

評価順	説明
1	LOCAL_PREF の値が最も大きい経路情報を選択する
2	AS_PATH の長さが最も短い経路情報を選択する
3	ORIGIN の値に基づいて選択する（IGP, EGP, Incomplete の順）
4	MED の値が最も小さい経路情報を選択する
5	eBGP で受信した経路情報，iBGP で受信した経路情報の順に選択する
6	NEXT_HOP が最も近い経路情報（NEXT_HOP への IGP のコストが最も小さいもの）を選択する
7	BGP ピアのルータ ID の値が最も小さい経路情報を選択する

● LOCAL_PREF

LOCAL_PREFは，前述の「●経路選択」の「●パスアトリビュートによる経路選択の例」で簡単に解説している。正確に説明すると，これは，iBGP ピアに対して通知する，外部の AS に存在する宛先ネットワークの優先度を示す属性である。

試験に出る

LOCAL_PREF の値が大きいほど優先度が高くなることについて令和 6 年午後 I 問 1 で出題された。
LOCAL_PREF, NEXT_HOP を利用した経路制御について，令和 5 年午後 II 問 1, 令和 3 年午後 II 問 2 で出題された。LOCAL_PREF の値が大きいほど優先度が高くなることについて，令和 6 年午後 I 問 1, 令和 5 年午後 II 問 1 で出題された

第3章

LOCAL_PREFは，マルチホーム接続においてアウトバウンドトラフィック（自ASから外部ASに向かうトラフィック）を制御するときに用いる。

具体例を前述の「● BGPの代表的な用途」の「●エンドユーザのインターネット接続回線の冗長化」に示しているので，を参照していただきたい。

● AS_PATH

AS_PATHは，宛先ネットワークに至るASの経路を表し，必ず付与される属性である。

AS_PATHに基づく経路選択では，AS_PATH長が短いものを選択する。その基本的な仕組みは，前述の「●経路選択」の「●パスアトリビュートによる経路選択の例」で詳しく解説している。

ここでは，過去問題の出題例を念頭において，AS_PATHを用いたきめ細かな経路制御について解説する。

● ASパスプリペンド

自ASから外部ASのeBGPピアに対し，自AS内のサブネットワークをの経路情報を広告するとき，AS_PATHパスアトリビュートを付与する。その差，AS_PATHのAS列に，自ASを格納する。通常は自ASを1個だけ格納するが，自ASを意図的に複数続けて格納することができる。この結果，AS_PATHは通常より長くなる。これをASパスプリペンドという。

ASパスプリペンドは，アクティブ／スタンバイ型のマルチホーム接続で使用される。アクティブ側の回線では通常どおり広告し，スタンバイ側の回線ではASパスプリペンドを施して広告する。この結果，外部ASから見ると，ASパスプリペンドによりAS_PATHが長くなった回線は優先度が下がるので，平常時にスタンバイ側の回線になる。このようにAP_PATHプリペンドは，マルチホーム接続においてインバウンドトラフィック（外部ASから自ASに向かうトラフィック）を制御し，特定の回線からトラフィックを流入させたいときに用いる。

試験に出る
AS_PATHの長さが短いほど優先度が高くなることについて令和3年午後II問2で出題された

試験に出る
ASパスプリペンドについて，平成29年午後I問3で出題された

詳説
ASパスプリペンドによるインバウンドトラフィックの制御は一般的に難しいとされている。
その理由の一つは，自ASがインバウンドトラフィックの制御にAS_PATHを用い，対向ASはアウトバウンドトラフィック（＝自ASから見たインバウンドトラフィック）の制御にLOCAL_PREFを用いたら，パスアトリビュートの評価順に基づき，後者が優先されるからである。
対向ASとマルチホーム接続し，特定の回線から自ASにトラフィックが流入するように制御したいならば，その対向側ASに，当該回線から自ASへのアウトバウンドトラフィックをLOCAL_PREFで制御する旨，取り決めておくのがよい。
この依頼をBGPの経路制御で自動的に実行するため，対向ASに経路広告する際，COMMUNITYパスプリペンド（経路情報に付与するタグ）に，この旨の依頼を記述することができる。もちろん，COMMUNITYを使った依頼が受理されるには対向ASと事前に合意しておく必要がある

● AS オーバーライド

AS オーバーライドは，自社の複数の拠点を WAN 回線経由で接続しており，各拠点に設定する AS 番号を同じものにしているときに使用する。AS オーバーライドの必要性を理解するため，具体例を見ていただこう。

次に示すネットワーク「WAN 回線を冗長化したネットワーク（全体像）」は，自社の 3 拠点（本社，支店 V，支店 W）とデータセンターを合わせた四つの拠点を，L 社 VPN（MPLS 網）で接続している。拠点間の経路情報は BGP で広告する。

このネットワークは，令和 6 年午後 II 問 2 で出題されたものを簡略化したものだ。

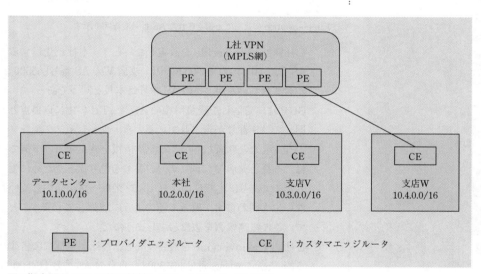

図：拠点間を MPLS 網で接続したネットワーク（全体像）

L 社の VPN 上で経路制御している BGP の通信に着目するため，AS の構成に着目しよう。L 社と各拠点は，それぞれ AS として扱われている。L 社の AS 番号はグローバル AS 番号の 64500 であり，各拠点の AS 番号はプライベート AS 番号の 65500 である。各拠点の IP アドレスブロックは異なっているが，AS 番号は同一である。

支店Vが自拠点の経路広告を行うとき，L社が受信する経路情報を次の表に示す。

表：L社が受信する支店Vの経路情報

IPアドレスブロック	AS_PATH
10.3.0.0/16	65500

L社はこの経路情報を他の拠点に広告する。本社がL社経由で受信する支店Vの経路情報は，L社側で as-override 設定を行うか否かによって異なる。その点を次の表に示す。

表：本社がL社経由で受信する支店Vの経路情報

	IPアドレスブロック	AS_PATH
as-override 設定無し	10.3.0.0/16	64500 65500
as-override 設定有り	10.3.0.0/16	64500 64500

注記）as-override によって上書きされた AS 番号を赤字で示す

L社側で as-override を設定しないとき，本社が受信するAS_PATH「64500 65500」の中に，支店VのAS番号「65500」が含まれているが，このAS番号は本社と同一である。

BGPは，受信した経路情報のAS_PATHの中に自拠点と同一のAS番号が含まれているとき，ルーティングループが発生したと判断して，この経路情報を破棄する。本例では，本社と支店Vに同一のAS番号を割り振ったために生じたのであり，実際にはルーティングループが発生していないにも関わらず，誤ってそのように認識してしまうことで，この経路情報を破棄してしまうのだ。

L社側で as-override を設定すると，L社が本社に広告する際，支店VのAS番号「65500」を自身のAS番号「64500」に上書き（オーバーライド）する。この結果，本社が受信するAS_PATHは「64500 64500」となり，自拠点のAS番号「65500」は含まれていないため，経路情報が破棄されなくなる。

この例から分かるとおり，ASオーバーライドは，自社の複数の拠点をWAN回線経由で接続しており，各拠点に設定するAS番号を同じものにしているときに使用する。このとき，「ルーティングループが発生している」と誤って認識

されないようにするため，ASオーバーライドをWAN回線
側で実行する。

● MED

MED（MULTI_EXIT_DISC）は，eBGPピアリングを張って
いる二つの隣接AS間を，アクティブ／スタンバイ型で冗長化さ
れた複数の回線で接続しているときに使用する。

MEDは，自ASの経路情報を対向ASに広告する際，アクティ
ブ側の回線では小さいMED値を付与し，スタンバイ側の回線で
は大きいMED値を付与して広告する。この結果，対向ASから
見ると，MED値が小さい回線は優先度が上がるので，平常時に
アクティブ側の回線になる。

このようにMEDは，自ASと対向ASとの間でアクティブ／ス
タンバイ型のマルチホーム接続しているとき，インバウンドトラ
フィック（対向ASから自ASに向かうトラフィック）を制御し，ア
クティブ側の回線からトラフィックを流入させたいときに用いる。

MEDは，対向ASの内部ネットワークにあるiBGPピアに伝搬
するが，対向ASの外部にあるASには伝搬しない。したがって，
隣接する二つのAS間でのみ作用するパスアトリビュートである。

試験に出る

MEDの値が小さいほど優先度が高くなることについて，令和6年午後I問1で出題された

● NEXT_HOP

NEXT_HOPは，宛先ネットワークアドレスへのネクストホッ
プのIPアドレスを格納した属性である。eBGPピアに広告すると
きは，NEXT_HOPを自身のIPアドレスに書き換えて送信する。

iBGPピアに広告するときは，既定値のままだと，NEXT_HOP
を書き換えずに送信する。ただし，iBGPピアに広告するときに
も自身のIPアドレスに書き換えて送信するように設定することが
でき，この設定をネクストホップセルフという。

具体例を前述の「●BGPの代表的な用途」の「●エンドユー
ザのインターネット接続回線の冗長化」に示しているので，参照
していただきたい。

試験に出る

ネクストホップセルフについて，令和5年午後II問1，令和3年午後II問2で出題された。ネクストホップセルフの設定に合わせ，iBGPルータがリカーシブルックアップによるルーティングを行うことについて，令和3年午後II問2で出題された（詳しくは同問題の設問2（2）の解説を参照していただきたい）

● BGPマルチパス

BGPの標準仕様では最終的に選択される経路は一つしかない。
しかし，BGPマルチパスと呼ばれる技術を用いることで，複数
経路を選択し，それら経路間でトラフィックを分散することがで

試験に出る

BGPマルチパスについて，令和3年午後II問2で出題された

きる。

BGPマルチパスを有効にすると，BGPテーブルの中で，宛先ネットワーク，LOCAL_PREF，AS_PATH，MEDの値が同じで，NEXT_HOPだけが異なる複数の経路がルーティングテーブルにエントリされる。当該宛先ネットワークに向かうトラフィックは，等コストマルチパスによる分散が行われる。

● COMMUNITY パスアトリビュート

前述の「表:ベストパス選択に使用される主なパスアトリビュート」に掲載していないが，実務では**COMMUNITY**も用いられている。これは，経路情報に付与されたタグである。ベストパス選択には使用されない。

タグをどのように解釈するかについては，経路情報を送信したBGPルータとこれを受信したBGPルータの間で自由に取り決めてよい。

代表的な使用例の一つがDDoS攻撃のトラフィックの遮断であり，**BGP Flowspec**方式と呼ばれている。

本方式は，まずDDoS検知サーバが，Netflowパケット等を解析することにより，「自組織のサーバが外部からDDoS攻撃を受けていること」を検知して，攻撃トラフィックの宛先IPアドレス，送信元IPアドレス，宛先ポート番号など攻撃トラフィックのフィルタリング条件を割り出す。DDoS検知サーバは，攻撃先IPアドレスを宛先とする経路情報をBGPルータに広告し，そこにタグ（COMMUNITYパスアトリビュート）を付与する。タグに記載されているのは，攻撃トラフィックを遮断する旨の指示とフィルタリング条件だ。これを受信したBGPルータは，フィルタリング条件に合致したパケットを受信したら廃棄する（ネクストホップを自ルータのNullインタフェースに切替えることで廃棄する）。

この方式の優れている点は，DDoS攻撃の検知から対策の実施までの一連の動作を自動的に行うこと，フィルタリングの条件として宛先IPアドレスけでなく攻撃元IPアドレスも組み合わせることができることである。

試験に出る

DDoS攻撃トラフィックを遮断するために，BGPとNetflowを利用する方法について，令和6年午後I問1で出題された。試験では，ここに解説したBGP Flowspec方式だけでなく，RTBH方式も登場した。RTBH方式は，基本的なやり方は同じであるが，フィルタリング条件として宛先IPアドレスしか指定できない。したがって，BGP Flowspec方式の方が，攻撃元IPアドレス（さらにはポート番号）も指定できる点で優れている

●死活監視

BGPピアは，**KEEPALIVE**パケットを定期的に送信して，両者間の死活監視を行う。

KEEPALIVEの送信間隔は30秒，死活監視の生存確認タイムアウト（ホールドタイム）は90秒が推奨されている。

KEEPALIVEが一定時間途絶えたとき，経路障害が発生したと判断し，BGP接続を切断する。それに伴い，経路情報がクリアされるとともに，障害発生箇所を迂回した経路が動的に選択され，それが広告される。

●MP-BGP

BGPは，IPv4ユニキャスト通信のルーティングしか対応していない。IPv4ユニキャスト通信以外にも対応できるようにBGPを拡張したものが，**MP-BGP**（Multiprotocol Extensions for BGP-4）である。MP-BGPはBGPの拡張であり，従来のBGPと互換性がある。

MP-BGPを用いることで，複数のプロトコルの経路情報を統合的に管理できる。将来，技術の進歩に応じて異なるプロトコルを採用するときも柔軟に対応できる。

MP-BGPがサポートしているプロトコルは，IPv4，IPv6，MPLS上で動作するVPN通信など多岐にわたる。複数のプロトコルに対応するため，アドレスファミリ識別子（AFI，Address Family Identifier）が新たに導入されたり，パスアトリビュートが拡張されたりしている。

AFIは，プロトコルの概要を識別するために用いる。SAFI（Sub-AFI）は，AFIで指定されたプロトコルについて，より詳細な内容を識別するために用いる。具体例を挙げると，AFIには「IPv4」，「IPv6」，「Layer2 VPN」等が規定されている。SAFIには，IPv4とIPv6であれば「Unicast」，「Multicast」，「MPLSネットワークでラベルを付与したUnicast」等，Layer2 VPNであれば「EVPN（Ethernet Virtual Private Network）」等が規定されている。

詳説

本文で解説したKEEPALIVEの送信間隔と生存確認タイムの値は，RFC1771で推奨されている。

BGPが装備するKEEPALIVEの代わりに，BFD（Bidirectional Forwarding Detection）を用いることで，より短い時間間隔を設定して迅速な死活監視を行うこともできる。

BFDについて，詳しくは第6章「6.2.6 経路の冗長化」の「●BFD」を参照していただきたい

試験に出る

KEEPALIVEが一定時間途絶えたとき，BGP接続が切断され経路情報がクリアされることについて，令和5年午後II問1で出題された。

KEEPALIVEが死活監視に用いられることについて，令和3年午後II問2で出題された

試験に出る

EVPNを用いて構築されたオーバーレイネットワークの経路制御にMP-BGPを使用することについて，令和6年午後II問1で出題された

ドキュメント用に予約されたアドレス

試験問題や技術文書などのドキュメントに記述する用途で，IP アドレス，MAC アドレス，ドメイン，AS 番号が予約されている。

アドレス等	予約された値（例）	RFC
IPv4 アドレス	192.0.2.0/24　198.51.100.0/24　203.0.113.0/24	RFC3849
IPv6 アドレス	2001:db8::/32	RFC5737
MAC アドレス	00-00-5E-00-53-00 ～ 00-00-5E-00-53-FF 01-00-5E-90-10-00 ～ 01-00-5E-90-10-FF	RFC7042
ドメイン	.example　example.com　example.net example.jp　example.co.jp　example.ne.jp	RFC6761
AS 番号	64496 ～ 64511，65536 ～ 65551	RFC5398

実際，ネットワークスペシャリストの午後試験でこれらが使用されている。
IPv4 アドレス「203.0.113.0/24」の使用例が平成 28 年午後 I 問 2，平成 24 年午後 II 問 2 に，IPv6 アドレス「2001:db8::/32」の使用例が平成 24 年午後 II 問 2 に見られる。とはいえ，IP アドレスや MAC アドレスに関しては，アドレスの一部を英字に置き換えた表記が多く使われている。
ドメイン「example.jp」や「example.co.jp」の使用例が令和 6 年午後 I 問 3，令和 5 年午後 II 問 2，令和元年午後 II 問 2，平成 29 年午後 II 問 1，平成 24 年午後 II 問 2（他多数）に見られる。
AS 番号「64496」や「64500」の使用例が令和 6 年午後 I 問 2，令和 3 年午後 II 問 2，平成 29 年午後 I 問 3 に見られる。

第4章

アプリケーション

この章では，サーバアプリケーションの中で使用頻度の高いDNS，電子メールシステム，Webシステムについて解説する。

午後試験では，様々な観点から出題されている。例えば，信頼性設計，セキュリティ設計の観点から問われたり，外部業者のサービスを利用するための移行の観点から問われたりする。そのような応用問題に加え，プロトコルの仕様や動作シーケンスなどの要素技術の知識が細かく問われることもある。

出題傾向が多岐にわたるため，試験対策が難しい分野であるが，まずは基本をしっかり学習しておくことが必要である。次いで，過去問題の出題例を踏まえ，信頼性やセキュリティといった応用問題にも対応できるように学習範囲を広げていきたい。

4.1 午後試験対策のアドバイス

　ここでは，午後試験の出題例を紹介し，試験対策として押さえておくべき事柄を解説する。出題傾向を踏まえ，効率よく学習していただきたい。

　なお，本章の「試験に出る」には，ここに挙げたもの以外を含め，網羅的に出題例を掲載している。併せて参照していただきたい。

● 1. DNS

　冗長化設計や移行といった状況を設定した上で，DNS サーバの役割が出題されている。

　主要なリソースレコードの役割は繰り返し出題されているため，しっかり学習しておく必要がある。例えば，メールサーバの冗長化設計のために MX レコードの優先度を設定すること，メールサービスを利用するために MX レコードを変更すること，などである。

　DNS サーバの役割（プライマリ DNS サーバ／セカンダリ DNS サーバ，コンテンツサーバ／キャッシュサーバ，フォワーダ）の知識も問われているので，しっかり学習しておく必要がある。

　さらに，DNS サーバ自身の冗長化設計，DNS サーバのキャッシュ汚染対策など，DNS サーバを適切に設計する問題もしばしば出題されている。

　主な出題例を示す。なお，この表とは別に，リソースレコードの出題例を本章の「4.2.3 ゾーン情報」の「試験に出る」に列挙したので，併せて参考にしていただきたい。

表：DNS に関する出題例

出題例	内容
令和 5 年午後 II 問 1 令和 4 年午後 II 問 2	・サーバのフェイルオーバや移行において，DNS サーバの A レコードを切替後のサーバの IP アドレスに更新したとしても，クライアント端末に DNS のキャッシュが残っていると，クライアント端末は切替前のサーバの IP アドレスにアクセスしてしまう。これを回避するため，キャッシュの有効期間 (TTL) を短く設定する
令和 4 年午後 I 問 3 令和元年午後 II 問 2 平成 28 年午後 I 問 3 平成 28 年午後 II 問 2 平成 24 年午後 I 問 1 平成 21 年午後 I 問 3	・DNS ラウンドロビンを用いて，アクセス先のサーバを振り分ける
令和 4 年午後 I 問 3 令和元年午後 II 問 2	・FW 経由で DNS の問合せを行うとき，UDP/53 と TCP/53 の通信を許可する（フィルタリングルールに記載されていただけだが，この点は知っておくととよい）
令和元年午後 II 問 1 平成 26 年午後 I 問 3	・DNS キャッシュ汚染の対策 ・プライマリ DNS サーバとセカンダリ DNS サーバのゾーン転送

（表は次ページに続く）

出題例	内容
平成 26 年午後Ⅱ問 2	・送信ドメイン認証を設定するため，自社のメールサーバの IP アドレスを SPF レコードに登録する
平成 24 年午後Ⅰ問 1	・サブドメイン作成時の DNS の設定
平成 21 年午後Ⅰ問 2	・メールサーバの移行（外部メールサービスへの切替え）に伴う，MX レコードの変更

●2. 電子メールシステム

電子メールの基礎知識を前提とした，設計の応用問題が出題されている。

SMTP，POP3，IMAP4，Web メールなどのプロトコルの特徴，基本的なシーケンスについて学習しておく必要がある。

さらに，公開用メールサーバから内部のメールサーバへの中継など，メール中継を前提とする事例の出題例が多く，どのように転送するかを読み解くことが求められている。

表：電子メールシステムに関する出題例

出題例	内容
平成 28 年午後Ⅰ問 1	・踏み台対策（第三者中継の禁止） ・メール送信時の認証（SMTP-AUTH） ・不正メール対策（OP25B，送信ドメイン認証）
平成 26 年午後Ⅱ問 1	・送信ドメイン認証を実施するメールサーバ
平成 23 年午後Ⅱ問 2	・外部メールサービスへの移行計画（本文から推論する応用問題） ・POP3 と IMAP4 の相違点 ・不適切な設定によるメール中継のループ ・移行期間中のメール転送の経路
平成 21 年午後Ⅰ問 2	・外部メールサービスへの移行計画（本文から推論する応用問題） ・クライアント PC のメールデータを IMAP4 でメールサービスのサーバに転送する

●3. Web システム

今日では Web システムが広く使われているため，Web システムを題材とした問題は繰り返し出題されている。とはいえ，Web アプリケーションの詳細な知識は問われていない。HTTP プロトコルのステートレスの特徴，Cookie を使ったセッション通信の仕組みなど，あくまでネットワークに関する出題が中心である。

こうした出題傾向を踏まえ，Cookie や URL リライティングを用いたセッション維持の仕組み，GET/POST/CONNECT メソッドなどの主要なメソッドの仕組みを学習しておく必要がある。

HTTP ヘッダのフィールド情報は，Set-Cookie 及び Cookie ヘッダフィールド，Cookie に付与する属性，条件付き GET（If-Modified-Since ヘッダフィールドを付与した GET），

User-Agent ヘッダフィールドなどの出題例がある。主要なヘッダフィールドやステータスは今後とも出題される可能性がある。

　今日では Web API が普及しているが，利用者ごとにアクセス可能な API を制限する仕組みについて，平成 30 年午後Ⅱ問 1 で出題された。本文から類推できるように配慮されているが，今後とも Web API 関連の知識が出題されると考えられる。

　ネットワークスペシャリスト試験では，設計の応用問題という位置づけで，新技術を題材に取り上げることがある。Web 関連の技術の出題例として，平成 30 年午後Ⅱ問 1 のWebAPI，平成 28 年午後Ⅱ問 2 の WebRTC，WebSocket を挙げることができる。

　この種の応用問題では本文中に技術的な仕組みが説明されており，特別な前提知識がなくても解答できるように配慮されている。とはいえ，事前に学習しておけば，よりいっそう解きやすくなるに違いない。余力があれば，Web 関連の最新技術動向についても習得しておくとよいだろう。

表：Web システムに関する出題例

出題例	内容
令和 5 年午後Ⅰ問 1	・HTTP/2 の特徴（ストリームによる多重化，HTTP/1.1 との互換性） ・HTTP/2 を TLS で暗号化した通信方式である h2 の仕組み
令和 3 年午後Ⅰ問 1	・REST API で HTTP が用いられていること
令和元年午後Ⅰ問 2	・Cookie の受け渡しに用いる Set-Cookie 及び Cookie ヘッダフィールド
平成 30 年午後Ⅱ問 1	・Web API ・アクセストークンとリフレッシュトークンを用いた API アクセス認可の仕組み
平成 28 年午後Ⅱ問 1	・WebRTC，WebSocket を用いたシステム
平成 27 年午後Ⅰ問 1	・Cookie の受け渡しに用いる Set-Cookie 及び Cookie ヘッダフィールド ・Cookie の Domain 属性，Secure 属性
平成 27 年午後Ⅱ問 1	・条件付き GET（If-Modified-Since ヘッダフィールを付与した GET）を用い，指定時刻以降に更新されたコンテンツだけを取得する ・持続的接続のパイプライン化を用い，同時に生成される TCP コネクション数を削減する
平成 24 年午後Ⅰ問 1	・Web サーバの負荷分散で，セッションを維持するように振分け処理を行う
平成 24 年午後Ⅰ問 3	・モバイル端末と Web サーバ間の送受信シーケンス ・Web サーバの負荷軽減のため，リバースプロキシサーバで SSL 処理を行う ・URL リライティングを使用してセッション維持を行っていると，SSL 通信から非 SSL 通信に切り替わるときにセッション ID が漏えいする問題がある
平成 22 年午後Ⅰ問 1	・HTTP の持続的接続機能における通信シーケンス
平成 21 年午後Ⅰ問 2	・プロキシサーバを経由した SSL トンネリング処理では，クライアントはプロキシサーバに対して CONNECT メソッドを発行する
平成 21 年午後Ⅰ問 3	・セッション維持には Cookie にセッション ID を格納する

4.2 • DNS

ここでは DNS の概念と仕組みについて解説する。この程度は既に把握している読者も少なくないと思うが，項目確認の意味でも再度学習してほしい。特にリソースレコードは重要項目なので，応用的な構築事例と絡めて理解するようにしてほしい。

4.2.1 ドメイン

DNS を把握する上で，ドメインの理解は不可欠となる。DNSそのものの解説に入る前に，ここではドメイン空間やドメイン名について解説する。

● ドメイン空間

DNS（Domain Name System）サーバは，ホスト名と IP アドレスの対応付けを管理し，相互の名前解決を行う。問合せを受けたホスト名の IP アドレス情報をもっている場合はそれを返答し，もっていない場合はほかの DNS サーバに問合せを行う。このように，DNS は世界中の DNS サーバが相互に連携して運用される分散協調型データベースという特徴をもつ。

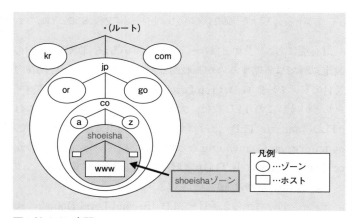

図：ドメイン空間

試験に出る

ドメインツリーの階層構造について，平成21年午前II問9で出題された。DNSキャッシュ汚染について，平成26年午前I問13（平成21年午前II問19と類似の問題）で出題された

詳説

ルート DNS サーバは，IP Anycast 技術を用いて冗長化されている。つまり，同一のIPアドレスが複数のホストに割り当てられているが，クライアントがやり取りする相手は1台のホストだけである。
あるIPアドレスのDNSサーバを宛先とする問合せパケットをクライアントが送信したとする。そのとき，インターネット上のダイナミックルーティングプロトコル（BGP）の仕組みにより，そのクライアントから見てネットワーク的に最も近い1台のホストにだけパケットが到達する。その結果，そのホストだけが回答パケットをクライアントに返信する

ドメインは階層構造になっており、ドメインツリーと呼ばれている。個々のホストは、このツリーにおけるリーフ（葉）に当たる。基本的にドメインごとに DNS サーバが決められており、ドメインのホスト名と IP アドレスの対応付けは、その DNS サーバが管理する。しかし、サブドメインをもつ場合、サブドメインの情報に関する管理権限をほかの DNS サーバに委譲することができる。この委譲された領域、すなわち個々の DNS サーバが権限をもって情報を管理する範囲（ただし、ほかの DNS サーバに委譲した領域を除く）をゾーンと呼ぶ。

前ページの図のルートドメインの DNS サーバは、jp ドメインの管理を委譲している。さらに jp ドメインは co.jp ドメインに、co.jp ドメインは shoeisha.co.jp ドメインにそれぞれ委譲している。一方、shoeisha.co.jp ドメインはほかに委譲していない。よって、shoeisha.co.jp ドメインの DNS サーバが管理しているゾーンは、shoeisha.co.jp ドメインと一致する。

● ドメイン名の書式

ドメイン名は、ドメインツリーのルートからリーフに至るまでのパスを、ピリオドで区切りながら右から左に向かって順番に記述する。先の図に登場したホスト「www」のドメイン名は、www.shoeisha.co.jp. と表記される。

> ホスト名 . ホストが設置されているサイトのドメイン名 .SLD.TLD.

最右端にあるピリオドはルートを示しているが、DNS サーバの設定以外では省略するのが一般的である。ドメイン名の右から 1 番目のドメインを **TLD**（Top Level Domain：トップレベルドメイン）という。この TLD には、大きく分けて 2 種類ある。一つは gTLD（generic TLD）と呼ばれる汎用に利用できるドメインで、com、org、net、gov、edu などが定義されている。もう一つが ccTLD（country code TLD）と呼ばれる、国ごとに定められたドメインである（日本は jp）。

ドメイン名の右から 2 番目を **SLD**（Second Level Domain：セカンドレベルドメイン）という。日本では、SLD に co、or、ne、go、ac などが汎用目的で定義されている。

例えば, www.shoeisha.co.jp の場合, TLD は「jp」, SLD は「co」, ホストが設置されているサイトのドメイン名は「shoeisha」, ホスト名は「www」である。

なお, ホストのドメインツリーを完全に記述したドメイン名をFQDN (Fully Qualified Domain Name, 完全修飾ドメイン名) と呼ぶ。例えば, www.shoeisha.co.jp は FQDN である。

● レジストラ

TLD は, 国際的な非営利法人団体である ICANN (Internet Corporation for Assigned Names and Numbers) によって, ドメイン名, IP アドレス／ポート番号などが管理されている。

一方, ccTLD は各国のネットワーク管理組織が管理しており, 日本では JPNIC (日本ネットワークインフォメーションセンター) が担当している。

ただし, 全てのドメイン登録や DNS サーバ設定を ICANN や JPNIC が行っているわけではなく, ICANN などのドメイン管理機関が認定した, レジストラと呼ばれるドメイン登録業者が代行している (現在登録されているレジストラは https://www.icann.org/registrars/accredited-list.html に記載)。2002 年春から, JP ドメイン名登録管理業務は JPNIC から JPRS (株式会社日本レジストリサービス) に移管されている。

● 国際化ドメイン名

2000 年 11 月より国際化ドメイン名 (IDN : Internationalized Domain Name) の登録受付が開始されている。当初はひらがな, カタカナ, ハングル, 漢字に対応していただけだったが, 現在ではラテン系言語やアラビア語など, 世界 350 種類以上の文字がcom, net, org などのドメイン登録に使用できるようになっている。また, JP ドメインのレジストラである JPRS も, 2001 年 2 月に「汎用 JP ドメイン名」の一部として日本語ドメインの登録受付を開始している。

用語解説

プライベート DNS 名前空間
組織内でのみ使用できる TLD であり, RFC6762 で標準化された。「.intranet」,「.internal」,「.private」,「.corp」,「.home」,「.lan」の6個が規定されている。令和6年午後II問2, 令和5年午後II問2に「.lan」の使用例が見られる

用語解説

汎用 JP ドメイン
「.jp」の前の文字列を自由に決められるドメイン。2001 年に登録開始。属性型／地域型 JP ドメインとは異なり, 組織種別や件数の制限がない。日本語ドメインの登録も可能

試験に出る

国際化ドメイン名について, 平成 26 年午前II問 15 で出題された

4.2.2　名前解決の仕組み

用語解説

BIND

Berkeley Internet Name Domain。カリフォルニア大学バークレー校で開発されたDNSサーバソフトウェア。フリーソフトウェアであり，広く普及している

試験に出る

トランスポート層にUDPを使用する場合，DNSメッセージの最大長が512バイトになることについて，令和6年午後II問2で出題された。

hostsファイルがDNS参照より優先されることについて，令和4年午後II問2，平成25年午後I問2で出題された。

FW経由でDNSの問合せを行うとき，UDP/53とTCP/53の通信を許可することについて，令和4年午後I問3，令和元年午後II問2の問題本文に記述されていた（未だ出題はされていないが，この点は知っておくとよいだろう）

詳説

DNSクライアントは，優先DNS（preferred DNS）サーバへの問合せがタイムアウトにより失敗したとき，代替DNS（alternate DNS）サーバに問合せが行えるよう，問合せ先のDNSサーバを複数指定することができる。これにより，DNS参照の冗長化を図ることができる

　DNSの基本的な役割は，ドメイン名からIPアドレスを教えることだが，その逆を行うこともある。また，クライアントからの問合せとDNSサーバ間の問合せでは挙動が異なる。

　クライアントで名前解決をする際，DNS参照に先立ち，hostsファイルを参照する。通常，hostsファイルには外部ホストの情報は記載されないので，そのままDNS参照に進む。

　DNSは，問合せ及び応答メッセージのサイズが512バイト以下であるとき，UDPの53番ポートを使用する。メッセージのサイズが512バイトを超えるとき，TCPの53番ポートを使用するか（TCPフォールバック），又は，EDNS0（RFC6891で標準化された，UDPで512バイト超のメッセージを応答する方式）に則ってUDPの53番ポートを使用するか，いずれかの方法を採る。

● 正引きの仕組み

　ドメイン名からIPアドレスを問い合わせることを正引きという。

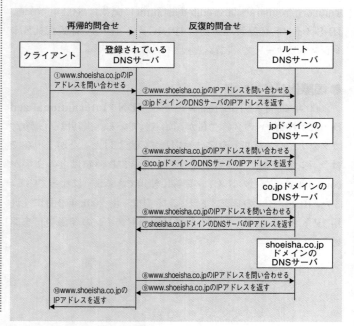

図：名前解決の仕組み（正引き）

クライアントから問合せを受けた DNS サーバは，最終的な答えを得られるまでほかの DNS サーバに問合せを行う。このクライアントからの問合せを再帰的問合せという。クライアント上で動作し，名前解決の問合せを行うプログラムのことをスタブリゾルバ（stub resolver）という。スタブリゾルバは，単にリゾルバと呼ばれることが多い。

一方，登録されている DNS サーバからほかの DNS サーバへの問合せを反復的問合せという。スタブリゾルバから再帰的問合せを受ける DNS サーバをフルサービスリゾルバ（full-service resolver）という。一般的に言って，この DNS サーバはクライアント端末の TCP/IP 設定にあらかじめ登録されているため，図「名前解決の仕組み（正引き）」の中では，「登録されている DNS サーバ」と記している。前述のとおり，これはインターネット上の DNS サーバに反復的問合せを実行し，そこで得られた結果をスタブリゾルバに応答する。

フルサービスリゾルバは，名前解決の過程で得られた情報をすぐに破棄せずに，一定期間キャッシュする。それぞれの情報にはキャッシュの有効期間が付与された状態で返答され，キャッシュが有効である間は，ほかの DNS サーバに対する問合せを省略する。これにより，名前解決にかかる時間の高速化を図っている。フルサービスリゾルバのことをキャッシュサーバとも呼ぶ。

フルサービスリゾルバから反復的問合せを受ける DNS サーバをコンテンツサーバという。これは，権限に応じて二種類の異なる動作をする。例えば，自分が権限を有する場合は，ホストの IP アドレスを返す（⑧，⑨）。権限をほかの DNS サーバに委譲している場合は，ホスト名から委譲先の DNS サーバを判断して，その IP アドレスを返す（②〜⑦）。

近年では，DNS キャッシュ汚染対策のため，コンテンツサーバとキャッシュを別々に設置し，キャッシュサーバへはインターネットからの再帰的問合せを行わないようにするのが一般的である。

詳説

DNS サーバは，DNS クライアントを制限してセキュリティを向上させることができる。BIND の場合，named.conf ファイルにある zone（又は options）ステートメント内 allow-query サブステートメントに，許可する DNS クライアントを記述する

試験に出る

令和元年午後Ⅱ問2では，フルサービスリゾルバ（フルサービスサーバ），キャッシュサーバ，コンテンツサーバが出題された。平成26年午後Ⅰ問3では，キャッシュサーバが出題された

詳説

キャッシュサーバが再帰的問合せ要求を受け付けるようにするには，BIND の場合，キャッシュ DNS サーバの named.conf ファイルにある zone（又は options）ステートメント内で recursion を yes に設定する。再帰的問合せを許可する DNS クライアントを制限したいときは，allow-recursion サブステートメントに，許可する DNS クライアントを記述する

詳説

キャッシュ期間は、リソースレコードの TTL 値、又はゾーン全体の TTL 値で設定する

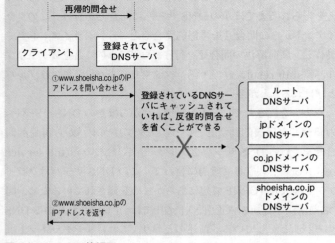

図：キャッシュの仕組み

試験に出る

逆引きについて、令和6年午後II問2で出題された

● 逆引きの仕組み

IP アドレスからドメイン名を問い合わせることを逆引きという。逆引きのドメインツリーは、正引きとは独立に存在する。具体的に言うと、次のようになっている。

　4 バイト目 .3 バイト目 .2 バイト目 .1 バイト目 .in-addr.arpa

逆引きドメインツリーの SLD.TLD は「.in-addr.arpa」である。第3レベル以降の各ドメインが、IP アドレスの各バイトに対応している。即ち、第3〜第6レベルが、IP アドレスの第1〜第4バイトにそれぞれ対応している。

逆引きのドメインは、正引きから独立した「in-addr.arpa」ドメインとして構成されているが、ゾーン情報の定義は逆引きも正引きと同じ要領で行われている。

つまり、自サイトが管理しているのは、逆引きのドメインツリーのうち、自ドメインに割り当てられた IP アドレスブロックの部分のみである。各ゾーンの権威 DNS サーバは、自ドメインに割り当てられた IP アドレスブロックの範囲について、「in-addr.arpa」ゾーンから、逆引きの名前解決を委譲されている。

逆引きドメインツリーの具体例として、IP アドレス「192.0.2.1」の逆引きを次に示す。

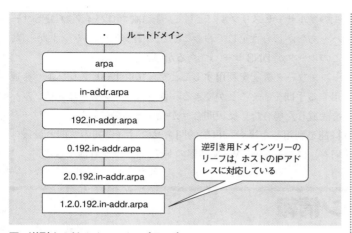

図：逆引きのドメインツリー（IPv4）

● フォワーダ

問い合わせたいドメインが外部のものであるとき，あらかじめ登録された DNS サーバ（フルサービスリゾルバ）に再帰的問合せを転送することができる。この DNS サーバをフォワーダという。

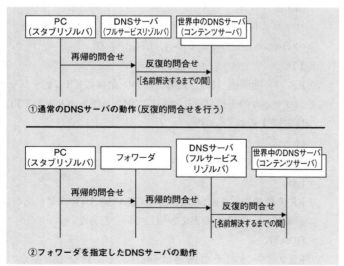

図：通常の DNS サーバとフォワーダの動作の違い

ブロードバンドルータの多くは，フォワーダ機能をもつ。転送

先のフルサービスリゾルバとして，例えば，プロバイダのDNSサーバをあらかじめ設定しておくことで，内部のクライアントからは，このルータがDNSサーバであるかのように見える。

　フォワーダ機能を利用することで，フルサービスリゾルバを運用する手間を省くことができる。さらに，フルサービスリゾルバを設置した場合は，反復問合せが発生するのに対し，フォワーダ機能を利用した場合は再帰的問合せだけ（最初の質問と最後の回答）になるため，WAN回線のトラフィックを軽減できる。

4.2.3　ゾーン情報

BINDでは，named.confファイル中のzoneステートメントに，ゾーン名，ゾーンファイル名を記述する

DNSSECは，DNSのゾーン情報に電子署名を付与する規格である

レコードごとに設定されたTTLについて，令和元年午後II問2で出題された。DNSSECについて，平成26年午前II問16で出題された

　DNSサーバはゾーンごとにゾーンファイルを用意し，ゾーン情報を記述する。ゾーン情報はリソースレコード（RR：Resource Record）から構成されており，次のような書式となっている（大括弧で囲まれたフィールドは省略可能であることを示す）。

owner　[TTL]　class　type　RDATA

- **owner**
  リソースレコードのドメイン名。直前のリソースレコードのOwnerと同じである場合，省略できる。
- **TTL**
  RRの有効期間（秒）。通常，ゾーン全体のTTL値をゾーンファイルの先頭部分に指定しておき，個々のRRのTTLは省略する。
- **class**
  現在，IN（Internetを意味する）を指定する。
- **type**
  RRの種類を示す。SOA, NS, A, CNAME, PTRなどがある。詳細については次の表を参照していただきたい。
- **RDATA**
  RRのデータ。その内容はtypeごとに異なる。多くのRDATAは1個のパラメータしかないが，MXレコード（後述）のように複数のパラメータから構成されることがある。詳しくは次の表を参照していただきたい。

表：ゾーン情報の主なレコード

レコード種別	意　味
SOA	ゾーン全体に関する情報を記載する。ゾーンにつき1レコード存在する。owner フィールドにゾーンのドメイン名を登録する。RDATA フィールドには下記の内容を登録する 「ドメイン名」 IN SOA 「DNS サーバ名」「ドメイン管理者のメールアドレス」(　「シリアル番号（serial）」 　「リフレッシュ間隔（refresh）」 　「転送再試行時間（retry）」 　「レコード有効時間（expire）」 　「ネガティブキャッシュ有効時間（TTL）」) <table><tr><td>シリアル番号</td><td>ゾーン情報を更新するたびに値を増やす。ゾーン転送時に情報が更新されているかどうかの判断に用いられる</td></tr><tr><td>リフレッシュ間隔</td><td>ゾーン転送の時間間隔を指定する。単位は秒</td></tr><tr><td>転送再試行時間</td><td>ゾーン転送に失敗した場合，再試行までの猶予時間を指定する。単位は秒</td></tr><tr><td>レコード有効時間</td><td>ゾーン転送に失敗した場合，セカンダリネームサーバにおけるレコードの有効時間を指定する。単位は秒</td></tr><tr><td>ネガティブキャッシュ有効時間</td><td>キャッシュされた否定情報（ドメインが存在しないなど）の有効時間を指定する。単位は秒。BIND8.2 以前はゾーンの TTL のデフォルト値と両方の意味をもっていたが，8.2 以降のバージョンではゾーンの TTL のデフォルト値を $TTL 制御文で指定する</td></tr></table> 例) @ IN SOA ns.shoeisha.co.jp. postmaster.shoeisha.co.jp.　(　2003101901　;Serial 　28800 ;Refresh 　14400 ;Retry 　3600000 ;Expire 　86400)　;Negative Cache TTL
NS	ゾーンに対して権威ある DNS サーバ（プライマリ DNS サーバ，セカンダリ DNS サーバ）を登録する。owner フィールドにドメイン名を登録し，RDATA フィールドに DNS サーバを登録する 例) shoeisha.co.jp.　IN NS ns.shoeisha.co.jp.
A	IPv4 アドレスの正引きの名前解決で使用される。owner フィールドにホスト名を登録し，RDATA フィールドに IP アドレスを登録する 例) www.shoeisha.co.jp.　IN A 192.0.2.1
PTR	逆引きの名前解決で使用される。owner フィールドに IP アドレスを登録し，RDATA フィールドにホスト名を登録する。逆引き用のドメインとして，IPv4 アドレスは「in-addr.arpa」を用い，IPv6 アドレスは「ip6.arpa」を用いる 例) 1.2.0.192.in-addr.arpa.　IN PTR www.shoeisha.co.jp.

（表は次ページに続く）

試験に出る

A レコードについて，令和元年午後 I 問 2，令和 3 年午前 II 問 9，平成 24 年午前 II 問 9 で出題された。

CNAME レコードについて，令和元年午後 I 問 2，平成 29 年午後 II 問 1 で出題された。

MX レコードについて，令和 5 年午後 II 問 2，令和 3 年午前 II 問 2，平成 29 年午前 II 問 6，平成 28 年午後 I 問 1，平成 27 年午前 II 問 1，平成 21 年午後 I 問 2 で出題された。MX レコードのプリファレンス値（メールサーバの優先度）について，令和 6 年午後 II 問 2 で出題された。

NS レコードについて，令和 5 年午後 II 問 2，令和元年午前 II 問 8 で出題された。

AAAA レコードについて，平成 26 年午前 II 問 6 で出題された

第 **4** 章

NSレコードのパラメタフィールドに設定するホスト名は，正式名とする。MXレコードの第2パラメタフィールドに設定するホスト名は，正式名とする。つまり，ここにはCNAMEレコードで設定された別名を設定しない。

この点について，RFC1912「Common DNS Operational and Configuration Errors」には，「A CNAME record is not allowed to coexist with any other data. … 略 … Especiallydo not try to combine CNAMEs and NS records（CNAMEレコードは他のいかなるレコードとも共存することが許可されていない。特にCNAMEとNSレコードの組合せを試みてはならない）」と規定されている

試験に出る

業務用サーバをアクティブ／スタンバイ型で冗長化し，アクティブ側とスタンバイ側のIPアドレスが異なっているとする。障害発生時にフェールオーバしても，クライアントのアクセス先はスタンバイ側に切り替わらない。なぜなら，平常時のAレコード（アクティブ側IPアドレを登録）がキャッシュDNSサーバにキャッシュされているからだ。障害発生時に，Aレコードをスタンバイ側IPアドレスに書き換えると共に，TTLを短くする必要がある。この点について，令和5年午後Ⅱ問1で出題された。

移行時，新旧サーバのFQDNが同じでIPアドレスが異なる場合，AレコードのIPアドレスを書き換える。DNSのキャッシュが有効である間，新旧サーバで並行稼働するが，その期間を短くするために旧サーバのAレコー（次ページへ続く）

レコード種別	意　味
CNAME	外部に公開するホスト名（別名）に対応するサーバ名（正式名）を登録する。ownerフィールドにホスト名（別名）を登録し，RDATAフィールドにサーバ名（正式名）を登録する 例）smtp.shoeisha.co.jp. IN CNAME mail01.shoeisha.co.jp. 　　pop3.shoeisha.co.jp. IN CNAME mail01.shoeisha.co.jp.
MX	ゾーンのメールサーバを登録する。ownerフィールドにドメイン名を登録する。RDATAフィールドは二つの値からなる。1番目にメールサーバの優先度（プリファレンス値），2番目にメールサーバを登録する。メール転送に失敗したら次の優先順位のメールサーバにメールが送られる仕組みになっている。値が小さいほど優先度が高くなっている 例）shoeisha.co.jp. IN MX 10 mail01.shoeisha.co.jp. 　　shoeisha.co.jp. IN MX 20 mail02.shoeisha.co.jp.
AAAA	IPv6アドレスの正引きの名前解決で使用される。ownerフィールドにホスト名を登録し，RDATAフィールドにIPアドレスを登録する 例）www.shoeisha.co.jp. IN AAAA 2001:db8:1::1

　ゾーンファイルの先頭部分に，次の表に示す制御文を記述することにより，ゾーン情報全体に関する設定をすることができる。

表：ゾーン情報を設定する制御文

制御文及び文法	意　味
$TTL 有効期間	ゾーンファイルのTTLのデフォルト値を秒単位で指定。レコードの「TTL」フィールドに有効期間が設定されていた場合は，$TTL制御文よりも優先される
$ORIGIN 基点ドメイン名	ゾーンファイルの基点ドメイン名を指定（BINDの場合，named.confのzoneステートメントに記述されたゾーン名よりも，こちらの方が優先される）

　簡便にするため，リソースレコードの記述には省略記法を用いることができる。ホスト名をFQDNで指定するときは，末尾に「.」（ピリオド）を付記する。末尾に「.」（ピリオド）を省略したときは相対ドメイン名として解釈され，ホスト名の後に基本ドメイン名を補完したものがFQDNとなる（つまり，ホスト名＋ピリオド＋基点ドメイン名）。

　「@」は基点ドメイン名を表す特殊記号として解釈される。

　リソースレコードにおいてownerフィールドが省略された場合には，直前のリソースレコードに記述されたownerフィールドの値が適用される。

●Aレコードに登録するホスト名とIPアドレスの対応関係

ホスト名とIPアドレスの対応付けはAレコードに登録する。

Aレコードを使用するとき，ホスト名とIPアドレスの対応関係は，多対多にすることができる。すなわち，一つのホスト名に複数のIPアドレスを対応させたり，複数のホスト名に一つのIPアドレスを対応させたりすることが可能である。

Aレコードの登録例を次の図に示す。

〔一つのホスト名に複数のIPアドレスを対応させる例〕

```
hostA    IN    A    192.0.2.1
hostA    IN    A    192.0.2.2      名前解決時に
hostA    IN    A    192.0.2.3      ラウンドロビン
                                   される
```

〔複数のホスト名に一つのIPアドレスを対応させる例〕

```
hostB    IN    A    192.0.2.4
hostC    IN    A    192.0.2.4
hostD    IN    A    192.0.2.4
```

図：Aレコードの登録例

一つのホスト名に複数のIPアドレスを対応させた場合，名前解決時にラウンドロビンされる。この機能は**DNSラウンドロビン**と呼ばれる。その選ばれ方は，問合せのたびに順繰りに入れ替わる。一般に，このように「順繰りに入れ替わる」という振る舞いを「ラウンドロビン」という。

DNSラウンドロビンは，一つのホスト名に対して複数個のIPアドレスを登録できるので，負荷分散に利用することができる。「図：Aレコードの登録例」では，hostAというホスト名に対し，3個のIPアドレスを対応付けている。DNSサーバは，hostAの名前解決の要求を受け取ると，問合せのたびに順番を変えてIPアドレスを応答する。その結果，3台のホスト（192.0.2.1，192.0.2.2，192.0.2.3）にアクセスが分散される。

一つのIPアドレスに複数のホスト名を対応させた場合，物理的には1台のホストが存在しているが，あたかも3台のホストが稼働しているように見える。「図：Aレコードの登録例」では，hostB，hostC，hostDというホスト名に対し，1個のIPアドレス

ドのTTLを短くしておく。この点について，令和4年午後Ⅱ問2で出題された

試験に出る

DNSラウンドロビンについて，令和5年午後Ⅱ問1，令和4年午後Ⅰ問3，令和元年午後Ⅱ問2，平成28年午後Ⅰ問3，平成28年午後Ⅱ問2，平成24年午後Ⅰ問1，平成21年午後Ⅰ問3で出題された

第**4**章

を対応付けているので、名前解決の結果、hostB、hostC、hostD へのアクセスは全て1台のホスト（192.0.2.4）に到達する。実際の運用では、ホスト名は何らかの役割を意味する名称を与える。例えば、メールサーバであれば「mail」、Web サーバであれば「www」などだ。こうしたホスト名を用意しておき、実際には同じサーバで稼働させたいとき、この方法を使って A レコードに登録すればよい。

4.2.4　プライマリ DNS サーバ／セカンダリ DNS サーバ

BIND の場合、プライマリ又はセカンダリの種別を named.conf ファイルの zone ステートメントに記述する

　一つのゾーンに複数台の DNS サーバをレジストラに登録すれば、信頼性向上と負荷分散を実現することができる。このうち1台の DNS サーバをプライマリ DNS サーバ（マスタ DNS サーバともいう）、残りをセカンダリ DNS サーバ（スレーブ DNS サーバともいう）に指定する。

　前項「●正引きの仕組み」の図「名前解決の仕組み（正引き）」で説明したとおり、②〜⑦のやり取りで DNS サーバの IP アドレスが渡されている。このとき、プライマリ DNS サーバとセカンダリ DNS サーバの IP アドレスが回答されている。ただし、どちらがプライマリで、どちらがセカンダリなのかということは、クライアント側からは区別できない（つまり、問合せのときに必ずプライマリ DNS サーバが選択されるわけではない）。回答された DNS サーバのうち一つの DNS サーバに問い合わせた際にタイムオーバが発生した場合、ほかの DNS サーバに問合せを行う。このような仕組みにより、DNS サーバの冗長化が図られ、信頼性が向上する。

ゾーン転送について、令和元年午後Ⅱ問2、平成28年午後Ⅰ問3、平成26年午後Ⅰ問3、平成23年午後Ⅱ問2で出題された

　プライマリ DNS、セカンダリ DNS の2台の DNS サーバを設置したとき、ゾーン情報の登録はプライマリ DNS サーバだけで行い、セカンダリ DNS がプライマリ DNS からゾーン情報を取得するように設定できる。これをゾーン転送という。

ゾーン転送の転送元は、プライマリ DNS サーバとは限らない。複数のセカンダリ DNS サーバがある場合は、別のセカンダリ DNS サーバからゾーン転送を行うことができる

　ゾーン転送には TCP の 53 番ポートが用いられている。送信元はセカンダリ DNS サーバ、宛先はプライマリ DNS サーバとなる。

　ゾーン転送の契機は2種類ある。

　一つ目は，SOAレコードに登録されたゾーン転送のリフレッシュ期間が満了することである。この期間満了を契機に，セカンダリDNSはゾーン転送の取得を定期的に要求する。二つ目は，プライマリDNSからセカンダリDNSへの更新通知である。更新通知を受信したことを契機に，セカンダリDNSはゾーン転送の取得を随時要求する。

　ゾーン転送は，セカンダリDNSよりもプライマリDNSのゾーン情報のバージョンが新しい場合にのみ行われる。そのバージョンは，SOAレコードのシリアル番号に登録されている。2種類あるゾーン転送の契機のいずれにおいても，セカンダリDNSは，ゾーン転送に先立ってこれをチェックしている。

　前回の更新から変化した分だけを転送する，差分ゾーン転送も可能である。特にDynamic DNS（後述）を利用している環境ではゾーン情報が頻繁に更新されるため，この機能を利用すると，トラフィック量を軽減できるというメリットがある。

4.2.5 公開ドメイン情報／非公開ドメイン情報

　社外に公開するドメイン情報と非公開にするドメイン情報を分けたいとき，次に示すような方法がある。

　なお，ここに述べる方法はコンテンツサーバに当てはまる。キャッシュサーバはコンテンツサーバとは別に設置しておく。

●DNS サーバを分ける方法

　次のようなネットワーク構成で，社外から非公開セグメント上のサーバへのアクセスを許可しないものとし，非公開ドメインの情報を非公開DNSサーバに登録する。

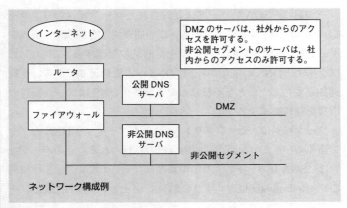

図：DNS サーバを分ける方法

●DNS プロセスを分ける方法

詳説

BIND の場合，設定ファイル
（named.conf）中の options
ステートメント内 listen-on サブ
ステートメントに，named プロセ
スが問合せに応じるインタ
フェース IP アドレスを設定でき
る

　この方法では，例えばファイアウォール上で二つの DNS プロセスを動作させる。社外に公開するドメイン情報は外部 DNS プロセスが，非公開にするドメイン情報は内部 DNS プロセスが管理する。さらに，内部 DNS プロセス，外部 DNS プロセスごとに，DNS 設定ファイルを用意し，DNS クエリパケットの宛先 IP アドレスごとに，回答するプロセスを割り当てる。

　この仕組みにより，反復的問合せを受けるコンテンツサーバとして振る舞う際，社内からの問合せには内部 DNS プロセスを対応させ，社外からの問合せには外部 DNS プロセスを対応させることができる。

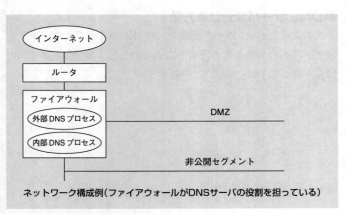

図：DNS プロセスを分ける方法

● クライアントのアドレスにより回答内容を分ける方法

使用する DNS サーバが BIND9.x 以降なら，一つの DNS サーバ上でも，問合せ元のクライアントの IP アドレスに応じて，回答する内容を分けることができる。これにより，例えば非公開用のドメイン情報は社内だけに回答し，公開用のドメイン情報は社外に回答する，という設定が可能となる。

詳説

BIND の場合，named.conf 中の view ステートメントに，問合せ元のクライアントごとに，ゾーンの設定（ゾーンファイル名など）を記述する

4.2.6 Dynamic DNS

BIND8.x 以降は，Dynamic DNS（DNS の動的更新）をサポートしている。これは，許可された DNS クライアントが，DNS サーバのゾーン情報の追加，変更，削除を実行できる機能である。

主な利用例として，DHCP クライアントのゾーン情報の更新がある。動作原理を次の図に示す。

ゾーン情報の更新方法には，DHCP クライアントに IP アドレスが動的に割り当てられた後に，(a) DHCP サーバが更新を通知する方式と，(b) DHCP サーバと DHCP クライアントが分担して更新を通知する方式の2種類がある。

関連RFC

RFC2136

詳説

DNS サーバ側では，BIND の場合，named.conf ファイルにある zone ステートメント内の allow-update サブステートメントに，動的更新を許可する DNS クライアントを記述する。
DNS クライアント側は Windows，UNIX ともに OS で対応済みである。また，インターネットサーバを公開するためのツールとしては，DiCE などがよく知られている

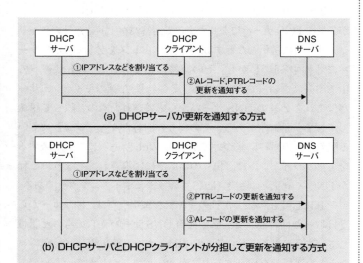

(a) DHCPサーバが更新を通知する方式

(b) DHCPサーバとDHCPクライアントが分担して更新を通知する方式

図：Dynamic DNS による DHCP クライアントのゾーン情報の更新

Dynamic DNS の利用例として，ほかには，xDSL や FTTH などの常時接続サービスでインターネットを利用している個人が，固定 IP アドレスサービスを利用せずに，自宅でサーバを稼働させてインターネットに公開するときに用いられている。

4.2.7　DNS キャッシュ汚染

詳説

再帰的問合せ要求を受け付けないようにするには，BIND の場合，キャッシュ DNS サーバの named.conf ファイルにある zone（又は options）ステートメント内で recursion を no に設定する

試験に出る

DNS キャッシュ汚染について，平成 26 年午前 I 問 13，平成 21 年午前 II 問 19 で出題された。DNS キャッシュ汚染が，オープンリゾルバ（外部からの再帰的問合せ要求を受け付けるキャッシュサーバ）に起因する点について，令和元年午後 II 問 2，平成 26 年午後 I 問 3 で出題された

詳説

一致するクエリ ID を総当りでヒットさせる攻撃を「バースデイアタック」という

インターネット上のホストから再帰的問合せ要求を受け付けるキャッシュサーバのことを，オープンリゾルバと呼ぶ。

外部に公開する DNS サーバ（権威サーバ）をオープンリゾルバとして設定しているならば，この DNS サーバが保持しているキャッシュが汚染される可能性がある。

●DNS キャッシュ汚染の仕組み

例えば，ハッカーが A 社のキャッシュサーバに対し，Z 社の Web サーバの名前解決を問い合わせたとする。再帰的な問合せが用いられたならば，A 社のキャッシュサーバは反復的問合せを実行する。やがて Z 社の DNS サーバに対し，反復的問合せのパケットを送信する。正式な回答パケットが返送される前に，ハッカーが Z 社の DNS サーバになりすまして回答パケットを A 社のキャッシュサーバに送信したとする（送信元アドレスを Z 社の DNS サーバに詐称する）。しかも，その回答の中で Z 社の Web サーバの IP アドレスを偽っていたとする。その結果，A 社のキャッシュサーバはこれを Z 社の DNS サーバから応答されたものと誤って認識してしまう可能性がある。その偽りの回答がキャッシュされている限り，その回答に基づいて Z 社の Web サーバにアクセスする全てのクライアントは，偽りのホストに誘導されてしまう。これが DNS キャッシュ汚染（DNS キャッシュポイズニング）である。

それにしても，なぜ A 社のキャッシュサーバは，ハッカーから受け取った回答パケットを Z 社の DNS サーバからのものと認識してしまうのだろうか。その理由は，キャッシュサーバが回答パケットの送信元を検証する方法が次に示す二つしかないためである。一つ目は，「問合せのパケットに格納されたクエリ ID と，回答パケットに格納されたクエリ ID が一致していることを確認す

る」という方法である。とはいえ, このクエリ ID のサイズは 16 ビットしかないので, ハッカーがたまたま値の一致した回答パケットを送信することが可能である。二つ目は,「問合せのパケットの送信元ポート番号と, 回答パケットの宛先ポート番号が一致していることを確認する」という方法である。問合せパケットの送信元ポート番号がランダムに選ばれているのであれば, ポート番号のサイズは 16 ビットあるため, クエリ ID とポート番号を合わせるとランダム値は 32 ビット分の長さとなる。首尾よくこれらをなりすますことは容易ではない。しかし, 古いバージョンの DNS サーバは問合せパケットの送信元ポート番号を常に 53 番にしている。その場合, この二つ目の確認方法は意味を成さない。

ここで, 2008 年にカミンスキー氏が公表した DNS キャッシュ汚染の手順を紹介する。なお, DNS サーバは問合せパケットの送信元ポート番号を常に 53 番にしているものとする。次に示す図は, DNS キャッシュ汚染が成立するネットワーク構成図である。

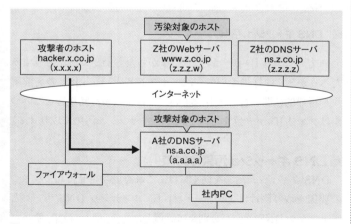

図：DNS キャッシュ汚染が成立するネットワーク構成図

A 社のキャッシュサーバに対し, ハッカーはホスト名「1.z.co.jp」の名前解決を再帰的に問い合わせている。そして, なりすます回答パケットの中で,「1.z.co.jp の名前解決の権威をもつネームサーバが www.z.co.jp である」と回答し, かつ, その回答の中で「www.z.co.jp」の IP アドレスを偽っていたとする。

たまたまクエリ ID が一致していたら,「www.z.co.jp」ホスト名

詳説

カミンスキー氏の手順では汚染対象のホスト「www.z.co.jp」ではなく, 実際には存在しないホスト「1.z.co.jp」を再帰的に問い合わせている。それはなぜだろうか?
キャッシュが有効である期間中, A 社の DNS サーバは反復的問合せを行わない。したがって,「www.z.co.jp」を用いた場合, 一度目の再帰的問合せでクエリ ID が一致しなかったならば, キャッシュが消えるまで, ハッカーは二度目を実行することができない。そのため, カミンスキー氏の手順では,「1.z.co.jp」のような存在しないホストを用いているのである。もしこのクエリ ID が一致しなければ, すぐさま次に「2.z.co.jp」を試す。このように, 存在しないホストを次々に変化させながら問合せを実行している。その結果, ハッカーは短時間内に多数のクエリ ID を試みることが可能となる

には偽りのIPアドレスが対応付けられてキャッシュされてしまう。

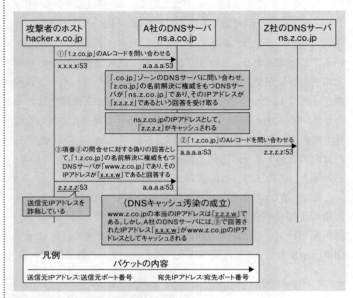

図：DNSキャッシュ汚染のシーケンス

　一方，クエリIDが一致していなかったらハッカーはどうするだろうか？　同様の手口で，次にホスト名「2.z.co.jp」の名前解決を再帰的に問い合わせればよい。これを数多く繰り返せばいつかはクエリIDが一致するので，DNSキャッシュ汚染に成功する。

●DNSキャッシュ汚染の対策

　DNSキャッシュ汚染を防ぐには，これを成功させてしまう二つの要因を取り除けばよい。一つ目は，コンテンツDNSサーバとキャッシュDNSサーバを別々に設置し，キャッシュDNSサーバに対するインターネット外部からの再帰的問合せを禁止することである。二つ目は，問合せパケットの送信元ポート番号がランダムに選ばれるようにすることである。これには，DNSサーバのバージョンをアップグレードすればよい。カミンスキー氏が2008年に公表した直後に，多くのサイトでこれらの対策が施された。

詳説

仮に，A社のファイアウォールでNAPT機能を動作させており，DNSサーバから送信された反復的問合せパケットがファイアウォールを通過する際，送信元ポート番号が変換されるものとする。かつ，ハッカーは，A社内のホストとのやり取りを通して，ファイアウォールでのNAPTの変換ルールを容易に推測できるものとする。
この仮定が成立する環境下で，外部からの再帰的問合せを禁止していなければ，カミンスキー氏の方法によってキャッシュ汚染が成立してしまう

4.3 ・ 電子メールシステム

　ここでは，電子メールシステムの土台となるプロトコルとして SMTP，POP3，IMAP4 を解説する。また，昨今では利用頻度が高い Web メールについても解説する。それぞれの特徴をしっかり把握し，応用例についても学習しておく。

4.3.1　メール送受信の仕組み

　メールの送信，配信用のプロトコルには SMTP が，メールの受信用のプロトコルには POP3，IMAP4，もしくは HTTP（Web メール）を用いるのが一般的である。また，メーラを **MUA**（Mail User Agent），電子メール配送ソフトウェアを **MTA**（Mail Transfer Agent）とも呼ぶ。代表的な MTA には sendmail，qmail，postfix などがある。

●SMTP

　SMTP は，メール送信に使用するプロトコルである。SMTP の歴史は古く，1982 年に登場した。今日では SMTP を拡張した拡張 **SMTP**（SMTP Service Extensions）が利用されている。メールを送信する際，まず拡張 SMTP による配信を試み，これに失敗すると SMTP を用いて配信する。SMTP，拡張 SMTP はともに TCP の 25 番ポートを用いている。

●POP3

　POP3 は，受信端末から POP サーバへ TCP コネクションを確立し，メールボックスにあるメールの取得／削除を行うプロトコルである。POP3 は TCP の 110 番ポートを用いて通信を行う。

●SMTP，POP3 を用いたメール送受信の仕組み

　ここでは，s@a.co.jp から r@z.co.jp にメールを送る例について考える。なお，送信者のメーラには，a.co.jp ドメインのメールサーバ A が SMTP サーバとして設定されており，受信者のメーラには，z.co.jp ドメインのメールサーバ Z が POP3 サーバとして設定され

試験に出る

SMTP 通信のコマンドについて，令和 6 年午後II問 2，令和元年午前II問 9，平成 29 年午前II問 9，平成 28 年午後I問 1 で出題された

第 **4** 章

本書は，SMTP のコマンド名を「MAIL FROM」，「RCPT TO」と記述しているが，SMTP の仕様を定めている RFC（2024 年時点の最新版は 5321）は，コマンド名を「MAIL」，「RCPT」と定義している。

令和 6 年と平成 28 年で SPF が取り上げられたとき MAIL コマンドが出題され，その解答例が「MAIL FROM」になっていた。本書はそれに合わせている。

MAIL コマンドは，「MAIL FROM:」という文字列の後にエンベロープ From アドレスを指定する書式になっているため，「MAIL FROM」コマンドという通称で知られている。おそらく，IPA はその現状を踏まえて，この解答例を公表したものと考えられる

詳説

拡張 SMTP の MAIL FROM コマンドを使用してエンベロープ From が通知されるので，受信側サーバはここから送信側サイトのドメイン名を取得することができる。送信ドメイン認証の SPF 方式は，この仕組みを利用して送信元ドメインを取得し，送信側サイトの DNS サーバに SPF レコードを問い合わせ，送信ドメインの真正性を確認する

試験に出る

送信ドメイン認証の SPF 方式で，MAIL FROM コマンドを使って送信側サイトのドメイン名を取得することについて，令和 6 年午後Ⅱ問 2，平成 28 年午後Ⅰ問 1 で出題された

ているものとする。

① s@a.co.jp のメーラは，SMTP を用いてサーバ A にメールを転送する。

②サーバ A に送られたメールはいったんキューに蓄えられ，一定時間ごとに順次処理される。サーバ A は，宛先メールアドレスに記述されているドメイン名「z.co.jp」を手掛かりにして，次にメールを転送するホストを決定する。サーバ A はローカル DNS サーバに対し，z.co.jp ドメインのメールサーバを問い合わせる。

③ a.co.jp の DNS サーバは，z.co.jp の DNS サーバに対し，同ドメインのメールサーバを問い合わせる。MX レコードにはメールサーバのホスト名が，A レコードにはその IP アドレスが登録されている。この例では，サーバ Z の IP アドレスが返答される。

④サーバ A は SMTP を用いてサーバ Z にメールを転送する（メールサーバ間のメール配信では，拡張 SMTP が用いられている）。

まず，サーバ A はサーバ Z に向けて，拡張 SMTP の **MAIL FROM** コマンドを使用して送信元メールアドレスを通知し，**RCPT TO** コマンドを使用して宛先メールアドレスを通知する。この送信元メールアドレスをエンベロープ From，宛先メールアドレスをエンベロープ To という。次に，サーバ A は，サーバ Z に向けて，拡張 SMTP の DATA コマンドを使用して，メッセージを送信する。その際，メッセージヘッダーには，エンベロープ From とエンベロープ To が付与される（詳細は「4.3.2 メールの仕様」で後述する）。

サーバ Z は，受け取ったメールを r@z.co.jp のメールボックスに蓄える。

⑤受信者は，POP3 を用いてサーバ Z からメールを受信し，メールボックスからの削除を要求する。

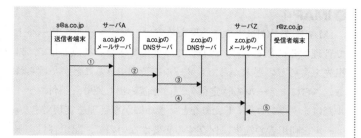

図：SMTP，POP3 を使用したメール送受信の仕組み

　宛先として指定されたメールアドレスが存在しない場合，送信元の MUA は配送不能の通知メールを受け取る。この通知メールは，一般には送信元のメールサーバが送るが，ときには宛先のメールサーバが送ることもある。その様子を次に示す。ここでも，s@a.co.jp から r@z.co.jp にメールを送るケースで説明する。

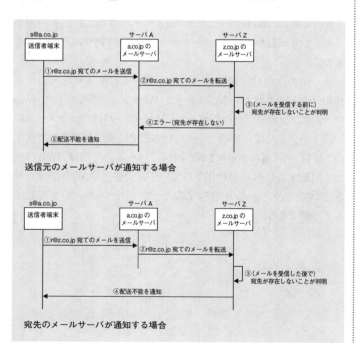

図：配送不能の通知の仕組み

詳説

配送不能通知などのエラー通知メールは，Return-Path に返信元が記述されず，「Return-Path: <>」となる。エラー通知メールが配送できなかったときは，配送不能を通知することはない

IMAP4 について，平成 23 年
午後II問 2，平成 21 年午後I
問 2 で出題された

●IMAP4

IMAP4 が POP3 と大きく異なる点は，受信メールをサーバ上
で管理することである。POP3 では実現できない利点として，外
出先を含めどの端末からでもメールを管理できることが挙げられ
る。さらに，メールの特定部分だけを読み出したり，添付ファイ
ルだけをダウンロードしたりなど，きめ細かな管理を実現できる。
メールを利用者の端末に保存する必要がないので，記憶容量に限
りがあるモバイル端末での利用例が増えつつある。また，暗号化
されたユーザ認証機能も有する。なお，IMAP4 では TCP の 143
番ポートを用いて通信を行う。

●Web メール

Web メールは，最近増えてきたメール送受信の形態である。こ
れはメーラではなく Web ブラウザを使ってメールのやり取りを行
うものである。Web ブラウザと Web サーバ間では HTTP を用い
てやり取りが行われるが，Web サーバは SMTP サーバの役割も
兼ねる。

メールの送信は，Web ページのフォームにデータを入力する
仕組みが利用されている。ユーザが Web ブラウザを用いて Web
サーバにメッセージを送信すると，Web サーバはこれをメールに
変換する。次いで，Web サーバは SMTP を用いて受信者サイト
の SMTP サーバにメールを配信する。メールの受信は，Web ペー
ジを閲覧する仕組みが利用されている。受信者は Web ブラウザ
を用いて Web ページを取得することで，メールの内容を閲覧す
ることができる。

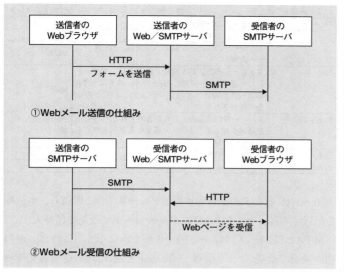

図：Web メールを使ったメール送受信の仕組み

4.3.2　メールの仕様

　ここでは，メールヘッダや MIME など，メールの仕様について解説する。

● メールヘッダ

　代表的なメールヘッダのフィールドを次に示す。

表：主要なメールヘッダのフィールド

フィールド	意　味	付加するマシン
Return-Path	エンベロープ From を格納する。最後に処理した MTA が追加する	最後の MTA
Received	MTA の配信の記録。幾つかのパラメタと配信した日時を格納する。from パラメタには EHLO コマンドの引数と TCP コネクションから決定されたクライアントの IP アドレスを，by パラメタには MTA が稼働しているホストのドメイン名を，for パラメタにはエンベロープ To を，with パラメタにはプロトコルを，id パラメタにはメッセージ ID を，それぞれ格納する	MTA
Message-ID	メッセージの識別子	MUA
Date	メッセージの作成日時	MUA

（次ページに続く）

関連RFC

RFC5322

試験に出る

From フィールドについて，平成 25 年午前Ⅱ問 16 で出題された

フィールド	意　味	付加するマシン
From	メッセージの送信元	MUA
To	メッセージの宛先	MUA
Cc	メッセージの二次的な宛先。Cc とは，カーボンコピーの意	MUA
Bcc	メッセージの二次的な宛先。Bcc とは，ブラインドカーボンコピーの意。Bcc フィールドは MTA によって削除されるので，受信者には Bcc の宛先が隠蔽される	MUA
Reply-To	メッセージの返信先。これが省略されると，From が返信先になる。差出人と異なる返信先を指定するときに使用する	MUA
Subject	メッセージの件名	MUA
In-Reply-To	メッセージが返信している元の Message-ID	MUA

　Received 行と Return-Path 行はトレース情報と呼ばれ，メールを転送する際，ホストの MTA がメールヘッダの先頭に挿入する。

　MTA がトレース情報を追加する例を次に示す。これは，前の項の説明で登場した，送信者（s@a.co.jp）端末から，送信者側サーバ A を中継して，受信者（r@z.co.jp）側のサーバ Z へメールを配信する場合である。サーバ Z に受信者のメールボックスがあるので，ここの MTA が Return-Path 行を追加する（先頭に追加する）。

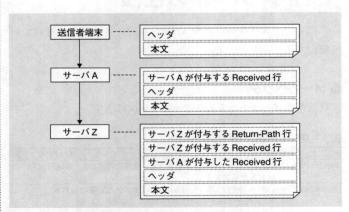

図：MTA が経路情報を追加する例

●MIME

　メールの仕様が策定された当時は，転送データとして ASCII コードだけを対象にしていた。しかし，その後バイナリファイル

やマルチバイト文字コードなどのデータも送信する必要が生じたため，送信側の MUA が送信データを ASCII コードデータにいったんエンコードし，受信側の MUA がこれをデコードすることで非 ASCII コードの送受信を可能にするような仕組みが考案された。これを定めた規格が **MIME** である。これにより，メールサーバ間では従来どおり ASCII コードでメール転送が行われる。

● メールアドレス

メールアドレスの書式には幾つかのパターンが用意されている。なお，ローカルパートとは，「@」以下で指定されたサイトもしくはメールサーバで識別されるアカウント文字列である。通常は，①の書式を使用する。

関連RFC

RFC5322

　　① ローカルパート@サイトのドメイン名
　　② ローカルパート@メールサーバのドメイン名

メールを送るには，メールサーバの IP アドレスを取得する必要がある。サイトのドメイン名が①②の書式で指定された場合，DNS サーバに問い合わせ，同サイトのメールサーバの名前解決を行う。具体的には，まず DNS の MX レコードからメールサーバのホスト名を取得し，それと同時に，A レコードからその IP アドレスも取得する。

第
4
章

4.4 ・ Web システム

この節では，利用範囲が拡大している Web システムについて解説する。まず，そのシステムのベースとなっている HTTP の仕様について解説し，構築に利用される技術についても述べる。

4.4.1 HTTP の仕組み

関連RFC

HTTP/1.1‥RFC7230 〜 7235
HTTP/2‥RFC7540 〜 7541

試験に出る

REST について，令和 3 年午後I問 1 で出題された。
HTTP/2 の特徴（ストリームによる多重化，HTTP/1.1 との互換性），HTTP/2 を TLS で暗号化した通信方式である h2 の仕組みについて，令和 5 年午後I問 2 で出題された

用語解説

URI
URI（Uniform Resource Identifier）はリソースを識別するものであり，RFC3986 で規定されている。URI は，URL と URN の 2 種類がある

HTTP は，主に Web ページを取得するために用いられるプロトコルである。HTTP/1.1（バージョン 1.1）が普及しているが，近年では，その上位互換である HTTP/2（バージョン 2）も用いられている。HTTP/2 は，通信の効率化を実現するため，通信の多重化，ヘッダー圧縮，フロー制御，等の機能拡張が行われている。

本書では，HTTP/1.1 の出題例が圧倒的大多数を占めていることを踏まえ，HTTP/1.1 の仕様について解説する。

● Web ページ取得の仕組み

Web ページの取得には HTTP が用いられる。HTTP は，Web ブラウザから Web サーバへ TCP コネクションを確立し，URI で指定したリソースの取得を要求したり，データの投稿（ポスト）を要求したりするプロトコルである。HTTP は，TCP の 80 番ポートを用いて通信を行うのが一般的である。

ここでは，URL として http://www.shoeisha.co.jp/index.html が指定されたときの Web ページ取得の仕組みを考えてみる。

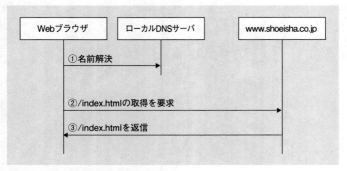

図：Web ページ取得の仕組み

① Web ブラウザは，URL から Web サーバのホスト名（www.shoeisha.co.jp）を取り出し，DNS サーバで名前解決して Web サーバの IP アドレスを取得する。

② Web ブラウザは，指定されたスキーム，つまり「http」プロトコルを用い，指定されたパスにあるファイル「/index.html」の取得を Web サーバに要求する。

③ Web サーバは，該当ファイルの内容を格納したメッセージを Web ブラウザに返信する。

● コネクションとページ取得の関係

HTTP は，一つのファイルを取得するごとに一つの TCP コネクションを必要とする。したがって，複数のページを取得するときには，基本的にページの数だけコネクションが必要となる。

しかし，コネクションの確立や切断には時間がかかるので，通常は持続的接続（persistent connection）という機能を使ってコネクションを再利用する。この機能を使い，Web ブラウザと Web サーバは，目的のページの取得が終わった後もしばらく TCP コネクションをプールする。その間に新たな HTTP アクセスが発生したら，プールしてあるコネクションを使用して通信する。

持続的接続は，Web サーバにとっては，一定の負荷がかかる処理である。クライアントからのリクエストが複数回発行される可能性があるため，一定時間，TCP コネクションを保持しておかなければならないからだ。そこで，HTTP では，現在処理中の応答が終わったら接続を閉じることを通信相手に通知する方法を規定している。

● ステートレスな通信／ステートフルな通信

複数ページにまたがったセッションを維持・管理できない通信をステートレスという。逆に，セッションを維持・管理できる通信をステートフルという。

HTTP は一組のリクエストとレスポンスで完結して通信する仕様なので，基本的にステートレスな通信である。しかし，Cookie（後述），URL リライティング，Hidden フィールドを用いればセッション ID を格納できるので，セッションステートフルな通信を実現

URL
URL（Uniform Resource Locator）は，URI の一種で，「アドレス」などの具体的なアクセス手段によってリソースを識別する。Web ページを識別するためにコンピュータ名とパスを用いる方法は，URL の代表例と言える

URN
URN（Uniform Resource Name）は URI の一種で，「名前」という普遍的な属性でリソースを識別する。例えば，「urn:ietf:rfc:3986」という URN は「RFC3986」を識別する。リソースの移動によって URL は変化するが，URN は変化しない

HTTP の通信シーケンスについて，平成 22 年午後I問 2 で出題された。持続的接続について，平成 27 年午後II問 1 で出題された

URL リライティング
URL の後にセミコロンで区切ってセッション ID を記述する方法である

Hidden フィールド
HTML のフォーム中に存在するが，Web ブラウザ上には表示されない隠しフィールド。input タグの type 属性に hidden を設定し（type="hidden"），既定値としてセッション ID を格納する（value=" 値 "）。ただし，Web ブラウザでソース表示を行うと利用者に漏えいする

211

することができる。サーブレットなどのサーバサイドのプログラムは，このようにしてセッション管理を実現している。

●HTTPメッセージの仕様

HTTPメッセージには，WebブラウザからWebサーバに送るHTTPリクエストと，WebサーバからWebブラウザに返すレスポンスがある。HTTPメッセージのフォーマットを次に示す。

図：HTTPメッセージのフォーマット

スタートラインは，HTTPリクエストはリクエストライン，HTTPレスポンスはステータスラインと呼ばれる。リクエストラインには，メソッド，Request-URI，HTTPのバージョンが格納される。ステータスラインにはステータスコードが格納される。

HTTPリクエストは，指定されたURLの取得の要求(GET)以外にも，データの送信の要求(POST)など，様々なものが規定されている。GETメソッドもPOSTメソッドも，Webサーバで動作しているプログラムのURLを指定することによってプログラムを起動することができる。なお，プログラムに渡すデータを格納する場所が，GETメソッドとPOSTメソッドでは異なっている。GETメソッドはURLのクエリ文字列(「?」より後ろの文字列部分)に，POSTメソッドはメッセージのボディに，それぞれ格納する。

GETメソッドは冪等であるため，この応答メッセージをキャッシュすることができる。しかし，POSTメソッドは冪等ではないため，この応答メッセージはキャッシュされない仕組みになっている。なお，冪等(idempotent)とは，ある操作を何回繰り返して実行しても1回実行したのと同じ結果になることをいう。

表：リクエストメッセージの仕様

メソッド	機　能
GET	指定された URI の取得を要求
HEAD	上記の GET メソッドをリクエストした際に回答されるレスポンスメッセージのうち，ヘッダ情報だけの取得を要求
POST	指定された URI に対してデータの送信を要求。一般にフォーム入力で使用され，URI にはプログラムが指定される
PUT	指定された URI の場所にデータの配置を要求
DELETE	指定された URI の削除を要求
OPTIONS	オプション情報の通知
TRACE	ループバック（診断）
CONNECT	プロキシサーバにトンネリング処理を要求（プロキシサーバ経由の SSL 通信など）

　レスポンスメッセージには，以下に示す3桁のステータスコードが含まれている。最初の1桁ごとに，大きく五つに分類される。

表：ステータスコードの仕様

コード	意　味		主要なコード	
1XX	処理途中	100	Continue	サーバが処理中
2XX	処理完了	200	OK	処理成功
		201	Created	リソースを生成
		204	No Content	処理成功（レスポンスボディは空）
3XX	追加アクション	301	Moved Permanently	リソースが恒久的に移動
		302	Found	リソースが一時的に移動
		303	See Other	別の URI に対してリクエストを出すことを要求
4XX	クライアント起因によるリクエストエラー	401	Unauthorized	認証が必要
		403	Forbidden	処理が禁止
		404	Not Found	リソースが見つからない
5XX	サーバ起因によるエラー	500	Internal Server Error	サーバで何らかのエラー

●URL の書式

　URL の書式を次に示す。なお，大括弧で囲まれたパートは省略可能であることを示す（厳密にはスキームとして「http」を指定した書式の説明である。ほかのスキームでは若干異なる）。

　スキーム　:// 　[ユーザ名 :] [パスワード @] コンピュータ名 [: ポート番号]/ パス [? クエリ] [# フラグメント]

● スキーム

　ページを取得する手段であり，Web サーバへのアクセスに

HTTP の GET メソッドと POST メソッドについて，平成 21 年午前 II 問 10 で出題された。CONNECT メソッドについて，令和 4 年午後 I問 1，平成 30 年午後 I問 1，平成 28 年午後 I問 2，平成 26 年午後 II問 1，平成 21 年午後 I 問 2 で出題された。条件付き GET （If-Modified-Since)について，平成 27 年午後 II問 1 で出題された

試験に出る

ダイジェスト認証について，令和 4 年午後 I問 1 で出題された

詳説

認証を必要としているリソースを対象とする HTTP リクエスト（GET や POST など)を受け取った Web サーバは，ステータスコード「401 Unauthorized」を返信する。正規のユーザ名とパスワードをブラウザが送信すると，Web サーバはユーザ認証を行う。認証に成功すると，当初の HTTP リクエストに対応した HTTP レスポンスを，ステータスコード「200 OK」と共に返信する

はプロトコル名 http を記述する。なお，Web ブラウザは
「http://」を省略してもこれを自動的に補ってくれる。

- **コンピュータ名**
  ホスト名か IP アドレスを指定する。ホスト名を指定した場
  合，Web ブラウザは DNS サーバに問い合わせ，A レコー
  ドにより IP アドレスを取得する。

- **ユーザ名／パスワード**
  ユーザ認証で使用する。認証が必要なページを取得すると
  き，URL にユーザ名，パスワードを含めると，Web サーバが
  自動的に認証を行ってくれる。つまり，ダイアログボックス
  へのユーザ名，パスワード入力の手間を省くことができる。

- **ポート番号**
  省略するとスキーム（http）に応じたデフォルト値（80 番）
  が指定される。特定のポート番号でサーバにアクセスした
  いときに用いる。

- **パス**
  Web サーバが管理する仮想ディレクトリのパスである。
  ルートディレクトリ「/」は，Web サーバでドキュメント
  ルートとして管理されている。Web サーバの管理者は，
  パスにファイル名が省略された場合，デフォルトのファ
  イル名を補って URL を解釈するように設定している場合
  が多い。そのファイル名として「index.html」などがよく
  用いられている。なお，URL リライティングが実施され
  る場合，パスの末尾に区切文字「；」が付加され，その
  後に URL リライティングの文字列が追加される。

- **クエリ**
  クエリ文字列ともいう。GET メソッドを用いてパスにプロ
  グラムを指定したとき，引数がここに格納される。

- **フラグメント**
  ページ内部での特定の場所を指定する。

4.4.2 Web アプリケーション

昨今では，Web を利用したシステムの利用が当たり前のように

なっている。これらのシステムは，サーバサイドのプログラムやクライアントサイドのスクリプトなど，様々な技術を組み合わせて構築されることが多い。

● サーバサイドのプログラム

　サーバサイドのプログラムとは，動的にコンテンツを生成するため，Webサーバが実行するプログラムである。Javaのサーブレットや PHP のスクリプトなどで実装されている。サーバサイドのプログラムを実行する Web サーバは，アプリケーションサーバ（APサーバ）とも呼ばれることが多い。プログラムの動作概要を次に示す。

①通常，URL にはコンテンツファイルを指定するが，代わりにサーブレット等のプログラムを指定し，HTTP リクエストを Web サーバに送信する。

②Web サーバは，URL にプログラムが指定されると，別のプロセスとしてプログラムを起動する。

③プログラムは，ユーザからの要求に応じて何らかの処理を実行する。

④その後，HTML ファイル形式のデータを生成して標準出力に出力する。

⑤Web サーバはこの出力結果を取得し，HTTP レスポンスとして Web ブラウザに返信する。

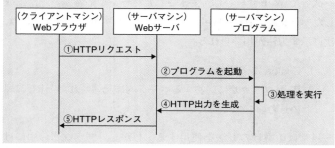

図：プログラムの動作概要

用語解説

WebDAV（Web-based Distributed Authoring and Versioning）

WebDAVとは，コンテンツのコピー，移動，コンテンツ属性の取得や更新などのメソッドをWeb サーバに発行する機能をもつプロトコルである。HTTP1.1 の仕様を拡張して上記のメソッドを追加した規格であり，RFC 4918 に規定されている

試験に出る

WebDAVについて，令和5年午前II問13，令和元年午前II問14，平成28年午前II問14，平成24年午前II問18，平成21年午前II問12で出題された

用語解説

REST（REpresentational State Transfer）

REST とは，アプリケーション処理の基本操作（登録，変更，削除，参照）を，HTTP メソッド（POST, PUT, DELETE, GET）に対応付け，アプリケーション処理の対象を，HTTPメソッドの引数である Request URIに対応付けることにより，あたかもアプリケーション処理を行うかのように，Web アプリケーション上で処理を実行する技術である。RESTの概念に則って提供されている Web API を「REST API」という。
REST API ではやり取りされるデータは JSON 形式が通常用いられる。WebサーバからHTML 形式の Web ページが応答されることはない

試験に出る

REST APIは HTTP を用いることについて，令和3年午後I問1で出題された

第**4**章

215

● サーブレット

サーブレットは，Java クラスファイル（コンパイル済みのバイトコードのプログラム）であり，サーバに格納されている。サーブレットのクラス名にマッピングされたり URL がリクエストされると，サーバはスレッドを起動し，そのリクエストを実行する。

● スクリプト

HTML では実現できない動作や対話性を Web ページにもたせるために，簡易なプログラムを埋め込むタグが用意されている。このプログラムのことをスクリプトという。スクリプトには大きく分けて，Web ブラウザが実行するもの（クライアントサイドスクリプト）と，Web サーバが実行するもの（サーバサイドスクリプト）とがある。

クライアントサイドスクリプトを記述する言語には JavaScript があり，スクリプトを埋め込むタグとして <script> が規定されている。サーバサイドスクリプトを記述する言語には Java（JSP），ASP.NET，PHP などがあり，用いられるタグは言語によって異なる。

● セッション維持の仕組み

Web サーバは，セッション維持を必要とする処理（画面遷移を伴う処理）の URL を Web ブラウザから要求されると，セッション ID を生成する。

次いで Web サーバは，要求されたページを応答する際，生成したセッション ID を Web ブラウザに通知する。この通知には，次に示す方法が用いられる。

1. Cookie に格納する。
2. Web ブラウザに応答するページ内に記述された URL に埋め込む。

通常は 1 番目の方法を使用する。しかし，ブラウザの中には Cookie を受け入れないものがあるため，その場合は 2 番目の方法を使用する。2 番目の方法は，URL リライティングと呼ばれている。

詳説

Web システムの開発では，Web ブラウザの利用者が想定外の動作をすることがあるので，注意を払う必要がある。例えば，Web ブラウザ上の「戻る」ボタンや「リロード」ボタンを押したり，アドレス欄に URL を直接記入したりすることで，想定外の画面遷移が引き起こされる可能性がある。また，画面上の「送信」ボタンを素早く 2 回押すことによって，HTTP リクエストが 2 回発行され，誤動作が引き起こされる可能性がある。これは，「二重サブミット問題」などと呼ばれている

詳説

開発言語によって，セッション ID を表す語が決まっている。例えば，Java 言語では，「jsessionid」となる

● Cookie

　Web ブラウザが Web サーバにアクセスするとき，Web サーバからの HTTP レスポンスメッセージヘッダ中の Set-Cookie ヘッダフィールドに Cookie 情報が格納されている。次回以降アクセスするときは，Cookie リストの中から有効な Cookie を検索し，サーバに送信する。そのとき，Cookie 情報を HTTP リクエストメッセージヘッダ中の Cookie ヘッダフィールドに格納する。

　Cookie に設定できる主な属性は次のとおりである。複数の属性を設定する場合は，「;」で区切る。

表：Cookie の主な属性

属　性	形　式	内　容
変数	変数名（任意）＝値（任意）	必須項目。変数名，値はサーバが与える。例えば，Java Servlet 仕様では，セッション ID の変数名を「JSESSIONID」とすることが規定されている
有効期限	Expires ＝日時	有効期限を日時で指定する。省略するか「0」を指定するとメモリに保存され，Web ブラウザを閉じると消滅する。負数を指定するとクライアントから削除される
有効なドメイン	Domain ＝ドメイン名	Cookie リストの中から有効な Cookie を検索する際，宛先ホストのドメイン名を domain 属性と後方一致で比較する。次に path 属性と前方一致で比較する。これらにマッチした場合，Cookie を送信する domain 属性の仕組みにより，例えば同じドメイン内のほかのサーバと Cookie 情報を共有することができる
有効なパス	Path= パス名	
Secure	「Secure」を付与	クライアントは，HTTPS（SSL/TLS）で通信しているときだけ Cookie をサーバに送信する
HttpOnly	「HttpOnly」を付与	Javascript からアクセスできなくする

　有効期限を指定せずにメモリに常駐させる Cookie は，セッション Cookie と呼ばれる。ステートフルな画面遷移処理を実行している場合，セッションハイジャックを避けるなどのセキュリティ上の理由から，セッション固有の情報はセッション Cookie でやり取りするのが一般的である。このとき，Cookie 情報はメモリに保存されているため，Web ブラウザのプロセスが分かれていれば，Cookie は個別に管理される。

　Cookie を受信しても，クライアント側はその格納を拒否することができる。その場合，受信した Cookie 情報は破棄される。

試験に出る

Set-Cookie 及び Cookie ヘッダフィールドについて，令和元年午後I問 2 で出題された。Cookie を用いてセッションを維持する点について，平成 21 年午後I問 3 で出題された。セッション ID の URL リライティングについて，平成 24 年午後I問 3 で出題された。Cookie の Domain 属性を用い，同じドメイン内のサーバ間で Cookie 情報を共有することについて，平成 27 年午後I問 1 で出題された。Cookie のセキュア属性について，令和元年午前II問 17，平成 27 年午後I問 1 で出題された

第4章

217

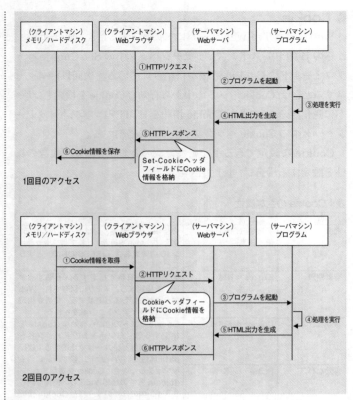

図：Cookie の動作概要

●URL リライティング

　画面遷移を必要とする場合，Web サーバからブラウザに送る
ページの中には，次のページの URL が記述されている。又は，
次のページを生成するプログラムの URL が記述されている。

　URL リライティングとは，プログラムを指定した URL の中に
セッション ID を埋め込むことを言う。Cookie を使用できない環
境でセッション維持を実現するために用いられている。ブラウザ
はその URL にアクセスすることで，Web サーバにセッション ID
を通知している。

　その結果，Web サーバは要求された URL からセッション ID
を抽出し，セッションを維持できる仕組みになっている。一例と
して，form タグにプログラムの URL が記述されているケースを

次の図に示す。

　この図は，カタログページを表示し，「次へ」ボタンを押すことで画面遷移するまでの流れを示している。

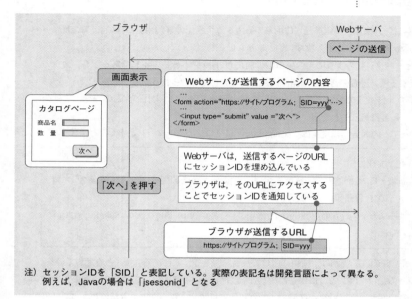

注）セッションIDを「SID」と表記している。実際の表記名は開発言語によって異なる。
　　例えば，Javaの場合は「jsessonid」となる

図：form タグに URL リライティングでセッション ID が埋め込まれているケース

　画面遷移先のページの URL は，通常，form タグの action 属性に記述されている。なお，a タグの href 属性など，URL を指定できる箇所に記述することもある。

　「次へ」ボタンを押すと，form タグに記述された URL がリクエストされるので，Web サーバにセッション ID を通知することができる。

　開発者は，このような Web ページを作成する際，form タグや a タグに記述する URL に，URL リライティングによってセッション ID が動的に埋め込まれることを想定しておかなければならない。Web アプリケーション開発用のフレームワークを用いることで，このような Web ページを容易に作成することができる。

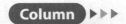

令和5年以降，カタカナ表記の用語に付与する長音符号の扱いが，従来の表記ルールから変化している

　IT業界には，外来語（特に英語）に由来するカタカナ表記の専門用語が多い。「コンピューター」，「ネットワーク」など，枚挙にいとまがない。

　「コンピューター」のように元の英単語の語尾が「-er」，「-or」，「-ar」である場合，カタカナで表記する際，読者の皆さんは語尾に長音符号を付けておられるだろうか？

　文化庁の「外来語の表記（平成3.6.28 内閣告示第2号）」によれば，この場合，ア列の長音とし，長音符号「ー」を用いることになっている。

　したがって，内閣告示に従えば，「computer」は「コンピューター」と書くことになる。

> 参考URL：文化庁
> 　国語施策・日本語教育 ＞ 国語施策情報 ＞ 内閣告示・内閣訓令 ＞ 外来語の表記 ＞ 留意事項その2（細則的な事項）
> https://www.bunka.go.jp/kokugo_nihongo/sisaku/joho/joho/kijun/naikaku/gairai/honbun06.html

　とはいえ，この内閣告示は，慣用に応じて長音符号を省くことができる，とも定めている。

　長音符号の扱いに関する「慣用」として広く浸透している表記は，古いJIS規格の規定に沿ったものだろう。JIS規格 JISZ8301 は，令和元年に改定されるまで半世紀にわたって，「言葉が3音以上の場合には，語尾に長音符号を付けないが，言葉が2音以下の場合には，語尾に長音符号を付ける」と定めていた。なお，最新版の JISZ8301:2019 では，「外来語の表記は，主として"外来語の表記（平成3.6.28 内閣告示第2号）"による」と定めている。

　もし古い方のJIS規格に従うなら，「computer」は「コンピュータ」と書くことなる。これに倣った表記が長らく使用されてきたので，「慣用」として浸透している感は否めない。

　近年，内閣告示第2号に従って長音符号を付ける表記も増えているので，古いJIS規格に従った表記との混在が見られる状況にあると言える。

　それでは，国家試験であるネットワークスペシャリスト試験では，長音符号の扱いはどのようになっているのだろうか。

　例えば，「データセンター」を見てみると，令和4年以前は旧来のJIS規格に従い，長音符号を付けていない。一方，令和5年以降は内閣告示に従い，長音符号を付けている。

　つまり，令和5年を境に表記ルールが変更され，長音符号の扱いは内閣告示に従っていることが分かる。

　ただし，例外がある。実を言うと，「サーバ」，「ルータ」は，今もなお，長音符号を付けていないのだ（令和6年の執筆時点）。

　おそらく，IPA は，何らかの基準を定めて，「慣用」を認めているのだろう。推測の域を出ないが，「サーバ」,「ルータ」は巷でまだ慣用的に使われており，試験に頻出の用語なので変更の影響が大きいことから，旧来の表記を採用しているのだろう，と著者は考える。慣用の採否は，単純に字数だけで判断しているわけでない。なぜなら，これらと同様に短い単語である「ヘッダー」は，令和 5 年以降，長音符号を付けるように変化しているからだ。

　最後に著者の私見を述べると，長音符号の扱いに唯一の「正解」はないと考えている。原則として内閣告示に従うのがよいだろうが，「慣用」も認められており，厳密なルールではないからだ。それゆえ，慣用を認めつつ何らかの基準を設けて，「一貫性」を保つべきだろう。例えば，「同じ用語が繰り返し登場するときは，同じ基準で表記を統一する。ただし，引用を除く」といった具合だ。

第 5 章

設計

第 1 節は，設計について，試験でよく出題される「考え方」を整理している。ここでは，試験で目にするアーキテクチャ（構成や制御方式など）の基本的な例を幾つか取り上げている。

第 2 節は，近年よく出題される仮想化設計について解説する。

最後に，設計をテーマにした出題例を紹介する。

典型的なアーキテクチャの特徴や留意点を知っておくならば，試験で同じようなアーキテクチャが出題されたときに，その問題点や解決策に気付きやすくなる。

5.1 ・ 午後試験対策のアドバイス

　ここでは，午後試験の出題例を紹介し，ネットワークスペシャリストにふさわしい「考え方」を解説する。出題傾向を踏まえ，問題を解く際にどのように考えればよいのかを理解していただきたい。

● 出題のポイント

　試験では，要件定義は済んでおり，システム基盤に関するアーキテクチャ設計もおおよそ検討済みであることが多い。とはいえ，ネットワークが関わるアーキテクチャについては，一部が未検討であったり，複数の案を検討中であったりする。試験では，そのような状況を設定した上で，どのように設計すればよいのかを具体的に問うている。

　設計能力が問われる問題では，近年の傾向として，サーバやネットワークを仮想化して設計する例が増えている。

　また，この試験では，新技術が出題されることがある。その種の問題は，本文中に動作原理が詳しく説明されている。要素技術の知識があれば本文の内容を理解でき，新技術の知識がなくても問題を解けるように配慮されている。したがって，出題者が真に問いたいことは，「従来の要素技術の知識をしっかり理解しているかどうか」「要素技術の知識を応用して設計する能力があるかどうか」ということである。

　この点を踏まえ，本節では，問題を解くときに役立つ考え方を，アーキテクチャ設計，仮想化設計，新技術を用いた設計の3点に分けて整理した。

● 1. アーキテクチャ設計

　設計能力を問う出題では，要件定義はほとんど済んでいる。問われているのは，アーキテクチャ設計，又は，その次の段階である詳細設計だ。このうち，ここでは，アーキテクチャ設計を主に取り上げる。

　まず，「アーキテクチャ設計」とは何を意味するのかを明確にしてから，本論に入ることにしよう。本書で言う「アーキテクチャ設計」とは，平成24年午後Ⅱ問2に登場した「方式設計」と同義であるとしよう。すなわち，次のことを意味している。

　　・要件を実現するための，ネットワークの構成，制御方式などを明確にし，実装方法を
　　　決定すること

　参考までに，同問題の方式設計と詳細設計の説明を掲載しておいた。両者の違いに着目しつつ，方式設計の内容や範囲を理解していただきたい。

表：方式設計と詳細設計

段階	作業概要	設計書の記述項目
方式設計	要件を実現するための，ネットワークの構成，制御方式などを明確にし，実装方法を決定して方式設計書を作成する	構成，機能，経路制御方法，バックアップ方法，各種情報の設定規則など
詳細設計	方式設計で定義された情報を基に，ソフトウェア又は機器を稼働させるために必要な情報を詳述した詳細設計書を作成する	構成，設置，配線，設定情報，管理表，テストなど

アーキテクチャには，「ある要件に適合するが，別の要件には適合しない」というトレードオフが必ずと言ってよいほど存在している。様々なアーキテクチャを知り，その一般的な特徴（要件との適合性）を理解しておくことは，試験対策として効果的である。

なぜならば，アーキテクチャの特徴を踏まえて本文を分析することにより，そこに登場するシステム基盤の構成や制御方式について，理解しやすくなるからである。実際，試験でよく目にするのは，次のような出題である。

- 要件に適合させるために採用されたアーキテクチャが本文に登場する。ただし，トレードオフとして発生し得る欠点など，一部は未検討の状況である。そこに示されたアーキテクチャを踏まえ，複数の要素技術を組み合わせてどのように設計するかを出題している。
- 要件に適合し得るアーキテクチャの候補があり，要素技術を用いた実現方法を踏まえて検討する必要がある。その具体的な構成や制御方式について問われている。よくあるのは，複数の候補が示されており，それらを比較する出題だ。あるいは，このような状況設定で，新技術をその候補に挙げて出題することもある。

つまり，試験では，アーキテクチャ設計はある程度済んでいる状況を設定している。その上で，要素技術を用いた構成や制御方式について，具体的に考えさせるものが多い。

ごく基本的なアーキテクチャ（構成，制御方式等）について，主な特徴と出題例をまとめてみた。これを参考にしつつ，アーキテクチャについて勉強しておくとよい。

（A）集中型と分散型

実際のシステムでは，集中型と分散型の組合せや，機能分散型と負荷分散型の組合せなど，複雑な構成が採用されていることが多い。

例えば，Web系3層型システムにおいて，サーバ群を1か所の拠点に集約させた場合，拠点レベルでは集中型の構成になっている。とはいえ，同拠点の内部に着目するなら，ファンクション層を担うWeb/APサーバとデータ層を担うDBサーバに論理的に分かれているので，論理レベルでは機能分散型の構成になっている。さらに，ファンクション層を複数台のWeb/APサーバでスケールアウトする場合，同層は物理レベルでは負荷分散型の構成に

なっている。

- **機能要件との適合性**

  更新処理の要否という機能要件は，集中型／分散型の採否の判断基準となる。更新処理を行うところは，集中型，又は，機能分散型とする。行わないところは，負荷分散型とする（又は，特に何もしない）。

  更新処理の要否が判断基準となる理由は，データの整合性を保つ必要があるからだ。更新処理は，最終的にはどこか1か所で管理しなければならないので，負荷分散型を採用することができない。

- **性能要件との適合性**

  集中型は1か所で管理する必要があるため，ボトルネックになりやすい。さらに，更新処理における排他制御が応答遅延の要因になることもある。

  更新処理を行う場合は集中型又は機能分散型を採用するが，このときの性能向上策は，1か所の能力を増強させることである。これをスケールアップという。

  一方，更新処理を行わない場合は負荷分散型を採用する。このときの性能向上策は（まさしく負荷分散という名のとおりなのだが），複数のサーバに処理を振り分けたり，複数の経路にトラフィックを分けたりする方法がある。前者の方法をスケールアウトという。

  分散型を実現する様々な方法について，この後の「(C) 性能を向上するアーキテクチャ」で詳しく解説することにしよう。

- **運用性要件との適合性**

  1か所だけを集中管理する形態と，複数の箇所を分散管理する形態とを比較するなら，一般的に言って，集中管理の方が運用負荷の軽減を図ることができる。したがって，運用性を向上させるには集中型がよい。

- **出題例**

  出題頻度で集中型と分散型を比べると，分散型が多い。ここでは，集中型の出題例を紹介する。分散型は「(C) 性能を向上するアーキテクチャ」に掲載する。

表：集中型

構成	内容	出題例
集中型 機能分散型	・更新処理に起因する問題（クラスタリング構成のスプリットブレインシンドローム）	平成22年午後Ⅱ問1
	・集中している箇所が単一障害点になる	平成24年午後Ⅱ問1

(B) 信頼性向上を実現するアーキテクチャ

- ● **アクティブ／スタンバイ構成（切替え時に MAC アドレスが変化しないケース）**
- ・**仮想化技術**

  仮想化技術を用いると，仮想マシンは IP アドレスと MAC アドレスをもつ。仮想マシンの稼働先となる物理サーバを冗長化した場合，主系物理サーバの障害発生時に，仮想マシンの稼働先が待機系物理サーバに切り替わる。

  同一セグメント内にあるレイヤ 2 スイッチの MAC アドレステーブルには，仮想マシンの MAC アドレスと収容ポートとの対応付けがキャッシュされている。したがって，仮想マシンの切替えに伴って，スイッチと稼働先サーバとの物理的な位置関係が変化するので，このキャッシュを更新しなければならない。

  この点，ある実装では，切替え時に待機系物理サーバから，仮想マシンの MAC アドレスを送信元とする **RARP** フレームが送信され，ブロードキャストドメイン内の全てのスイッチは，仮想マシンの新たな稼働先となったサーバの位置を正しく学習する。

  詳しくは，第 5 章「5.2.2 仮想マシンの設計」「●仮想マシンの信頼性設計」を参照していただきたい。

- ・**VRRP**

  VRRP を用いて冗長化した場合，主系サーバは仮想 IP アドレスと仮想 MAC アドレスをもつ。主系サーバの障害発生時に，待機系サーバが仮想 IP アドレスと仮想 MAC アドレスを引き継ぐ。

  同一セグメント内にあるレイヤ 2 スイッチの MAC アドレステーブルには，仮想 MAC アドレスと収容ポートとの対応付けがキャッシュされている。したがって，サーバの切替えに伴って，スイッチとサーバとの物理的な位置関係が変化するので，このキャッシュを更新しなければならない。

  この点，VRRP は，仮想 MAC アドレスを送信元とする **Gratuitous ARP** フレームを切替え時にブロードキャストするので，ブロードキャストドメイン内の全てのスイッチは，仮想 MAC アドレスをもつサーバの位置を正しく学習する。さらに，仮想 MAC アドレスを送信元とする IP マルチキャストパケット（**VRRP 広告パケット**）が切替え先のサーバから定期的に配信しているので，これによってもスイッチは，仮想 MAC アドレスをもつサーバの位置を正しく学習する。

  詳しくは，第 6 章「6.2.2　ルータの冗長化」「● VRRP」を参照していただきたい。

- ● **アクティブ／スタンバイ構成（切替え時，MAC アドレスが変化するケース）**

  待機系サーバは主系の仮想 IP アドレスを引き継ぐが，主系サーバの MAC アドレス

を引き継がない冗長化方式もある。つまり，この方式は仮想 MAC アドレスをもたないわけだ。同一セグメント内にある IP ノードの ARP テーブルには，サーバの IP アドレスと MAC アドレスの対応付けがキャッシュされている。したがって，サーバの切替えに伴って，このキャッシュを更新しなければならない。

この点，本方式を採用する冗長化技術では，通常，切替え時に待機系サーバから，「仮想 IP アドレスを送信元プロトコルアドレス，自分の MAC アドレスを送信元ハードウェアアドレス」とする Gratuitous ARP フレームが送信され，ブロードキャストドメイン内の全てのクライアントは，ARP キャッシュを更新する。

詳しくは，第 3 章「3.4.2　特別な用途の ARP」「● Gratuitous ARP」を参照していただきたい。

● **アクティブ／アクティブの冗長構成**

この冗長構成には，デュアル型と呼ばれる方式，アクティブ／スタンバイ型を相互に組み合わせた方式などがある。

デュアル型とは，主系と待機系の双方で同じ処理を同時に実行し，両者で同期を取る方式である。常に同期されているため，切替え時間が極めて短いという特徴をもつ。アクティブ／スタンバイ型を相互に組み合わせた方式では，物理的構成をアクティブ／アクティブとし，論理的構成をアクティブ／スタンバイとする。論理的実体が二つあるとき，両者の主系をそれぞれ異なる物理的実体で稼働させることで，アクティブ／アクティブの冗長構成を実現する。

文章だけでは少々分かりづらいので，具体例を次の図に示す。

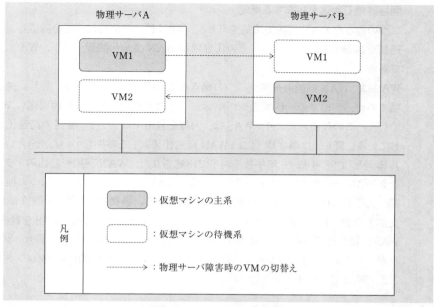

図：アクティブ／スタンバイ型を相互に組み合わせた方式の例

この図に示す仮想化構成において，物理サーバ A と物理サーバ B はどちらも稼働している。つまり，物理的構成ではアクティブ／アクティブである。

この図において，仮想マシン VM1 は，正常時は物理サーバ A を主系とし，物理サーバ B を待機系としている。仮想マシン VM2 は，それとは反対に，正常時は物理サーバ B を主系とし，物理サーバ A を待機系としている。つまり，論理的構成ではアクティブ／スタンバイである。

● **インライン型の構成**

インライン型とは，通信を中継する構成である。その代表例はファイアウォール（以下，FW）である。FW は外部ネットワークと内部ネットワークの境界に位置し，二つのネットワーク間の通信を中継する。

インライン型の機器は，中継動作の際に何らかの特定の処理を行う。例えば，インライン型 IPS（侵入防御システム）は不正な通信の検知を行う。

このようなインライン型の機器の中には，障害時に素通し状態になるものがある。この結果，当該機器が実施していた機能は提供できなくなるが，通信を継続することができる。この技術を使うと機器を二重化しなくても済むため，コストを安くできるというメリットがある。要件上，フォールバック運転が許されるならば，これを採用できる。

第5章

● 回線終端で通信を制御する構成

二つの拠点を WAN 回線で接続するとき，WAN 回線の終端に機器を設置し，拠点間通信を制御する機器がある。その代表例は WAN 高速化装置（以下，WAS という）である。

WAS は，WAN 回線の終端（二つの拠点のそれぞれ）に設置する。詳しい説明は省略するが，データの一括転送や圧縮転送などの特殊な通信を，回線両端の WAS 間で行う。この仕組みにより，WAS は，回線を経由するファイル転送の高速化を実現している。詳しくは第 2 章「2.2.3 WAN 高速化装置」を参照していただきたい。

具体例として，平成 26 年午後 I 問 1 で出題された，WAN 回線で経由のトラフィックを WAS で中継する例を示す取り上げる。このネットワークでは，二つの拠点（本部，支部 1）があり，広域イーサ網で接続している。各拠点に WAS を設置している。支部 1 の PC から本部のファイルサーバ（FS）にアクセスする際，WAS を経由する。WAS に接続しているルータはポリシーベースルーティングを実施しており，プロトコルがファイル共有プロトコルであり，IP アドレスブロックが業務系セグメントであるとき，WAS にルーティングしている。

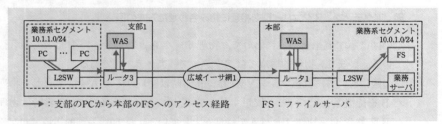

図：WAN 回線経由のトラフィックを WAS で中継する例

WAS のように，回線をはさんで二つの拠点に設置する機器は，対向側の機器と連携しながら動作するものがある。このような機器は，対向側を常時監視し，その故障を検知したら特殊な通信を停止し，素通し状態に切り替える機能をもたねばならない。

● 出題例

信頼性向上を実現するアーキテクチャのまとめとして，出題例を列挙しておこう。なお，アクティブ／スタンバイの出題例は毎年出題されているので，前述のトレードオフの出題例を紹介する。

表：信頼性向上を実現するアーキテクチャ

構成	内容	出題例
アクティブ／スタンバイ	・切替え時にレイヤ2スイッチのMACアドレステーブルを更新する	平成26年午後Ⅰ問2
	・切替え時にクライアントのARPテーブルを更新する	平成26年午後Ⅰ問2
アクティブ／アクティブ	・アクティブ／スタンバイ型を相互に組み合わせた方式を仮想FWで実施する	平成26年午後Ⅰ問2
インライン型	・障害時に素通し状態となり，通信を遮断しない機能が必要である	平成27年午後Ⅰ問3 平成23年午後Ⅰ問1
回線終端での通信制御	・WASは対向側の機器を常時監視する	平成26年午後Ⅰ問1

(C) 性能向上を実現するアーキテクチャ

● 分散構成

「(A) 集中型と分散型」で述べたが，集中型はボトルネックを生じさせるため応答性能が劣化する可能性がある。

端的な解決策は「分散」だが，分散を実施する箇所に基づいて分類すると，複数の方法が考えられる。

一つ目は，「サーバ」を分散する方式である。その代表例は，サーバが参照処理を行うときに用いられる負荷分散装置である。

二つ目は，サーバを分散配置することで，「サーバ」だけでなく「サーバにアクセスする経路」を含めて分散する方式である。その代表例は，CDN（Content Delivery Network）である。これは，クライアントが世界中に点在しているとき，宛先となるサーバを各所に分散配置する技術である。広域でコンテンツ配信する手段として，CDN事業者が提供するサービスを利用する方法だけでなく，コンテンツ配信者が自ら広域負荷分散ネットワークを構築する方法もある。近年では，自社の運用負担の少ないCDNの利用が増えている。

三つ目は，「クライアントからのアクセス」を分散する方式である。その代表例は，ローカルブレークアウトである。具体例を挙げて説明すると，本店と複数の支店からなる企業で，各支店は本社とWAN回線で接続しているケースを考えてみよう。全拠点（本店，支店）のPCが本店のプロキシサーバを経由する方針にすると，本社のプロキシサーバに負荷が集中してしまう。そこで，特定のトラフィック（例：契約先のSaaSのサーバ）だけ各支店から直接アクセスできるようにすることで，負荷を分散する。

四つ目は，クライアント拠点とサーバ拠点はそのままだが，「アプリケーショントラ

フィックが流れる経路」を分散する方式である。具体例を挙げて説明すると，二拠点を接続する WAN 回線を二重化し，複数のアプリケーションについて，それぞれのアプリケーションのトラフィックがどちらかの WAN 回線を通過するように経路を制御することで，全体として二つの WAN 回線にトラフィックを分散する。通常時はこのようにトラフィックを分散するが，一方の WAN 回線で障害が発生したら他方の WAN 回線にフェイルオーバすることで，経路の冗長化も実現できる。ただし，一つの WAN 回線に全トラフィックが流れると遅延が生じる可能性があるため，遅延を生じさせたくないアプリケーションのトラフィックに優先制御を実施するとよい。

- **キャッシュ構成**

システムには至るところでキャッシュ技術が用いられている。代表的な例を幾つか挙げるが，様々な機器で，多くのレイヤで存在している。

- スイッチの MAC アドレステーブル
- ホストの ARP テーブル
- ブラウザのコンテンツキャッシュ
- プロキシサーバのコンテンツキャッシュ
- DNS の問合せ結果のキャッシュ
- SSL セッション情報のキャッシュ（セッション確立には時間がかかるため，処理結果をキャッシュしておき，SSL セッションの再開時に活用する）

「(B)信頼性向上を実現するアーキテクチャ」のアクティブ／スタンバイでも触れたが，信頼性向上のためにフェールオーバしたとき，切替え前の状態がキャッシュに残っている可能性を考慮し，切替え時にキャッシュを更新する必要がある。

- **まとめて処理する方式**

1 回の処理にオーバヘッドが付随するとき，オーバヘッドの分だけ，実質上の性能は低下する。

例えば，データを転送する場合，1 個のパケットを送るたびに，ヘッダを付与し，フレームギャップを空けなければならない。したがって，データの実効転送速度を求めるときには，ヘッダやフレームギャップの分を差し引いて計算しなければならない。

このオーバヘッドを低減させるため，複数回分をまとめて 1 回の処理で済ませる技術がある。この結果，オーバヘッドは相対的に小さくなる。N 回分をまとめれば，オーバヘッドは 1/N になるわけだ。

例えば，無線 LAN の IEEE802.11n 規格には，複数個のフレームをまとめて 1 個のフレームにして転送する技術がある。この技術はフレームアグリゲーションと呼ばれる。

- ### 差分を転送する方式

2台の端末間で転送するデータが，その一部で重複しているとしよう。このとき，以前に送ったものとの差分だけを送ることで，データ転送量を減らし，スループットを向上させることができる。

通常，差分を転送する方式が検討されるのは，転送対象のデータが大容量であったり，端末間のネットワーク回線の帯域が狭かったりして，転送時間の短縮が求められている状況である。例えば，主系サイトから待機系サイトへのリモートバックアップなどが考えられる。

差分転送では，過去のデータを受信側でキャッシュしておき，送信側で差分を送る方法が採られる。受信側と送信側での連携が必須となるため，ネットワーク回線の両端に専用装置を設置する。

- ### 圧縮して転送する方式

2台の端末間でデータを転送するとき，送信側が圧縮してから転送し，受信側で伸張することで，転送時間を短縮することができる。ただし，圧縮と伸張の処理がオーバヘッドになることを留意しておく必要がある。

さらに，音声や画像などの圧縮アルゴリズムの中には，非可逆のものがある。その種のアルゴリズムを採用する際は，品質劣化がどの程度まで認められるかを考慮しなければならない。

興味深いことに，多くの圧縮アルゴリズムは，差分の考え方を応用したものである。言うなれば，送信側端末のプロセッサが差分を取っているわけだ。

- ### ハードウェアで処理する方式

暗号化など負荷の高い処理は，専用のハードウェアデバイスで処理させると高速化を実現できる。このように，機能やセキュリティの要件において，性能とのトレードオフが発生することがある。ハードウェア処理は，その解決策の一つとなる。

- ### 非同期で処理する方式

二つのノードがネットワークで接続しており，一方から他方に何らかの処理を依頼するとしよう。機能要件上，二つのノードの間で処理の同期を取らなければならないとする。このとき，依頼する側は，相手から結果が応答されるまで，待たされることになる。したがって，同期処理は，性能を低下させる要因となる。

例えば，電話をかける行為は，同期処理である。AさんがBさん宛てに電話をかけるとき，Bさんがその電話を取るまで，Aさんは呼出し中のまま待たされている。

これに対し，処理の同期を取らなくてもよいならば，依頼する側は，相手の応答を待たずとも，別の処理に移ることが可能となる。したがって，非同期処理は性能を向

第5章

上させる効果がある。

例えば，メールを送る行為は，非同期処理である。A さんが B さん宛てにメールを送ったら，すぐさま別のことができる。

非同期処理の代表例は，Ajax である。これは，JavaScript の非同期通信機能を利用することにより，画面遷移を伴わずに Web サーバからデータを取得し，画面の表示内容を動的に書き換える技術である。通常，Web アプリケーションでは，利用者がページ内のボタンやリンクをクリックして別のページに遷移しない限り，Web サーバから新たなデータを取得できない。ページ遷移の際，ブラウザと Web サーバは同期を取っているわけだ。一方，Ajax では，ブラウザ上で JavaScript が動作することによって，画面遷移を伴わずにデータの取得や表示の書換えを実現できる。その結果，通常の Web アプリケーションより応答性が向上する。

非同期処理の中には，信頼性とのトレードオフが発生する場合がある。

具体例として，平成 20 年午後 I 問 2 で出題された，リモートコピーを取り上げる。出題例の紹介を兼ねて，ここに掲載しよう（一部改変している）。

　　リモートコピーの方式には，同期式と非同期式がある。同期式コピーは，リモート側でのデータ更新を待ってサーバに更新完了報告を行う方式であり，非同期式コピーは，リモート側でのデータ更新完了に左右されずに更新完了報告を行う方式である。

　　同期式コピーの仕組みの例を示す。

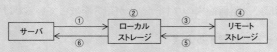

処理順序
①ローカルストレージへの書込み命令
②ローカルストレージでの書込み処理(T_1)
③リモートストレージへの書込み命令(T_2)
④リモートストレージでの書込み処理(T_1)
⑤リモートストレージからの書込み完了通知(T_3)
⑥ローカルストレージからの書込み完了通知

T_n：処理時間
注　②と③は同時に実行される。

図 1　同期式コピーの仕組みの例

　　図では，⑥の実行によってデータ更新が完了するので，障害発生直前のデータまで保証される。しかし，ネットワークでの遅延や送受信におけるエラーリカバリ処理などによって，サーバのスループットが低下する。ネットワークでの遅延は，機器や伝送媒体の性能にも左右されるが，光の速度（約 3×10^5km／秒）そのものが制約となり，距離に応じて発生するので，バックアップサイトとの距離を考慮する必要がある。

同期方式について，「障害発生直前のデータまで保証される」「スループットが低下する」と記述されている。したがって，同期処理はデータの信頼性確保とスループット低下がトレードオフになっている。

一方，非同期方式についてはどうだろうか。(設問の都合上，明記されていないが，)サーバが①を実行した後に，ローカルストレージは②と⑥を実行する。

したがって，二つの方式の処理時間を比較すると，

同期方式の処理時間　＝ ①＋③＋④＋⑤＋⑥

　　　　　　　　　　　（②と③④⑤は並行しているので，②を省略）

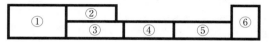

非同期方式の処理時間 ＝ ①＋②＋⑥

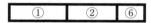

となる。②＝④は明らかなので，両者の差は③＋⑤に相当する。この計算から，非同期方式はこの分だけスループットが向上することが分かる。しかし，リモートコピーをしている最中にネットワーク障害が発生すると，リモートコピーに失敗してしまうため，ローカルストレージとリモートストレージの間で不一致が生じてしまうことになる。したがって，データの信頼性確保に難がある。

● 出題例

性能向上を実現するアーキテクチャのまとめとして，出題例を列挙しておこう。

表：性能向上を実現するアーキテクチャ

構成	内容	出題例
負荷分散	・負荷分散装置を用いて，アクセス先のサーバを振り分ける	平成30年午後Ⅱ問2 平成28年午後Ⅱ問1 平成27年午後Ⅰ問1 ※ほかにも多数ある
	・BGPのanycast方式を利用したCDN	令和6年午後Ⅰ問1
	・DNSの名前解決を利用したCDN	令和29年午後Ⅱ問1
	・DNSの名前解決を利用した広域負荷分散	平成24年午後Ⅰ問1
	・ローカルブレイクアウトを採用し，支社のクライアントからSaaSへのトラフィックのみ支社から直接アクセスする	令和6年午後Ⅰ問3 平成30年午後Ⅰ問1

（表は次ページに続く）

構成	内容	出題例
負荷分散	・WAN 回線を二重化し, アプリケーショントラフィックごとに通過する WAN 回線を別々にすることで, トラフィックを分散する	平成 26 年午後Ⅰ問 1
キャッシュ	・プロキシサーバは, if-Modified-Since を用いてサーバにアクセスすることで, 自分自身がキャッシュしているコンテンツより更新日時が新しいときだけ, サーバから取得する	平成 27 年午後Ⅱ問 2
	・切替え時にレイヤ 2 スイッチの MAC アドレステーブルを更新する	平成 26 年午後Ⅰ問 2
	・切替え時にクライアントの ARP テーブルを更新する	平成 26 年午後Ⅰ問 2
	・オープンリゾルバの設定にするなら, DNS のキャッシュが改ざんされる危険がある	平成 26 年午後Ⅰ問 3
	・SSL セッションの情報をキャッシュして SSL セッションを再開することにより, SSL セッション確立の負荷を軽減する	平成 25 年午後Ⅰ問 1
	・PMK キャッシュにより認証動作を省き, 無線端末のローミング時間を短縮する	平成 29 年午後Ⅱ問 2 平成 25 年午後Ⅱ問 1
	・サーバのフェイルオーバや移行において, DNS サーバの A レコードを切替後のサーバの IP アドレスに更新したとしても, クライアント端末に DNS のキャッシュが残っていると, クライアント端末は切替前のサーバの IP アドレスにアクセスしてしまう。これを回避するため, キャッシュの有効期間 (TTL) を短く設定する	令和 5 年午後Ⅱ問 1 令和 4 年午後Ⅱ問 2
まとめて処理	・WAN 高速化装置で一括転送することにより, ファイル転送の時間を大幅に短縮する	平成 26 年午後Ⅰ問 1
	・IEEE802.11n フレームアグリゲーション	平成 24 年午後Ⅰ問 3
差分転送 圧縮転送	・物理サーバ上の仮想 PC からシンクライアントへの画面情報を転送する際に, 差分や圧縮が用いられている	平成 22 年午後Ⅰ問 2
	・重複除外バックアップ	平成 22 年午後Ⅱ問 1
ハードウェア	・セキュリティのアプライアンス製品, スイッチの ASIC, NIC の ToE 処理	今後出題される可能性がある
非同期	・リモートコピーにおける, 同期方式と非同期方式との比較	今後出題される可能性がある

● 2. 仮想化設計

　仮想化技術が浸透している動向を踏まえ, 仮想化設計の問題が多数出題されている。サーバ仮想化技術だけでなく, ネットワーク仮想化技術も出題されており, 令和 4 年ではコン

テナ仮想化技術が出題された。

　仮想化の基礎的な知識について，詳しくは本章の「5.2　仮想化設計」を参照していただきたい。

　これまでの出題例は次のとおりである。

表：仮想化技術

仮想化技術	主な内容	出題例
サーバ仮想化	・VRRP を用いた，仮想サーバの冗長化構成（物理サーバを2台用意しておき，マスタの仮想サーバとバックアップの仮想サーバを別々の物理サーバに配置）	令和4年午後Ⅱ問2
コンテナ仮想化	・負荷分散装置を用いて，PC からコンテナへアクセスを負荷分散するネットワークの設計 ・コンテナサーバ内部の仮想ネットワーク（コンテナが稼働するネットワーク）は，コンテナサーバ外部の物理ネットワークとは別の IP アドレスブロックを割り当てる。外部から内部の通信はポートフォワード機能，内部から外部の通信は NAPT 機能を用いてアドレス変換し，仮想ネットワークの IP アドレスを外部で使用しない	令和4年午後Ⅱ問2
サーバ仮想化	・複数の物理サーバを用意しておき，物理サーバ間を仮想サーバがライブマイグレーションしたりフェイルオーバしたりする場合，各仮想サーバが所属する VLAN 全てを，物理サーバの VLAN として設定（タグ VLAN）	平成30年午後Ⅱ問2
ネットワーク仮想化	・仮想 FW 機能をもつ FW，クラスタグループ機能をもつ LB を用い，マルチテナント方式の IaaS 基盤の構築	平成30年午後Ⅱ問2
仮想デスクトップ基盤（仮想PC）	・シンクライアント（以下，TC という）に移行する際のネットワーク設計変更，TC と仮想 PC 間の通信帯域の確保 ・仮想 PC のマルウェア感染時の対応	平成29年午後Ⅰ問2
ネットワーク仮想化	・SDN（Software-Defined Networking）の OpenFlow 方式を題材に，その考え方や特徴の理解，従来技術（TCP コネクション確立のフロー，タグ VLAN）との組合せ	平成29年午後Ⅱ問1
ネットワーク仮想化（ネットワーク共用）	・マルチキャスト通信と VXLAN を用いたオーバレイネットワーク	平成27年午後Ⅱ問2
ネットワーク仮想化	・仮想 FW の導入検討，FW の負荷分散	平成26年午後Ⅰ問2
ネットワーク仮想化	・ネットワーク機能を仮想サーバ上に構築する過程で発生する課題とその解決	平成26年午後Ⅱ問2
ネットワーク仮想化（ネットワーク共用）	・VRF（Virtual Router Forwarding），IEEE802.1Q トンネリング	平成25年午後Ⅰ問3
ネットワーク仮想化（ネットワーク共用）	・SDN（Software-Defined Networking）の OpenFlow 方式を題材に，その考え方や特徴の理解，従来技術（ARP，IEEE802.1X）との組合せ	平成25年午後Ⅱ問2

（表は次ページに続く）

仮想化技術	主な内容	出題例
仮想デスクトップ基盤（仮想PC）	・TCに移行する際のネットワークの調査，TCと仮想PC間の通信	平成22年午後I問2
サーバ仮想化	・サーバの冗長化や負荷分散方式の設計技術，仮想化システム監視	平成22年午後II問1
サーバ仮想化	・仮想化機構のもつネットワーク機能，仮想サーバと外部ネットワークの接続方式，仮想サーバシステム全体の可用性確保	平成22年午後II問2

- **コンテナ仮想化技術**

  コンテナ仮想化技術は，ゲストOSを必要とせずCPUやメモリなどの負荷が小さいことや，アプリケーションプログラムの起動時間が短いことなど，従来のハイパーバイザ型仮想化技術よりも優れた特長をもっている。

  そのため，コンテナ仮想技術はますます浸透してゆくに違いないだろうし，試験でも引き続き出題される可能性がある。

  試験問題を解くのに製品固有の詳細な知識は不要であるが，技術を理解しやすくするため，具体的な製品の機能や仕様を確認してみるとよいだろう。

  例を挙げると，個々のコンテナを稼働する機能を装備したDockerが広く用いられている。これは，コンテナ仮想化技術の基礎をなすソフトウェアだ。さらに，複数のコンテナを協調動作させる機能を装備したKubenetesも，大規模なシステムでよく用いられている。午後II試験でしばしば出題される大規模なシステム構成を実際に構築するとしたら，両方の製品を組み合わせることで実施できるはずだ。

  試験対策のためにこうした製品を調べるときは，コンテナ仮想化技術の全体像を把握することを目標にするとよいだろう。たとえば，「従来技術（ハイパーバイザ仮想化技術）の問題点は何であり，それに比べてどのような点が優れているのか」，「逆に，限界や制約など留意すべきことは何か」，「どのような特徴があり，どのような要件に適しているのか」，「典型的な使用例やネットワーク構成は何か」，「どのような仕組みで動作しているのか」，等を整理することを目標にして，効率よく勉強することをお勧めしたい。

●3. 新技術を用いた設計

　「新技術」と銘打っているが，何を基準に「新しさ」を判断しているのだろうか。この点を明確にしてから，本論に入ることにしよう。

　本書では，出題趣旨と採点講評の中で，「新技術」「最近の技術」「独自技術」及びそれに類する表現でコメントされているものを，「新技術」として扱うことにする。そのような「新

技術」の問題は，本文の中で動作原理が詳しく説明されており，要素技術の知識があれば問題を解けるように作成されている。本書は，読者にそのような過去問題を紹介し，試験対策の参考にしていただきたいと考えている。それゆえ，出題趣旨と採点講評で「新技術」であるとうたわれていることを判断基準とする。

例えば，WAN高速化装置は，平成20年午後I問3と平成26年午後I問1に登場している。平成20年午後Iでは「WAN高速化という新技術」と採点講評に記されているが，平成26年午後Iにそのような記述はない。その点を踏まえ，本書では，平成20年午後I問3の方を，新技術を出題したものとして扱う。実際，二つの問題を見比べると，WAN高速化装置の扱い方が異なっていることが分かる。前者が動作原理をより詳しく説明しており，本文の内容から推論できるような設問が用意されている。

さて，前述の基準に則った「新技術」の問題について，出題趣旨や採点講評の中でどのようにコメントしているかをピックアップしてみよう。出題者が何を意図しているのかが読み取れるからである。そこから，試験対策に求められることも見えてくる。

平成26年午後II問2　採点講評

新しい技術を用いたネットワークで発生する問題の解決にも，基本的な動作原理の理解が必要になることもあるので，基本的理解に基づく応用力を高めることを心掛けてほしい。

平成25年午後II問2　採点講評

新しいネットワーク仮想化技術を使った社内クラウドシステムの構築について出題した。
出題に当たって，本文中のOF方式はOpenFlow方式をベースとしたが，新技術の考え方の理解力を問うことにし，新技術そのものに関する前提知識は極力必要のないよう配慮した。
……日頃から，技術の動向やその特徴に関心をもつ習慣を身につけておいてほしい。

平成24年午後II問2　出題趣旨

本問では，成熟したネットワーク冗長化技術の一つであるSTP（Spanning Tree Protocol）と，今後，普及が予測される新技術のIPv6を題材に，これらの活用例を例示して，記述された内容を理解する能力，解決策を導く技術の習熟度及び対応力を問う。

したがって，新技術を題材とした問題は，「応用問題」として作成されていることが分かる。
ここで試されているのは，「従来の要素技術の知識をしっかり理解しているかどうか」「その知識を応用して設計する能力があるかどうか」ということだ。

ネットワーク技術者には，まさにこのような応用力が求められている。その点についてもコメントされているのでピックアップしてみる。

平成24年午後II問2　出題趣旨

ネットワーク技術者が活用する技術には，成熟した技術と今後普及が予測される新技術とがある。ネットワーク技術者には，必要に応じてこれらの技術を取捨選択し適切に活用して，要件に適合した最適なネットワークシステムを企画，設計及び構築する能力が求められる。

これら一連のコメントから,情報処理推進機構（以下,IPA という）が想定するネットワークスペシャリスト像が浮かび上がってくる。求められているのは,基礎技術の知識を正確に理解していること,そして,その知識を具体的な要件や状況に適応させることである。このようにコメントしている以上,今後とも,新技術を題材とした問題が出てくると考えなければならない。

試験勉強の計画の中に,この種の問題を解く時間を取り分けておこう。同じ内容の設問が次回の試験で出題されないとしても,「従来からある要素技術をベースに作られた応用問題」というアプローチは変わらないので,よく練習しておこう。

表：新技術

新技術	主な内容	出題例
VXLAN, EVPN	VXLAN 及び EVPN を用いたオーバレイネットワークの構築	令和 6 年午後Ⅱ問 1
コンテナ仮想化	・コンテナサーバ内部の仮想ネットワーク（コンテナが稼働するネットワーク）は,コンテナサーバ外部の物理ネットワークとは別の IP アドレスブロックを割り当てる。外部から内部の通信はポートフォワード機能,内部から外部の通信は NAPT 機能を用いてアドレス変換し,仮想ネットワークの IP アドレスを外部で使用しない	令和 4 年午後Ⅱ問 2

（表は次ページに続く）

新技術	主な内容	出題例
IoT	・メッセージ通信プロトコル MQTT（Message Queueing Telemetry Transport）を使った，デバイスの管理	平成 30 年午後Ⅱ問 1
	・メッセージ通信プロトコル UDP で動作可能な，HTTP に似たプロトコルである CoAP（Constrained Application Protocol）を使った，ターンアラウンドタイムの向上 ・デバイスの稼働監視の通信シーケンスにおいて，デバイスの電源断を考慮	平成 27 年午後Ⅱ問 1
SDN	・機器設定の集中管理のために SDN を導入	平成 30 年午後Ⅰ問 1
ネットワーク仮想化（SDN）	・SDN（Software-Defined Networking）の OpenFlow 方式を題材に，その考え方や特徴の理解，従来技術との組合せ	平成 30 年午後Ⅱ問 2 平成 29 年午後Ⅱ問 1 平成 25 年午後Ⅱ問 2
クラウドサービスの CDN（Content Delivery Network）	・CDN で用いられている DNS 名前解決の仕組み	平成 29 年午後Ⅱ問 1
WebRTC, WebSocket, STUN	・WebRTC, WebSocket, STUN を用いた，双方向の P2P 通信を行うシステム	平成 28 年午後Ⅱ問 1
NAT444, VXLAN	・NAT444 を用いたグローバル IP アドレス枯渇対策 ・マルチキャスト通信と VXLAN を用いたオーバレイネットワークの構築	平成 27 年午後Ⅱ問 2
DHCP スヌーピング	・独自技術の導入作業時に起こった障害と調査，DHCP のメッセージ交換等	平成 25 年午後Ⅰ問 2
ネットワーク仮想化（ネットワーク共用）	・VRF（Virtual Router Forwarding），IEEE802.1Q トンネリング	平成 25 年午後Ⅰ問 3
モバイル IP	・モバイル IP の仕組みや動作の理解，従来技術（ARP）との組合せ	平成 25 年午後Ⅱ問 1
LAN と SAN の統合，仮想化技術との連携	・新しいレイヤ 2 技術（拡張イーサネット，TRILL）の仕組みや動作の理解，従来のイーサネット技術の課題を解決（ロスレス，複数経路の有効利用等）	平成 24 年午後Ⅱ問 1
IPv6	・IPv6 を題材に，活用例を例示して，記述された内容を理解する能力，解決策を導く技術の習熟度及び対応力	平成 24 年午後Ⅱ問 2
LAN と SAN の統合	・FCoE 対応スイッチの動作	平成 23 年午後Ⅱ問 1

第 5 章

この表には，出題趣旨と採点講評の中で，「新技術」「最近の技術」「独自技術」及びそれに類する表現でコメントされているものを列挙している。

ここに挙げていないものでも，設計の応用問題が出題されていることがある。例えば，前述の仮想化設計のところで紹介した過去問題は，本文中に詳しい解説が掲載されていることが多いので，応用問題としてとらえることができる。併せて参考にしていただきたい。

新技術の勉強方法

お勧めの勉強方法は，これまで得た知識を土台にして，徐々にステップアップしながら新しい知識を習得することである。

1. 要素技術
まずは，従来技術の土台を固めるため，要素技術を正確に理解することが大切である。

2. 従来技術の設計事例
次の段階は，従来技術を組み合わせた，典型的な設計の事例を学ぶことである。この段階における学習目的は，「要素技術が，現実の設計でどのように活用されているのか」「特定の要件を実現するために，どのように要素技術を組み合わせているのか」を知ることである。

いきなり新技術に手を出す前に，世の中でよく使われている設計の事例をじっくり学習することをお勧めする。そのような情報は，ネットワーク設計を扱った専門書，雑誌やネットの記事などに豊富に存在しているので，労力をかけずとも入手できるはずだ。過去問題に登場するネットワーク構成の例も，学習材料として活用できる。

試験対策の観点から言うと，この2番目の段階を学習しておけば，設計の応用問題にも十分対応できると著者は考える。試験では，新技術そのものに関する前提知識は極力必要がないように配慮されているからだ。従来技術の基本がしっかり身に付いていれば，新技術を題材とした問題が出されても，本文の内容を理解できるはずである。

3. 新技術の設計事例
もし余力があれば，3番目にできることは，新技術についての情報を入手することである。ねらいを定めるなら，近年よく出題されている仮想化，今後さらに重要性を増してくるIoT（Internet of Things）やクラウドサービス，IPAが重要視しているセキュリティなどがよいだろう。

新技術を学習するに当たって，大事なことが一つある。それは，「従来の技術にはどのような問題があり，それをどのように解決するために新しい技術が登場しているか」という全体像をまずはしっかり頭に入れることだ。「必要は発明の母」なのだから。従来技術に比べてどのような点が優れているかを調べることはもちろんだが，逆に，限界や制約など留意すべきことは何かについても調べておこう。

その新技術は何かの要件に適合する解決策として登場しているはずなので，要件と解決策（新技術）とのセットで理解することをお勧めする。つまり，どのような特徴があり，その特徴を活かすことでどのような要件に適合するのか，という点を理解しておきたい。

実際，試験では，従来抱えていた問題を解決するという状況設定のもとで，新技術を登場させることが多い。要件と解決策を知っておくことで，本文のストーリーを追いかけやすくなる。読者特典 PDF「午後問題の解答テクニック」の「0.3.6　問題を解く②:応用テクニック」で述べた，「4. 出題の意図を汲み取れないときは，出題分野の重要トピックを思い巡らしてみる」のアプローチも活用しやすくなる。

通常，新技術は，従来技術と融合し併存しながら徐々に普及していく。それゆえ，その解決策の典型例となるネットワーク構成は，従来の要素技術との組合せになっているはずだ。したがって，その点に着目しながら学習するとよい。2 段階目に挙げた，「従来技術を複数組み合わせた，典型的な設計の事例」のベースがあれば，新技術へのステップアップも図りやすくなるはずだ。

実際，試験では，従来技術と新技術が融合した事例が多い。学習したものと似たネットワーク構成が出題されるかもしれない。

試験では，動作原理を問うことがしばしばある。そこで，注目に値する新技術についても，どのような仕組みで動作しているのかを勉強しておくとよいだろう。そのためには，新技術の分野で普及している具体的な製品を例にして勉強するとよいだろう。

ただし，試験で新技術の動作原理を問うとき，問題本文にヒントは必ず用意されているので，製品の詳細な知識まで深入りしなくてよい。

製品の技術を調べるときは，これまで述べたような，技術の全体像を把握することを第一の目標に据えた上で，その具体例として知識を取り入れるようにするとよいだろう。

第5章

243

5.2 ・ 仮想化設計

　システム基盤の構築において，サーバやネットワーク機器の機能をソフトウェアで実現する仮想化技術が，急速に浸透している。この動向を受けて，仮想化設計は，よく出題されるテーマとなっている。ここでは，仮想化機構の構成，信頼性や性能などを考慮した仮想化設計，及び，仮想化したときの物理設計について解説する。

5.2.1　仮想化機構の構成

　仮想化とは，コンピュータの上に仮想的な実行環境を構築し，CPU，メモリ，NIC などの物理的な構成や容量を抽象化する技術である。

　仮想化を行う仕組み（仮想化機構）を動作させるコンピュータを物理サーバなどと呼ぶ。一方，物理サーバ上で動作する OS 実行環境を仮想マシンなどと呼ぶ。仮想マシンの構成情報は，物理的には単なるファイルである。

　仮想化機構の構成は，ホスト OS 型とハイパーバイザ型の二つに大別される。

　ホスト OS 型は，物理サーバのハードウェアの上層で OS が動作し，その上層に仮想化レイヤが存在する方式である。物理サーバの OS をホスト OS と呼び，仮想マシンの OS をゲスト OS と呼ぶ。ホスト OS 型の仮想化レイヤには仮想化機構を実現するソフトウェアが動作している。これは，ホスト OS から見ると単なるアプリケーションに過ぎない。仮想マシンがハードウェアにアクセスするには，仮想化レイヤとホスト OS を経由する必要がある。

　一方，ハイパーバイザ型は，ハードウェアの上層に仮想化レイヤが存在する方式である。ハイパーバイザ型の仮想化レイヤには，仮想化機構の実現に特化したカーネルが動作している。これは通常の OS よりもコンパクトに造られているため，仮想マシンがハードウェアにアクセスする際のオーバヘッドがホスト OS 型より小さい。

　近年では，ネットワーク機器の機能をソフトウェアで提供する技術が注目を集めている。

詳説

処理内容にもよるが，仮想化を行わないときの性能と比較して CPU 演算処理が数パーセントしか低下しないと言われている

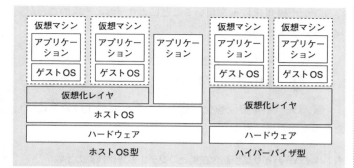

図：仮想化機構の構成

●コンテナ仮想化技術

　サーバ仮想化技術では，従来のハイパーバイザ型仮想化技術だけでなく，近年ではコンテナ仮想化技術が普及し始めている。

　コンテナ仮想化技術が注目される背景には，アプリケーションをクラウド環境等で提供する際，「アプリケーションの実行環境を，迅速に，確実に構築したい」というニーズがある。バグ修正や機能拡張に伴い，本番環境のテストを行ったり，機能拡張後のサービスを正式に提供したりするため，アプリケーションはクラウド環境に何度もデプロイされる。すでにサービスが提供されている状況下では，こうしたデプロイに伴うサービス中断時間をできるだけ短くして再開し，かつ，それ以降も安定したサービスを提供し続けることが求められる。

　アプリケーションは多くのライブラリファイルを使用しており，依存関係を正しく設定しなければアプリケーションが動作しないため，アプリケーションの実行環境を用意することは簡単ではない。

　一見すると，そのような実行環境を用意するには，ハイパーバイザ型の仮想サーバを用意すればよいと思えるかもしれない。しかし，仮想サーバのイメージファイルはしばしば巨大になり，数GBに達することもあるため，テストのたびにクラウド環境に頻繁にデプロイするには不向きである。

　デプロイするたびに，ファイル群を一つのイメージとしてパッケージングしたいわけだが，ハイパーバイザ型仮想サーバよりも軽量なものがほしいわけだ。その解決策となるのが，コンテナ仮想化技術である。

コンテナ仮想化技術について，令和4年午後Ⅱ問2で出題された

詳説

アプリケーション開発には，ソースファイルの構成管理に加え，ライブラリファイルの依存関係の管理が必要となる。ある特定のプログラミング言語に着目すれば，大抵，依存関係の管理を効率的に行うためのツールが用意されている。例えば，Javaにはmavenやgradleが，Node.jsにはnpmがある。しかし，複数のプログラミング言語を包含し，さらにはOSのライブラリまでも包含した管理を行うことは，なかなか難しい

コンテナ仮想化技術を用いることにより，およそ次のことが実現できるようになる。

1. 仮想サーバのように独立した環境を作成すること
2. 軽量で手軽に作成すること

ハイパーバイザ型仮想化技術とコンテナ仮想化技術を比較したものを次の表に示す。

表：ハイパーバイザ型仮想化技術とコンテナ仮想化技術の比較

		ハイパーバイザ型仮想化技術	コンテナ仮想化技術
環境の独立性		完全に独立している （物理サーバと同等）	完全に独立していない （OSカーネル，ドライバは コンテナ間で共通）
軽量性	リソースの消費	多い	少ない
	起動時間	数分	数秒
	イメージのサイズ	大きい	小さい

この表には，独立性については「完全に独立していない」と書かれている。詳しくは後述するが，コンテナ仮想化技術は，その仕組上，環境構築は若干の制約をもつ。一方で，軽量性については，コンテナ仮想化技術の方が優れている。

●コンテナ仮想化技術の仕組み

以下の説明では，コンテナ仮想化技術の製品でデファクトスタンダードになっている，Dockerを念頭に置いて説明する。

コンテナ仮想化技術は，独立した環境である「コンテナ」を構築するため，Linuxのコンテナ技術（LXC：Linux Container）を利用している。

LXCにより，自コンテナから他コンテナの中身を見ることはできず，コンテナは互いに独立している。コンテナごとにCPUやNIC等のリソースが隔離されているように見えており，コンテナごとにルートディレクトリが存在しているように見えている。

コンテナは互いに独立しているが，実を言うと，コンテナごとにゲストOSが用意されているわけではない。ホストOSのカーネルは，全コンテナで共通である。LXCの仕組みを利用することで，コンテナごとにOSライブラリを独自にもつことができる。このため，「ホストOSはUbuntuであるが，コンテナはCentOSである」という実行環境を提供することができる。

詳説

特定のディレクトリをルートディレクトリとして認識させる方法として，chrootがある。これはプロセスが認識するルートディレクトリを制御しているだけである。LXCは，コンテナごとにルートディレクトリをもたせるだけでなく，リソースの隔離など様々な機能ももっているので，chrootより強力である

　ゲストOSを必要としないため，リソースの無駄が少なくなり，コンテナの起動に要する時間を短くすることができる。

　コンテナのライフサイクル（生成，実行，停止，削除など）は，コンテナエンジンによって管理されている。

　コンテナごとに独自の実行環境（ライブラリファイルなど）を構築した上で，アプリケーションをコンテナ上で実行する。コンテナは互いに独立しているので，ライブラリファイルのバージョンの衝突が生じない。

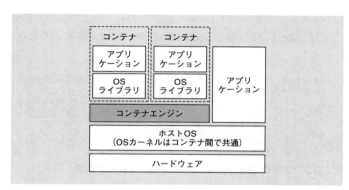

図：コンテナ仮想化技術の構成

　コンテナがゲストOSをもたないという点は，従来のホストOS型仮想化技術ともハイパーバイザ型仮想化技術とも異なっている。

　前述した「表：ハイパーバイザ型仮想化技術とコンテナ仮想化技術の比較」の中で，コンテナ仮想化技術の軽量性について，リソースの消費が「少ない」，起動時間が「数秒」と書いたのは，この理由による。

　一方，コンテナ間でホストOSのカーネルは共通であるため，デバイスドライバも共通になる。

　前述した「表：ハイパーバイザ型仮想化技術とコンテナ仮想化技術の比較」の中で，コンテナ仮想化技術の独立性について，「完全に独立していない」と書いたのは，この理由による。

　この点を考慮に入れると，コンテナ仮想化技術は完全な意味で独立した実行環境を用意できないため，ハイパーバイザ型仮想化技術に比べて見劣りすると言える。

第5章

詳説

デバイスドライバの構成やバージョンの指定が必要とされる例として、GPUを使用した機械学習用のマシン等を挙げることができる。
とはいえ、クラウドで展開するアプリケーションで機械学習をリアルタイムに実行したければ、クラウド事業者が提供するその種のサービスを利用すればよいだろう

もっとも、クラウド上でサービスを提供するアプリケーションの多くは、デバイスドライバのバージョンまで気にかけることはあまりないため、それらがコンテナ間で共通であっても実用上は問題視されないだろう。

●コンテナ仮想化技術のイメージファイルのレイヤ構成

コンテナ仮想化技術の軽量性は、コンテナのイメージファイルの構造にも大きく依存している。

イメージファイルは複数のレイヤで構成され、上位レイヤは下位レイヤの差分を格納する。少々わかりづらいので、具体例を使って解説しよう。次の図は、Dockerのイメージファイルの例である。

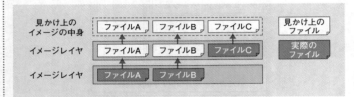

図：コンテナ仮想化技術のイメージファイルのレイヤ構成

この図では、あるイメージが、見かけ上、ファイルA、B、Cをもっている。

このイメージのファイルの中には二つのレイヤが存在しているが、実際には上位レイヤだけを内部にもっており、下位レイヤは他のイメージファイルを参照しているとする。図が示すとおり、上位レイヤがファイルCをもち、下位レイヤがファイルA、Bをもつとき、このイメージファイルの内部に保存されているのは上位レイヤのもの、つまり、ファイルCだけとなる。

この例から分かるように、コンテナのイメージファイルはレイヤをもち、レイヤは複数のイメージ間で共有されている。

これに対し、ハイパーバイザ型仮想サーバのイメージファイルは、たとえイメージファイル間に共通部分があっても、必要なものを全て格納する。仮想サーバは、OSをはじめ何から何まで独立しているかのように振る舞うからだ。それゆえ、仮想サーバのイメージファイルは肥大化する傾向がある。

前述した「表：ハイパーバイザ型仮想化技術とコンテナ仮想化

技術の比較」の中で，コンテナ仮想化技術の軽量性について，イメージのサイズが「小さい」と書いたのは，この理由による。

●コンテナとイメージの関係

コンテナは，イメージから生成されるものであり，実際に OS 上で稼働しているものを指す。一方，イメージは，コンテナ生成のテンプレートとなるファイルである。Docker では，イメージを自動生成する方法を定義したファイル（Dockerfile）を作成できる。

同じ 1 個のイメージから，複数のコンテナを生成できる。このとき，それらコンテナの起動時，内部に存在するファイルは，どれも同じになる。もちろん，コンテナごとに環境が独立しているので，起動後にそれぞれの中身は変化してゆくはずだ。

コンテナの生成元となるイメージのレイヤは，ReadOnly である。コンテナが生成されると，書込み可能なレイヤが最上位に作られる。コンテナに何かを書き込んだのち，その最上位レイヤを含んだ，新たなイメージとして保存することができる。

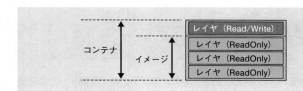

図：コンテナとイメージの関係

コンテナの起動時に，ホストマシンの特定のディレクトリ領域をコンテナがマウントするように指定できる。この機能をボリュームという。

マウントされた領域内のディレクトリやファイルは，コンテナからアクセスできる。つまり，コンテナ内のアプリケーションからそこに直接読み書きができる。

したがって，ボリュームを用いることには次のような利点が考えられる。

1. コンテナが，巨大なファイルや大量のファイルを使用したい場合，それらをボリュームの領域に配置すればよい。それらをイメージに保存しておく必要がないため，イメージ

第5章

ファイルのサイズを軽量に保つことができる。

2. 複数コンテナ間で，ホストマシンの同一領域をボリューム
に指定すれば，それら複数コンテナ間でデータを容易に共
有できる。

●外部ネットワークとの通信

コンテナを起動する際，コンテナが外部と通信するための IP
アドレスとポート番号を設定することができる。

ホストマシンは，ポートフォワーディング機能を用いて，外部
からコンテナ宛ての通信を転送する。

次の図は，コンテナの起動時に，ホストマシンの 8080 番ポー
トをコンテナの 80 番ポートとマッピングした例である。この例で
は，IP アドレスはホストマシンと同一のものを用いるものとする。

ホストマシンは，宛先ポート番号が 8080 番の通信を受信すると，
宛先ポート番号を 80 番に変換した上で，これをコンテナに転送
する。

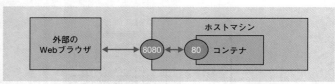

**図：ホストマシンの 8080 番ポートを，コンテナの 80 番ポートとマッ
ピングした例**

試験に出る

コンテナ仮想化技術のポート
フォワーディング機能について，
令和4年午後Ⅱ問2で出題さ
れた

●コンテナ仮想化技術の使用例

コンテナの一般的な使い方は，一つのアプリケーションを実行
することである。コンテナは互いに独立した実行環境を提供する
ことができ，しかも軽量なので，アプリケーションごとにコンテ
ナをどんどん構築してもよいわけだ。

コンテナをアプリケーションごとに構築することは，昨今普及
しているマイクロサービスアーキテクチャと呼ばれるシステム形
態と親和性がある。

マイクロサービスアーキテクチャとは，サービス全体をより小
さなサービス（マイクロサービス）に機能分割した上で，マイク
ロサービスが相互に協調動作するように構成したアーキテクチャ
のことである。

　コンテナの中で一つのマイクロサービスを起動することで，マイクロサービスアーキテクチャのシステム構成を容易に実現できる。一つのマイクロサービスでバグ修正や機能拡張が発生したとき，該当するコンテナだけを迅速に確実に交換すれば，他に影響を与えなくて済む。

　DB サーバのようにデータを永続的に保存するサーバは，コンテナ内部では起動せず，外部のサーバを利用するのが一般的である。クラウド環境であれば，クラウド事業者が提供する PaaS のマネージドサーバを利用すればよいだろう。

　コンテナの数が増えるに従い，複数のホストマシンで複数のコンテナを起動させるなど，その構成が徐々に複雑になってくる。それらコンテナ全体を容易に管理することをオーケストレーションという。

　オーケストレーションの技術を用いることで，コンテナ間のクラスタリング，負荷分散を行うことができる。例えば，マイクロサービスアーキテクチャを採用した場合，特定のマイクロサービス（同一イメージから生成されたコンテナ群）を対象に，スケールアウトなどの性能向上対策を実施することができる。

　さらに，同技術を用いることで，ローリングアップデートを容易に行うことができる。

　ローリングアップデートとは，簡単に言うと，複数のコンテナをクラウド環境にアップデートする場合，何回かに分けてデプロイする手法である。コンテナ間の負荷分散技術と併用することで，どこかのコンテナがサービスを提供している間，別のコンテナをアップデートするように計画できるので，システム全体としてサービスを停止させる必要がなくなる。

第5章

5.2.2　仮想マシンの設計

ネットワークの論理的な構成を設計した後，論理構成上の1台のサーバを1台の仮想マシンと考えて，仮想的な構成を設計する。このとき，信頼性対策などを盛り込む。

● 仮想マシンの信頼性設計

● 冗長化の方式

仮想化機構は，物理サーバがダウンしたとき，別の物理サーバ上へ仮想マシンをフェールオーバさせる機能を提供している。それには主に二つの方式がある。

どちらの方式においても物理サーバを冗長化し，ハートビートパケットの交換による障害検知を実施する。説明を分かりやすくするために，プライマリサーバとセカンダリサーバの2台の物理サーバが稼働しているものとする。

一つ目は，プライマリサーバに障害が発生したとき，セカンダリサーバで仮想マシンを再起動する方式（以下，アクティブ／スタンバイ方式という）である。

この方式では，2台の物理サーバ間でストレージを共有する構成とし，ストレージに仮想マシンの構成情報（プログラムやデータなどを含む）を格納しておく。プライマリサーバの障害時，セカンダリサーバで仮想マシンを再起動する。その際，ストレージにある構成情報を読み出す仕組みになっている。そのため，障害が発生しない限りセカンダリサーバの負荷はほとんどないが，切替時間が数分程度かかる。

二つ目は，2台の物理サーバ上で同じ仮想マシンを並行動作させる方式（以下，デュアル方式という）である。この方式では，2台の物理サーバ間を専用ネットワークで結ぶ構成とし，プライマリ側からセカンダリ側へ動作情報を常時転送して同期を取る。プライマリサーバの障害時，セカンダリサーバ上の仮想マシンが，ただちに処理を引き継ぐことができる。そのため，セカンダリ側の物理サーバには常に負荷がかかっているが，切替え時間がほぼゼロである。

試験に出る

仮想マシンの信頼性設計について，平成22年午後Ⅱ問2で出題された。そこでは，ここで解説している「アクティブ／スタンバイ方式」が登場する

表：仮想化機構の冗長化方式

	アクティブ／スタンバイ方式	デュアル方式
概要	プライマリサーバに障害が発生したとき，セカンダリサーバで仮想マシンを再起動する	2台の物理サーバ上で同じ仮想マシンを並行動作させる
障害検知	ハートビートパケットの交換	ハートビートパケットの交換
構成	2台の物理サーバ間でストレージを共有し，ストレージに仮想マシンのイメージファイルを格納しておく	2台の物理サーバ間を専用ネットワークで結び，プライマリサーバからセカンダリサーバに動作情報を常時転送して同期を取る
切替え時間	数分間	ほとんどゼロ
セカンダリサーバの負荷	ほとんどなし	プライマリサーバと同じ負荷がかかっている

● 仮想マシンの移動

　前述したフェールオーバ，又は後述するライブマイグレーションにより，仮想マシンが別の物理サーバに移動して稼働するとき，仮想マシンは **RARP** フレームを送信して，同一サブネットワークに存在する L2 スイッチの MAC アドレステーブルを更新する。

　この動作を次ページの図で示す。

　仮想マシン VM1 は物理サーバ 1 の上で稼働しているとする。

　このとき，同一サブネットワークに存在する L2 スイッチは，VM1 が送信するデータフレームに基づき，MAC アドレステーブルに VM1 が存在するポートを登録する。例えば，L2 スイッチ 1 は，VM1 が送信するデータフレームをポート 1 で受け取る。その結果，ポート 1 の先に VM1 が存在すると学習する。L2 スイッチ 2 は，VM1 が送信するデータフレームをポート 2 で受け取る。その結果，ポート 2 の先に VM1 が存在すると学習する。

詳説

仮想化機構の冗長化方式の説明は，VMware社の製品VMware vSphereを参考にしている。同製品は，アクティブ／スタンバイ方式を「High Availability」，デュアル方式を「Fault Tolerance」と呼んでいる

詳説

表「仮想化機構の冗長化方式」では，「アクティブ／スタンバイ方式」のセカンダリサーバの負荷は「ほとんどなし」と記している。これは，説明を分かりやすくするため，プライマリサーバでのみアプリケーションが稼働しているものとしている。
実際の運用では，2台の物理サーバSV1，SV2を稼働させておき，仮想マシンAのプライマリサーバをSV1，セカンダリサーバをSV2に指定し，別の仮想マシンBのプライマリサーバをSV2，セカンダリサーバをSV1に指定することができる。このように，物理的にはアクティブ／アクティブ構成，仮想的にはアクティブ／スタンバイ構成にすることで，正常時は2台の物理サーバで負荷分散することができ，システム全体の性能向上とリソースの有効活用を実現することができる

詳説

RARPについて，詳しくは第3章「3.4.2 特別な用途のARP」の「●RARP」を参照していただきたい

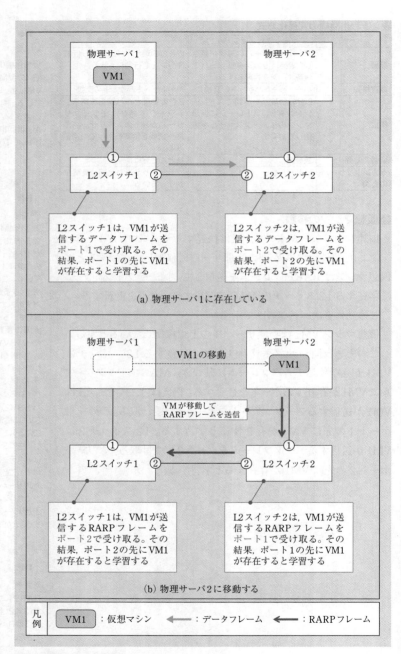

図：仮想マシンの移動

この様子を示したのが，図「仮想マシンの移動」の（a）である。

この状態で，VM1 が物理サーバ2上で稼働するように切り替わったとしよう。つまり，VM1 が物理サーバ2に移動したわけだ。

このとき，L2 スイッチと VM1 との物理的な位置関係が変化する。したがって，L2 スイッチの MAC アドレステーブルを，移動後の位置関係に合わせて更新する必要がある。そのため，物理サーバ2に移動した直後，VM1 は RARP フレームを送信する。

この RARP フレームは，宛先 MAC アドレスがブロードキャストアドレスであり，送信元 MAC アドレスが VM1 の MAC アドレスである。

RARP フレームはブロードキャストされるので，同一サブネット内の全ての L2 スイッチがこれを受信する。そして，全ての L2 スイッチは，これを受信したポートと送信元 MAC アドレス（VM1 の MAC アドレス）との対応付けを MAC アドレステーブルに登録する。このようにして，移動後の位置関係に合わせて MAC アドレステーブルが正しく更新される。

例えば，L2 スイッチ2は，VM1 が送信するデータフレームをポート1で受け取る。その結果，ポート1の先に VM1 が存在すると学習する。L2 スイッチ1は，VM1 が送信するデータフレームをポート2で受け取る。その結果，ポート2の先に VM1 が存在すると学習する。この様子を示したのが，図「仮想マシンの移動」の（b）である。

詳説

RARP フレームを送信する理由は，L2 スイッチの MAC アドレスを更新する以外に，副作用がないためである。L2 スイッチの MAC アドレスを更新する目的を果たすには，宛先 MAC アドレスがブロードキャストアドレスであり，送信元 MAC アドレスが VM1 の MAC アドレスであればよい。必ずしも RARP フレームである必要はないわけだ。
RARP サーバを除き，RARP フレームを受信したノードはこれを破棄する。今日のネットワークに RARP サーバを設置することはないので，副作用がないフレームと言える

● 仮想マシンの性能設計

●ライブマイグレーション

仮想化機構のライブマイグレーションにより，物理サーバの負荷に偏りが生じたとき，別の物理サーバに移動することができる。ライブマイグレーション実行時のダウンタイムはほぼゼロである。

例えば，次の図はライブマイグレーションの実行例である。2台の物理サーバを稼働させておき，物理サーバ2の負荷が高くなったとき，ライブマイグレーションにより，仮想マシン2が物理サーバ2から物理サーバ1に移動することで，負荷が均一化される。

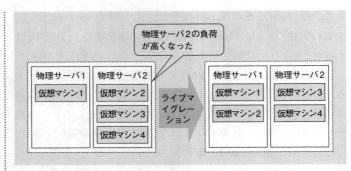

図:ライブマイグレーションの実行例

　ライブマイグレーションを実行する物理サーバ間でディスクを共有し,仮想マシンの構成情報ファイル(以下,イメージという)を格納しておく。さらに,ライブマイグレーション専用のネットワークを構築し,他のトラフィックの影響を受けないようにしておく。

　今,仮想マシンAが物理サーバ1上で稼働しており,これを物理サーバ2上に移動させるとする。このとき,次の手順でライブマイグレーションを実行する。

1. 物理サーバ2の仮想化機構において,仮想マシンAと同じイメージをもつ仮想マシンBを立ち上げておく。
2. 仮想マシンAのメモリ内容のスナップショットを取得し,仮想マシンBに転送する。このデータは,ライブマイグレーション専用のネットワークを経由する。
3. 仮想マシンBにおいて,仮想マシンAのメモリの内容と構成情報を引き継ぐ準備が完了した時点で,仮想マシンA上で稼働しているアプリケーションプログラムを停止する。
4. 前記2のスナップショットを取得した時点からメモリ内容が変化しているので,その差分を仮想マシンBに転送する。
5. 物理サーバ1の仮想化機構において,仮想マシンAを停止する。
6. 仮想マシンBが共有ストレージ上の仮想マシンAの領域を引き継ぎ,仮想マシンAとしての動作を開始する。
7. 仮想マシンB(今や仮想マシンAとなったもの)は,RARPフレームを送信して,同一サブネットに存在する全てのL2スイッチのMACアドレステーブルを更新する。

●余裕をもったキャパシティ設定

仮想化機構がもつ冗長化機能によって物理サーバが切り替わったとき、性能が劣化しないように余裕を見込んでサイジングしておく必要がある。例えば、次の図は正常時に3台の物理サーバを稼働させ、それぞれ50%〜60%のリソースを使用している。このとき、1台の物理サーバがダウンしても残り2台で75%〜90%のリソースを使用できるため、リソースが足りなくなることはない。

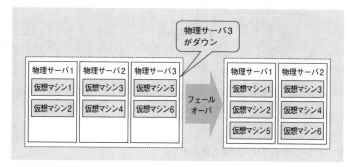

図：障害発生時にも性能劣化させない

●仮想マシンの運用管理

仮想化機構を管理するためのソフトウェアが、ベンダから提供されている。物理サーバとは別のコンピュータにインストールして管理用サーバとし、複数の物理サーバ上にある仮想化機構を一括管理する。

仮想マシンも通常のサーバと同様、ネットワーク監視の対象とする。管理サーバから監視してもよいし、既設のSNMPマネージャなどから他のサーバと同様に監視してもよい。このとき、どの仮想マシンがどの物理サーバ上で稼働しているかを対応付けて監視しておくとよい。

仮想化に伴い、ネットワーク管理者とサーバ管理者との間で、運用管理の分担が曖昧になりやすくなる。仮想構成又は物理構成のどちらを基準にサーバとネットワークとの境界を定めるのか、明確にしておく必要がある。

試験に出る

（コンテナ仮想化技術を対象とするものであったが、）物理サーバの障害であるか、その上で稼働するコンテナの障害であるのかを切り分けるために、ping監視（物理サーバの障害検知）、TCP接続監視及びURL接続監視（コンテナの障害検知）を実施することについて、令和4年午後Ⅱ問2で出題された

第5章

●シンクライアント導入に伴う PC の仮想化

　運用管理の省力化やセキュリティの強化を図るため，記録蓄積機能のないシンクライアント（以下，TC という）を導入することがある。物理サーバ上で仮想 PC を動作させ，TC のキーボードやマウスの操作情報を仮想 PC に転送し，仮想 PC の画面情報を TC に転送することによって，シンクライアント環境を構築することができる。

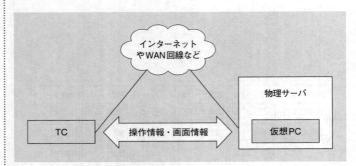

図：シンクライアント環境の構築例

試験に出る

仮想 PC と TC 間の画面転送に用いられている圧縮や差分転送の技術について，平成 22 年午後 I 問 2 で出題された

　仮想 PC と TC 間の通信において，画面転送時の伝送情報量を削減する技術が用いられている。具体的には，データ圧縮や差分転送により伝送情報量を削減している。差分転送とは，端末側が画像をキャッシュし，サーバ側が描画に伴って変化した部分の画像（差分）だけを転送する仕組みである。さらに，ベンダ独自のプログレッシブ表示技術により，一度に転送するデータを一定量に抑えつつ，人間の目には違和感なく画面を表示できる機能を備えた製品もある。

5.2.3　物理サーバとネットワークの設計

　仮想的な構成を設計した後，それを物理的な構成に当てはめていく。物理サーバの故障や性能劣化は，その上で稼働している全ての仮想マシンの動作に影響を及ぼす。したがって，物理サーバ，及び，外部ネットワークとの接続部分について，信頼性設計と性能設計が重要となる。

● 物理サーバの信頼性設計

・専用ネットワーク

ライブマイグレーションの実行時に遅延が発生しないようにするため，専用のネットワークを設ける。

物理サーバを冗長化してハートビートパケットを交換する場合，スプリットブレインシンドロームに陥らないように，障害検知の方法を複数設ける（スプリットブレインシンドロームについては，第6章「6.2.3　サーバの冗長化」を参照）。

さらに，2台の物理サーバ上で同じ仮想マシンを並行動作させる方式（傍注を参照）を採る場合，プライマリサーバからセカンダリサーバに動作情報を常時転送して同期を取っているため，物理サーバ間を専用ネットワークで結ぶ。

・NIC

NICが単一障害ポイントにならないようにするため，NICチーミングやリンクアグリゲーションで冗長化しておく。物理サーバにNICチーミングを設定する場合，フェールオーバ時の通信が確実に行えるようにしておく（具体的な設計方法は，第6章「6.2.4　NICの冗長化」を参照）。

さらに，NICがボトルネックにならないようにするため，リンクアグリゲーションで負荷分散する。データトラフィックが流れるネットワークは，ギガビットイーサネットを採用する。また，TCP/IPオフロード機能をもつNICを採用してもよいだろう。

● 共有ストレージ

2台の物理サーバ間でストレージを共有する場合，ストレージ専用のネットワークを設ける。NICの性能向上対策を実施するとともに，物理サーバの内部バスにPCI Expressを採用する。

● 管理用ネットワーク

管理用ネットワーク（物理サーバと管理用サーバ間の接続）は重要であるため，データトラフィックが流れるネットワークから切り離し，影響を受けないようにする。

さらに，管理用ネットワークや管理用サーバを冗長化するとよい。

詳説

「2台の物理サーバ上で同じ仮想マシンを並行動作させる方式」については，「5.2.2　仮想マシンの設計」の「仮想マシンの信頼性設計」に掲載した表「仮想化機構の冗長化方式」のデュアル方式を参照

用語解説

TCP/IP オフロード機能
TCP/IP の処理を NIC 側で実行する機能

試験に出る

管理用ネットワークの可用性対策について，平成22年午後II問2で出題された

第 **6** 章

信頼性

第1節は，信頼性について，試験でよく出題される「考え方」を整理している。

第2節は，試験でよく出題されるテーマに絞り，冗長化に関する要素技術を幾つか取り上げる。

最後に，信頼性をテーマにした出題例を紹介する。

午後試験では，複数の要素技術を組み合わせた応用問題が出題される傾向がある。とはいえ，基礎知識があれば本文の記述を理解できるように配慮されているので，基礎となる要素技術をしっかり学習しておく必要がある。

6.1 ・ 午後試験対策のアドバイス

　ここでは，午後試験の出題例を紹介し，ネットワークスペシャリストにふさわしい「考え方」を解説する。出題傾向を踏まえ，問題を解く際にどのように考えればよいのかを理解していただきたい。

● 出題のポイント

　試験では，信頼性を問う場合，システム基盤の信頼性要件は既に抽出済みであり，信頼性設計もほぼ検討済みである。

　信頼性に関する出題は，本文中の設計に登場する要素技術の知識，当該技術を使用した信頼性対策の仕組み（設定内容，切替え方法，迂回経路），復旧手順など，具体的なものが多い。

　本節では，問題を解くときに役立つ考え方を，システムの耐障害性対策，データの耐障害性対策，障害復旧の3点に分けて整理した。なお，システムの稼働監視は，第9章「9.1.4 運用」の「3. 運用系の技術」で解説する。

● 1.　システムの耐障害性対策

　システムの耐障害性対策に関しては，クラスタリング，VRRP，NIC チーミング，リンクアグリゲーション，スタック接続等の信頼性技術を用いた冗長化設計がしばしば出題されている。

　システムの耐障害性対策の仕組みを問うものは数多くある。そこで，試験対策として重要なものに絞り，比較的難易度が高く，かつ，今後とも出題される可能性の高いトピックを扱った出題例を幾つか挙げる。

表：システムの耐障害性対策

対策	着眼点	出題例
リンク，スイッチの冗長化	・BFD を用いて迅速に障害を検知する	令和6年午後I問2
	・動的／静的リンクアグリゲーションの相違 ・複数の物理リンクへのフレームの振分け	令和元年午後I問1
	・異なるスイッチ間でリンクアグリゲーションによるリンクの集約化を実施するため，それらスイッチをスタック接続する ・スタック接続したスイッチは1台の論理スイッチとなる	令和5年午後I問3 令和3年午後II問1 平成30年午後II問2 平成25年午後I問3 平成25年午後II問1 平成22年午後II問2

（表は次ページに続く）

対策	着眼点			出題例
リンク,スイッチの冗長化	・L3 スイッチのスタック接続構成			令和 3 年午後Ⅱ問 1 平成 25 年午後Ⅰ問 3
VRRP による ルータ等の冗長化	・VRRP トリガ (VRRP トラッキング) における優先度の設定方法			令和 4 年午後Ⅱ問 1 平成 23 年午後Ⅱ問 2
	動作原理	・VRRP アドバタイズメントがマスタの死活監視になる		令和 4 年午後Ⅱ問 1 平成 30 年午後Ⅰ問 2
		・切替え時に MAC アドレステーブルを更新するため, Gratuitous ARP を用いる		令和元年午後Ⅰ問 1
		・優先度の最も高いものがマスタルータになる		平成 25 年午後Ⅱ問 1 平成 23 年午後Ⅱ問 2
		・VRRP アドバタイズメントに優先度が格納されている		平成 23 年午後Ⅱ問 2
	・2 台のルータに VRRP グループを二つ設定し, マスタルータを別々に指定することでトラフィック分散と冗長化を実現			平成 28 年午後Ⅰ問 3 平成 26 年午後Ⅰ問 1
FW の冗長化	・ステートフルフェールオーバ			平成 30 年午後Ⅱ問 2 平成 26 年午後Ⅰ問 2
	・2 台の負荷分散装置 (透過モード) の間に FW を挟む			平成 27 年午後Ⅰ問 2
経路の冗長化	・OSPF, BGP を用いた冗長化設計			※多数ある。「3.1 午後試験対策のアドバイス」,「● 7. ルーティング」を参照
	VRRP との連携	・WAN 側は OSPF のイコールコストマルチパス機能を用い, LAN 側は VRRP トラッキング機能を用いて, トラフィック分散と経路冗長化を実現する		令和 4 年午後Ⅱ問 1
		・WAN 側は OSPF を用い, LAN 側は VRRP (複数の VRRP グループを設定) を用いることにより, ネットワークを冗長化し, かつ, トラフィックの種類ごとに正常時の経路を別々にする		平成 26 年午後Ⅰ問 1
	・マルチホーミングを用いて ISP 経由のインターネット接続 (インバウンドとアウトバウンド) をどのように冗長化するか			平成 28 年午後Ⅱ問 1
トラフィック分散や負荷分散による冗長化	・DNS ラウンドロビンを用いて, アクセス先のサーバを振り分ける			令和 4 年午後Ⅰ問 3 令和元年午後Ⅱ問 2 平成 28 年午後Ⅰ問 3 平成 28 年午後Ⅱ問 2 ※他にも多数ある
	・負荷分散装置を用いて, アクセス先のサーバを振り分ける			平成 30 年午後Ⅱ問 2 平成 28 年午後Ⅱ問 1 平成 27 年午後Ⅰ問 1 ※他にも多数ある

（表は**次ページに続く**）

第**6**章

対策	着眼点	出題例
トラフィック分散や負荷分散による冗長化	・DSR (Direct Server Return) を用いた冗長化構成	平成27年午後Ⅰ問1 平成21年午後Ⅰ問3
	・BGPのanycast方式を利用したCDN	令和6年午後Ⅰ問1
	・DNSの名前解決を利用したCDN	平成29年午後Ⅱ問1
	・サーバを複数の拠点に分散配置し，広域負荷分散装置を導入（DNSの名前解決を利用することでアクセス先のサーバを振り分ける）	平成24年午後Ⅰ問1
バックアップ拠点	・クラウドサービス事業者の国内拠点に設置された自社向けIaaS環境について，災害発生を想定し，バックアップ環境の設置を検討する	平成29年午後Ⅱ問1

　システムの耐障害性対策については，ソリューションに用いられている要素技術の特徴を踏まえた，設計上の留意点もよく問われている。その留意を怠るなら，意図したとおりに動作しなかったり，データが失われたりする可能性がある。出題例を幾つか挙げるので，これらを参考にして整理しておきたい。

表：設計上の留意点

対策	留意点	出題例
障害発生個所	・ノード障害だけでなく，リンク障害も考慮に入れて設計する	令和4年午後Ⅱ問1 平成26年午後Ⅰ問1 平成22年午後Ⅱ問2
主系，待機系の両方を監視	・切替は暫定復旧にすぎない。主系と待機系の両方を監視することで，フェールオーバ時に冗長性が失われたことを迅速に検知し，本格復旧に着手する	平成29年午後Ⅰ問3
DNSラウンドロビンによるサーバ冗長化対策	・故障したサーバにも振り分けられてしまう	平成24年午後Ⅰ問1
更新処理を行うサーバのフェールオーバ	・フェールオーバ時に仕掛中であったデータの整合性を確認する必要がある	今後出題される可能性がある
クラスタリングによるサーバの冗長化対策	・複数の方法で死活監視を行わないと，スプリットブレインシンドロームに陥る	平成22年午後Ⅱ問1
インライン型デバイスの故障対策	・故障時に素通し状態となり，通信を遮断しない機能が必要である	平成27年午後Ⅰ問3 平成23年午後Ⅰ問1
複数のダイナミックルーティングプロトコルを用いた経路の冗長化対策	・一方（BGP）が生成した動的経路を，他方（OSPF）の経路情報としてエントリさせるため，再配布を行う（BGP → OSPF）。この経路情報を生成元に戻すような再配布を行うと（OSPF → BGP），経路のループが発生する可能性がある	平成29年午後Ⅰ問3
NICチーミングによるリンクの冗長化対策	・NICに接続されたリンクのダウンしか検出できない	平成22年午後Ⅱ問2
STPによる経路の冗長化対策	・STPによる経路の切替えが収束するまでは，通信できない	平成30年午後Ⅰ問2 平成21年午後Ⅰ問1

（表は次ページに続く）

対策	留意点	出題例
キャッシュに切替え前の情報が残っている	・切替え時にレイヤ2スイッチのMACアドレステーブルを更新する	平成26年午後I問2
	・切替え時にクライアントのARPテーブルを更新する	平成26年午後I問2
	・サーバのフェイルオーバや移行において，DNSサーバのAレコードを切替後のサーバのIPアドレスに更新したとしても，クライアント端末にDNSのキャッシュが残っていると，クライアント端末は切替前のサーバのIPアドレスにアクセスしてしまう。これを回避するため，キャッシュの有効期間（TTL）を短く設定する	令和5年午後II問1 令和4年午後II問2

● 2. データの耐障害性対策

データの耐障害性対策に関しては，広域災害を想定したシステムにおいて，**RPO**（Recovery Point Objective，復旧時点目標）の要求をどのようなソリューションで実現するかについて問われる。出題例を挙げる。

表：RPOの要求とソリューション

RPOの要求	ソリューション	出題例
24時間等	・RPOの要求を満たすには，RPOの時間内に，バックアップ拠点へのデータバックアップが完了している必要がある	平成23年午後I問2

● 3. 障害復旧

障害復旧は，暫定的な復旧（ハードウェア故障など想定内の障害発生時に，待機系に自動的に切り替わること）と，本格的な復旧（主系が修復されたので，正常な状態に戻すこと）に大別できる。

暫定的な復旧については，待機系に切り替わる仕組みがしばしば問われている。それらは前述の「1. システムの耐障害性対策」にまとめているので，参考にしていただきたい。

本格的な復旧については，運用上の留意点が問われている。出題例を挙げる。

表：本格復旧が行われる状況と運用上の留意点

本格復旧が行われる状況	運用上の留意点	出題例
ファイアウォールを冗長化した構成における本格復旧	・手動で戻す場合，システムの利用を一時制限して切り戻しを行う	平成22年午後I問3

第**6**章

6.2 ・ 冗長化構成

高信頼性が求められるネットワークでは，冗長化構成が不可欠となる。対象となるネットワークにおいて，どの部分の冗長化を図るかについては十分な検討が必要となる。ここでは，リンク，ルータ，サーバ，NIC，インターネット接続回線，経路について，それぞれ冗長化を行うための要素技術やポイントなどを解説する。

6.2.1　リンクの冗長化

LACP
Link Aggregation Control
Protocol。リンクアグリゲーションを正常に動作させるために必要な情報（ポートに割り当てられたID値，スイッチの状態など）を，スイッチ間で定期的に交換するプロトコル。交換の頻度は通常1秒（高速レート）である

リンクアグリゲーションについてはよく出題されている。令和元年午後Ⅰ問1では，リンクアグリゲーションの動的／静的の相違について，物理リンクへのフレームの振り分けについて出題された。他にも，平成30年午後Ⅱ問2，平成27年午後Ⅱ問1，平成25年午後Ⅰ問3，平成25年午後Ⅱ問1，平成22年午後Ⅱ問2で出題された

　ここでは，リンクとスイッチを冗長化する技術である，リンクアグリゲーションとスパニングツリーについて解説する。

●リンクアグリゲーション

　スイッチ間のリンクを複数本集約して，論理的な1本のリンクを構成し，冗長化とトラフィック分散を実現する仕組みをリンクアグリゲーション（Link Aggregation）という。これは，IEEE802.1ax（旧 IEEE802.3ad）で標準化されている。

　集約されている物理リンクのいずれかで障害が発生しても，残りの物理リンクで集約が持続されるので，信頼性を向上させることができる。最大8本の物理リンクを集約することができる。

　リンクアグリゲーショングループ（1本の論理リンクとして束ねられた複数本の物理リンクのグループ）内の全ての物理ポートは，同一の転送速度で，全二重である必要がある。また，物理ポートを複数のグループに所属させることはできない。

　リンクアグリゲーションには，動的なものと静的なものの2種類がある。

　動的なものは，LACPを用いて対向スイッチとの疎通を定期的に確認し，LACPフレームが届かなくなったら障害が発生したと判断する。故障した物理リンクを，リンクアグリゲーションの集約グループから自動的に除外し，通信を維持する。

　一方，静的なものはLACPを用いず，物理的にリンクダウンしたときだけ障害が発生したと判断する。故障した物理リンクをグ

ループから除外して通信を維持するところは同じである。

　それでは，リンクダウンを伴わない障害が発生したときはどうなるだろうか？　このとき，動的な方は障害を検知できるが，静的な方はそれができない。それゆえ，動的な方が障害に強いことが分かる。

　リンクダウンを伴わない障害の例として，2台のスイッチ（SW1, SW2）が，メディアコンバータ（MC）を介して接続している例を取り上げる。SW間の物理リンクは2本あり，静的リンクアグリゲーションを用いて集約しているとしよう。

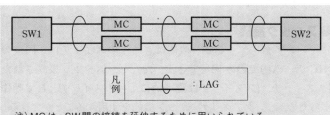

注）MCは，SW間の接続を延伸するために用いられている。

図：2台のSWがMCを介して接続

　もしも，SW1と対向側MC間の物理リンク1本が断線したら，その物理リンクを通る経路では，フレーム転送ができない。

　しかし，SW2はリンクダウンしないため断線を検知できず，通信できない物理リンクを依然として集約したままにしている。この結果，通信障害が発生してしまう。

　したがって，このようなネットワーク構成においては，動的リンクアグリゲーション（LACP）を使用する必要がある。

●物理リンクへのフレームの振分け

　フレームは，宛先MACアドレス，送信元MACアドレス，宛先IPアドレス，送信元IPアドレスといったアドレス情報に基づいて，複数の物理リンクに振り分けられて転送される。これらの振分け方式は転送方向ごとに選択することができる。

　例えば，クライアントからサーバへは送信元MACアドレスに基づいて振り分け，サーバからクライアントへは宛先MACアドレスに基づいて振り分けると効果的である。あるいは、シンプル

（次ページに続く）

に「送信元／宛先MACアドレスの組」に基づいて振り分けても同じ効果が得られる。

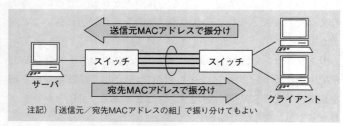

図：リンクアグリゲーションの構成例

●スタック接続

リンクアグリゲーション機能は，同一のスイッチ内，同一のNICチーム内でのみ使用できる。ただし，スタック接続されたL2スイッチ，L3スイッチは論理的に1台のスイッチとして動作するため，リンクアグリゲーション機能を使用することができる。

リンクアグリゲーションを設定したスイッチの対向側には，サーバを接続することができる。このとき，サーバに2枚のNICを挿しておき，2枚のNICにおいてアクティブ／アクティブ構成のチーミングを設定しておく。このNICチーミングはリンクアグリゲーションと同等の技術なので，接続が可能となる。なお，スタック接続されたL3スイッチでリンクアグリゲーションが働くのは，同一のVLAN内に限定される。

例として，アクティブ／アクティブのNICチーミングを設定したサーバと，スタック接続されたスイッチとの間を2本の物理リンクで結び，それら物理リンクをリンクアグリゲーションで束ねた構成を次に示す。

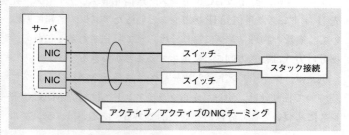

図：サーバとスイッチ間をリンクアグリゲーションで接続する例

　スタック接続で接続する機器は，通常，同一のベンダー，同一の機種であることが求められる。OS等のソフトウェアのバージョンまで統一することが求められる場合，ソフトウェアをアップグレードする際，2台同時に行わなければならないので，2台とも停止することになる。

●STP

　STP（Spanning Tree Protocol）は，スイッチ間の経路を冗長化するために用いられる。経路の冗長化，すなわち迂回経路の存在は，トポロジの観点からするとループを構成することになる。

　ブロードキャストドメインがループ状のネットワークで構成されていると，ブロードキャストフレームがループ内を巡回し続け，ブロードキャストストームと呼ばれる輻輳状態を起こしてしまう。それを防ぐために，スイッチ間の経路が冗長化されたネットワークでは，STPを用いる。

　STPは，特定のスイッチの特定のポートを論理的にブロックし，あるスイッチから別のスイッチに至る経路が一通りしか存在しないようにする機能をもつ。つまり，STPを用いることで，物理的にはループ状のトポロジになっているが，論理的にはそうならないようにすることができる。ひとたび障害が発生すると，障害発生個所を迂回するようにブロックが解除され，別の経路が使用されるようになる。

　この機能を実現するため，スイッチ間で定期的に情報を交換し，ループ発生の検出や障害発生時の経路の切替えを行っている。このプロトコルがSTPであり，やり取りされるフレームをBPDU（BridgeProtocol Data Unit）という。STPは，IEEE802.1Dで標準化されている。

　なお，STPに関する詳しい解説を付録PDF「6.2.7 スイッチの冗長化」に掲載しているので，参照していただきたい。

は，付録PDFの過去問題解説を参照していただきたい

詳説

ブリッジは宛先MACアドレスを見て転送するが，ブロードキャストフレームの場合はフラッディング（全ポートに転送）する。よって，ループ状のネットワークでは，ブロードキャストフレームが破棄されることなく転送し続けることになる

第6章

6.2.2　ルータの冗長化

　ここでは，ルータを冗長化する技術である，VRRPについて解説する。より正確に言うと，VRRPは，サーバやクライアントの

デフォルトゲートウェイとなるルータを冗長化する技術である，と言うことができる。

VRRP には IPv4 用と IPv6 用がそれぞれ標準化されているが，これまで試験で出題された IPv4 の方を解説する。

● VRRP

VRRP（Virtual Router Redundancy Protocol）は，ルータを冗長化させるためのプロトコルである。VRRP を利用すれば，同一サブネット内に存在する複数台のルータをグループ化し，仮想的な 1 台のルータのように見せかけることができる。これを仮想ルータ（Virtual Router）と呼ぶ。

仮想ルータを構成する各物理ルータは次のパラメタを共有し，互いに連携して動作する。

- VRID
  仮想ルータを識別する ID であり「1 ～ 255」の値をもつ。
- 仮想 IP アドレス
  仮想ルータの IP アドレス。
- 仮想 MAC アドレス
  仮想 IP アドレスへの ARP 要求に対して返答される MAC アドレス。VRID から導出され，その値は「00-00-5E-00-01-{VRID}」である。

また，仮想ルータを構成する各物理ルータは，次のパラメタを個別に有している（つまり，ルータごとに値が異なっている）。

- 優先度
  コンフィグレーションで設定可能な値は「1 ～ 254」であり，デフォルトは「100」である。値が大きいほど優先度が高い。仮想 IP アドレスと物理インタフェースの IP アドレスが一致している場合，そのルータの優先度は自動的に最高値の「255」となる。そのようなルータを「オーナ」（所有者）と呼ぶ。

仮想ルータと同一サブネットに存在するホストから見ると，あたかも「仮想 IP アドレスと仮想 MAC アドレスをもつルータ」が

関連RFC

RFC5798

試験に出る

VRRPについてはよく出題されている。令和4年午後Ⅱ問1，問2，令和3年午後Ⅱ問1，令和元年午後Ⅰ問1，平成30年午後Ⅰ問2，平成28年午後Ⅱ問2，平成26年午後Ⅰ問1，平成25年午後Ⅱ問1，平成23年午後Ⅱ問2，平成22年午後Ⅱ問2，平成21年午後Ⅱ問2で出題された

詳説

仮想MACアドレスの上位5オクテットの内訳は，上位3オクテットがIEEE802からIANAに割り当てられたOUIの「00-00-5E」である。次の2オクテットは，IPv4のVRRPが「00-01」，IPv6のVRRPが「00-02」となる

詳説

優先度「0」は，マスタルータが（シャットダウンなどにより）仮想ルータから離脱することを通知するときに使用する

存在しているかのように見える。

　仮想IPアドレスをデフォルトゲートウェイとして設定すれば，仮想ルータを構成する物理ルータのどれかが稼働している限り，デフォルトゲートウェイを経由する通信が途絶えることがない。つまり，VRRPはデフォルトゲートウェイを冗長化する技術であるということができる。

● マスタルータ，バックアップルータ

　仮想ルータを構成する物理ルータの中で最も優先度の高いルータをマスタルータという。マスタルータより優先度の低いルータをバックアップルータという。

　マスタルータは，仮想IPアドレスと仮想MACアドレスをもつルータであるかのように振る舞い，仮想IPアドレスへのARP要求に対して仮想MACアドレスを返答する。IPパケットを受信したら，自身のルーティングテーブルを用いてルーティングする。

　一方，バックアップルータは，マスタルータが健在である限り，仮想ルータとしての動作は行わない。マスタルータがダウンしたら，バックアップルータの中から最も優先度の高いものがマスタルータに昇格する。

● 複数の仮想ルータ

　VRRPでは，同一サブネットに複数の仮想ルータを稼働させることができる。つまり，物理ルータの同一インタフェースに複数のVRIDを設定できる。その場合，仮想MACアドレス，仮想IPアドレスは，VRIDごとに異なる値をもつ。

　同一サブネットに複数の仮想ルータを稼働させることで，トラフィック分散が可能となる。同一サブネット内で，トラフィック経路を別々にしたい端末が二つあるとしよう。このとき，2台の物理ルータをメンバとする仮想ルータのグループを二つ設け，それら仮想ルータのマスタルータが，互いに異なる物理ルータになるように，優先度を指定する。そして，端末ごとに異なる仮想ルータをデフォルトゲートウェイに指定する。この結果，デフォルトゲートウェイを経由するトラフィックは，端末ごとに異なる物理ルータを通過するため，トラフィック分散を実現できる。

詳説

通常，仮想IPアドレス宛てにpingを送信しても応答がない。しかし，応答を返すように設定できる

試験に出る

同一のサブネットに複数の仮想ルータを稼働させる例は，平成28年午後I問3，平成26年午後I問1で出題された

第6章

（次ページに続く）

● VRRP 広告

　マスタルータは VRRP 広告（VRRP Advertisement）パケットを定期的に送信する（デフォルトで1秒間隔）。ここには, マスタルータの優先度が格納されている。

　バックアップルータは, VRRP 広告パケットを監視する。広告パケットが一定期間途絶えると, マスタルータに障害が発生したものと判断し, 新たなマスタルータの選出プロセスに入る。その結果, バックアップルータ内で最も高い優先度をもつルータが, マスタルータとなる（プリエンプトモードの場合）。

　VRRP 広告パケットは, プロトコルスタック上は, IP パケットの上位層に位置している。RFC で規定されている, パケットの主な仕様を次に示す。

表：VRRP 広告パケット

MACヘッダ/IPヘッダ		
MACヘッダ	宛先 MAC アドレス	VRRP 用の IP マルチキャストアドレス（224.0.0.18）を, マルチキャストアドレス・ブロック（01-00-5E）にマッピングした値（01-00-5E-00-00-12）
	送信元 MAC アドレス	仮想 MAC アドレス
IPヘッダ	宛先 IP アドレス	VRRP 用の IP マルチキャストアドレス（224.0.0.18）
	送信元 IP アドレス	実インタフェースの IP アドレス
	プロトコル番号	112（0x70）（IP ヘッダ内のプロトコル番号）
ペイロード	VRID	仮想ルータに設定された VRID
	仮想 IP アドレス	仮想ルータに設定された全ての仮想 IP アドレス
	優先度	仮想ルータに設定された優先度

　VRRP の規格を標準化している RFC5798 は, VRRP 広告パケットについて次のように述べている。

The virtual router MAC address is used as the source in all periodic VRRP messages sent by the Master router to enable bridge learning in an extended LAN.

（意訳）拡張された LAN（L2SW を介した複数セグメントから成る LAN）の L2SW のアドレス学習を可能にするため, マスタルータにより定期的に送信される全ての VRRP メッセージの送信元 MAC アドレスとして, 仮想 MAC アドレスが使用される。

　つまり, ブロードキャストドメイン内の全ての L2SW は, このパケットを受け取ると, 受け取ったポートの先に仮想 MAC アド

レスをもつノード（マスタルータ）が存在することを学習する。

マスタルータが故障した場合，バックアップルータの中から最も優先度の高いルータがマスタルータになる。新しくマスタルータとなったルータは，VRRP広告パケットを定期的に送信する。この結果，L2SWは，受け取ったポートの先に仮想MACアドレスをもつノード（新マスタルータ）が存在することを学習する。

先ほどのRFCは，バックアップルータがマスタルータに移行したとき，「仮想MACアドレスを送信元とし，仮想IPアドレスを目標アドレスとするGratuitous ARPパケット」をブロードキャストする旨，規定している。このGratuitous ARPパケットによっても，L2SWは，受け取ったポートの先に仮想MACアドレスをもつノード（新マスタルータ）が存在することを学習できる。

● VRRPの切替え動作

具体例を使って，VRRPの切換え動作を解説しよう。

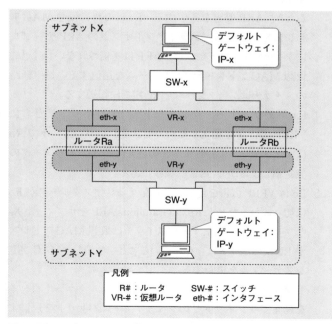

図：VRRPのネットワーク構成例

DIX規格のフレームフォーマット」「●宛先MACアドレス／送信元MACアドレス」を参照していただきたい

詳説

マスタルータのイニシャライズ時にもGratuitous ARPパケットが送信される

試験に出る

バックアップルータはVRRP広告を一定時間内に受信しなくなるとマスタルータに移行することについて，令和4年午後Ⅱ問2で出題された。
バックアップルータがマスタルータに移行した直後にGratuitous ARPが送信され，スイッチのMACアドレステーブルが更新されることについて，令和元年午後Ⅰ問1で出題された

第 **6** 章

VRRPを設定したルータであっても，実IPアドレスと実MACアドレスを有するルータとして，通常動作は継続して実行する。すなわち，Ra，Rbともに，実IPアドレスへのARP要求に対して実MACアドレスを返答し，実MACアドレス宛てのフレームを処理してルーティング動作を行う

RFC5798はマスタルータの切替えに伴うスイッチ (L2SW) のアドレス学習にはVRRPメッセージを用いることを規定している。
さらに，同RFCは，マスタルータの切替え時に，仮想MACアドレスを送信元とし，仮想IPアドレスをアドレス解決対象とするGratuitousARPを送信することを規定している。それゆえ，このGratuitousARPによっても，アドレス学習は可能である（ただし，RFCにその旨は明記されていない）

マスタルータに移行した直後にGratuitous ARPが送信され，スイッチのMACアドレステーブルが更新されることについて，令和元年午後I問1で出題された

表：VRRP の設定例

ルータ	インタフェース	実IPアドレス	実MACアドレス	VRID	仮想IPアドレス	優先度
Ra	eth-x	IPa-x	MACa-x	x	IP-x	200
	eth-y	IPa-y	MACa-y	y	IP-y	200
Rb	eth-x	IPb-x	MACb-x	x	IP-x	100
	eth-y	IPb-y	MACb-y	y	IP-y	100

1. 正常時は，サブネット X，サブネット Y において，ルータ Ra（優先度 = 200）がマスタルータ，ルータ Rb（優先度 = 100）がバックアップルータとして動作している。クライアントのデフォルトゲートウェイは，仮想 IP アドレスを設定する。

2. Ra は VRRP 広告を定期的に送信する。スイッチは仮想 MAC アドレスが Ra 側のポートに存在していることを学習し，MAC アドレステーブルを更新する。

3. サブネット X のクライアントが，デフォルトゲートウェイを越えてサブネット Y のクライアントにパケットを送信するとき，ARP 要求を送信する。Ra はこれに仮想 MAC アドレスを返答する（クライアントホストの ARP テーブルにキャッシュされていれば，ARP は送信されない）。次に，仮想 MAC アドレス宛てにフレームを送信する。途中経路のスイッチは，当フレームを Ra 宛てに転送する。

4. Ra がダウンする。サブネット X，サブネット Y ともに VRRP 広告が途絶えるため，それぞれのサブネットで Rb はマスタルータに移行する。切替え時間は，（パラメータの設定値によるが），通常は数秒である。

5. Rb は VRRP 広告を定期的に送信する。マスタルータが Rb に切り替わったとき，Rb は Gratuitous ARP をサブネット X，サブネット Y に送信する。スイッチは仮想 MAC アドレスが Rb 側のポートに存在していることを学習し，MAC アドレステーブルを更新する。

6. サブネット X のクライアントが，デフォルトゲートウェイを越えてサブネット Y のクライアントにパケットを送信するとき，ARP 要求を送信する。Rb は仮想 MAC アドレスを返答する（クライアントホストの ARP テーブルにキャッ

シュされていれば，ARP は送信されない）。次に，仮想 MAC アドレス宛てにフレームを送信する。途中経路のスイッチは，当フレームを Rb 宛てに転送する。

7. Ra が復旧すると，Ra は Rb からの VRRP 広告を受信する。自分より低い優先度（100）が格納された広告パケットを受信したので，Ra はマスタルータに移行するため，サブネット X，サブネット Y それぞれに VRRP 広告を送信する。

8. Rb は Ra からの VRRP 広告を受信する。自分より高い優先度（200）が格納された広告パケットを受信したので，Rb はバックアップルータに移行し，VRRP 広告の送信を取りやめる。

●VRRP トリガ（VRRP トラッキング）

図「VRRP のネットワーク構成例」では，複数のインタフェースで VRRP を動作させている。マスタルータ（Ra）の 1 個のインタフェース（例えば eth-x）がダウンしたとき，当該インタフェース上の仮想ルータはバックアップルータに遷移する。しかし，ダウンしたインタフェース側のネットワーク（X）にルーティングできない以上，正常なインタフェース（eth-y）においても，もはやマスタルータとして機能すべきではない。そこで，自分の優先順位を下げることにより，正常なインタフェース上の仮想ルータもバックアップルータに遷移する。この仕組みをトリガと呼んだり，トラッキングと呼んだりする。その設定例を次に示す。

試験に出る

マスタルータに切り替わるときに Gratuitous ARP を送信することについて，令和元年午後I問1で出題された。
VRRP トリガ（VRRP トラッキング）の動作について，令和4年午後II問1，平成23年午後II問2で出題された

表：VRRP トリガの設定例

ルータ	インタフェース	優先度	監視インタフェース	障害検出時の優先度
Ra	eth-x	200	eth-y	99
	eth-y	200	eth-x	99
Rb	eth-x	100	eth-y	100
	eth-y	100	eth-x	100

この設定例におけるトリガの仕組みを，順を追って説明する。

1. Ra のインタフェース eth-x がダウンする。トリガが作動し，eth-y の優先順位が 200 から 99 に移行する。

2. サブネット X では，VRRP 広告が途絶えるため，VRRP の

第**6**章

動作に従い，Rb のインタフェース eth-x 上の仮想ルータが
マスタルータに昇格する。その後，Rb は優先度 100 を格
納した VRRP 広告を送信する。

3. サブネット Y では，Ra から優先順位 99 を格納した VRRP
広告が送信される。Rb は Ra からの VRRP 広告を受信する。
Rb の優先度は 100 なので，自分より低い優先度（99）が
格納された広告パケットを受信したことにより，VRRP の
動作に従い，Rb はマスタルータに移行する。その後，Rb は，
優先度 100 を格納した VRRP 広告を送信する。

4. サブネット Y では，Ra は Rb からの VRRP 広告を受信する。
自分より高い優先度（100）が格納された広告パケットを
受信したので，Ra はバックアップルータに移行し，VRRP
広告の送信を取りやめる。

5. しかるべき障害対応が実施された後，Ra のインタフェー
ス eth-x が復旧する。その結果，eth-x，eth-y の優先順位
が 99 から元の 200 に移行する。

6. サブネット X では，Rb は Ra からの VRRP 広告を受信する。
自分より高い優先度（200）が格納された広告パケットを
受信したので，Rb はバックアップルータに移行し，VRRP
広告の送信を取りやめる。

7. サブネット Y でも，同様に，Rb は Ra からの VRRP 広告
を受信する。自分より高い優先度（200）が格納された広
告パケットを受信したので，Rb はバックアップルータに移
行し，VRRP 広告の送信を取りやめる。

6.2.3　サーバの冗長化

試験に出る

グローバル負荷分散装置によ
る Web アクセスの分散につい
て，平成24年午後Ⅰ問1で出
題された。負荷分散装置のセッ
ション維持機能と TLS アクセ
ラレーション機能について，令
和元年午後Ⅰ問2で出題され
（次ページに続く）

　ここでは，サーバを冗長化する技術である，負荷分散装置とク
ラスタリングについて解説する。

●負荷分散装置

　負荷分散装置（Load Balancer）とは，振分けアルゴリズムに
基づいて，トラフィックを配下のサーバに分散する装置のことで
ある。負荷分散装置の構成例を次に示す。

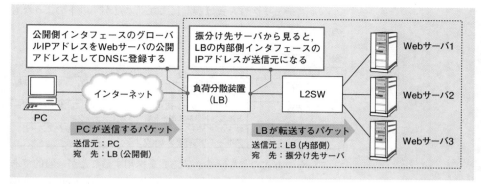

図：負荷分散装置の構成例

　負荷分散装置（以下 LB と称する）の公開側インタフェースの IP アドレスを，Web サーバの公開アドレスとして DNS に登録しておく。PC からのリクエストを受信すると，LB はリバースプロキシとして振る舞う。振分け先の Web サーバを決定し，リクエストを転送する。その際，転送するパケットの送信元 IP アドレスは LB の内部側インタフェースの IP アドレスとなり，宛先 IP アドレスは振分け先サーバの IP アドレスとなる。

　振分け先サーバから LB にレスポンスが返信されると，LB は PC にそのレスポンスを転送する。その際，宛先 IP アドレスは PC の IP アドレスとなり，送信元 IP アドレスは LB の公開側インタフェースの IP アドレスとなる。

　振分け先サーバに対し，実際のアクセス元である PC の IP アドレスを通知する目的で，HTTP ヘッダーフィールドの X-Forwarded-For が定義されている。LB がこれを用いるように設定すると，振分け先サーバに転送するリクエストに X-Forwarded-For ヘッダフィールドが追加され，ここに PC の IP アドレスが格納される。

●ヘルスチェック

　負荷分散装置は配下のサーバのヘルスチェック（死活監視）を定期的に実施する。規定回数のリトライを経て，ダウンしていると判断したサーバには振分けを行わない。このとき，監視の間隔が長いと，ヘルスチェック時点で稼働していたとしても振り分けたときにダウンしている可能性がある。一方，間隔が短いと，ヘルスチェックの負荷が無視できなくなるかもしれない。

た。Direct Server Return構成について，平成27年午後Ⅰ問1，平成21年午後Ⅰ問3で出題された

試験に出る

X-Forwarded-Forフィールドについて，令和5年午後Ⅱ問2，令和元年午後Ⅰ問2で出題された。
負荷分散方式として，DNSラウンドロビンを用いる方法と，負荷分散装置を用いる方法とを比較する問題が，平成24年午後Ⅰ問1で出題された。DNSラウンドロビン方式は振分け対象のサーバの稼働監視を行わない

試験に出る

試験ではベンダ固有技術を搭載した負荷分散装置が出題されることがある。問題本文にそれら固有技術の解説があるので，初見でも解答できるように配慮されている。
幾つか出題例を挙げると，クラスタグループ機能（平成30年午後Ⅱ問2），マルチホーミング機能（平成28年午後Ⅱ問1），透過モード（平成27年午後Ⅰ問2）などがある

第**6**章

　ヘルスチェックの方式は製品により様々だが，以下のようなものがある。

表：ヘルスチェック方式

ヘルスチェック方式	内　容
レイヤ3方式	ping を使用し，サーバを IP アドレス単位，ネットワーク層レベルでチェックする
レイヤ4方式	TCP コネクション確立を試みることによって，サーバをポート単位，トランスポート層レベルでチェックする
レイヤ7方式	特定のアプリケーションコマンドを使用し，リクエストとレスポンスの内容をチェックする

　これらの方式のうちレイヤ7方式を採用することが一般的であると考えられる。アプリケーションが稼働していないサーバに振り分けるべきではないが，レイヤ3及び4方式ではアプリケーションの稼働監視はできないからだ。ただし，上位レイヤのヘルスチェックは負荷が若干高くなる。そこで，アプリケーションがダウンしたら TCP コネクション確立にも失敗するとみなしてよいならば，レイヤ4方式で代用し，監視間隔を短くしてもよいだろう。

●振分け方式（負荷分散アルゴリズム）

　負荷分散装置の振分け方式も，製品により様々であるが，おおむね次のようなものがある。

表：振分け方式

振分け方式	内　容
ラウンドロビン	サーバへ均等に振り分ける。全てのサーバが同数のコネクションを処理する
比重	あらかじめサーバに比重（レシオ値）を設定し，その割合に応じて振り分ける
優先度	あらかじめサーバに優先度を設定し，最も優先度の高いサーバに振り分ける。接続コネクションの上限数を超過するか，ヘルスチェックによりダウンと判断された場合，次の優先度をもつサーバへ振り分ける。同じ優先度をもつサーバ間はラウンドロビンにより振り分ける
最短レスポンス時間	最もレスポンスが速いサーバへ振り分ける。サーバ間の負荷を均等化できる。ただし，レスポンス時間を定期的に計測している場合は，計測時は負荷が小さくても，その後もそうであるとは限らないので，完全に均等化できるわけではない
最小コネクション数	最もコネクション数の少ないサーバへ振り分ける。おおむね，サーバの負荷を均等化することができる。ただし，コネクション当たりのデータ転送量の偏りが大きい場合，均等化できない
ルール	一定のルールに基づいて，特定のサーバに振り分ける。例えば，Cookie に格納されたセッション ID に基づいて負荷分散を行う。他の例として，同時セッション数がしきい値を超えた場合，Sorry サーバに振り分け，ユーザには「ただいま混雑しています」という趣旨の案内を記したページを表示する

試験に出る

LBが出題される場合，その振分け方式は，特に指定がなければラウンドロビンを前提に考えるとよい。
振分け方式の一つである最小コネクション数について，令和6年午後I問1で出題された。
ヘルスチェック方式の一つであるレイヤ7方式について，令和6年午後I問1，令和5年午後II問2，令和元年午後I問2で出題された

●DSR（Direct Server Return）

LB を用いてサーバを冗長化した場合，クライアント端末からサーバに送信するとき，そのパケットは LB を経由する。

通常，サーバからクライアント端末に返信するとき，応答パケットは送信時と同じ経路を逆方向にたどる。

これに対し，LB を経由せずに，応答パケットをクライアント端末に直接返信する方法がある。これを **DSR（Direct Server Return）** という。この呼称は，「返信（Return）がサーバ（Server）から直接（Direct）行われる」という特徴を表現している。

DSR 方式を用いることで，LB のパケット転送にかかる負荷を軽減することや，LB とそれを収容しているネットワーク機器間のトラフィックを緩和することなどの効果を期待できる。

本節では，平成 27 年午後 I 問 1 で出題された DSR を例にとって解説しよう。

当問題では，2 台の SSO サーバ「SSO サーバ 1」，「SSO サーバ 2」を用い，SSO サーバへのアクセスを負荷分散している。PC がアクセスする SSO サーバの IP アドレスは，仮想 IP アドレス「VIP アドレス」である。

PC から SSO サーバにアクセスする際，実際には負荷分散装置（LB）にアクセスする必要がある。そのために，VIP アドレスを LB に設定する。その結果，SSO サーバ宛てのパケットを LB が受け取って，配下の SSO サーバ（2 台）へパケットを振り分けることができる。この設定は，通常の負荷分散で行われていることだ。

DSR 方式で負荷分散する場合，これに加えて，VIP アドレスを 2 台の SSO サーバにも設定する必要がある。そのために，それぞれの SSO サーバにループバックインタフェースを設け，そこに VIP アドレスを設定する。

このループバックインタフェースは，IP アドレスが VIP アドレスであり，MAC アドレスが実インタフェースの MAC アドレスであるかのように振る舞う。ただし，（詳しくは後述するが），このループバックインタフェースは，VIP アドレスを目標アドレスとする ARP 要求に対し，ARP 応答を返信しないように設定しておく。

DSR について，平成 27 年午後 I 問 1，平成 21 年午後 I 問 3 で出題された

DSR 方式を用いた場合，LB は，クライアント PC から TCP パケットを受信すると，振り分け先サーバに転送する。TCP コネクションは，PC と振り分け先サーバ間で張られる。振り分け先サーバから PC に返信パケットが届いたときに，シーケンス番号と確認応答番号の整合が取れていなければならないからだ。

したがって，LB が配下のサーバの振り分け先を決定するタイミングは，PC が送信したコネクション確立要求パケット（SYN パケット）を受け取ったときである。

このような仕組みになっているため，DSR 方式を使用すると，アプリケーション層の情報（例：クッキー）に基づいた負荷分散を行うことはできない

ループバックインタフェースについて，詳しくは本書の第 3 章「3.8.1 ルーティングの仕組み」の「●ループバックインタフェース」を参照していただきたい

表：DSR方式を実現するための設定内容

設定する項目	具体的な値
振り分け先のSSOサーバ（2台）	SSOサーバ1 SSOサーバ2
クライアント端末から見た，SSOサーバのIPアドレス	VIPアドレス
LBに設定する仮想IPアドレス	VIPアドレス
SSOサーバに設定する仮想IPアドレス	VIPアドレス

VIPアドレスをSSOサーバにも設定するのはなぜだろうか。

結論から言うと，DSR方式の特徴である，「サーバからクライアント端末への直接返信」を実現するためだ。

クライアント端末から見た，SSOサーバへのリクエストの宛先は，VIPアドレスである。このパケットを送信するときの通信経路は，振り分け先としてSSOサーバ1が選択された場合，次の図のとおりとなる。

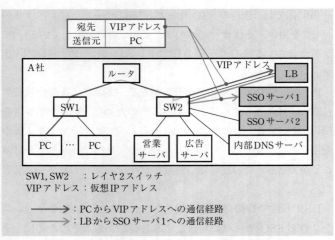

SW1, SW2　：レイヤ2スイッチ
VIPアドレス：仮想IPアドレス

　──────▶：PCからVIPアドレスへの通信経路
　──────▶：LBからSSOサーバ1への通信経路

図：DSR方式において，PCからSSOサーバ1へ送信するときの通信経路

クライアント端末から送信されたIPパケットは，まずLBに到達する。次に，LBが振り分け先をSSOサーバ1に決定したら，IPパケットはSSOサーバ1に到達する。SSOサーバ1に到達するまでの間，このIPパケットは，宛先がVIPのまま，送信元がPCのまま変化しないことに注目しよう（もちろん，IPペイロードも変化しない）。

　ルータは，このIPパケットをルーティングするとき，VIPアドレスを目標とするARP要求を送信する。これにARP応答を返信するのは，LBだけである。なぜなら，上述したとおり，SSOサーバのループバックインタフェースは，ARP応答を返信しないように予め設定してあるからだ。この結果，ルータは，LBにIPパケットを転送する。このIPパケットをペイロードに収めたイーサネットフレームは，宛先MACアドレスがLBとなる。

　LBは，振り分け先をSSOサーバ1に決定した後，これにIPパケットを転送する。

　LBはSSOサーバのMACアドレスをあらかじめ知っているため，この転送時にARPのやり取りは行われない。このIPパケットをペイロードに収めたイーサネットフレームは，宛先MACアドレスがSSOサーバ1となる。

　これに対する返信は，SSOサーバ1から直接行われる。このパケットを返信するときの通信経路は，次の図のとおりとなる。

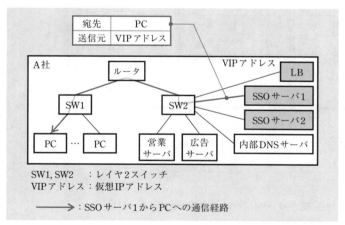

図：DSR方式において，SSOサーバ1からPCへ返信するときの通信経路

　返信パケットの送信元IPアドレスは，送信時の宛先である，VIPアドレスになっていなければならない。さもないと，クライアント端末は，先ほどのVIPアドレス宛ての送信に対応する返信であるとは認識してくれないからだ。

　このように，DSR方式では，振り分け先サーバが返信パケットの送信元となるため，LBに設定したVIPアドレスを振り分け先

サーバにも設定する必要がある。

　LB から SSO サーバに転送されるリクエストパケットは，送信元が PC になっている。つまり，LB は，リクエストパケットを受け取ると，送信元／宛先 IP アドレスを変更せずに，そのまま SSO サーバに転送している。なぜならば，SSO サーバから PC に直接返信するので，SSO サーバが受け取るリクエストパケットの送信元は，PC でなければならないからだ。

　以上をまとめると，PC が SSO サーバにアクセスするときの送信パケットは，宛先が VIP アドレス，送信元が PC のアドレスとなる。返信パケットは，その宛先と送信元が入れ替わったものとなる。

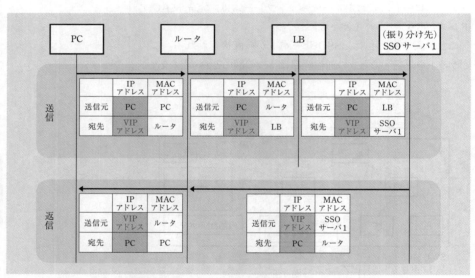

図：DSR 方式において，PC から SSO サーバにアクセスするときのパケット

試験に出る

負荷分散装置のセッション維持機能，TLS アクセラレーション機能について，令和元年午後I問2で出題された

● セッション維持

　近年では，**Cookie** を用いたステートフルな通信が広く行われている。ステートフルな通信の場合，一つのセッションが継続している間，クライアントは同じアプリケーションサーバにアクセスしなければならない。そこで，負荷分散装置もこれに対応し，前述した振分け方式と連動して，セッションを維持する機能を装備している。これをセッション維持機能という。

　具体的な仕組みは製品により異なる。例えば，配下のサーバと連携し，クライアントと負荷分散装置間でのみやり取りされる独自の Cookie を挿入して，セッションの維持管理を実現している製品がある。また，クライアントサーバ間の HTTP プロトコルを解析し，Cookie や URL リライティングの内容からセッション ID を識別する製品もある。そうした製品では，アプリケーションサーバから発行されるセッション ID の一部に，当サーバを特定する文字列を埋め込んでおき，負荷分散装置ではこの情報を用いて振分け処理を実行する。

　Cookie の内容からセッション ID を識別するには，HTTP パケットの内容を解析する必要がある。したがって，HTTPS による暗号化通信を行う場合，負荷分散装置で HTTPS を復号する必要がある。これを実現する機能を **TLS アクセラレーション機能**という。

● 負荷分散装置を用いないセッション維持

　負荷分散装置の配下にあるサーバ側でセッションクラスタリング（セッション共有ともいう）を実施している場合は，前述したセッションの維持管理を負荷分散装置側で実施する必要がない。これには，アプリケーションサーバ間でパケットをやり取りしてセッション情報を共有する方式と，アプリケーションサーバ間でセッション情報を共有するためのインメモリストアサーバを別途設置する方式の二種類がある。

● **クラスタシステム**

　クラスタシステムは，サーバで稼働しているアプリケーションの可用性対策の一つである。2 台でサーバを常時起動させ，一方でアプリケーションが稼働している。クラスタシステムは，当該サーバがダウンしたとき，他方のサーバでアプリケーションが稼働を継続できる仕組みになっている。

　以下の解説で，正常時にアプリケーションが稼働している側を主系サーバ，サーバ及び OS は起動しているがアプリケーションは稼働していない側を待機系サーバと呼ぶことにする。

用語解説

アプリケーションサーバ
セッション管理を行い，業務ロジックを実行するサーバ

詳説

セッション共有に用いられるインメモリストアサーバとして，今日では Redis, Memcached などが使用されている

試験に出る

ファイアウォールのクラスタリング（ステートフルフェールオーバ）について，平成26年午後I問2, 平成25年午後I問3, 平成22年午後I問3で出題された

第 **6** 章

●クラスタシステムの構成

　クラスタシステムでは，主系サーバと待機系サーバ間でディスクを共有する。主系サーバから待機系サーバにフェールオーバしたとき，待機系サーバがディスクをマウントしてデータを引き継ぐ。

　2台のサーバはハートビートパケットでお互いの生存を確認する。待機系サーバは，主系サーバからハートビートパケットを受信できなくなると主系サーバが停止していると判断し，アプリケーションを起動する。

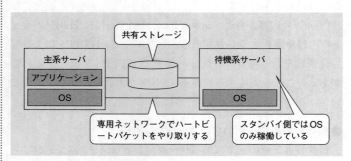

図：クラスタシステムの構成

●フェールオーバ時の振る舞い

　2台のサーバは仮想 IP アドレスを共有している。これにより，主系サーバから待機系サーバにフェールオーバしたとき，仮想 IP アドレスを引き継ぐ。

　一方，MAC アドレスは共有していないため，フェールオーバ時に MAC アドレスは引き継ぐことができない（クラスタリングシステムの仕様は製品依存であるが，ここでは MAC アドレスを共有していないケースを取り上げる）。

　通常のクラスタリングシステムでは，フェールオーバ時に，切替え先の MAC アドレスを Gratuitous ARP パケットでブロードキャストする。この結果，クライアントの ARP テーブルにキャッシュされた，仮想 IP アドレスに対応付けられた MAC アドレスを，切替え先の MAC アドレスへと更新することができる。

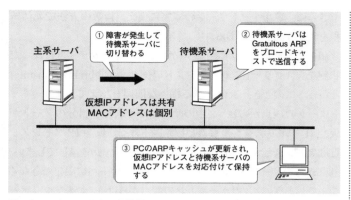

図：Gratuitous ARP を使用したフェールオーバの仕組み

　待機系は，仮想 IP アドレスを引き継ぐものの，TCP コネクションのシーケンス番号や確認応答番号まで引き継ぐわけではない。したがって，クライアントは，待機系サーバとの間で TCP コネクションを接続し直す必要がある。

　（製品依存の仕組みであるが，）待機系サーバは仮想 IP アドレスを引き継ぐと，クライアント端末に向けて，RST フラグをオンにした TCP パケットを送信し，TCP コネクションを強制的に切断する。これにより，クライアントは，TCP 再送タイムアウトを待つことなく TCP コネクションを切断し，TCP コネクション確立要求を待機系サーバに送信し，改めて接続することができる。

　ただし，このような TCP コネクションの迅速な切替えを実現するには，クライアントとサーバの双方が，このような「TCP コネクションの強制切断→ TCP コネクションの再確立」という一連の動作に対応していなければならない。

●スプリットブレインシンドローム

　ハートビートパケットのやり取りに失敗すると，スタンバイ側は誤ってアプリケーションを起動してしまう。このような事態に至らないようにするため，各サーバの生存確認を確実に行う必要がある。そこで，データトラフィックが流れるネットワークではなく，生存確認専用のネットワークをサーバ間に結ぶ。なぜなら，ハートビートパケットの伝送遅延ゆえに，サーバがダウンしたものと誤って解釈されないようにするためである。

詳説

TCP コネクションの迅速な切替は，Oracle の RAC サーバなど，クライアントとサーバの両方が同一の製品で実装されている。なお，Oracle の RAC は，ここに解説してある方法よりも若干複雑な仕組みにより，この高速な切替えを実現している

試験に出る

障害を検知して主系から待機系にフェールオーバする際，RST フラグをオンにしたパケット送信する。これにより，TCP 再送タイムアウトを待つことなく，直ちに TCP 通信を終了できることについて，平成27年午後I問2で出題された

第6章

詳説

主系／待機系の冗長構成をなすクラスタリングの死活監視では，共有ディスクを使う方法もある。主系が共有ディスクをロックしておき，ロックが解除されていない限り，主系が稼働していると判断する

試験に出る

スプリットブレインシンドロームについて，平成22年午後Ⅱ問1で出題された

さらに，専用ネットワークの障害に備え，複数の方法で死活監視を実施する必要がある。

　誤って2台のサーバでアプリケーションがアクティブになった状態を，スプリットブレインシンドローム（split-brain syndrome）という。このとき，次に述べる様々な問題を抱えてしまう。ネットワークの観点からは，2台のサーバがそれぞれ自分のノードが仮想IPアドレスをもつものとして振る舞う。仮想IPアドレスを目標アドレスとするARP要求に2台のサーバが応答してしまい，外部からのサービスへのアクセスが1台のサーバに限定できなくなってしまう。アプリケーションの観点からは，二つのアプリケーションが起動しているので，それぞれが共有ディスクの同一の領域を更新するとデータの不整合が生じてしまう。

6.2.4　NIC の冗長化

　ここでは，サーバの外部接続部分を冗長化する技術である，NICチーミングについて解説する。これと併せて，サーバに接続するネットワークを冗長化する手法についても解説する。

試験に出る

NICチーミングについて，令和3年午後Ⅱ問1，平成30年午後Ⅱ問2，平成27年午後Ⅱ問1，平成25年午後Ⅱ問1，平成24年午後Ⅰ問2，平成22年午後Ⅱ問2で出題されている

　NICチーミングとは，複数のNICを論理的に一つに束ねる技術である。NICチーミングによって形成された仮想的なNICは，OSからは一つのNICに見える。IEEE等で標準化された技術ではなく，ベンダや製品によって機能は若干異なっている。

　通常，次に示すように，アクティブ／スタンバイ構成，又は，アクティブ／アクティブ構成のどちらかにする。

- **アクティブ／スタンバイ構成**
  チーム内の1枚の物理NICをアクティブとし，残りの物理NICをスタンバイとする。
- **アクティブ／アクティブ構成**
  リンクアグリゲーション（IEEE802.1ax）を動作させ，冗長化と負荷分散の両方を実現する。

　ネットワーク構成は，チーム内の物理NICを同じスイッチに接続するか，異なるスイッチに接続するかの2種類ある。

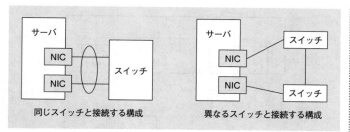

図：NIC チーミングのネットワーク構成

　リンクアグリゲーション機能は，同一のスイッチ内，同一の NIC チーム内でのみ使用できる。したがって，チーム内で NIC を異なるスイッチに接続した場合，通常はリンクアグリゲーション機能を使用できない。

　しかし，スタック接続された L2 スイッチ，L3 スイッチは論理的に 1 台のスイッチとして動作するため，リンクアグリゲーション機能を使用することができる。なお，スタック接続された L3 スイッチでリンクアグリゲーションが働くのは，同一の VLAN 内に限定される。

試験に出る

L3スイッチのスタック接続を使用した冗長化設計について，令和3年午後Ⅱ問1，平成25年午後Ⅰ問3で出題された。
L2スイッチのスタック接続を使用した冗長化設計について，平成30年午後Ⅱ問2，平成27年午後Ⅱ問1，平成25年午後Ⅰ問3，平成25年午後Ⅱ問1，平成24年午後Ⅰ問2，平成22年午後Ⅱ問2で出題された

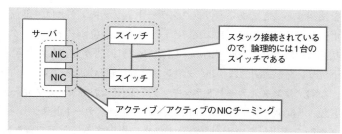

図：スタック接続されたスイッチとの接続

　NIC の冗長化機能を使用した場合，障害発生時に NIC が確実にフェールオーバするように設計する必要がある。例えば，次の図は，NIC チーミングで冗長化している例である。このネットワーク構成において，リンク③が切断されたとき，スタンバイ側の NIC がアクティブに切り替わる方法は主に三つある。

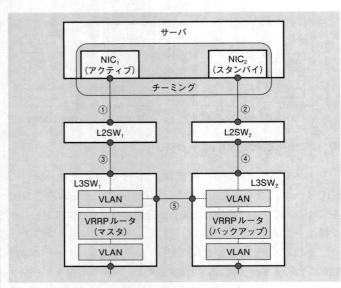

図：NIC チーミングで冗長化している例

一つ目は，NIC チーミングでリンクダウンを検知するように設定しておき，リンクステートトラッキング機能を装備した L2SW を使用することである。リンクステートトラッキングとは，下位ポートのリンク状態（リンクステート）を，上位ポートのリンク状態に追随させる機能である。上位リンクに障害が発生したとき，下位リンクを強制的にリンクダウンさせる仕組みになっている。

なお，リンクステートトラッキングの設定において，どのポートも，下位ポート，上位ポート，又は，リンクステートトラッキング機能を適用しないポートのいずれかに指定することができる。1 個の下位ポートに対応付ける上位ポートの数は，複数でもよい（その場合，全ての上位リンクに障害が発生したとき，下位リンクを強制的にリンクダウンする）。

この例では，L2SW_1 のリンク③に障害が発生したとき，リンク①を強制的にリンクダウンさせればよい。そこで，リンクステートトラッキング機能をもつスイッチを使用し，リンク③を上位リンクに，リンク①を下位リンクに設定する。リンク③に障害が発生したとき，同機能によってリンク①がリンクダウンになるので，チーミング機能によってリンク②側の NIC に切り替えることができる。

試験に出る

リンクステートトラッキング機能について，平成 22 年午後 II 問 2 で出題された

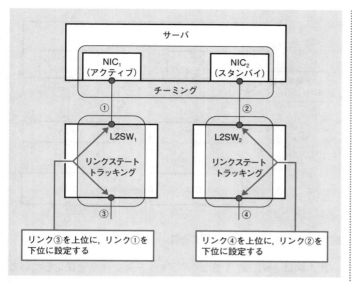

図：リンクステートトラッキングの設定

　二つ目は，（ドライバの仕様に依存するが），チーミングしている NIC から ARP 要求パケット（例えば，デフォルトゲートウェイを目標とする ARP 要求）を定期的に発行して接続性を監視し，ARP 応答がなかったらリンクが切断されていると判断して当該 NIC を使用しないようにフェールオーバする機能である。

　三つ目は，（これもドライバの仕様に依存するが），チーミングしている NIC からブロードキャストパケット（ビーコンと呼ばれる）を定期的に送信して相互に接続性を監視し，リンク切断を検知したら当該 NIC を使用しないようにフェールオーバする機能である。

　次の図は，NIC から ARP 要求パケットを発行する例である。リンク③が切断された場合は ARP 応答パケットが返信されないので，スタンバイ側の NIC がアクティブに切り替わる。

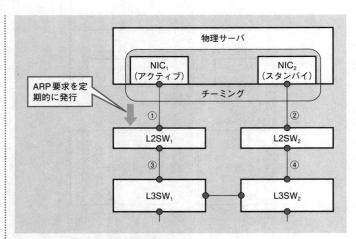

図：ARP 要求パケットを発行する例

　次の図は，NIC だけでなくネットワーク全体を冗長化している例である。リンク③〜⑦間でループが形成されているので，スパニングツリーを設定する必要がある。このとき，リンク③〜⑦に障害が発生しても NIC には影響がない。したがって，NIC チーミングはリンクダウンを検知しておき，リンク①に障害が発生したときだけリンク②側の NIC に切り替えることができる。

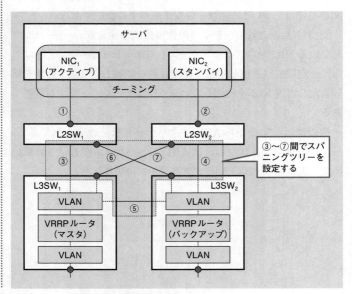

図：ネットワーク全体を冗長化している例

6.2.5 インターネット接続回線の冗長化

　ここでは，インターネット接続回線を冗長化する技術である，マルチホーミングについて解説する。

　マルチホーミングとは，インターネットに接続する際，2本の接続回線を用いた冗長化構成にすることである。大別すると，BGPを利用した構成，マルチホーミング装置（以下，MH装置と称する）を利用した構成，の2種類がある。

　BGPを利用した場合，通常，アクティブ／スタンバイ型の冗長構成になる。詳しくは，第3章「3.8.6 BGP」の「● BGPの代表的な用途」の「●エンドユーザのインターネット接続回線の冗長化」を参照していただきたい。

　MH装置を利用した場合，アクティブ／アクティブの冗長化構成になる。以下，この構成について解説する。

●マルチホーミング装置を利用した構成

　マルチホーミング装置の構成例を次の図に示す。

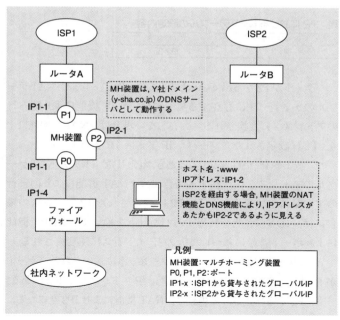

図：マルチホーミングの構成例

試験に出る

BGPを利用した構成について，令和5年午後II問1，令和3年午後II問2，令和元年午後I問1，平成29年午後I問3で出題された。
マルチホーミング装置を利用した構成について，平成28年午後II問1，平成21年午前II問6で出題された

詳説

マルチホーミング技術は，IP-VPN等の閉域網に接続する回線を2本用いた冗長化構成にも適用できる。話を分かりやすくするために，ここではインターネットと接続した構成とする

詳説

ここに示したマルチホーミングの構成例は，平成15年午後I問1を参考にして作成している。

図中の MH 装置がもつ機能を次の表に示す。

用語解説

インバウンド，アウトバウンド
自分から見て，入ってくる方向を
「インバウンド」，出ていく方向を
「アウトバンド」という。トラフィッ
クの方向を説明する際に，しば
しば用いられる

表：MH 装置の機能

機　能	内　容
NAT 機能	アップリンク（インターネット側）のポートに NAT 機能，NAPT 機能をもつ。上記のルート障害検知機能，負荷分散機能により，アウトバウンドトラフィックの経路として，適切なアップリンクポートが選択される。このとき，NAT によって送信元アドレスが書き換えられているため，そのリプライパケットは，同一のアップリンクポートに返ってくる。これにより，適切なアウトバウンド用に振り分けられるため，アウトバウンドトラフィックの信頼性向上と負荷分散が実現できる
ルート障害検知機能	ping チェックによりルート障害を検知し，正常なルートを経由して通信を持続させる
負荷分散機能	インバウンド，アウトバウンドともに，複数のルートにトラフィックを振り分ける。振分け方式には，ラウンドロビン，セッション数，トラフィック量などがある
DNS 機能	DNS サーバを内蔵している。ルート障害検知機能，負荷分散機能と連動し，正常なルートのうち，トラフィックを振り分けたいルートを経由して目的のサーバにアクセスできるよう，回答する A レコード値を随時調整する。これにより，インバウンドトラフィックの信頼性向上と負荷分散が実現できる

試験に出る

平成28年午後Ⅱ問1では，
マルチホーミング装置の仕様
が本文中に記載されていた。
そこでは，NATやDNSなどの
要素技術の知識を応用して，
与えられた要件に基づいて冗
長化設計を行わせる問題が出
題された。例えば，インバウン
ド／アウトバウンドのトラフィッ
クのパケットの流れ，DNSの設
定，ルート障害を検知する仕組
みなどが問われた

図中の MH 装置のポート P1 は，NAT 機能を働かせない透過
モードを設定し，IP アドレスは P0 と同じ IP1–1 となる。P2 は次
の表に従って NAT 機能を働かせる。

表：P2 における NAT テーブルの設定内容

アドレス1	アドレス2
IP1-2	IP2-2

パケットが P2 から出ていくとき，送信元 IP アドレスが NAT テー
ブルのアドレス 1 に存在する場合には，NAT 機能により同一行
のアドレス 2 に変換される。存在しない場合は，NAPT 機能によ
り，P2 に設定されたグローバル IP アドレスに変換される。

パケットが P2 から入ってくるとき，宛先 IP アドレスが NAT テー
ブルのアドレス 2 に存在する場合には，NAT 機能により同一行
のアドレス 1 に変換される。P2 に設定された IP アドレスの場
合には，（DNS 機能を利用するパケットを除いて）NAPT 機能
によりポート番号に基づいて元の IP アドレスに逆変換される。

Web サーバ（IP1–2）からインターネットに送信されるパケット
が P1 から転送される場合は，送信元 IP アドレスが IP1–2 になる。
一方，P2 から転送される場合は，NAT 機能により IP2–2 になる。

　社内ネットワークからファイアウォールを経由してインターネットに送信されるパケットがP1から転送される場合は，送信元IPアドレスがIP1-4になる。一方，P2から転送される場合は，NAPT機能によりIP2-1になる。

　インターネットからWebサーバへのインバウンドトラフィックの振分けは，MH装置のNAT機能とDNS機能によって行われる。P1又はP2のどちらのルートに障害が発生しても，DNS機能は正常なルートから利用されなければならない。そのため，上位階層ドメイン（co.jpドメイン）を管理するDNSサーバには，Y社ドメイン（y-sha.co.jp）を管理するDNSサーバとして，MH装置に内蔵されたDNSサーバを登録する。

　DNSサーバに登録するリソースレコードの一例を次に示す。ここで，NSレコードに二つのアップリンクポートのIPアドレスを登録することにより，一方のルートに障害が発生しても，他方のルートを経由して名前解決クエリのパケットがMH装置に着信できる。

上位階層ドメインのDNSサーバに登録する内容（例）

y-sha.co.jp.	IN	NS	ns1.y-sha.co.jp.
	IN	NS	ns2.y-sha.co.jp.
ns1.y-sya.co.jp.	IN	A	IP1-1の値
ns2.y-sya.co.jp.	IN	A	IP2-1の値

詳説

ここでは，平成15年午後Ⅱ問1の試験問題本文を参考に，読者にとって馴染み深いDNSの文法に則って，Aレコードを2行記述している。ある製品では，この設定をGUI画面上で登録できる

　MH装置が内蔵するDNSサーバには，WebサーバのAレコードとして，IP1-2，IP2-2の二つを登録する。その一例を次に示す。

MH装置に内蔵されたDNSサーバに登録する内容（例）

$ORIGIN	y-sha.co.jp.		
www	IN	A	IP1-2の値
	IN	A	IP2-2の値

　表「MH装置の機能」で説明したとおり，回答するAレコード値の内容は，ルート障害検知機能，負荷分散機能と連動して，IP1-2又はIP2-2のどちらかになる。つまり，単純にDNSのラウンドロビン機能を用いて回答するわけではない。

6.2.6 経路の冗長化

ここでは，経路の冗長化技術であるダイナミックルーティングについて，経路障害の検知技術である BFD について解説する。

● ダイナミックルーティング（動的経路制御）

ダイナミックルーティングとは，自動的に経路制御を行う技術である。これを実現するため，OSPF や BGP などのダイナミックルーティングプロトコルが用いられている。

これらプロトコルは，ルータ間で経路情報を交換し，ルーティングテーブルに自動的に登録する仕組みを備えている。さらに，定期的にルータ間で疎通確認を行うことによって，リンク障害やルータ障害を検知し，障害が発生した箇所を迂回するようにルーティングテーブルを自動的に更新する仕組みを備えている。障害から復旧したときも，それに合わせて自動的に更新される。

実は，本書の第3章「3.8 ルーティング」の中で，ダイナミックルーティングについて解説している。詳しい内容はその節に譲ることにし，ここでは，重要な点を手短に解説しよう。

「3.8.2 スタティックルーティング／ダイナミックルーティング」の中で，スタティックルーティングとダイナミックルーティングの両方を取り上げ，それぞれのメリット／デメリットについて解説している。さらに，スタティックルートはダイナミックルートより優先度が高いことを利用した，フローティングスタティックと呼ばれる冗長化技術についても解説している。

「3.8.5 OSPF」，「3.8.6 BGP」は，OSPF，BGP について解説している。

● BFD

BFD（Bidirectional Forwarding Detection）は，二つの機器が互いに Hello パケットを定期的に送信することで，機器間の経路の可用性を検出するプロトコルである。

BFD の一般的な利用方法は，「経路を冗長化したネットワークにおいて，経路の可用性を検知するために BFD を用いる」とい

うものである。BFD 自体は可用性を検知する仕組みしかもっていないので，経路の冗長化は他の技術（例えば，OSPF や BGP などのダイナミックルーティングプロトコル）を使用する。

●迅速な障害対応を実現できる

BFD の主な特徴は，その検出の迅速性である。BFD は，Hello パケットの送出間隔を，300 ミリ秒～ 255,000 ミリ秒の範囲で自由に設定できるのだ。

経路の冗長化を実現するダイナミックルーティングプロトコルは，経路の可用性を検知する Hello パケットの仕組みをすでに備えているが，BFD に検知を委ねることで，障害発生時の迂回経路設定を高速化できる。

具体例として，OSPF と BFD の連携を取り上げよう。

OSPF の Hello パケットによる死活確認は，その間隔はデフォルトで 10 秒（ブロードキャストネットワークの場合）である。そこで，より短期間で Hello パケットを送出する BFD で死活監視を行い，BFD が障害を検知したら従来どおり OSPF が動的経路制御を行うように設定する。この結果，OSPF 本来の Hello パケットを用いたときより，迅速な障害対応を実現できる。

BFD との連携が可能なプロトコルは多岐にわたる。OSPF 等のダイナミックルーティングプロトコルに加え，IPsec，VRRP，L2TP，MPLS 等とも連携できる。静的経路制御においても，あるスタティックルート上で BFD によるリンク障害を検知したら，別のスタティックルートに切り替えることができる。

試験に出る

IPsecとBFDを連携させてIPsecピアの障害検知をBFDに委ねることについて，令和6年午後I問2で出題された

第6章

●様々なネットワークに導入できる

BFD は，IP ネットワーク，MPLS，イーサネットなど様々なネットワークで使用できるので，導入が容易である。

BFD を IP ネットワークで使用する場合，BFD の情報は IP パケットに格納される。プロトコルスタック上，BFD はアプリケーション層に位置付けられる。トランスポート層は UDP となり，そのペイロード部分に BDF の情報を格納する。ペイロードはわずか 24 バイト（デフォルト設定時）なので，ネットワーク帯域に負荷をかけない。

第 **7** 章

性能

第1節は，性能について，試験でよく出題される「考え方」を整理している。

第2節は，性能の要素技術である，QoS制御を取り上げる。

最後に，性能をテーマにした出題例を紹介する。

午後試験では，応答遅延や品質劣化などの性能問題を取り上げ，原因や対策を問うものが多い。性能は，どちらかというと，要素技術の知識というよりも，分析能力や問題解決能力が試されている。したがって，第1節で取り上げた「考え方」を中心に学習しておく必要がある。

7.1 ・ 午後試験対策のアドバイス

　ここでは，午後試験の出題例を紹介し，ネットワークスペシャリストにふさわしい「考え方」を解説する。出題傾向を踏まえ，問題を解く際にどのように考えればよいのかを理解していただきたい。

●出題のポイント

　試験では，性能を問う場合，業務要件とシステム基盤の性能要件は既に抽出済みであり，システム基盤のアーキテクチャ設計も既に検討済みである。その上で，業務上発生するトラフィックの経路を問うものが出題されている。他には，性能問題が現在発生していたり，設計段階で性能問題が予見されたりする事例が登場し，問題点の発見や対策の設計について出題されている。

　端的に言えば，性能に関する出題は，トラフィック分析を問うものである。

　一般的に言って，トラフィック分析は，

　　①トラフィックを発生させる業務ごとに，トラフィック情報を抽出する。
　　②業務ごとに抽出したトラフィックを重ね合わせてシステム基盤に与える負荷を分析
　　　し，応答や品質に関する要求を満たしているかを検証する。

という手順を踏む。これに呼応して，主に二つのタイプの問題が出題されている。

　手順①に該当するタイプは，「どのようなトラフィックが発生し，どの経路を流れるか」といったトラフィック情報の抽出に関する出題である。

　手順②に該当するタイプは，応答遅延や品質劣化の発生する場所（ボトルネック），発生する原因といった性能問題の分析に関する出題である。さらに，現在発生している性能問題の解決策，設計段階で予見された性能問題への対策に関する出題もある。それら解決策や対策は，高性能設計確保の一般的な手法を問うものが多い。性能問題を首尾よく分析し，適切な性能対策を講ずるには，正確なトラフィック分析が前提となっている。その意味では，このタイプは一つ目のタイプの応用に位置付けられる。

　本節では，問題を解くときに役立つ考え方を，トラフィック情報の抽出，応答遅延や品質劣化の分析，性能の対策の3点に分けて整理した。なお，システムの性能監視は，第9章「9.1.4運用」の「3. 運用系の技術」で解説する。

● 1. トラフィック情報の抽出

試験では，業務に関する説明は本文中に与えられている。本文の記述に基づき，次の観点からトラフィック情報を整理する。

- トラフィックの種類
- トラフィックの経路
- トラフィック量

（A）トラフィックの種類

トラフィックの種類ごとに着眼点をまとめると，次のようになる。

表：トラフィックの種類

トラフィックの種類	着眼点	出題例
Web アクセス	・プロキシサーバを経由しているか	平成 30 年午後Ⅰ問 3 平成 29 年午後Ⅱ問 1 ※他にも多数ある
メール転送	・メール中継サーバを経由しているか（メール中継サーバの例として，DMZ 上の公開メールサーバ，ウイルスチェックサーバなどがある）	平成 28 年午後Ⅰ問 3 平成 26 年午後Ⅱ問 1 平成 23 年午後Ⅱ問 2
SSL-VPN， IPsec-VPN	・どの区間がカプセル化されるか ・どのようにアドレス変換されるか	平成 28 年午後Ⅱ問 2 平成 23 年午後Ⅰ問 3 平成 23 年午後Ⅱ問 1
	・カプセル化されたパケットのどの部分が暗号化されているか	平成 28 年午後Ⅱ問 2
VoIP	・音声データは SIP サーバを経由しない	令和 3 年午後Ⅰ問 3 令和元年午後Ⅱ問 1 平成 26 年午後Ⅱ問 2

（B）トラフィックの経路

試験では，特定の要件を満たすために，システム基盤のアーキテクチャ設計が既に行われている。まず，本文に業務要件や機能要件が書いてあるならば，拠点間や端末間でどのようなやり取りがあるのかを読み取る必要がある。それを踏まえて，トラフィックの経路（送信元，宛先，経由するノードとリンク）を正確に抽出する必要がある。

トラフィックは，業務要件や機能要件だけでなく，非機能要件も深く関係する。非機能要件に基づいて着眼点をまとめると，次のようになる。

299

表：非機能要件

非機能要件	着眼点	出題例
信頼性要件	・障害発生時の迂回経路はどうなるか	平成28年午後Ⅱ問2 平成26年午後Ⅰ問1 ※ほかにも多数ある
性能要件	・バースト性を有する通信が高品質の通信に影響を与えないように，高品質の通信の帯域を確保するため，帯域制御を行う	平成29年午後Ⅰ問2
	・クラウドサービスのCDN（Content Delivery Network）を適用することで，高負荷時の応答性能を改善する	平成29年午後Ⅱ問1
	・無線LANコントローラでAPを管理し，APの負荷分散を実現する	平成29年午後Ⅱ問2
	・同時接続TCPコネクション数の削減による資源節約	平成27年午後Ⅱ問1
	・機器が冗長化された構成で主系がダウンした場合，待機系が稼働する。このとき待機系の使用率が100%を超えないようにすることで性能劣化を防ぐ	平成27年午後Ⅰ問2
	・2系統の経路で異なるトラフィックを流し，一方の系統がダウンしたときに他方にトラフィックを迂回する構成において，トラフィックの品質を確保するため優先制御を行う	平成26年午後Ⅰ問1
	・高品質の通信に影響を与えないように，トラフィック経路を分割する	
	・動画系通信を業務系通信とは別の経路に分ける	平成26年午後Ⅰ問1
セキュリティ要件	・特定の装置を経由するか	
	・暗号化区間のエンドポイントとなる装置	平成23年午後Ⅰ問3
移行要件	・移行に伴い，新構成の通信をFWで許可し，旧構成の通信をFWで禁止する	平成22年午後Ⅱ問1
	・移行のためのデータ移動	平成23年午後Ⅱ問2
運用要件	・運用系のトラフィック	
	・採取したログをログサーバへ転送	令和4年午後Ⅰ問1
	・時刻同期	令和4年午後Ⅰ問3
	・業務用ネットワークと監視用ネットワークを分割し，業務用ネットワークの障害時に確実に通知できるようにする	今後出題される可能性がある

（C）トラフィック量

　実務では，ピーク時間帯のトラフィック量を抽出することは重要である。業務ごと，時間帯ごとにトラフィック量を抽出し，それを重ね合わせることで，どの時間帯にどのノードや

リンクでアクセスが集中しているかを分析できるからである。

とはいえ、試験では、時間帯ごとにトラフィック量を抽出するような問題はほとんど出題されていない。どちらかというと、転送量や転送時間の計算問題が主流である。それゆえ、トラフィック量は必要に応じて整理すればよいだろう。

出題頻度は高くないが、トラフィック量に関する着眼点をまとめると、次のようになる。

表：トラフィック量

着眼点	出題例
・ピーク時に必要な帯域の計算	平成 29 年午後 I 問 2
・ピーク時間帯に性能は劣化しないか	平成 23 年午後 I 問 2

●2. 応答遅延や品質劣化の分析

試験では、応答遅延や品質劣化など、性能問題に関する出題が多い。

応答遅延は出題頻度が高く、かつ、応答遅延は品質劣化の一因でもある。試験対策としては、まずは応答遅延の着眼点をきちんと理解しておくべきである。そこで、応答遅延の分析、品質劣化の分析の順に解説する。

（A）応答遅延の分析

応答時間はサービス時間と待ち時間からなる。したがって、応答遅延の原因は、サービス時間が長くなっているか、待ち時間が長くなっているかのいずれかである。

問題事例における応答遅延の原因を突き止めるには、サービス時間と待ち時間がどのように発生しているかを具体的に見極める必要がある。

● サービス時間

サービス時間は、単純に考えると、処理量に比例し、処理能力に反比例している。どのようなサービスを処理するのかによって、注目すべき処理量と処理能力は異なってくる。

現実は、サービス時間を求めることは簡単ではない。処理量や処理能力の見積りが難しい場合があるし、サービス時間が処理量と処理能力だけで単純に計算できるわけではない。とはいえ試験では、伝送時間など平易なサービス時間に限って計算問題が出題される。

パケット伝送に関するサービス時間は、シリアル化遅延時間（伝送時間）、伝播遅延時間（RTT）、ノード内処理時間に分けて考えることができる。

シリアル化遅延時間は、あるリンク上で、あるサイズのパケットを伝送するのに要する時間である。特に断りがなければ、通常はこれを伝送時間と呼ぶ。

シリアル化遅延時間は、次の式で表される。

第7章

$$シリアル化遅延時間 \, [s] = \frac{(パケットサイズ \, [bit])}{(伝送効率 \times 回線帯域 \, [bps])}$$

　ここで，処理量に相当するのがパケットサイズであり，処理能力に相当するのが回線帯域である。伝送効率は，パケット伝送時のヘッダ付加や，パケット伝送以外のプロトコル上のやり取りなどのオーバヘッドを単純化するために導入された係数である。注目しているプロトコルがデータリンク層であれば0.8程度の値を，アプリケーション層であれば0.5〜0.6程度の値を採用することが多い。

　伝播遅延時間は，WAN回線やインターネットを1個のネットワークであるかのように一体的にとらえたとき，そのネットワークを経由するたびに発生する遅延時間である。WAN回線やインターネットをパケットが経由するとき，その内部ではいくつものノード（ルータやスイッチなど）とリンクを経由する。あるノードからあるリンクに向けてパケットを伝送するとき，そのノードでシリアル化遅延が発生するが，このような内部の遅延を足し合わせたものが伝播遅延時間となる。したがって，この遅延が大きくなる要因は，これらノードとリンクの経由数が多いことである。いわゆる「ネットワーク的に遠い」ときだ。伝播遅延時間が片道の時間であるのに対し，RTT（ラウンドトリップタイム）は往復の時間である。通常は，RTTがよく用いられる。

　ノード内処理時間は，ノード内で，パケット伝送以外の処理を行うときに生じる時間である。なお，「パケット伝送以外」と述べたが，パケット伝送に付随するフロー制御なども含まれる。要するに，ノード内処理時間は，シリアル化遅延以外にノード内で発生する遅延時間である。

　ネットワークには様々な「ノード」があるが，大きく分けると，通信区間の両端のノード（クライアント／サーバ）と，経路上のノードに分けることができる。クライアント／サーバではアプリケーション処理が行われているが，この負荷が大きいと応答遅延の要因になる。経路上のノードでは，フロー制御，暗号化／復号，優先制御，圧縮／解凍，アクセス制御，認証，ログ採取，NATなど，様々な処理が行われている。もちろん，ここに挙げた処理がクライアント／サーバで行われることもある。このような処理の負荷が大きいと応答遅延の要因になる。

　次の表は，サービス時間を，シリアル化遅延時間，伝播遅延時間（又はRTT），ノード内処理時間の観点から整理したものである。

表：サービス時間の着眼点

着眼点				出題例
経由するノードとリンク				
	シリアル化遅延時間（伝送時間）	・転送量に起因する	転送量が少ないとパケット転送時間を無視できる	今後出題される可能性がある
			カプセル化するとオーバーヘッドが大きくなる	平成 28 年午後Ⅱ問 2
		・回線速度に起因する		平成 24 年午後Ⅰ問 2
	伝播遅延時間 RTT（Round Trip Time）（伝播遅延時間は片道，RTT は往復）	・複数のノードとリンクを経由すると，伝送時間の累積により，遅延の原因となる		令和 4 年午後Ⅰ問 2 平成 24 年午後Ⅱ問 1
		・CDN（Content Delivery Network）を使用することでネットワーク的に近い位置のキャッシュサーバにアクセスできるため，RTT が短くなる		平成 29 年午後Ⅱ問 1
		・遠距離の拠点間を接続する WAN 回線を経由するときに発生する		平成 26 年午後Ⅰ問 1
送信元ノード，宛先ノード				
ノード内の処理時間	送受信処理 正常系	・符号化・パケット化の処理がある		平成 23 年午後Ⅱ問 1
		・TCP/IP は，スロースタート時や輻輳回避時はウィンドウサイズが小さいので実行転送速度が出ない		平成 22 年午後Ⅰ問 2
		・コネクション確立や切断など，プロトコルの仕様上，必要となる処理がある		今後出題される可能性がある
	送受信処理 異常系	・タイムアウト待ちとリトライを行う		平成 27 年午後Ⅰ問 2 平成 21 年午後Ⅰ問 3
	送受信以外の処理	・送受信以外の処理がある		
		・暗号化／復号，優先制御，圧縮／解凍，アクセス制御，認証，ログ採取，NAT		今後出題される可能性がある

● 待ち時間

待ち時間は，何らかの混雑によって発生する遅延である。ネットワークで発生する混雑は輻輳と呼ばれている。

待ち時間が長くなる要因は様々あるが，待ち行列理論を用いて簡単に説明しよう。

待ち時間は，M/M/1 モデルの場合，次の式で表される。ここで，ρ は使用率である。

$$待ち時間 = \frac{\rho}{1 - \rho} \times サービス時間$$

したがって，使用率が大きくなるか，サービス時間が長くなると，待ち時間は長くなることが分かる。M/M/1 以外のものモデルについても，式は異なるが同じように考えてよい。

第7章

使用率ρは，次の式で表される。

$$\rho = \frac{到着率}{窓口数} \times サービス時間$$

したがって，使用率は，到着率，サービス時間に比例し，窓口数に反比例することが分かる。

到着率が高いということは，アクセス集中により混雑していることを意味している。サービス時間が長いということは，処理量が多いか，処理能力が不足しているかのいずれかであることを意味している。

窓口数を増やすということは，1個の待ち行列に対する窓口の数を増やすことを意味している。その典型例は，負荷分散装置の配下に複数のWebサーバを設置することである。待ち行列は負荷分散装置内のキューに相当し，窓口はWebサーバに相当する。

次の表は，到着率（アクセス集中），サービス時間（処理量，処理能力），窓口数の観点から，待ち時間を整理したものである。

表：待ち時間の着眼点

	着眼点	出題例
到着率（アクセス集中）	・使用する時間帯を拠点ごとに分けることによりアクセス集中を避ける（運用での対応）	平成26年午後I問1
	・DSR（Direct Server Return）により，返送パケットが負荷分散装置を経由しないことにより，負荷分散装置の負荷を下げる	平成21年午後I問3
サービス時間	・サーバの処理能力不足 ・通信帯域不足	平成29年午後II問1
	・端末台数の増加	平成22年午後I問1
	・TCPコネクションの増加	平成24年午後I問2
窓口数	・DNSラウンドロビンを用いて，アクセス先のサーバを振り分ける	令和4年午後I問3 令和元年午後II問2 平成28年午後I問3 平成28年午後II問2 ※他にも多数ある
	・負荷分散装置を用いて，アクセス先のサーバを振り分ける	平成30年午後II問2 平成28年午後II問1 平成27年午後I問1 ※他にも多数ある
	・グローバル負荷分散装置を用いて，アクセス先のサイトを振り分ける	平成24年午後I問1

（B）品質劣化の分析

品質劣化の要因は，通信形態（双方向／片方向），メディア種別（映像／音声）によって異なってくる。双方向通信は，リアルタイムに通話を成立させるために，遅延，パケットロ

ス（パケット損失），ジッタの影響を抑制することが求められている。片方向通信は，（オンデマンドの場合はある程度の即応性が求められるものの，）遅延はある程度許容できる。

音声通信は，映像通信と異なる点が二つある。

一つ目は，音声データを圧縮した場合，使用するコーデックによっては，品質劣化が発生することである。この点，映像データは，規格上，品質劣化が発生しない程度に圧縮されているので，この点は問題視されない。

二つ目は，双方向の音声通信の場合，エコーが発生することである。

品質劣化の要因を整理すると，次のようになる。

表：メディア種別，通信形態ごとの品質劣化の要因

メディア種別	通信形態	
	双方向	片方向
音声	遅延，ジッタ，パケットロス，エコー，圧縮	パケットロス，圧縮
映像	遅延，ジッタ，パケットロス，	パケットロス

問題事例における品質劣化の原因を突き止めるには，通信形態とメディア種別に基づく品質劣化が，どのように発生しているかを具体的に見極める必要がある。その着眼点を整理すると，次のようになる。

表：メディア種別ごとの品質劣化の要因

メディア種別	品質劣化の要因	具体的な着眼点	出題例
音声	遅延	・「(A) 応答遅延の分析」で述べた原因で遅延やパケットロスが発生する	令和3年午後Ⅰ問3 平成23年午後Ⅱ問1
	パケットロス	・負荷が非常に高くなり，ボトルネックになっている箇所では，バッファ容量からあふれたり，送受信処理が追いつかなくなったりして，パケットロスが発生する	今後出題される可能性がある
	ジッタ	・負荷の変動に起因する	平成23年午後Ⅱ問1
	エコー	・エコーを抑えるためにエコーキャンセラ機能が必要である	平成18年午後Ⅱ問1
		・ソフトウェア処理では発生しない	平成23年午後Ⅱ問1
	圧縮	・音質を良くするには音声を圧縮しない	平成18年午後Ⅱ問1
映像	遅延	・「(A) 応答遅延の分析」で述べた原因（例：サーバの負荷など）で発生する	平成16年午後Ⅱ問2
	パケットロス	・負荷が非常に高くなり，ボトルネックになっている箇所では，バッファ容量からあふれたり，送受信処理が追いつかなくなったりして，パケットロスが発生する	今後出題される可能性がある

第7章

●3. 性能の対策

　性能の対策に関する出題は，一般的な知識を問うものが多い。「解決したい問題とその対策」をセットにして整理しておくことが，有効な試験対策となる。

　端的に言えば，現在発生している性能問題にせよ，予見される性能問題にせよ，その対策は「問題の除去」である。「2. 応答遅延や品質劣化の分析」で解説した着眼点に従えば，問題点を突き止められるはずだ。その後，ここで解説する着眼点を用いて，「解決したい問題とその対策」のセットの中から適切なものを当てはめていけば，きっと正解を導けるはずだ。

表：解決したい問題とその対策

解決したい問題		その対策		出題例
サービス時間	処理時間	・ロジックの改良や H/W 処理により高速化する		今後出題される可能性がある
		・キャッシュ	・SSL セッションのキャッシュ	平成 25 年午後Ⅰ問 1
			・PMK キャッシュ	平成 29 年午後Ⅱ問 2 平成 25 年午後Ⅱ問 1
	シリアル化遅延時間	・差分転送，圧縮転送		平成 22 年午後Ⅰ問 2
	伝播遅延時間 RTT	・CDN の名前解決の仕組みにより，クライアントの行う名前解決時に，クライアントから見てネットワーク的に近い位置にあるキャッシュサーバの IP アドレスが応答される		平成 29 年午後Ⅱ問 1
		・WAN 高速化装置		平成 26 年午後Ⅰ問 1
	複数のノードとリンクを経由	・別の経路に変更する		平成 24 年午後Ⅰ問 2
待ち時間	処理能力に起因する高負荷	スケールアウト方式（負荷分散装置の振分け先サーバを増設することにより，サービスを停止させずに処理能力を増強する）		令和 5 年午後Ⅱ問 2
		スケールアップ方式（サーバ単体のリソースを増強する。増強時にサーバを停止しなければならない）		令和 5 年午後Ⅱ問 2
	アクセス集中に起因する高負荷	負荷分散，トラフィック分散	・CDN を用いて，アクセス先のサーバ（キャッシュサーバ）を振り分ける	平成 29 年午後Ⅱ問 1
			・負荷分散装置を用いて，アクセス先のサーバを振り分ける	平成 30 年午後Ⅱ問 2 平成 27 年午後Ⅰ問 2
			・CPU 使用率の低いアプリケーションサーバに振り分ける	平成 22 年午後Ⅱ問 1
			・マルチホーミングを用いて，トラフィックを複数のインターネット接続回線に振り分ける	平成 28 年午後Ⅱ問 1
			・グローバル負荷分散を用いて，アクセス先のサイトを振り分ける	平成 24 年午後Ⅰ問 1
			・リンクアグリゲーションを用いたトラフィック分散	令和元年午後Ⅰ問 1
		・動画系通信を業務系通信とは別の経路に分ける		平成 26 年午後Ⅰ問 1

（表は次ページに続く）

解決したい問題		その対策		出題例
待ち時間	アクセス集中に起因する高負荷	スパイク負荷対応	・Sorry サーバ	今後出題される可能性がある
	処理時間	・利用者を複数のグループに分け，時間帯をずらす		平成 26 年午後 I 問 1
品質劣化	遅延，ジッタ	・IP ヘッダの DS フィールドの優先度，VLAN タグフレームの VLAN タグ中の CoS 値（優先度）を使用し，音声パケットを優先制御で通信する ・優先制御に Priority Queuing, Weighted Round Robin を組み合わせて使用する		令和 3 年午後 I 問 3
		・帯域制御（シェーピング）		平成 29 年午後 I 問 2
	パケットロス	・拡張イーサネット（ロスレスを実現）		平成 25 年午後 II 問 1
	エコー	・ソフトウェア処理ではエコーが発生しない		平成 23 年午後 II 問 1
	圧縮	・品質要求が高い通話は，圧縮しない		今後出題される可能性がある

第 7 章

7.2 · QoS 制御

　高性能が求められるネットワークでは，QoS制御が不可欠となる。対象となるネットワークにおいて，どのようなQoSを制御するかについては十分な検討が必要となる。ここでは，QoS制御に関連する項目として，QoS制御関連の技術，IPネットワークとイーサネットのQoS制御，CDNについて解説する。

7.2.1　QoS 制御の技術

用語解説

パケットロス
パケットが廃棄されること。「ロス」の他に，「損失」「ドロップ」ともいう。

ジッタ
ジッタとは，個々のパケットの遅延時間が変動することにより，ストリーム内のパケット間隔が不均一になることである。「ゆらぎ」，「遅延ゆらぎ」ともいう。
ジッタを解消するために，ストリームのパケットをバッファ（ジッタ吸収バッファ）にいったん蓄積し，パケット間隔を均一にしたストリームに整形する方法がよく用いられる。この場合，バッファの蓄積時間が，ストリームの遅延時間として加算されることになる。また，この蓄積時間より大きなジッタをもったパケットは，新たに整形されるストリームに乗り遅れてしまうので，バッファ内で破棄されてしまう

試験に出る

ジッタ吸収バッファのバッファを大きくすると遅延が大きくなることについて，令和3年午後I問3で出題された

　ネットワーク経由で音声や動画などを配信する際，同一回線上で他の通信が同時に行われていたりすると，パケットロス，遅延，ジッタなどが原因で映像が途切れるなどの不具合が発生し，サービス品質が低下してしまう。

　こうした品質劣化に対し，ネットワーク技術を用いて解決する方法として，パケットを優先的に転送する優先制御，通信の帯域を確保したり上限を設けたりする帯域制御が考えられる。

　このように，品質を確保したい通信に対して，優先制御や帯域制御を用いてサービス品質を保つことを **QoS**（Quality of Service）という。

　QoS制御を行っていない通信は，ベストエフォートで行われる。つまり，同一回線上に別の通信が流れていなければその回線の帯域を占有できるが，別の通信が流れているならば，その影響をもろに受けてしまう。それゆえ，QoS制御を行っている通信に比べると，遅延やジッタが発生しやすくなる。

● 優先制御

　優先制御は，パケットの到着した順番に転送するのではなく，優先順位に従って転送する方式である。

　優先制御を行う機器（ルータやスイッチングハブ）は，複数の出力キューを有している。パケットを転送する際，次に示す情報に基づいてパケットを分類し，しかるべき出力キューに送る。

- **フローを識別する情報**

  IP パケットの場合，IP ヘッダの送信元／宛先 IP アドレス，トランスポート層のプロトコル番号，TCP/UDP ヘッダの送信元／宛先ポート番号である。

  イーサネットフレームの場合，MAC ヘッダの送信元／宛先 MAC アドレス，タイプである。

- **個々のパケットの優先度を示す情報**

  IP パケットの場合，IP ヘッダの **ToS** フィールドに設定された優先度（プレシデンス）の値，又は，**DS** フィールドの値である。

  イーサネットフレームの場合，VLAN タグ中の優先度フィールドに設定された **CoS**（Class of Service）の値である。

　優先制御を行う機器は，出力キューに設定された優先度に基づき，出力キューからパケットを取り出して転送する。これをスケジューリングといい，様々な方式がある。

● Priority Queuing

　Priority Queuing は，出力キューの優先度に従って，パケットを取り出す方式である。

　上位の優先度をもつキューからすべてのパケットを取り出した後，下位の優先度をもつキューからパケットを取り出す。

● WRR（Weighted Round Robin）

　WRR は，ラウンドロビンという名のとおり，複数の出力キューからパケットを順番に取り出す方式である。

　出力キューごとに，1 回に取り出すパケット数の比率（重み付け）を設定し，その比率に応じて各キューからパケットを取り出す。その結果，より大きな重み付けを設定された出力キューからは，より多くパケットが取り出されるので，より優先されていることになる。

　Priority Queuing と WRR を組み合わせることも可能である。

　例 1）

　　WRR 用に 2 個の出力キュー「キュー 1」，「キュー 2」を設け，キュー 1 の比率を 75%，キュー 2 の比率を 25% に設定する。このとき，キュー 1，キュー 2 から取り出されるパケット数

詳説

優先制御と帯域制御を実現する技術にはさまざまなものがある。なお，文献により，あるいはベンダにより，技術の呼称や意味合いは若干異なっている。本書は，午前試験と午後試験の出題例を参考にしつつ，主要なベンダが採用している主だった技術を解説する

試験に出る

令 和 3 年午前 II 問 6，平成 30 年午前 II 問 3，平成 28 年午前 II 問 5，平成 23 年午前 II 問 6，平成 21 年午前 II 問 5（いずれも同じ問題）で，QoS 技術について出題された。アドミッション制御の説明を正答とする問題であるが，誤答の選択肢にはシェーピング，ポリシング，優先制御が登場しており，QoS 技術の知識を問うものとなっている

詳説

IP パケットの優先度について，詳しくは「7.2.2 IP ネットワークの QoS 制御」を参照していただきたい。イーサネットフレームの優先度について，詳しくは「7.2.3 イーサネットの QoS 制御」を参照していただきたい

第 **7** 章

試験に出る

令和3年午後Ⅰ問3では，三つのキューを設け，キュー1にPriority Queuingを，キュー2とキュー3にWRRをそれぞれ設定した優先制御について出題された。
平成22年午後Ⅰ問2では，二つのキューにPriority Queuingを設定した優先制御について出題された

試験に出る

平成30年午前Ⅱ問3，平成28年午前Ⅱ問5，平成23年午前Ⅱ問6，平成21年午前Ⅱ問5（いずれも同じ問題）で，QoS技術について出題された。アドミッション制御の説明を正答とする問題であるが，誤答の選択肢にはシェーピング，ポリシング，優先制御が登場しており，QoS技術の知識を問うものとなっている

用語解説

アドミッション制御
通信を開始する前にネットワークに対して帯域などのリソースを要求し，確保の状況に応じて通信を制御することである。ここに解説したRSVPは，アドミッション制御を行っている

の割合は3対1になる。

例2)

Priority Queuing 用の出力キュー「キュー1」を設け，最上位の優先度を設定する。WRR 用に2個の出力キュー「キュー2」，「キュー3」を設け，キュー2の比率を75%，キュー3の比率を25% に設定する。このとき，まずキュー1からすべてのパケットを取り出す。その後，キュー2とキュー3から，WRR の重み付けに従って3対1の割合でパケットを取り出す。

● 帯域制御

　帯域制御は，特定のフローに対して，帯域を確保したり，通信速度や転送量の上限を設けたりする方式である。

● 帯域を確保する方法

　通信事業者の閉域網であれば，ギャランティード型回線のサービスを利用することで帯域を保証することができる。

　また，今日では普及していないが，IP ネットワーク上で帯域の予約を行う IntServ が規格化されている。

● ギャランティード型回線サービス

　通信事業者の閉域網（IP-VPN 網，広域イーサネット網）は，特定のフローに回線の帯域を保証するサービスを提供している。このような回線サービスをギャランティード型と呼ぶ。これに対し，帯域保証を行わない回線サービスをベストエフォート型と呼ぶ。

　当然ながら，ギャランティード型は月額使用料が高価になる。IP-VPN 網，広域イーサ網などの WAN サービスについて，詳しくは本書の第2章「2.2.2 WAN サービス」を参照していただきたい。

● IntServ（Integrated Service）

　IntServ は，RFC1633 等で規格化された，IP ネットワークにおいて，通信を開始する前にフローごとに帯域を予約する仕組みである。その具体的な方法として，RSVP（Resource Reservation Protocol）が規格化されている。

RSVPについて，詳しくは「7.2.2 IPネットワークのQoS制御」を参照していただきたい。

● 通信速度や転送量の上限を設ける方法

主な方法として，シェーピングとポリシングがある。

- **シェーピング**

  出力キューに到着したパケットをバッファにいったん蓄積して，送出レートを一定値以下に保って転送する。最大速度を超過したパケットはバッファにいったん蓄えられ，後から送信される。

- **ポリシング**

  流入してくるトラフィックの流量を監視し，あらかじめ設定されたトラフィック量を超過した分を廃棄する。

● QoS技術の適用例

通信の種類や，求められている品質の要件に応じ，QoSの技術をどのように適用するかが異なってくる。代表的な例をいくつか取り上げてみよう。

● 音声や動画などの通信

音声や動画などの通信には，通常，高品質が求められる。

本章「7.1 午後試験対策のアドバイス」の「● 2.応答遅延や品質劣化の分析」で述べたとおり，通信形態（双方向／片方向），メディア種別（映像／音声）によって，具体的な品質の要件は異なってくる。

- **双方向通信**

  双方向通信は，リアルタイムに通話を成立させる必要があるので，パケット損失（パケットロス），遅延時間の品質要件は高い水準が求められている。

  参考までに，総務省が定めたIP電話（0AB-J）の通話品質基準では，パケット損失率が0.5%未満，平均遅延時間（エンド・エンド間）が150ミリ秒未満，平均ジッタ時間（事業者IP網内）が20ミリ秒以内となっている。

  パケット損失や遅延を抑えるには，何よりもまず，音声や

用語解説

帯域制御装置

ここに解説した帯域制御（シェーピングやポリシングなどの帯域制限），さらには優先制御の技術を組み合わせ，一定のルールに従って特定のフローに対してQoS制御を行う装置を帯域制御装置という。ここに書かれていない技術を用いる帯域制御装置も存在する

試験に出る

シェーピング機能を有する帯域制御装置を用い，バースト性を有する通信が高品質の通信に影響を与えないように，高品質の通信の帯域を確保することについて，平成29年午後I問2で出題された

詳説

総務省の通話品質基準（0AB-J IP電話の品質要件等）
https：//www.soumu.go.jp/menu_news/s-news/01kiban05_02000110.html

動画のストリームを流すのに十分な帯域を確保することが必要である。可能であれば，同一回線上に他のトラフィックを流さないことが望ましい。それができない場合，上述した優先制御や帯域制御の技術を適用し，他のトラフィックの影響を回避してサービス品質を保つことが求められている。

● **片方向通信**

片方向通信は，要するに動画の配信である。リアルタイムに通話をしているわけではないので，遅延やジッタはある程度許容される。動画配信は，ストリーミング方式とプログレッシブダウンロード方式に大別される。

ストリーミングは，端末がパケットを受信すると直ちに再生する方式である。

ストリーミングでは，パケット損失，遅延，ジッタは映像の乱れに直結する。その問題に対処するため，パケット配信のリアルタイム性を保つ仕組みを有する，ストリーミング専用のプロトコルが用いられている。主なものとして，**RTP**（Real-time Transport Protocol），**RTSP**（Real Time Streaming Protocol）があり，端末側で再生するには専用のソフトウェア（ブラウザ上で再生するには専用のプラグイン）が必要となる。

プログレッシブダウンロード（疑似ストリーミング）は，ダウンロードという名のとおり，配信サーバ上に用意された動画ファイルを端末がダウンロードして再生する方式である。ただし，プログレッシブ（漸進的）という名のとおり，動画ファイルを一部ダウンロードした後に再生を開始する。言い換えると，端末はダウンロードしたパケットをバッファにいったん蓄積し，ある程度まで溜まったら，均一化されたストリームとして端末側で再生するわけだ。

プログレッシブダウンロードでは，パケット損失は映像の乱れに直結するものの，遅延やジッタはバッファで吸収されるため，配信途中での品質劣化が生じにくいと言える。とはいえ，蓄積時間を超えた遅延やジッタが生じたならば，映像が一時的に停止してしまう。

詳説

ストリーミング方式は，ライブ配信とオンデマンド配信に大別することができる。ライブ配信は，ここに解説したとおり，端末はパケットを受信すると直ちに再生する方式であり，巻戻しなどの操作を行えない。一方，オンデマンド配信は，利用者の要求に応じて動画ファイルを配信するときに用いられる。これはパケットをバッファに蓄積してから再生する方式であり，巻戻しや早送りなどの操作が可能である。

一見すると，オンデマンドのストリーミングは，プログレッシブダウンロードと使い勝手が変わらないように思える。前者はストリーミング専用プロトコルが用いられているのに対し，後者はあくまでダウンロードの改良版なのでHTTPが用いられている点が異なっている

プログレッシブダウンロードは，上述のとおりブラウザ上でダウンロードする方式なので，プロトコルはHTTPが用いられる。

● 業務用通信

業務で使用する通信は，アプリケーション層のデータ損失は許容されないが，遅延やジッタを許容できる場合がある。

データ損失に関しては，業務用通信（HTTP，SMTP，等）はトランスポート層にTCPを通常用いていることから，たとえパケットの損失が起きても，（回線のダウンや重度の輻輳でない限り，）TCPの機能によりパケットが再送されるため，アプリケーション層の通信には影響が生じない。ただし，TCPでは，パケットの損失が起きると，再送に伴う遅延が発生してしまう。輻輳が原因でパケットの損失が起きたならば，輻輳制御によるウィンドウサイズの縮小による遅延も発生してしまう。

一方，遅延に関しては，許容し得る遅延の大きさがシステム要件として定められているケースがある。このとき，遅延を抑えるために，上述した優先制御や帯域制御の技術を適用する。

さらには，他の通信に影響を与えないように帯域を制限するという観点から，特定の業務用通信にQoS制御を適用するケースがある。例えば，ネットワーク回線を経由した印刷が行われると，バーストトラフィック（一時的に大量のパケットが回線を流れること）が発生するので，このトラフィックを平準化することで，他の通信の品質劣化を防ぐことができる。

詳説

TCPの輻輳制御について，第3章「3.3.4 TCPコネクション」の「●輻輳制御」を参照していただきたい

試験に出る

パケットが廃棄されると，再送処理による遅延，及び，ウィンドウサイズ縮小に起因する速度低下による遅延が発生することについて，平成22年午後I問2で出題された

試験に出る

印刷用通信（バーストトラフィック）に対し，帯域制御技術の一種であるシェーピングを適用することにより，他の通信に影響を与えないようにすることについて，平成29年午後I問2で出題された

7.2.2 IPネットワークのQoS制御

● 優先制御（ToS，DiffServ）

IPヘッダのToS（Type of Service）フィールドにはパケットの優先度を示す情報が格納されている。ルータは，優先度の高いパケットを優先的に転送する。

当初（RFC791）は，ToSフィールドの上位3ビットのIP Precedenseに8種類の優先度を格納するように定義されていた。RFC2474で標準化されたDiffServ（Differenciated Services）で

関連RFC

RFC791，RFC1349：ToS
RFC2474：DSCP

第7章

試験に出る

ToSについて，令和3年午後
I問3で出題された。DiffServ
について，令和3年午後I問
3で出題された

は，上位6ビットのDSフィールドに64種類の優先度を格納するように再定義された。

RFC791で標準化されたToSフィールドを次に示す。

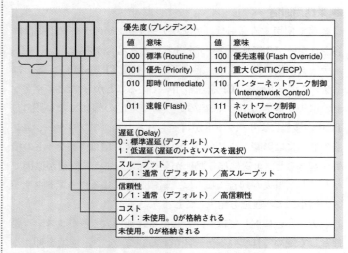

図：RFC791で標準化されたToSフィールドの定義

優先度（プレシデンス）領域は，デフォルトでは「0x00」である。ルータでIPパケットの優先制御を行う場合，「0x00」～「0x05」の値を使用する。例えば，音声パケットを「0x05」（重大），それ以外のHTTPなどのデータパケットを「0x00」（標準）という指定ができる。

DiffServ（RFC2474）は，RFC791のToSフィールドの上位6ビットを変更して，DSフィールドとして再定義したものである。

残り2ビットは，DiffServでは未定義であるが，RFC3168でECN（Explicit Congestion Notification；明示的輻輳制御）フィールドとして標準化されている。

DSフィールド，ECNフィールドの定義を次に示す。

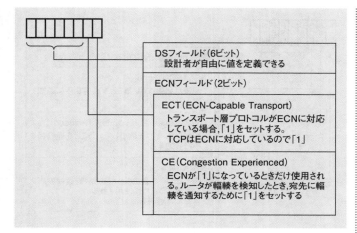

図：DS フィールド，ECN フィールドの定義

DS フィールドは，設計者が任意の優先制御ポリシに基づいて値を定義できる。同一の優先制御ポリシをもつネットワークは，DS ドメインと呼ばれている。

ECN フィールドについては，次の「●明示的輻輳制御」で解説する。

●明示的輻輳制御

明示的輻輳制御（ECN：Explicit Congestion Notification）は，輻輳の発生を送信元ホストに通知する仕組みである。これにより，送信元ホストは，転送するパケットの個数やタイミングを制御して，輻輳を回避しながら送信を継続することが可能となる。

TCP/IP で ECN を実現するため，RFC 3168「The Addition of Explicit Congestion Notification（ECN）to IP」が標準化された。これは，IP ヘッダの ToS フィールドの下位 2 ビットを ECN フィールドとして再定義し，TCP ヘッダのコントロールフラグフィールドに ECN 用のフラグ（ECE，CWR）を追加している。

ECN フィールドは本節の「図：DS フィールド，ECN フィールドの定義」に示したとおり，ECT フラグ，CE フラグが定義されている。TCP ヘッダのコントロールフラグに定義された ECN 用のフラグを次に示す。

第**7**章

図：TCP ヘッダのコントロールフラグフィールド中の
　　ECN フラグの定義

　ECN は，1 往復のやり取りで，送信ホストに対し輻輳が通知される。簡単に説明すると，往路は輻輳通知の依頼と輻輳の検出，復路は輻輳通知である。

　その後，送信ホストは輻輳を回避するため，輻輳ウィンドウのサイズを縮小して送信する。

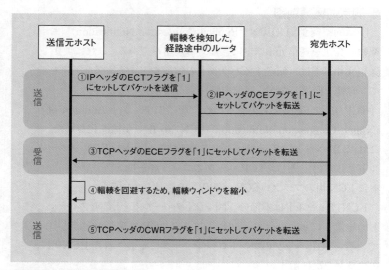

図：ECN を実現する手順

[送信（往路）]

①送信元ホストは，「輻輳が発生していたら返信時に自分に通知してほしい」という依頼を通信相手に伝える。そのため，IPヘッダのECTフラグを「1」にセットしてパケットを送信する。

②経路途中のルータは，輻輳を検知したとき，宛先ホストに輻輳の発生を通知する。そのため，ECTフラグが「1」であるIPパケットについて，IPヘッダのCEフラグを「1」にセットしてパケットを転送する。

[返信（復路）]

③宛先ホストは，送信元ホストに輻輳の発生を通知する。そのため，ECTフラグが「1」であるIPパケットについて，TCPヘッダのECEフラグを「1」にセットしてパケットを返信する。

[輻輳回避のための送信]

④輻輳通知を受けた送信元ホストは，輻輳を回避するため，輻輳ウィンドウを縮小する。

⑤送信元ホストは，輻輳ウィンドウを縮小したことを通信相手に通知する。そのため，TCPヘッダのCWRフラグを「1」にセットしてパケットを送信する。

● 輻輳ウィンドウを用いた輻輳制御

明示的輻輳制御が標準化される前，TCPは，再送タイムアウトなどによって輻輳を検知していた。輻輳を検知したホストは，輻輳を回避するため，輻輳ウィンドウを用いた輻輳制御を行う。

従来からある輻輳制御について，詳しくは本書の第3章「3.3.4 TCPコネクション」の「●輻輳制御」を参照していただきたい。

● RSVP

RSVP（Resource Reservation Protocol）は，IPネットワークにおいて，通信経路上の各ルータに帯域を予約する技術である。

RSVPは，音声や動画などを配信するネットワークで使用される。通常，送信元ホストは配信サーバであり，宛先ホストは受信

端末である。

　それでは，次の図に示すネットワークを例に取り上げて，RSVP
による帯域予約を実現する手順を解説しよう。

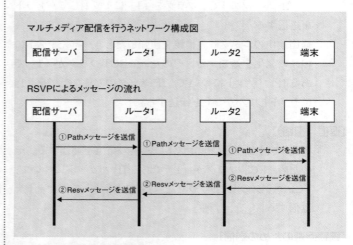

図：RSVP を実現する手順

詳説

Path メッセージは，デフォルト
では 30 秒周期で送信される

　配信サーバは，端末に向けて Path メッセージを定期的に送信
する。Path メッセージを受信した端末は，帯域予約のための
Resv メッセージを配信サーバに返信する。Resv メッセージは
Path メッセージの転送経路を逆にたどって配信サーバに到達し，
転送経路上の各ルータが帯域を予約する。ここで予約された帯
域は，一定時間内にマルチメディア配信の通信が行われなかった
場合，解放される。

　このように Path メッセージを受けてから Resv メッセージによ
り予約を行うことで，必要なときだけ動的に帯域を確保すること
ができる。

　RSVP による帯域予約を実現するには，配信サーバと端末だけ
でなく，経路上のすべてのルータが RSVP に対応している必要が
ある。ルータは複数のフローの帯域を同時に管理しなければなら
ず，ネットワークの規模が大きくなるほど負荷が大きくなる。そ
のため，インターネットの通信では普及していない。

　現状では，イントラネットの通信においても，実現がより容易
な優先制御の方が普及している。

試験に出る

RSVPについて，平成27年午
前Ⅱ問10，平成26年午前Ⅱ
問12，平成26年午後Ⅰ問1
で出題された

7.2.3 イーサネットの QoS 制御

IEEE802.1Q 準拠の VLAN タグフレームには、VLAN タグの中にフレームの優先度を表す3ビットの値が格納されている。この優先度の値を CoS（Class of Service）という。Cos は 0〜7（10進数表記）の8段階がある。

当初は IEEE802.1p として標準化されたが、現在は VLAN の規格である IEEE802.1Q に含まれている。

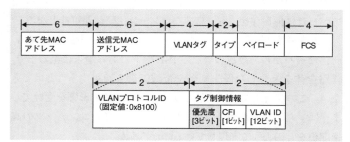

図：イーサネットフレームと VLAN タグ

VLAN タグフレームを用いているリンクでは、VLAN タグがすでにイーサネットフレーム中に存在している。それゆえ、優先度を設定する場合、その VLAN タグを使用すればよい。

一方、VLAN タグフレームを用いていないリンクで優先度を設定する場合、イーサネットフレームに VLAN タグを挿入してから、そこに優先度を設定する必要がある。このときは実際には VLAN を使用しないので、VLAN ID に「0x00」を格納する。この VLAN タグを優先度タグという。

IEEE802.1Q では優先度が8段階に規定されているものの、フレームを転送するスイッチングハブが、8クラスの優先制御を実装しているとは限らない。その場合、スイッチングハブは自分がサポートしている CoS のクラス数に応じて、フレームを適切に振り分ける。例えば、CoS のクラス数が「2」の場合、下位四つの優先度は下のクラスに、上位四つの優先度は上のクラスにマッピングされる。

詳説

優先度は、0（デフォルト）〜7（最高）まである。ただし、値が大きいほど優先度が高いわけではない。デフォルトより低い優先度も規定されている。VLANタグについて、詳しくは本書の第1章「1.4.2 VLAN」を参照していただきたい

VLANタグに優先度が格納されていることについて、令和3年午後I問3で出題された

第7章

7.2.4 CDN

CDN（Content Delivery Network）は，インターネット経由で高品質なコンテンツを提供するためのネットワークである。不特定多数の利用者に対して，アプリや動画など大容量のコンテンツを高速に配信したいときに利用される。

高負荷のアクセスが特定の期間（キャンペーンの実施，パッチの更新，等）に予期できるとき，クラウド事業者が提供するCDNサービスを当該期間だけ利用すれば，たとえ多数のアクセスが一斉に押し寄せても，高速なコンテンツ配信が可能となる。

インターネット経由の配信は，ベストエフォート通信である。配信サーバから，複数の異なるISP配下にある端末に至るまで，経路全体を包含した優先制御や帯域制御を適用することはできない。この状況下では，当然ながら，他の通信の影響を受けてしまうはずだ。にもかかわらず，CDNは，大容量コンテンツの高速配信をどのように実現しているのだろうか。

詳細な点はクラウド事業者により異なっているが，基本的な実現方法はどの事業者も共通している。本節では，平成29年午後Ⅱ問1で出題された，クラウド事業者が提供するCDNサービスを例にとって解説しよう。

当問題に登場するのは，大容量のコンテンツを配信するA社，CDNサービスを提供するクラウド事業者のB社，及び，A社のコンテンツを受信するエンドユーザ（A社の顧客）である。

A社は，世界中の多数の顧客に対し，大容量のコンテンツを高速に提供することを目指している。高負荷が予期されるときだけB社のCDNサービスを利用することにしている。

B社のCDNサービスは，次に示す構成要素からなる。

①オリジンサーバ
②エッジサーバ（キャッシュサーバ）
③B社DNSサーバ

詳説

平成29年午後Ⅱ問1に登場するA社は，生産機械メーカである。ファームウェアの更新時，世界各地からのダウンロードが一斉に発生することが予期される。この高負荷時に高速なファームウェアダウンロードを実現するため，CDNサービスを利用する

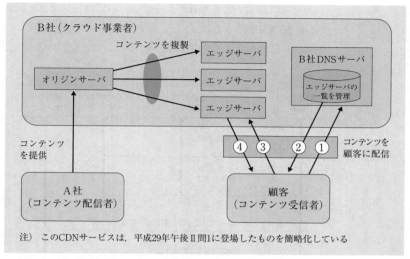

注）このCDNサービスは，平成29年午後Ⅱ問1に登場したものを簡略化している

図：本節で解説する CDN サービスの構成図

オリジンサーバは，A 社から提供されたコンテンツを格納して
いるサーバである。

エッジサーバは，オリジンサーバから複製されたコンテンツを
格納しているサーバである。エッジサーバは世界各地に設置され
ている。

当問題では，A 社コンテンツ配信サーバは，B 社 DNS サーバ
によってドメイン管理されている。B 社 DNS サーバは，エッジサー
バの一覧を管理している。

顧客の端末がコンテンツを受信する手順は，次のとおりである。

①端末は，A 社コンテンツ配信サーバのホスト名に関する名
　前解決を問い合わせる。この問合せを実際に実行するのは，
　端末の DNS フルリゾルバ（端末に登録された，問合せ用
　の DNS サーバ）である。その問合せ先は，配信サーバの
　ドメインを管理している B 社 DNS サーバとなる。
②B 社 DNS サーバは，顧客から見て最寄りのエッジサーバ
　を選択する。コンテンツ配信サーバのホスト名に対応する
　IP アドレスとして，最寄りのエッジサーバの IP アドレス
　を応答する。

③端末は，②で応答されたエッジサーバに対し，コンテンツの配信を要求する。

④エッジサーバは，端末に対し，コンテンツを配信する。

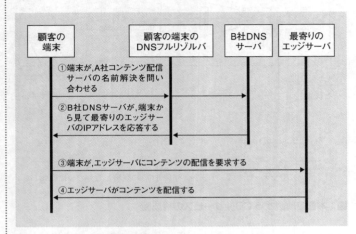

図：コンテンツを配信する手順

　手順②の「顧客から見て最寄りのエッジサーバを選択する」という記述に注目していただきたい。実はこれが，CDNがコンテンツの高速配信を実現している方法である。

● 最寄りのエッジサーバを選択することにより高速性を実現できる理由

　CDNサービスは，高速性すなわち低遅延を，どのように実現しているのだろうか。

　レスポンスタイムは，サービス時間と待ち時間の合計である。また，レスポンスタイムに与える影響は，ネットワークに起因するものとサーバに起因するものがある。

　この点を整理すると，次の表のようになる。

表：レスポンスタイムに影響するもの

	サービス時間	待ち時間
ネットワーク	①シリアル化遅延 ②RTT	④輻輳による遅延
サーバ	③処理の実行	⑤アクセス集中による遅延

詳説

最寄りのエッジサーバを選択することにより，高速性だけでなく，高可用性も実現できる。高速性については，本節で詳しく解説しているとおりである。高可用性は，多数のエッジサーバからなる冗長構成によって実現されている。

どのクラウド事業者のCDNサービスも，エッジサーバを各地に配置する点では基本的に一致しており，高速性（低遅延）や高可用性をうたっていることが多い。

事業者によって，「最寄り」のエッジサーバの配置を工夫していたり，それを選択する方法が若干異なっていたり，あるいは，他の技術を組み合わせて品質をよりいっそう高めていたりする

結論から言おう。CDNサービスの利用によって改善されるのは、「②RTT」「⑤アクセス集中による遅延」である。

このうち、「最寄りのエッジサーバを選択すること」によって改善されるのは、「②RTT」である。

それでは、以下、手短に①〜⑤の概要を解説しよう。

● ①シリアル化遅延

「①シリアル化遅延」は、コンテンツの伝送時間である。これは、コンテンツのサイズが大きければ長くなり、ネットワークの帯域が太ければ短くなる。

CDNサービスを利用しても、コンテンツのサイズが変化するわけではないし、端末側のISP接続回線の帯域が変化するわけではない。

したがって、CDNサーバにより最寄りのエッジサーバが選択されても、これを改善することはできない。

詳説

インターネットバックボーンは広帯域であるが、それに比べると端末側のISP接続回線の帯域は狭い。したがって、シリアル化遅延のボトルネックになるのは、端末側の帯域である

● ②RTT

「②RTT」（Round Trip Time）は、パケットの往復時間である。これは、ネットワーク的に近ければ短くなる。

RTTは回線を通過するたびに発生する遅延時間なので、端末とエッジサーバ間のやり取りが多いと、往復するたびにRTTがレスポンスタイムに加わってしまう。大容量のコンテンツであれば、当然ながらパケット数は大量になるので、RTTの合算値は無視できなくなるはずだ。

CDNサービスは、最寄りのエッジサーバを選択することにより、できる限り**RTTを短く**しようとしているのである。

詳説

RTTについて深く学べる良問を、本書付録PDFの第3章の章末問題（平成20年度午後I問3）に掲載しておいたので、参考にしていただきたい

● ③処理の実行

「③処理の実行」は、端末が要求した処理をエッジサーバが実行する時間である。したがって、処理が軽く、サーバのスペックが高ければ、実行時間は短くなる。

とはいえ、これは、CDNサービスを利用しているか否かに関わりがない。

● ④輻輳による遅延

「④輻輳による遅延」は、他の通信が同時に行われているため、ネットワークのどこかで待ち時間が発生しているこ

第7章

とを意味している。

この輻輳が，端末側の環境（ISP接続回線やイントラネット）で発生しているならば，CDNサービスを利用しても制御することはできない。

したがって，CDNサーバにより最寄りのエッジサーバが選択されても，これを改善することはできない。

なお，インターネットのバックボーンは広帯域なので輻輳は発生しにくいと考えられるが，仮にどこかで発生した場合，最寄りのエッジサーバを選択することで回避できる可能性はある。

- **⑤アクセス集中による遅延**

「⑤アクセス集中による遅延」は，他の通信が同時に行われているため，エッジサーバで待ち時間が発生していることを意味している。

CDNサービスを利用すると，たくさんのエッジサーバで負荷分散できるので，「⑤アクセス集中による遅延」を改善できる。

とはいえ，これは「多数」のエッジサーバを用意することによってもたらされる改善であって，「最寄り」のエッジサーバを選択することによってもたらされるものではない。

もしかすると，「最寄りのエッジサーバ」を単純に選択するだけであれば，エッジサーバ間で負荷の偏りが生じるかもしれない。

以上をまとめると，最寄りのエッジサーバを選択する理由は，端末とエッジサーバ間のRTTが短くなるため，その分だけ，高速性（低遅延）を実現できるからである。

● 最寄りのエッジサーバが選択する方法

CDNサービスのDNSサーバは，配信サーバの名前解決の問合せを受けたとき，「最寄り」のエッジサーバのIPアドレスを応答する。

この問合せを実際に実行するのは，端末のDNSフルリゾルバ（端末に登録された，問合せ用のDNSサーバ）である。したがって，B社DNSサーバが問合せを受けたとき，DNSフルリゾルバ

のIPアドレスを入手することができる。このIPアドレスを基に「最寄りのエッジサーバ」を選択しているわけだ。

　厳密に言うと，端末のDNSフルリゾルバではなく端末そのものIPアドレスを基に，「最寄りのエッジサーバ」を選択すべきである。

　もっとも，ほとんどのケースでは，これで問題はないと言える。なぜなら，通常，端末は，自分とネットワーク的に近いDNSサーバをDNSフルリゾルバに指定するからだ。例えば，会社のPCが自社のDNSサーバをDNSフルリゾルバに指定したり，自宅のPCが契約先ISPのDNSサーバをDNSフルリゾルバに指定したりするケースが，これに該当する。

　通常はこのケースに該当するので，DNSフルリゾルバのIPアドレスに基づく選択が，最適のものとなる。

　しかしながら，例外はあり得る。DNSクライアントは，必ずしも自分とネットワーク的に近いわけではないDNSサーバ(例えば，Google Public DNSサーバ，Open DNSサーバ，等の公開キャッシュサーバ) を，DNSフルリゾルバに指定するかもしれないのだ。

　こちらのケースに該当する場合，先ほど述べた方法で選択されたエッジサーバは，必ずしも最適とは言えなくなる。

　この問題に対処するため，EDNS-Client-Subnet が登場した。

● EDNS-Client-Subnet

EDNS-Client-Subnet は，DNSクライアントがDNSフルリゾルバに名前解決を問い合わせる際，DNSクライアントのアドレスブロック（サブネット）を通知する技術である。
この問合せには，DNS拡張プロトコルであるEDNS0を用いる仕様になっている。
DNSフルリゾルバは，反復的問合せを実施する際，問合せ先の権威DNSサーバに対して，DNSクライアントのアドレスブロック（サブネット）を通知する。

　この技術を使えば，CDNサービスのDNSサーバは，真の意味で，端末から見て最寄りのエッジサーバを選択できるようになる。

試験に出る

EDNS-Client-Subnetについて，平成29年午後Ⅱ問1で出題された

第7章

第8章

セキュリティ

第1節は，セキュリティについて，試験でよく出題される「考え方」を整理している。

第2節以降は，まずセキュリティの要素技術である暗号化／認証について解説する。次いで，試験でよく出題されるテーマに絞り，アクセス制御／不正アタック対策，セキュリティプロトコルについて解説する。

最後に，セキュリティをテーマにした出題例を紹介する。

午後試験では，複数の要素技術を組み合わせた応用問題が出題される傾向がある。とはいえ，基礎知識があれば本文の記述を理解できるように配慮されているので，基礎となる要素技術をしっかり学習しておく必要がある。

アクセスキー **b**
（小文字のビー）

8.1 ・ 午後試験対策のアドバイス

　ここでは，午後試験の出題例を紹介し，ネットワークスペシャリストにふさわしい「考え方」を解説する。出題傾向を踏まえ，問題を解く際にどのように考えればよいのかを理解していただきたい。

● 出題のポイント

　試験では，セキュリティを問う場合，システム基盤のセキュリティ要件は既に抽出済みであり，セキュリティ設計もほぼ検討済みである。

　セキュリティについては，数多くの脅威や対策があるので，どこから手をつけて学習してよいのか，迷ってしまうかもしれない。試験対策としてまず心得ておきたいのは，次の2点である。

　　1.あくまでネットワークの範囲に絞られており，主に技術面が問われている。
　　2.ISMS（情報セキュリティマネジメントシステム）の深い知識は求められていない。
　　　運用面の出題頻度は多くなく，一般的な知識で対応できる難易度である。

　つまり，セキュリティで問われている内容は，本文中のネットワーク設計に登場する要素技術の知識，当該技術を使用したセキュリティ対策の仕組みなど，具体的なものが多い。

　本節では，問題を解くときに役立つ考え方を，暗号化／認証，アクセス制御／不正アタック対策，セキュリティプロトコルの3点に分けて整理した。

　情報処理推進機構（IPA）はセキュリティを重視していることを肝に銘じておくとよいだろう。ネットワークスペシャリスト試験ではほぼ毎年，午後Ⅰ又は午後Ⅱでセキュリティが出題されているので，今後とも重点的に学習しておく分野である。

● 1. 暗号化／認証

　通信における盗聴，改ざん，なりすましの対策となるのが，暗号化技術と認証技術である。試験では，公開鍵基盤を用いたシステムがしばしば登場し，電子証明書の仕組みや運用上の留意点などが出題されている。これらの基礎的な知識について，詳しくは本章の「8.2 暗号化／認証」を参照していただきたい。

　公開鍵基盤や電子証明書について，比較的難易度が高く，かつ，今後とも出題される可能性の高いトピックを扱った出題例を幾つか挙げる。

表：電子証明書に関する出題例

要素技術	着眼点	出題例
サーバ証明書の正当性検証方法	・クライアント側のブラウザがサーバ証明書の正当性を検証する 1.信頼できる認証局から発行されていること 2.認証局の付与した署名の検証に成功すること 3.送信した本人が，電子証明書に格納された公開鍵の所有者であること 4.有効期限が切れていないこと 5.証明書失効リストに含まれていないこと	令和4年午後Ⅱ問1 平成25年午後Ⅰ問1 平成21年午後Ⅱ問1
クライアント証明書	・証明書署名要求（CSR）を作成し，CAから電子証明書を発行する手順	令和4年午後Ⅱ問1
	・クライアント端末には，クライアント証明書とともに，クライアントの秘密鍵をインストールする	平成29年午後Ⅱ問2
	・クライアント証明書を発行した社員が異動・退職したとき，証明書を失効する	平成21年午後Ⅱ問1
	・クライアント証明書は，あくまでインストールしたPCの認証である。利用者認証を別途実施するため，PCのパスワード認証などが必要となる	平成21年午後Ⅱ問1
プライベート認証局が署名した電子ルート証明書を使用	・プライベート認証局のルート証明書を発行し，電子証明書を検証する端末（例：PCのブラウザ）にそのルート証明書を保持しておく	令和4年午後Ⅱ問1 平成30年午後Ⅰ問1 平成29年午後Ⅱ問2 平成26年午後Ⅱ問1 平成21年午後Ⅱ問1

● 2. アクセス制御／不正アタック対策

　外部からの攻撃に対処するには，どのような脅威があり，それに対してどのような対策が効果的であるのかを理解しておく必要がある。

　この分野の出題例は数多くあるが，出題頻度を考慮するなら，次に示す分野を重点的に学習しておくとよい。下記1〜4について，詳しくは本章の「8.3　アクセス制御／不正アタック対策」を参照していただきたい。5については，IEEE802.1X機能をもつ認証スイッチで対応する方法がある。IEEE802.1Xはよく出題されるので，本章の「8.4.3　IEEE802.1X」を参照していただきたい。

1. FW，プロキシ，IDSなどの機器を用いた通信の制御
2. ウイルス対策
3. 迷惑メール対策
4. サイバー攻撃とその対策
5. 不正な端末をLANに接続させないためのクライアント管理

第**8**章

　これら技術面の対策のうち，比較的難易度が高く，かつ，今後とも出題される可能性の高いトピックを扱った出題例を幾つか挙げる。

表：アクセス制御／不正アタックの技術面の対策

要素技術	着眼点	出題例
FW	・本文中の記述に基づき，許可する通信と遮断する通信を問う出題例は多い	※多数ある。ほぼ毎年出題されている。「8.3.1　ファイアウォール」の「試験に出る」を参照
	・HTTPなど許可する通信を用いるDoS攻撃に対し，パケットフィルタリングだけでは対応できない	平成22年午後Ⅰ問3
プロキシサーバ	・プロキシサーバを経由した通信では，名前解決をプロキシサーバが行う	令和元年午後Ⅱ問2
	・プロキシサーバでユーザ認証を実施し，ユーザごとにログを採取する	平成30年午後Ⅰ問1 平成28年午後Ⅰ問2
	・インターネットアクセスをプロキシサーバ経由とするフィルタリングルールでバックドア通信を遮断する。その上で，プロキシサーバで利用者認証を実施し，バックドア通信が失敗するように制御する	令和元年午後Ⅱ問2 平成26年午後Ⅱ問1
	・プロキシサーバを経由したTLS通信	平成30年午後Ⅰ問1 平成28年午後Ⅰ問2 平成21年午後Ⅰ問2
	・TLS復号機能をもつプロキシサーバを導入することにより，復号した通信のコンテンツフィルタリング，ログの検査を実施する	平成26年午後Ⅱ問1
	・プロキシ自動設定機能を用い，多数のPCブラウザのプロキシ設定を自動化し，集中管理する	令和6年午後Ⅰ問3 平成30年午後Ⅰ問1 平成22年午後Ⅰ問1
IDS, IPS	・攻撃を検出したらFWに指示を出して疑わしいセッションを切断する機能	平成27年午後Ⅰ問3
	・TCPパケットのデータ部分の内容を解析することにより，SQLインジェクション，クロスサイトスクリプティングなどを防ぐ	平成22年午後Ⅰ問3
ウイルス対策	入口対策（侵入を防ぐ）	
	・不審なメールを受信しない（送信ドメイン認証の導入）	平成26年午後Ⅱ問1
	・ウイルス対策ソフト	平成25年午後Ⅰ問1
	出口対策（活動を抑え，発見する）	
	・バックドア通信の遮断	平成26年午後Ⅱ問1
	・ログの検査	令和元年午後Ⅱ問2 平成26年午後Ⅱ問1

（表は次ページに続く）

要素技術	着眼点	出題例
ウイルス対策	感染時の対応	
	・ネットワークから切り離す	平成 29 年午後 I 問 2
迷惑メール対策	・送信ドメイン認証の導入	令和 6 年午後 II 問 1 平成 28 年午後 I 問 1 平成 26 年午後 II 問 1
	・送信メールサーバで SMTP-AUTH による送信者認証を実施	平成 28 年午後 I 問 1
	・踏み台にならないようにするため, 迷惑メールの中継を防止する	平成 28 年午後 I 問 1
クライアント管理	不正端末による LAN 利用を制限するため, ARP スプーフィングを用いる	令和元年午後 I 問 3
	・認証スイッチの導入	平成 25 年午後 II 問 2 ※他にも多数ある。『8.4.3 IEEE802.1X』の「試験に出る」を参照
	・DHCP スヌーピングの導入	令和元年午後 I 問 3 平成 25 年午後 I 問 2
サイバー攻撃	DDoS 検知サーバと BGP の仕組みを組み合わせた DDoS 対策 (BGP RTHB 方式, BGP Flowspec 方式)	令和 6 年午後 I 問 1
	DoS 攻撃の具体的な種類とその内容	
	・SYN フラッド攻撃 ・smurf 攻撃	令和元年午後 II 問 2
	・SYN フラッド攻撃 ・UDP フラッド攻撃 ・DNS リフレクタ攻撃	平成 26 年午後 I 問 3
	・分散型 DoS 攻撃は送信元が特定できないため対策が難しい	平成 26 年午後 I 問 3
	サーバ構築を適切に実施する	
	・コンテンツサーバとキャッシュサーバを別々に設置する	令和元年午後 II 問 2
	・DNS サーバ (オープンリゾルバにしない)	平成 26 年午後 I 問 3
	・メールサーバ (送信ドメイン認証を導入する)	平成 26 年午後 II 問 1
	・ペネトレーションテストを実施する	平成 26 年午後 I 問 3

外部からの脅威や脆弱性への対策は, ここに挙げた技術的なものに加え, システムを運用するときにも求められる。

サイバー攻撃など, 重大なインシデントが発生したときに, 発見者とセキュリティ担当者がそれぞれ何を行うべきかを理解しておくとよい。具体的に言うと, 次の表に示す順序に従って対応することが求められる。

第8章

表：インシデント発生時に発見者とセキュリティ担当者が行うべきこと

発見者	セキュリティ担当者
1. 状況把握と記録 2. 対処方法の確認 3. セキュリティ担当者への連絡 4. 対処結果の報告	1. 状況把握と記録 2. 対処方法の確認 3. ネットワークの切断 4. 原因の特定と対処 5. システムの復旧 6. 対処結果の報告

　システムの運用時に行うことについて，出題例を幾つか挙げる。「●出題のポイント」で述べたとおり，一般的な知識で対応できる難易度である。

表：アクセス制御／不正アタックの運用面の対策

種類	着眼点	出題例
規程の策定	・不審なメールを受け取ったときの対応	平成26年午後Ⅱ問1
	・サイバー攻撃を受けたとき，攻撃を受けた端末をネットワークから切り離す	平成26年午後Ⅰ問3
	・モバイル端末からインターネット経由でVPN接続しているシステムで，モバイル端末を紛失したとき，紛失したIDをロックする	平成28年午後Ⅰ問2
ログ検査	・不正アクセスへの対応を最適化するために，ログを取得して解析する	平成27年午後Ⅰ問3
	・ログを定期的に検査する	平成26年午後Ⅱ問1

●3. セキュリティプロトコル

　セキュリティを扱った問題で，しばしば登場するシステムは，IEEE802.1X認証の仕組みを用いていたり，インターネットVPN（IPsec-VPN）やSSL-VPNなどで暗号化通信を行っていたりする。

　そのような仕組みを備えたセキュアなシステムを構築するには，セキュリティプロトコルについての知識が必要となる。

　試験では，セキュリティプロトコルの動作シーケンスなど，基礎的な知識がよく出題されている。さらに，複数の要素技術を組み合わせた設計能力も試されている。

　近年の出題頻度を考慮すると，次に示すプロトコルを重点的に学習しておくとよい。これらプロトコルの規格について，詳しくは本章の「8.4　セキュリティプロトコル」を参照していただきたい。

　　1. IEEE802.1X
　　2. IPsec

3. SSL（TLS）

4. 無線 LAN

「●出題のポイント」で述べたとおり，本文にはセキュリティ要件は示されており，セキュリティ設計もだいたい検討済みである。とはいえ，セキュリティプロトコルが関わる部分については未検討であったり，複数の案を検討中であったりする。試験では，そのような状況を設定した上で，暗号化や認証などの仕組みを具体的に問うている。

セキュリティプロトコルのうち，比較的難易度が高く，かつ，今後とも出題される可能性の高いトピックを扱った出題例を幾つか挙げる。

ここに挙げたプロトコルに関しては，通信仕様に関わる正確な知識（メッセージ名，モード名，シーケンスの順序など）が出題されている。それだけでなく，複数の要素技術を組み合わせた設計の応用問題もよく出題されている。しっかり学習しておきたい。

表：セキュリティプロトコル

プロトコル	着眼点		出題例
IEEE802.1X	認証，鍵の生成と配布，VLAN 割当てなどのシーケンス	・EAP-TLS	平成 29 年午後Ⅱ問 2 平成 21 年午後Ⅱ問 1
	・認証スイッチ		平成 25 年午後Ⅱ問 2 ※他にも多数ある。「8.4.3 IEEE802.1X」の「試験に出る」を参照
	・事前認証，PMK キャッシュ		平成 29 年午後Ⅱ問 2 平成 25 年午後Ⅱ問 1
IPsec	IKE SA（IKEv1）	・メインモード ・アグレッシブモード	平成 28 年午後Ⅱ問 2 平成 22 年午後Ⅱ問 2
	IKE SA（IKEv2）	・IKE SA, Child SA の順に SA を確立する	令和 4 年午後Ⅰ問 2
	IPsec SA	・トンネルモード，ESP	令和 6 年午後Ⅰ問 3 令和 4 年午後Ⅰ問 2 平成 22 年午後Ⅱ問 2
		・トランスポートモード，ESP	平成 28 年午後Ⅱ問 2
	AH, ESP, IKE のそれぞれについて，NAT 機器を経由した IPsec 通信で発生する問題		平成 27 年午後Ⅱ問 2
	インターネット VPN		
	・IP アドレスが固定されていない場合，メインモードは使用できないため，アグレッシブモードを使用する		平成 22 年午後Ⅱ問 2
	・IPsec パケットを通過させるルータには VPN パススルー機能が必要となる		平成 22 年午後Ⅱ問 2
	・NAT ルータの配下にある VPN クライアントには，NAT トラバーサル機能が必要となる		平成 27 年午後Ⅱ問 2

（表は次ページに続く）

第 8 章

プロトコル	着眼点		出題例
IPsec	・トンネルモード使用時の VPN トンネルの区間		平成 23 年午後 I 問 3
	・L2TP over IPsec を使用し，モバイル端末からインターネット経由で社内サーバにリモートアクセスする		平成 28 年午後 I 問 2
	インターネット VPN		
	・IP in IP over IPsec, GRE over IPsec は，既に IP in IP や GRE を用いてトンネリングしているので，トランスポートモードを使用し，トンネルモードを使用しない		令和 6 年午後 I 問 3 平成 29 年午後 I 問 3 平成 28 年午後 II 問 2
	・IPsec は IP ユニキャストパケットしかカプセル化できない。そのため，GRE over IPsec を使用する		平成 30 年午後 I 問 3 平成 28 年午後 II 問 2
SSL (TLS)	・ハンドシェークプロトコル (TLS1.3)		令和 4 年午後 II 問 1
	・ハンドシェークプロトコル (TLS1.2)		平成 29 年午後 I 問 1 平成 26 年午後 II 問 1 平成 25 年午後 I 問 1
	・メール送受信の暗号化 (STARTTLS)		平成 28 年午後 I 問 1
	・SSL 可視化装置		平成 30 年午後 I 問 3 平成 29 年午後 I 問 1 平成 26 年午後 II 問 1
	SSL-VPN		
	方式	・ポートフォワード方式 (ポートマッピング方式)	令和 4 年午後 II 問 1 平成 25 年午後 II 問 1 平成 23 年午後 II 問 1
		・レイヤ 2 フォワード方式	平成 29 年午後 I 問 1 平成 26 年午後 II 問 2
	・VPN トンネルの区間		平成 23 年午後 II 問 1
	・VPN トンネルを経由させるためのルーティングテーブルの設定		平成 23 年午後 II 問 1
	・認証サーバとの連携		平成 23 年午後 II 問 1 平成 22 年午後 II 問 1
無線 LAN	・WPA3 によるセキュリティ強化 (パーソナルモードで採用された SAE)		令和 5 年午後 I 問 3
	・WPA, WPA2 の暗号化方式，認証方式		平成 29 年午後 II 問 2 平成 28 年午後 I 問 2 平成 21 年午後 II 問 1
	・共有鍵認証, WEP の問題点		平成 25 年午後 II 問 1
認証, 認可	・ケルベロス認証, SAML 認証を組み合わせたシングルサインオン		令和 5 年午後 II 問 2
	・ケルベロス認証によるシングルサインオン		令和 4 年午後 I 問 3
	・Web API 利用時の OAuth を用いた認可		平成 30 年午後 II 問 1

8.2 暗号化／認証

通信における盗聴，改ざん，なりすましなどの対策となるのが，暗号化技術と認証技術である。両者とも様々な方式があるが，それぞれの仕組みや特徴をよく把握しておく必要がある。特に，認証については，暗号化技術がどのように使われているかを把握しておく。

8.2.1 暗号化方式

暗号化方式には，共通鍵方式，公開鍵方式，そして両者の長所を取り入れたハイブリッド方式がある。

● 共通鍵方式

暗号鍵と復号鍵が同じであり，通信する者同士でその鍵を共有する暗号化方式を共通鍵方式と呼ぶ。

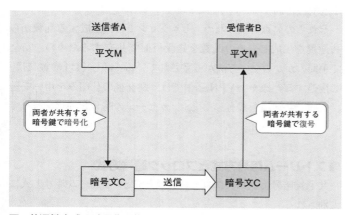

図：共通鍵方式の暗号化と復号の仕組み

共通鍵方式の暗号化処理の基本的なアイデアは，次に示すXOR演算である。ここで，平文をM，暗号鍵をK，暗号文をCとする。

Mを暗号化してCを得るには，次のようにする。

C＝M XOR K（桁をそろえてXOR演算を行う）

試験に出る

共通鍵暗号方式の鍵の総数について，平成25年午前Ⅱ問18で出題された

詳説

暗号化（encrypt）は，第三者が解読できないように平文から暗号文に変換することである。その変換は，通信相手が暗号文から元の平文を復号（decrypt）できることを前提としている。要するに，通信相手が復号できない変換は，暗号化と呼ばないわけだ。
したがって，メッセージからメッセージダイジェスト（詳細は後述）を作成することは，元のメッセージを復元できない以上，「暗号化」ではない

第8章

Cを復号してMを得るには，次のようにする。

$$M = C \text{ XOR } K \text{（桁をそろえてXOR演算を行う）}$$

もちろん，実際の共通鍵暗号アルゴリズムは，中核をなすXOR演算に加え，様々な仕組みが取り込まれている。暗号化強度を高めつつ，処理速度の高速化が実現されている。

共通鍵方式は，後述する公開鍵方式に比べると，暗号化処理にかかる時間が桁違いに短いという利点がある。そのため，TLS，IPsecをはじめとする数多くのVPN通信でメッセージの暗号化に活用されている。

一方，共通鍵方式には欠点が二つある。一つ目は，共通鍵が第三者に盗用されるとデータの秘匿性を保てなくなるため，送受信者間で共通鍵を安全に共有する方法が必要になるという点である。

二つ目は，その方法を実施するのに手間がかかるなら，同じ共通鍵を長期間にわたって使い続けることになりかねず，解読される危険性が高まるという点である。

それらの欠点を補うため，セッションごとに生成する乱数から共通鍵を生成し，その乱数を送受信間で共有するための，安全で手間のかからない方法が考案されている。詳しくは「●鍵交換」で後述する。様々なVPN通信では，鍵交換の仕組みを用いて送受信間で共通鍵を共有した後，メッセージの暗号化通信を行っている。

●ストリーム暗号方式とブロック暗号方式

共通鍵暗号方式は，ブロック暗号方式とストリーム暗号方式に大別される。

●ストリーム暗号方式

ストリーム暗号方式は，平文をブロックに分割せずに，ビット単位やバイト単位で暗号化する方式である。

この暗号化に用いる鍵（前述の式中のKに相当）は，擬似乱数列（乱数のように見えるデータ列）を生成するアルゴリズムを用いて生成する。

このアルゴリズムは，シードと呼ばれる初期値を入力すると，

詳説

ストリーム暗号方式でかつてよく使われていたRC4は，平文解読攻撃等の攻撃方法が知られるようになったため，TLSでは2015年から使用禁止になっている（RFC7465）。現在普及しているストリーム暗号方式の一つにChaCha20がある

シード毎に異なる擬似乱数列を出力する。これをキーストリームという。同じシード値から同じキーストリームが常に生成されるため，これは厳密に言うと乱数ではない。ゆえに「擬似」乱数と呼ばれている。生成される擬似乱数の種類は，シード値の種類と等しい（つまり，シードが N ビットならば，擬似乱数の種類は 2 の N 乗になる）。

　シードを変化させれば，異なる擬似乱数系列が得られる。この性質を利用し，ストリーム暗号方式は通信する者同士で共有する共通鍵をシード値として与え，生成されたキーストリームを暗号鍵として使用する。

　とはいえ，長期間にわたり同じキーストリームを使い続けるなら，悪意ある第三者が大量の暗号化データを傍受して，暗号文を解読できてしまうかもしれない。一方で，共通鍵を頻繁に変更するのは手間がかかる作業だ。そのため，擬似乱数生成時の初期値として，共通鍵（つまりシード値）とともにナンス（Nonce：再利用されない乱数）を与える方法が採られる。一つの平文を暗号化するたびにナンスを生成し，暗号文と一緒にナンスを送信する。こうすればキーストリームは毎回変化するので，第三者が暗号文を解読することは困難となる。

　ストリーム暗号化方式の代表的なアルゴリズムには，ChaCha20 がある。

　ストリーム暗号化方式は処理が比較的単純である。そのため，マシンパワーが限られたモバイル環境や組込系では，ストリーム暗号方式の ChaCha20 の方が，ブロック暗号方式の AES（詳細は「●ブロック暗号方式」で後述）より高速であるとされている。

　ChaCha20 は，シード値として用いる共通鍵（256 ビット），ナンス（96 ビット），カウンタ値（32 ビット。1 から順に付番）からなる 384 ビットの初期値を疑似乱数関数に与えて，64 バイト長のキーストリーム（暗号鍵）を生成する。これを用いて，平文を 64 バイトずつのブロックに分けて暗号化する。

　暗号化と復号の手順は次の図のとおりとなる。

詳説

ここに述べられているChaCha20の共通鍵，ナンス，カウンタのビット長は，ChaCha20-Poly1305（RFC8439）で採用されている値である。ChaCha20には様々な派生があり，異なるビット長を用いるものがある

第**8**章

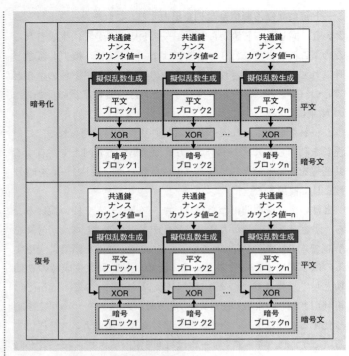

図：ChaCha20 の暗号化と復号の手順

●ブロック暗号方式

　ブロック暗号方式とは，平文を 128 ビットなどの固定長のブロックに分割し，ブロックと同じサイズの鍵（前述の式中の K に相当）を用いて暗号化する方式である。

　代表的なアルゴリズムに AES（Advanced Encryption Standard）がある。AES のブロック長は 128 ビットであり，鍵長は 128，192及び 256 ビットの 3 種類がある。AES の暗号化処理は，ブロック内のバイト配列を複雑に交換しながら XOR 演算を施していく複雑な手順を踏んでいる。とはいえ，公開鍵暗号方式に比べれば高速である。

　ブロック暗号方式では，任意の長さの平文を暗号化するため，ブロック暗号化を繰り返し実施する必要がある。その実施方法のことを暗号利用モードという。

　AES の暗号利用モードに，**CBC** モード，**CTR** モードなどがある。

● CBC（Cipher Block Chaining，暗号ブロック連鎖）

CBCモードは，一つ前の暗号ブロックと平文ブロックを
XOR演算したものを暗号ブロックとする。最初の平文ブ
ロックを暗号化するときは，一つ前の暗号ブロックが存在
しないため，代わりに初期化ベクトル（IV：Initialization
Vector）を用いる。一つの平文を暗号化するたびに，IVに
ナンス（再利用されない乱数）を与える。暗号文と一緒に
ナンスを送信する。

一つの平文を固定長ブロックに分割した結果，末尾ブロッ
クの長さが固定長に満たない場合，CBCモードはパディン
グを行って末尾ブロックを固定長に揃える必要がある。
暗号化と復号の手順は次の図のとおりとなる。

詳説

CBCモードによる暗号化は，
Padding Oracle攻撃やBEAST
攻撃を受けると暗号文が解読
されてしまうという脆弱性があ
る。また，CTRモードとは異な
り，複数のブロックを並行して
暗号化できないため，CTR
モードより暗号化処理が遅い
という欠点がある。

参考までに，AES-CBCモード
はTLS1.2まで使用されてい
たが，TLS1.3から廃止された。
無線LANの暗号化プロトコル
にAES-CCMP(Counter mode
with CBC-MAC protocol)を
選択したとき，暗号化はCTR
モードが使用されるが，メッ
セージ認証コード（Message
Authentication Code）を作
成する際にCBCモードが使
用される。このメッセージ認
証コードは，CBC-MACと呼ば
れている。

CBC-MACについて，詳しく
は本章の「8.2.2 認証方式」の
「●メッセージ認証」「●ブロッ
ク暗号方式」を参照していた
だきたい。

AES-CCMPについて，詳しく
は本章の「8.4.7 無線LAN」
の「●暗号化方式とメッセー
ジ認証方式」を参照していた
だきたい

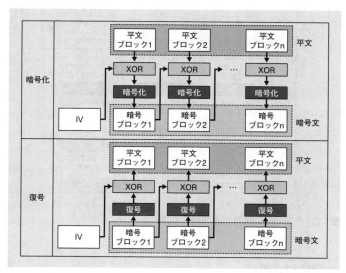

図：CBC モードの暗号化と復号の手順

● CTR（Counter，カウンタ）

CTRモードは，平文ブロックを1個暗号化するたびに1ず
つ増加する値を用いる。この値のことを，カウンタという。
一つの平文を暗号化するたびに，カウンタの初期値にナン
ス（再利用されない乱数）を与える。暗号文と一緒にナン
スを送信する。

第8章

CTRモードは，まずカウンタを共通鍵で暗号化し，これと平文ブロックをXOR演算したものを暗号ブロックとする。

一つの平文を固定長ブロックに分割した結果，末尾ブロックに端数が生じた場合であっても，CTRモードはパディングを行う必要がない。

暗号化と復号の手順は次の図のとおりとなる。

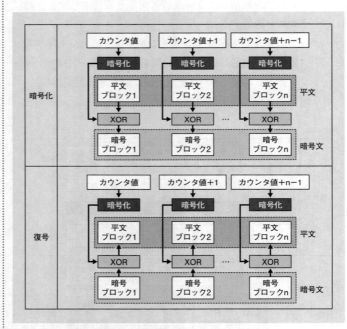

図：CTRモードの暗号化と復号の手順

試験に出る

カウンタモードの復号処理手順について，平成29年午後Ⅱ問2で出題された

試験に出る

AEADが暗号化とメッセージ認証の二つの処理を同時に行うことについて，令和4年午後Ⅱ問1で出題された

● 認証付き暗号

近年では，暗号化とメッセージ認証の二つの処理を同時に行う **AEAD**（Authenticated Encryption with Associated Data）暗号利用モードが普及しはじめている。TLS1.3 では AEAD 暗号利用モードの利用が必須になっており，ChaCha20-Poly1305 や AES-**GCM**（Galois/Counter Mode）がよく用いられている。

ChaCha20-Poly1305 は，暗号化に ChaCha20 を用い，メッセージ認証コードの生成に Poly1305 を用いている。AES-GCM は，

AESの暗号利用モードを改良したGSMモードを用いる。GSMモードは，暗号化とメッセージ認証を同時に行い，暗号文と共にメッセージ認証コードを生成する仕組みを備えている。暗号化と復号は上述のCTRモードを使用する。メッセージ認証はガロア認証と呼ばれるハッシュを用いた仕組みを使用する。

● 公開鍵方式

　二つの鍵を作成し，一方の鍵（秘密鍵）は本人が秘密に保持し，他方の鍵（公開鍵）は通信相手に公開する暗号化方式を公開鍵方式と呼ぶ。秘密情報と公開情報を組み合わせて，メッセージ暗号化，デジタル署名，鍵交換などを実現する技術全般のことをPKC（Public Key Cryptography）という。

　次の表に示すとおり，公開鍵と秘密鍵の使い方は異なる。いずれの場合も，公開鍵と秘密鍵が対になっており，正しい組合せでなければ処理に失敗する。

表：用途ごとに異なる鍵の役割

用途	送信者が使用する鍵	受信者が使用する鍵
メッセージ暗号化	受信者の公開鍵でメッセージを暗号化する	受信者の秘密鍵でメッセージを復号する
デジタル署名 （送信者の否認防止）	送信者の秘密鍵（署名鍵）で署名を作成する	送信者の公開鍵（検証鍵）で署名を検証する
鍵交換	お互いに，自分の公開鍵を相手に通知する。自分の秘密鍵と相手の公開鍵から，両者で共有する共通鍵を生成する	

　公開鍵暗号方式は，計算量的安全性（多項式時間内に解く方法が見つかっていないこと）を安全性の根拠としている。その代表的な技術として，RSA暗号，楕円曲線暗号（ECC：Elliptic Curve Cryptography）がある。

　RSA暗号は，公開鍵暗号方式の先駆けとなったアルゴリズムであり，これまで広く使用されてきた。読者にとってなじみ深い技術であるに違いない。しかし，後発の楕円曲線暗号の方が高速であるため，こちらに主役の座を明け渡しつつある。

　楕円曲線暗号は，鍵交換やデジタル署名などの用途で幅広く使われている。用途ごとに様々な方式があり，「楕円曲線暗号」はそれら技術全般を指す用語である。

詳説

RSA暗号と楕円曲線暗号の比較

NISTによれば，2,048ビットのRSAが224〜255ビット楕円曲線暗号に相当する。それゆえ，楕円曲線暗号は，RSAより数分の一の鍵の長さで同程度の強度を提供できる。しかも，暗号化／復号に要する時間は，楕円曲線暗号の方が高速である。

楕円曲線暗号は，十分な暗号強度を確保しつつ，短い鍵長で高速にデータを暗号化する方式であると言える

第8章

● メッセージの暗号化

　公開鍵暗号方式をメッセージの暗号化の用途で使用する際，RSA暗号がよく用いられている。

　なお，少々紛らわしいが，公開鍵暗号技術（PKC）のうち，特にメッセージ暗号化を実現する技術のことをPKE（Public Key Enctyption）と呼んで区別する。

　メッセージを暗号化して送信するときには，通信相手の公開鍵で暗号化する。この暗号文を正しく復号できるのは，通信相手の秘密鍵だけなので，データの秘匿性が保たれることになる。

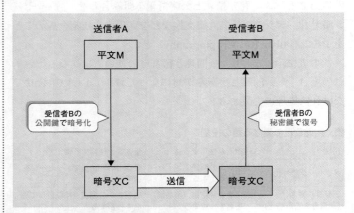

図：RSA暗号の暗号化と復号の仕組み

　実用上，RSA暗号を用いて暗号化するメッセージは「共通鍵の基となる乱数」である。つまり，実用上は鍵交換に使用される。この方式について，詳しくは「●鍵交換」の「●サーバ証明書を用いる方式」で解説する。

● 鍵交換とデジタル署名

　公開鍵暗号方式に基づく鍵交換について，詳しくは「●鍵交換」で解説する。デジタル認証について，詳しくは「8.2.2 認証方式」の「●デジタル署名」で解説する。

● 共通鍵方式と公開鍵方式の比較

　両者の特徴を次に示す。

表：共通鍵方式と公開鍵方式の比較

	共通鍵方式	公開鍵方式
鍵の仕組み	秘密鍵を通信する者同士で共有する。秘密鍵は，暗号鍵，復号鍵の役割をもつ	秘密鍵は本人が専有し，公開鍵は通信相手が共有する。用途に応じて，一方が暗号鍵となり，他方が復号鍵となる
鍵の種類の数	N 名の場合，N(N−1)／2 個（ペアの数である N(N−1)／2 個だけ必要）	N 名の場合，2N 個（各人の秘密鍵，公開鍵が必要）
鍵の安全な配送	必要（鍵を共有する必要があるため）	公開鍵は不要（すでに公開済みであるため）
鍵の安全な管理	必要	秘密鍵は必要
管理する秘密鍵の数	通信相手の数	1 個（自分の秘密鍵だけ）
処理速度	共通鍵方式は公開鍵方式に比べて，処理速度が速い	
代表例	AES（128, 192, 256 ビット）ChaCha20	RSA ECDHE（鍵交換） ECDSA（デジタル署名）

● 鍵交換

「●共通鍵方式」で解説したとおり，TLS や IPsec をはじめ今日用いられている VPN 通信では，鍵交換の仕組みを用いて送受信間で共通鍵を共有した後，メッセージの暗号化通信を行っている。

その共通鍵が使用されるのは，セッションごと，すなわち，ある一続きのアプリケーション通信の開始から終了までである。言い換えると，セッションごとに使い捨てられているわけだ。このような共通鍵をセッション鍵と呼ぶ。

鍵交換は，VPN 通信（暗号化されたアプリケーション通信）を開始する前の，セッションを確立する段階で実施される。

その共通鍵を交換する方法として，次に示す 2 種類がある。

●サーバ証明書を用いる方式

予め断っておくが，この方式は TLS1.2 では用いられていたが，前方秘匿性がないため，TLS1.3 では廃止されている（詳しくは，「8.4.6 SSL，TLS」の「● TLS1.3 のシーケンス」を参照していただきたい）。

しかし，TLS1.2 が市場でまだ普及している現状を鑑みれば，もうしばらく使われ続けるに違いない。読者は，TLS1.2 を扱った過去問題を解くとき，この方式を目にする機会があるはずだ。試験対策としては，前方秘匿性がないという問題点があることを弁えつつ，今のところまだ使われている技術なので，勉強しておく

詳説

TLS1.2の鍵交換では，サーバ証明書を用いる方式，Diffie-Hellman鍵交換方式のどちらも規定されており，一般的には前者が広く用いられている。TLS1.3，IPsecの鍵交換では，Diffie-Hellman鍵交換方式が用いられている

第 **8** 章

必要がある。

　本題に戻ろう。この方式は，サーバ証明書が採用している公開鍵暗号が RSA 暗号であることを前提としている。

　その手順は次のとおりである。

　セッション確立時に，まずクライアントはサーバを認証する。これはサーバ証明書を用いて実施する。認証に成功したら，サーバの公開鍵を証明書から取得する。

　次に，クライアントは，共通鍵の基となる乱数を生成する。その乱数を，サーバの公開鍵を用いて暗号化してサーバに送信する。これにより，クライアントとサーバの間で共通鍵を共有することができる。

　この暗号化された乱数を復号できるのは，暗号鍵の対になる復号鍵（サーバの公開鍵の対になる秘密鍵）だけであるから，このやり取りを悪意ある第三者が傍受しても共通鍵を入手できない。したがって，安全で手間のかからない方法で鍵交換が行われる。

　鍵交換には公開鍵方式を用い，アプリケーション通信の暗号化には共通鍵方式を用いる方法は，それぞれの方式の長所をうまく組み合わせたものとなっている。

　共通鍵方式は暗号化処理速度が速いので，この長所を活かして，セッションを確立した後のアプリケーション通信の暗号化に用いる。

　一方，公開鍵方式は暗号化処理速度が遅いので，サイズの小さな乱数（共通鍵の基）の暗号化，つまり必要最小限の使用に留める。共通鍵はセッション終了時に捨ててしまえるので，厳重に管理すべきは自分の秘密鍵だけとなる。ゆえに，公開鍵方式の長所がここで活かされている。

　このようによく考えられた方式であるため，TLS1.2 の鍵交換では通常使われてきた。しかし，前述のとおり，前方秘匿性がないという問題を抱えているため，TLS1.3 から廃止されている。

　前方秘匿性とは，鍵交換によって暗号鍵（共通鍵）を生成する際，その生成に使用したパラメータを別の暗号鍵を生成するときに使用しないことを言う。なぜなら，もしそのパラメータが漏えいしたら，その時点に生成された暗号鍵はもちろん，同じパラメータから生成された過去の暗号鍵も破られるからだ。

詳説

公開鍵証明書を用いたサーバ認証について，詳しくは本章の「8.2.2　認証方式」の「●第三者認証と電子証明書」を参照していただきたい

電子証明書は一定期間使用されるので，その公開鍵／秘密鍵ペアは静的なものであり，鍵交換の度にこれを繰り返し使うことは前方秘匿性を損なってしまう。

●Diffie-Hellman鍵交換方式

Diffie-Hellman 鍵交換方式は，送受信者間で乱数を安全に交換し合って，その乱数から共通鍵を生成し共有するものである。離散対数問題の困難性を安全性の根拠にしている。

セッション確立時に共通鍵を生成する手順は，おおよそ次のとおりである。

① 両者は，離散対数の計算に必要なパラメータ値を決める。このパラメータ値は公開してよい。
② 両者は，それぞれ，共通鍵の基となる数を二つ生成する。一つ目は秘密鍵と呼ばれ，非公開の乱数である。二つ目は公開鍵と呼ばれ，ある離散対数の計算式を使用して秘密鍵から算出される。
③ 両者は，公開鍵を互いに送信し合う。
④ 両者は，それぞれ，自分が生成した秘密鍵と，相手から受け取った公開鍵から，ある離散対数の計算式を使用して，共通鍵を算出する。

離散対数の計算式を使用しているので，上記の手順②において，ネットワーク上でやり取りされる公開鍵を第三者が入手したとしても，その対になる秘密鍵を求めることや，そこから得られる共通鍵の値を求めることが，極めて困難である。この結果，送受信者間で共通鍵を共有することができる。

この方式を採用しているのは，TLS（鍵交換アルゴリズムにDiffie-Hellman を採用した場合），IPsec などがある。

Diffie-Hellman 鍵交換方式は，サーバ証明書を用いる方式と異なり，通信相手の主体認証を行う方法をもたない。したがって，何らかの方法で相手を認証しておかないと，中間者攻撃を受けやすいという欠点がある。

詳説

Diffie-Hellman鍵交換方式は通信相手の主体認証を行っていないが，VPN通信では主体認証を別途行うことで安全性を確保している。例えば，IPsecでは，鍵交換に先立ち，事前共有鍵方式によって正当な通信相手であることを認証している。詳しくは，本章の「8.4.5 IPsec」を参照していただきたい

中間者攻撃

MITM（Man in the Middle）攻撃ともいう。
これは，クライアントとサーバ間の通信経路上に攻撃者が割り込み，クライアントに対してはサーバになりすまし，サーバに対してはクライアントになりすましつつ，両者間の通信を中継しつつ，通信内容を傍受する攻撃方法である。
通信相手の主体認証を行わずに中間者攻撃に遭い，Diffie-Hellman鍵交換を実施したならば，共通鍵が攻撃者に入手される。それゆえ，たとえこの鍵を使ってアプリケーション通信を暗号化していても，攻撃者に容易に傍受されてしまう

第8章

ここでは，「べき剰余」を使う方法を紹介しているが，これ以外にも「楕円曲線」を使う方法などがある。楕円曲線離散対数問題を利用した方式をECDH（Elliptic Curve Diffie-Hellman）という。

言うまでもなく，離散対数の計算方法が変われば，離散対数の計算に必要なパラメータも変わる。

共通鍵の長さ（ビット長）は，パラメータ値によって定まる。べき剰余を使う方法の場合，pで割っていることから明らかなとおり，pのビット数になる。IANAは，計算方法ごとに，必要となるパラメータの組と，それらパラメータの具体的な値を定めている（複数のRFCに記載されている）。べき剰余を使う方法の場合，pとgの組となる。これをDHグループという。

DHグループには番号が付与されている。例えば，DHグループ番号14は，「べき剰余を使った計算を行うグループである。pの値はいくつで,gの値はいくつである」といった具合に規定されている。

IPsecやTLSでDiffie-Hellman鍵交換を行う際，DHグループ番号を合意した上で，公開鍵の値を送信し合う。つまり，どのように計算するのか，パラメータの値をいくつにするのかを取り決めてから，鍵交換を開始するわけだ。DHグループ番号の合意は共通鍵を得る前に行われるので，当然ながら秘匿されないわけだが，何ら問題はない

●Diffie-Hellman鍵交換の手順

Diffie-Hellman鍵交換方式の概要を理解できたので，やや専門的であるが，鍵交換の手順をもう少し具体的に解説しよう。

共通鍵を共有する送受信者をX，Yとする。

離散対数の計算に必要なパラメータは,2種類の数,p, gである。pは大きな素数であり,gは0以上p未満の整数である。XとYは，このpとgの値を合意しているものとする。TLSやIPsecを使うとき，セッション確立時にXとYが通信して合意するので，これらは公開値となる。

セッションの確立時,まずX, Yは秘密鍵となる乱数を生成する。Xが生成したものをaとし，Yが生成したものをbとする。このaとbは，それぞれ自分だけの秘密にしておく。

次いで，Xは，秘密鍵aから公開鍵Aを計算し，これをYに送信する。Aは次式より求める。ここで，式中のmodは，左項を右項で割ったときの剰余（割り算をしたときの余り）を求める演算である。

$$A = g^a \bmod p$$

同様に，Yは，秘密鍵bから公開鍵Bを計算し，これをXに送信する。Bは次式より求める。

$$B = g^b \bmod p$$

最後に，Xは，受け取ったBから鍵Kxを計算する。Kxは次式より求める。

$$Kx = B^a \bmod p = g^{ab} \bmod p$$

同様に，Yは，受け取ったAから鍵Kyを計算する。Kyは次式より求める。

$$Ky = A^b \bmod p = g^{ab} \bmod p$$

式から明らかなとおり，鍵KxとKyは等しくなる。これを共通鍵Kとして採用する。

$$K = Kx = Ky = g^{ab} \bmod p$$

　この手順に従うと，お互いに送信し合う公開鍵A，Bは，第三者に傍受される危険性がある。さらに，上記のとおりIPsecやTLSでは，パラメタp，gも公開値である。

　それにもかかわらず，素数pが十分に大きければ，p，g，A，Bの四つの値から，共通鍵（K）を推測することが困難である。

　なお，ここで説明したのは，セッションが変わるたびに使い捨てられる鍵を交換する方法であり，**DHE**（ephemeral Diffie-Hellman）と呼ばれている。Ephemeralは「一時的」という意味であり，鍵交換の乱数（秘密鍵と公開鍵）をセッションのたびに動的に生成することに由来している。同じ乱数を使い続けるstatic DHも規定されているが，通常，DHEが用いられている。

　楕円曲線離散対数問題を利用した鍵交換にもEphemeralなものがあり，**ECDHE**（ephemeral Elliptic Curve Diffie-Hellman）と呼ばれている。今日では，DHEよりもECDHEの方が普及しつつある。より複雑な仕組みを用いているため説明を割愛するが，基本的なアイデアはDHEと似通っている。

DHEについて，令和4年午後Ⅱ問1で出題された

8.2.2 認証方式

認証方式は，認証する対象により次のように分類できる。

シングルサインオンについて，平成27年午後Ⅰ問1で出題された

- **主体認証（エンティティ認証）**
  アクセスする相手，メッセージの送り手や受け手といった実体を認証。

- **メッセージ認証**
  送信メッセージが改ざんされていないことを認証。

- **第三者認証**
  第三者（自分と相手以外）により認証されていることを指すが，その対象となるのは，例えば「公開鍵」である。本章は，この用語を，公開鍵の正当性を第三者が認証することを意味するものとして用いる。

第8章

詳説

主体認証の対象は、人間だけでなく、機器も含まれる。これを端末認証という。

例えば、IPsecを用いたインターネットVPNで拠点間を接続する場合、VPN通信を行う機器（VPN区間の両端にある機器）に対し、事前共有鍵を設定しておく。VPN通信を行うとき、VPN機器同士は、事前共有鍵を用い、正当な相手であることを互いに認証し合う。詳しくは、本章の「8.4.5　IPsec」を参照していただきたい

●主体認証

主体認証（エンティティ認証）は、主体（自分又は相手）の真正性を認証することである。

例えば、利用者がシステムにログインするとき、ログインを行う実体が正当な利用者であることをシステムに認証してもらう。これをユーザ認証（又はクライアント認証）という。

その逆に、利用者がシステムにログインするとき、ログイン対象のシステムが正当なシステムであるかどうかを利用者に認証してもらう。これをサーバ認証という。

メッセージを送信するとき、送信者が正当な利用者であることを受信者に認証してもらう。これにより利用者は、送信した事実を後から否認することができなくなる。これを否認防止という。

次に示す3種類の代表的な認証方式のうち二つを組み合わせて用いることで、ユーザ認証を強化することができる。これを二要素認証という。

- 本人だけが知っていること（パスワード）
- 本人だけが持っているもの（トークンなど）
- 本人であること（バイオメトリクス）

ユーザ認証を実現する方法を次に示す。

表：ユーザ認証の実現方法

方　　法	説　　明
パスワード認証	ユーザ認証としては最も一般的な方法。推測されにくいパスワードを採用し，定期的に変更するなど，パスワード管理が必要となる
ワンタイムパスワード認証	ネットワークを介してログインを行う際，パスワードが暗号化されていても，その暗号化データが常に同じ内容ならば，盗聴された後にリプレイ攻撃を受けるという脅威がある。そこで，ネットワーク回線を流れる暗号化データを毎回変更する。この仕組みをワンタイムパスワード認証といい，以下の二つの方式がある 1. チャレンジ／レスポンス方式 認証サーバから「チャレンジ」と呼ばれる乱数文字列が送信される。クライアントは，「レスポンス」と呼ばれる，利用者のパスワードとチャレンジを組み合わせた文字列をハッシュ処理した結果を，利用者のユーザ ID とともに認証サーバに返信する。認証サーバ側では，管理しているパスワードを使って同様の処理を実行した結果と，レスポンスコードとを比較し，両者が一致することにより認証が行われる 2. 時刻同期方式 利用者は「トークン」と呼ばれるパスワード生成器を携帯し，一定時間（60秒など）ごとに変化するトークンコードを生成する。利用者は，ログイン時にユーザ ID を送信する。その後，利用者ごとに秘密に管理される PIN コードとトークンコードから生成されたパスコードを認証サーバに送信する。認証サーバ側では，トークンとの間で一定時間同期を取ってトークンコードを管理しており，ユーザ ID とパスコードを使って認証を行う
デジタル署名	送信者の否認防止とメッセージ認証の二つを同時に行う
バイオメトリクス認証	網膜，顔，声，指紋など，バイオメトリクス（生物個体がもつ身体的特性）で認証する方法である
IC カード認証	IC カードを携帯し，入退室などの際に IC カードを使って認証を行う方法である。運用時には，IC カードの紛失や盗難に備える必要がある
発信者番号通知／コールバック認証	いずれも，ダイヤルアップ方式でリモートアクセスサーバに接続する際に用いられる方法で，規定の電話番号以外からのダイヤルアップ通信を許可しない。発信者番号通知は，公衆網の発信者番号通知サービスを利用する

試験に出る

トークンを用いた時刻同期方式について，平成28年午後I問2，平成23年午後II問1で出題された

● メッセージ認証

　メッセージ認証は，メッセージダイジェストを用いて，メッセージが改ざんされていないことを認証することである。

　メッセージダイジェストは，メッセージから生成された固定長のデータ列である。その具体的なサイズは，メッセージダイジェストを生成するアルゴリズムごとに定められているが，せいぜい数十バイト程度である。

　メッセージがどんなに長くても，メッセージダイジェストは，メッ

詳説

メッセージダイジェストは，厳密に言うと擬似乱数の性質を満たすことまでは求められていない。ただし，暗号技術で使用する場合，元のメッセージの推測が困難な程度まで十分に攪乱されていることが望ましい

セージ全体のビットパターンを反映した，メッセージ固有のものとなる。こうした特徴を有するがゆえに，ダイジェスト（要約）と呼ばれている。しかも，入手したメッセージダイジェストから，元のメッセージを復元することが困難であるという特徴も備えている。

通常，メッセージはメッセージダイジェストよりもサイズが大きいため，異なるメッセージからたまたま同じメッセージダイジェストが得られることがある。これを衝突という。衝突の発生を最小限に抑えるべく，ダイジェスト値に偏りが生じないようなアルゴリズムが採用されている。

以上述べたことは一般的なメッセージダイジェストの特徴であるが，暗号技術で使用するには，衝突を回避することに加えて別の特徴も必要とされる。まとめると次のようになる。

①衝突困難性
　衝突し合うメッセージを何であれ見つけることが困難であること
②原像計算困難性（一方向性）
　入手したダイジェスト値から，元のメッセージを復元することが困難であること
③第2原像計算困難性
　特定のメッセージを対象に，それとちょうど衝突するメッセージを見つけることが困難であること

メッセージダイジェストの生成には，ハッシュアルゴリズムやブロック暗号アルゴリズムが用いられる。

●ハッシュアルゴリズム

ハッシュアルゴリズムは，電子証明書に付与されるデジタル署名，パケットのメッセージ認証コードなど，幅広く利用されている。

代表的なハッシュアルゴリズムには，SHA-2がある。SHA-2は，生成されるメッセージダイジェストのサイズを4種類(224ビット，256ビット，384ビット，512ビット）規定している。

メッセージにパスワードを付加した上でハッシュ値を得ると，メッセージの改ざん検知だけでなく，パスワードの正しさも検証できる。これに基づいて考案されたのが，鍵付きハッシュである。

詳説

ここに列挙した特徴を有していないなら，メッセージ認証（改ざんの検知）に利用することはできない。例えば，ある送信者が以前に送ったメッセージに添付されているデジタル署名を悪用し，「同じ送信者が誰かに送った別のメッセージを傍受し，このデジタル署名に差し替えた上で，メッセージをうまく改ざんする」といった，メッセージ認証をすり抜ける行為が可能となってしまうからだ

これは，二つの引数をもつハッシュアルゴリズムである。一つは，従来どおりメッセージ認証の対象となるメッセージである。もう一つは上述のパスワードに相当するデータであり，認証鍵などと呼ばれる。メッセージの受信者と送信者だけが認証鍵を知っている場合，この両者だけがハッシュ値を正しく検証できる。

代表的な鍵付きハッシュアルゴリズムには，**HMAC**（Hash-based Message Authentication Code）がある。ハッシュ化に使用するアルゴリズムごとに，HMAC SHA256などなど区別される。IPsecやTLSでは，パケットのメッセージ認証アルゴリズムにHMACを指定することができる。

●ブロック暗号アルゴリズム

ブロック暗号アルゴリズムは，パケットのメッセージ認証コードの生成にも利用されている。

代表的なブロック暗号アルゴリズムには，**CBC-MAC，XCBC-MAC**などがある。CBC-MACは，初期化ベクトル（IV）を0にした上で，平文ブロックを先頭から順に暗号化していき，最後の暗号ブロックをメッセージダイジェストに用いる。なお，CBC-MACは脆弱性が明らかになっており，今日ではこれを一部改良したXCBC-MACなどが使用されている。CBCモードは一つ前の暗号ブロックと平文ブロックをXOR演算してから暗号化する方式であるため，最後の暗号ブロックは平文全体を取り込んだダイジェスト値になっている。

近年では，暗号化とメッセージ認証の二つの処理を同時に行う**AEAD**（Authenticated Encryption with Associated Data）暗号利用モードが普及しはじめている。TLS1.3ではAEAD暗号利用モードの利用が必須になっており，ChaCha20-Poly1305やAES-**GCM**（Galois/Counter Mode）がよく用いられている。

● デジタル署名

デジタル署名は，公開鍵暗号を利用して，送信者の否認防止（送信者認証）とメッセージ認証の二つを同時に実現する技術である。

デジタル署名は，送信者が平文に基づいて署名を作成して平文と共に送信し，受信者がこの署名を検証することで成り立っている。

詳説

CBCモードについてに詳しくは本章の「8.2.1 暗号化方式」の「●ストリーム暗号方式とブロック暗号方式」「●ブロック暗号方式」「●CBC」を参照していただきたい

試験に出る

AEADが暗号化とメッセージ認証の二つの処理を同時に行うことについて，令和4年午後Ⅱ問1で出題された

詳説

AEADについて，詳しくは本章の「8.2.1 暗号化方式」の「●認証付き暗号」を参照していただきたい

試験に出る

電子証明書の利用について，平成26年午前Ⅱ問17で出題された。デジタル署名で生成に使用する鍵について，平成25年午前Ⅰ問13で出題された。デジタル署名で改ざんを検知できることについて，平成23年午後Ⅰ問2で出題された。メッセージ認証の仕組みについて，平成27年午前Ⅱ問16で出題された

第**8**章

送信者が署名を作成する際，送信者の秘密鍵（署名鍵）を使用する。受信者が署名を検証する際，送信者の公開鍵（検証鍵）を使用する。

近年普及している楕円曲線暗号に基づき，デジタル署名の仕組みを次の図に示す。

詳説

本文の図は，近年普及している楕円曲線暗号を念頭に置いて書かれている。もしRSA暗号が使われている場合，この図と若干異なっている。
送信者はデジタル署名を次のように作成する。

1. 平文MaからメッセージダイジェストDaを作成する
2. 送信者の秘密鍵（署名鍵）を使用して，Daから署名を作成する

受信者はデジタル署名を次のように検証する。

1. 平文MbからメッセージダイジェストDbを作成する
2. 送信者の公開鍵（検証鍵）を使用して，署名からメッセージダイジェストDaを復元する
3. DaとDbが一致していることを検証する

RSA暗号を用いた安全な方式として知られるRSASSA-PSSは，署名を作成するとき，メッセージダイジェストだけでなく，ソルトと呼ばれるランダム値を使用した，複雑な手順を踏んでいる。
署名を検証するとき，署名からメッセージダイジェストとソルトを復元した上で，署名作成に呼応した複雑な手順を踏んでいる。
要するに，上述のような単純なものではない

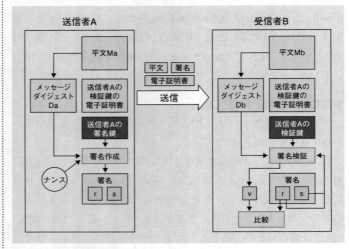

図：デジタル署名の仕組み

この図の中で行われる2種類の認証は次のとおりである。

● 送信者の否認防止（送信者認証）

送信者Aが，平文MaからメッセージダイジェストDaを生成し，Daからデジタル署名を作成する。デジタル署名を作成するのに使用する鍵は，送信者A自身の秘密鍵（署名鍵）である。デジタル署名は，署名検証に使用する2個のデータ（r, s）からなる。

送信者Aは，平文，署名，及び，送信者Aの公開鍵（検証鍵）の電子証明書を送信する。

受信者Bは，MbからメッセージダイジェストDbを生成する。公開鍵（検証鍵）を電子証明書から取得し，これを使用して，Db，署名データ（r, s）から，検証用データ（v）を生成する。

署名データ（r）と，検証用データ（v）が一致したとき，秘密鍵と公開鍵の組合せが正しいことが分かる。

これが一致したことは，このデジタル署名を作成した者が，送信者 A の秘密鍵（署名鍵）の所有者，すなわち，送信者 A 本人であるからに他ならない。このようにして，送信者の否認防止（送信者認証）を実現できる。

● メッセージ認証

デジタル署名は平文 Ma，Mb に基づいて作成される。したがって，署名を正しく検証できれば，平文 Ma と Mb が等しいこと，即ち，改ざんされていないことが分かる。このようにして，メッセージ認証を実現できる。

● 第三者認証と電子証明書

公開鍵暗号方式を利用した暗号化通信では，悪意ある者によって通信相手になりすまされたり，悪意ある者の秘密鍵の対になる公開鍵とすりかえられたりすると，安全ではなくなる。

それゆえ，もし自分が公開鍵暗号化方式を利用した暗号化通信を行いたいとき，相手に対して，「この公開鍵は自分のものである」ということを証明することができれば，相手は安心して自分との通信に応じてくれるはずだ。

この考え方に基づき，「この公開鍵は，この人物が所有している」ということを保証するために用意されたのが，電子証明書である。印鑑と印鑑証明に例えるなら，公開鍵は印鑑に相当し，電子証明書は印鑑証明に相当する。

印鑑証明が第三者機関によって発行されるのと同じく，電子証明書も第三者機関によって発行される。この機関を CA（Certificate Authority，認証局）という。このように，第三者によって正しさが認証されることを第三者認証という。

次の図に示すとおり，電子証明書には，公開鍵とその所有者の情報が記載されており，発行者 CA の電子署名が付与されている。

試験に出る

IPsec 通信のメッセージ認証について，平成 28 年午後 II 問 2 で出題された

試験に出る

電子証明書のサブジェクトについて，令和 4 年午後 II 問 1 で出題された。

クライアント証明書を IC カードに組み込むことができる点について，平成 27 年午前 II 問 21 で出題された

詳説

本文では，公開鍵と電子証明書の関係を，印鑑と印鑑証明に例えて説明した。とはいえ，その発行者に関しては，電子証明は印鑑証明と異なる側面がある。印鑑証明の発行者は公的機関（役所）であるが，CA は公的機関でも私的機関でもよい。

一般的な商取引では，私的機関の CA が発行する電子証明書が通常使用される。

このような CA は「信頼できる CA」として知られており，流通しているブラウザに予め登録されている。私的機関であっても信頼できる CA によって発行された電子証明書が，インターネット上の商取引で広く使用されている

第 **8** 章

詳説

⑥サブジェクト（Subject）には，証明対象を識別する情報が格納されている。HTTPS通信でサーバ証明書を用いるとき，⑥の中にある「コモン名」という情報，又は，⑩拡張領域のサブジェクト代替名（Subject Alternative Name）にあるDNS名の情報が，サーバのFQDNとなる

No	項　目	必須／任意
①	フォーマットのバージョン情報	必須
②	シリアル番号	必須
③	CAが⑪の署名に利用したアルゴリズム	必須
④	CAの名称	必須
⑤	証明書の有効期間	必須
⑥	サブジェクト	必須
⑦	証明する公開鍵，利用するアルゴリズム	必須
⑧	CAに付与されるID	任意
⑨	証明対象に付与されるID	任意
⑩	拡張領域	任意
⑪	CAのディジタル署名	必須

メッセージ
ダイジェスト
MD

CAの
秘密鍵
で暗号化

ディジタル署名
DS

図：電子証明書の記載事項

試験に出る

CSRに付与する署名が，申請者の秘密鍵によって作成されたものであることについて，令和4年午後Ⅱ問1で出題された

試験に出る

なりすまし防止のためにサーバ証明書を確認すること，ルート証明書，証明書署名要求，証明書失効リストなど多岐にわたり，令和4年午後Ⅱ問1で出題された。
サーバ証明書の正当性の検証について，平成25年午後Ⅰ問1，平成21年午後Ⅱ問1で出題された。
クライアント証明書を発行した社員が異動・退職したとき，証明書を失効する必要があることについて，平成21年午後Ⅱ問1で出題された。クライアント証明書は，あくまでインストールしたPCの認証であるため，利用者認証を別途実施する必要があることについて，平成21年午後Ⅱ問1で出題された

　自分の電子証明書をCAから発行してもらうには，まず，公開鍵／秘密鍵のペアを作成する。秘密鍵は誰にも知られないように安全に管理しておく。次いで，公開鍵からCSR（Certificate Signing Request，証明書署名要求）を作成し，CAに申請する。

　CSRには，自分の公開鍵，申請者の情報が記載される。サーバ電子証明書を発行する場合，申請者の情報には，サブジェクトとして登録するサーバのFQDN，組織名などがある。さらに，CSRには，自分の秘密鍵で作成した署名が付与される。

　CAは，CSRの署名を検証することで，申請された公開鍵が真正なものであることを確認できる。さらには申請者の本人確認も適宜実施する。その後，電子証明書を発行する。

　電子証明書の代表例は，インターネット上のWebサーバにHTTPS（HTTP over TLS）通信でアクセスするとき，Webサーバが送信するサーバ証明書（サーバ公開鍵の証明書）である。

　TLSセッションの確立時，サーバはクライアントのブラウザに送信するサーバ証明書を送信する。

　その際，ブラウザは，次に示す内容を検証する。

1. 電子証明書が信頼できるCAから発行されていること
2. 署名（⑪）をCAの公開鍵で検証し，その内容（①～⑩）が改ざんされていないこと
3. 電子証明書を送信した本人が，電子証明書に格納されている公開鍵の所有者であること

4. 電子証明書の有効期限が切れていないこと

5. 電子証明書が証明書失効リストに含まれていないこと

ブラウザは，「信頼できる CA の公開鍵がインストール済みである」という前提のもとで，前記 1，2 の検証を実行する。1 は署名の送信者認証の仕組みにより，2 は署名のメッセージ認証の仕組みにより，それぞれ達成できる。

前記 3 の検証について，インターネット上の Web サーバに HTTPS 通信でアクセスする場合を例に取り上げて説明しよう。この検証は，ブラウザがアクセスする URI の FQDN が，電子証明書の⑥（又は⑩）に記載された FQDN と一致していることを確認することで達成できる。

電子証明書は公開されたものであるため，悪意ある者も入手でき，その者によってなりすまされたサイトから，本物の電子証明書が送られてくる可能性がある。そのため，前記 3 の検証が必要となる。

前記 1 ～ 3 により，自分が正しいサーバに接続していること，及び，サーバの公開鍵⑦が信頼できる CA によって第三者認証されたものであることを確認できる。さらに，前記 4 ～ 5 により，この電子証明書が現在も有効であることを確認できる。

この検証に成功した後，クライアントとサーバ間でセッション鍵を生成して，TLS で暗号化された通信を開始する。

これまで説明したように，CA が電子証明書を発行して第三者認証する仕組みがインターネット上で整備されているので，公開鍵暗号方式を用いた安全な通信を実現できる。この仕組み全体を **PKI**（Public Key Infrastructure，公開鍵基盤）という。

発行元 CA は，電子証明書を発行する際，自らの真正性を検証できるようにするため自らの秘密鍵で作成した署名（⑪）を付与している。もし，発行元 CA の公開鍵電子証明書が，より上位の CA から発行されている場合，これも一緒に送信することで，発行元 CA の真正性を検証できる。発行元 CA →上位 CA という具合に証明書が連鎖するため，これを証明書チェーンという。

もし自分より上位の CA が存在しない場合，（つまり，自らが最上位であると自認している場合），自分の公開鍵電子証明書に対し，自分自身の秘密鍵で署名する。これをルート証明書という。

詳説

証明書の種類により，Subject の内容が異なる。

- DV（Domain Validation）
  コモン名に記載された FQDN（ドメイン名）を保有していることだけを CA が確認する。Subject にはコモン名のみ記載される。

- OV（Organization Validation）
  DV だけでなく，組織の実在性を CA が確認する。Subject には組織名なども追加される。

- EV（Extended Validation）
  OV 以上に厳格に組織の情報を CA が確認する。より多くの情報が追加される

試験に出る

ルート証明書
プライベート CA のルート証明書を発行し，そのルート証明書をインストールしておくことについて，令和 4 年午後Ⅱ問 1，平成 26 年午後Ⅱ問 1，平成 21 年午後Ⅱ問 1，平成 20 年午後Ⅱ問 1 で出題された

ルート証明書を発行した CA をルート CA という。したがって，証明書チェーンは，発行元 CA →…→上位 CA →ルート CA という具合に，最終的にルート CA に至るわけだ。

　CA から電子証明書を発行してもらうには，通常，料金がかかる。もし利用者に一人ずつクライアント電子証明書を発行してクライアント認証を行うとしたら，証明書発行の費用がかかってしまう。

　そこで，通常，企業内ネットワークにおいてクライアント認証を行う場合は，プライベート CA を自ら設置し，そのプライベート CA が（無償で）証明書を発行することもできる。この場合，プライベート CA のルート証明書を，サーバーにインストールしておかなければならない。

　同様に，企業内ネットワークにおいてサーバ認証を行う場合も，プライベート CA がサーバ電子証明書を発行できる。このとき，プライベート CA のルート証明書をクライアントのブラウザにインストールしておかなければならない。

Column　▶▶▶

デジタル署名の仕組みを説明する際，「暗号化」，「復号」という表現を用いてよいか？

　結論から言おう。署名の仕組みを説明する際，「秘密鍵（署名鍵）による署名の作成」，「公開鍵（検証鍵）による署名の検証」という表現を用いるのが適切である，と著者は考えている。「秘密鍵（署名鍵）による暗号化」，「公開鍵（検証鍵）による復号」という表現は避けるべきである。

　暗号化（encrypt）は，第三者が解読できないように平文から暗号文に変換することである。その変換は，暗号文から元の平文を復号（decrypt）できることを前提としている。つまり，暗号化したデータは，不正な第三者が解読できないだけでなく，正当な通信相手が平文を復元できなければならない。

　楕円曲線暗号が署名に使われている場合，この用例に従えば，送信者がメッセージからデジタル署名を作成するときに「署名鍵による暗号化」を行っていないし，受信者がデジタル署名を検証するときに「検証鍵による復号」も行っていない。なぜなら，「●デジタル署名」の「図：デジタル署名の仕組み」から分かるとおり，作成時に行っているのは「r」と「s」の作成，検証時に行っているのは「v」の作成である。署名作成時に用いたメッセージダイジェストを復元しているわけではないからだ。

このように，楕円曲線暗号まで視野に入れると，デジタル署名の仕組みを説明する際，「秘密鍵（署名鍵）による暗号化」や「公開鍵（検証鍵）による復号」という表現は避けるべきである。

それでは，RSA 暗号が署名に使われている場合はどうだろうか。こちらについては，別の理由から，「暗号化」や「復号」という表現は控えるのが賢明である，と著者は考えている。

実を言うと，RSA 暗号を使うとき，「署名作成」は「秘密鍵による復号」を実行しており，「署名検証」は「公開鍵による暗号化」を実行している。

この点について，「PKCS #1: RSA Cryptography Specifications Version 2.2」（RFC8017）の「5.2. Signature and Verification Primitives」には，

> RSASP1 and RSAVP1 are the same as RSADP and RSAEP

と記述されている。分かりづらいので補足すると，RSASP1 は署名作成処理を，RSAVP1 は署名検証処理を，RSADP は復号処理を，RSAEP は暗号化処理を，それぞれ指している。要するに，RSA 暗号の場合，「署名作成処理＝復号処理」，「署名検証処理＝暗号化処理」なのだ。

RSA 暗号の場合，「署名作成→署名検証」に使用する暗号化処理は，直感的に分かりやすい「暗号化→復号」という順序ではなく，「復号→暗号化」という順序で実行されている。もし聞き手が暗号技術に詳しくないならば，正確な用語による説明は理解しづらいだろう。

それゆえ，RSA 暗号を使った署名の仕組みを説明する際，「暗号化」や「復号」という表現は，控えるのが賢明だろう。

以上をまとめると，署名の仕組みを説明する際，素直に「秘密鍵（署名鍵）による署名の作成」，「公開鍵（検証鍵）による署名の検証」という平易な表現を用いるのが適切である。なぜなら，正確であり，かつ，一般の人々にも理解しやすいからだ。

第8章

8.3 ・ アクセス制御／不正アタック対策

　大切な情報を守るためにはアクセス制御や不正アタック対策が不可欠である。ここでは，出題頻度を考慮し，ファイアウォール，プロキシ，侵入検知システム，ウイルス対策，迷惑メール対策について解説する。

8.3.1　ファイアウォール

試験に出る

パケットフィルタリングのルールを定義する出題例は多い。以下，主なものを列挙する
令和4年午後I問3
令和元年午後II問1
平成30年午後II問1
平成29年午後I問1
平成28年午後I問1
平成26年午後II問1
平成26年午後II問2
平成25年午後II問1
平成21年午後I問2

試験に出る

HTTPなど許可する通信を用いるDoS攻撃に対し，パケットフィルタリングだけでは対応できない。この点について，平成22年午後I問3で出題された

　ファイアウォール（firewall）は，ネットワークの外側からの攻撃や侵入を防ぐための仕組みのことである。外部ネットワークと内部ネットワークの間に置かれ，通過するトラフィックを制御することによりセキュリティを確保する。ファイアウォールは，トラフィック制御方式により，パケットフィルタリング，ステートフルインスペクション，アプリケーションレベルゲートウェイの3種類に大別することができる。

● パケットフィルタリング

　パケットフィルタリングは，トランスポート層やインターネット層のプロトコルを基に通信の接続／切断を判断する。
　以下，パケットフィルタリングの動作について具体例を使って説明する。ここでは，次に示したネットワーク構成を対象とする。

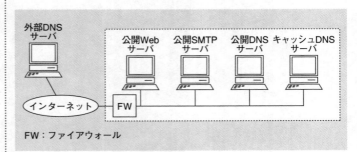

FW：ファイアウォール

図：対象となるネットワーク構成

　このような構成のネットワークに対して，次の表のとおりパケットフィルタリングの設定を行う。

表：パケットフィルタリングの設定例

	方向	送信元IPアドレス	宛先IPアドレス	プロトコル	SYNビット	ACKビット	送信元ポート番号	宛先ポート番号	通信動作
①	内向き	外部	内部	TCP	任意	オン	任意	任意	接続
②	外向き	内部	外部	TCP	任意	オン	任意	任意	接続
③	外向き	内部	外部	TCP	オン	オフ	任意	任意	接続
④	内向き	外部	公開Web	TCP	オン	オフ	任意	80	接続
⑤	内向き	外部	公開SMTP	TCP	オン	オフ	任意	25	接続
⑥	外向き	キャッシュDNS	外部	UDP			任意	53	接続
⑦	内向き	外部	キャッシュDNS	UDP			53	任意	接続
⑧	内向き	外部	公開DNS	UDP			任意	53	接続
⑨	外向き	公開DNS	外部	UDP			53	任意	接続
⑩	内向き	外部	内部	任意	任意	任意	任意	任意	切断
⑪	外向き	内部	外部	任意	任意	任意	任意	任意	切断

注：「プロトコル」はIPヘッダのプロトコル番号に対応した項目で，TCP，UDP，ICMPが該当する。

　ファイアウォールは，表の1行目から順に設定をチェックしていく。「方向」「送信元IPアドレス」「宛先IPアドレス」「プロトコル」「SYNビット」「ACKビット」「送信元ポート番号」「宛先ポート番号」の各項目を比較し，その全ての項目が一致した場合，その行が選択され「通信動作」の内容に従って接続／切断される。

　ひとたび一致すると，後続の行はチェックされない。この設定では，次の表のとおり通信A～Fが許可されている。

通信	クライアント	サーバ	通信プロトコル	適用される行
A	内部	外部	任意のTCP通信	①，②，③
B	外部	公開Webサーバ	HTTP	①，②，④
C	外部	公開SMTPサーバ	SMTP	①，②，⑤
D	公開SMTPサーバ	外部	SMTP	①，②，③
E	キャッシュDNSサーバ	外部	DNS	⑥，⑦
F	外部	公開DNSサーバ	DNS	⑧，⑨

詳説

多くのルータ，ファイアウォールの実装では，「ACKビットがオン，かつ，他のビットは任意」という状態を設定できるよう，「Established」（確立された状態）という設定項目を提供している

詳説

DNSサーバは，公開DNSサーバ（コンテンツサーバ）とキャッシュDNSサーバを分けている。これは，キャッシュ汚染対策の一環である。詳しくは，第4章「4.2.7　DNSキャッシュ汚染」を参照

第**8**章

TCP 通信

　通信 A ～ D は TCP 通信である。TCP の設定では，①，②をあらかじめ許可しておく。それ以外は，スリーウェイハンドシェークの1番目のパケット（③,④,⑤）を許可する。つまり，コネクション確立の要求元ホスト，要求先ホスト，要求元ポート番号，要求先ポート番号が定まれば，SYN ビット＝オン，ACK ビット＝オフに設定したルールを追加する。

- 通信 A では，スリーウェイハンドシェークの1番目は③，2番目は①，3番目は②，通信フェーズと切断フェーズは①と②が適用される。
- 通信 B では，スリーウェイハンドシェークの1番目は④，2番目は②，3番目は①，通信フェーズと切断フェーズは②と①が適用される。
- 通信 C では，スリーウェイハンドシェークの1番目は⑤，2番目は②，3番目は①，通信フェーズと切断フェーズは②と①が適用される。
- 通信 D では，スリーウェイハンドシェークの1番目は③，2番目は①，3番目は②，通信フェーズと切断フェーズは①と②が適用される。

UDP 通信

　通信 E ～ F は UDP 通信である。UDP の場合，コントロールフラグ（SYN ビット，ACK ビット）をもたないので，IP アドレスとポート番号に基づいてフィルタリングのルールが適用される。

- 通信 E は，キャッシュ DNS サーバから世界中の DNS サーバに対する名前解決のリクエスト⑥と，そのレスポンス⑦である。
- 通信 F は，その逆に世界中の DNS サーバから公開 DNS サーバに対する名前解決のリクエスト⑧と，そのレスポンス⑨である。

● ステートフルインスペクション

　ステートフルインスペクションは，パケットフィルタリングと

は異なり，応答用パケットの通信を普段は閉じておく。ファイアウォールは，通信の状態を常に監視し，フィルタリングルールで許可された通信のみ，その応答用の通信を許可する。

パケットフィルタリングに比べると通過を許可するパケットが絞り込まれるため，セキュリティがより一層高まる。

TCP通信では，スリーウェイハンドシェークの1番目のパケット（コネクション確立要求パケット）を許可し，それ以外は普段は遮断しておく。ルールで許可されたコネクション確立要求パケットを通過させた後，その応答パケットを通過させるためのルールを，当該コネクションが切断されるまで許可する。

UDP通信では，要求と応答からなるやり取りのうち，要求のパケットを許可し，それ以外は普段は遮断しておく。ルールで許可された要求パケットを通過させた後，その応答パケットを通過させるためのルールを一定時間だけ許可する。

具体的に言うと，表「パケットフィルタリングの設定例」において，TCP通信では，①，②を許可しない。なぜなら，応答のために存在しているルールだからである。UDP通信では，⑦，⑨を許可しない。なぜなら，⑦は⑥の応答のために，⑨は⑧の応答のためにそれぞれ存在しているルールだからである。

● アプリケーションレベルゲートウェイ

アプリケーションレベルゲートウェイは，プロキシサーバとして動作して，通信をいったんアプリケーションレベルで終端する。つまり，2個のセッション（送信元クライアントとファイアウォールの間，ファイアウォールと宛先サーバの間）が確立される。インターネット層，トランスポート層のフィルタリングに加えて，アプリケーション層のプロトコルを解析する。必要に応じて，ユーザ認証を実施したり，アプリケーション層のデータを書き換えたり，コンテンツフィルタリング（コンテンツの内容に応じたフィルタリング）を行ったりするなど，アプリケーションに特化したきめ細かなセキュリティ制御を実現できる。

近年では，1台の機器の中に，ファイアウォール機能，IPS機能，アンチウイルス機能，コンテンツフィルタリング機能，VPN機能などの様々なセキュリティ機能を搭載したものが市場に出

セッション

FWがアクセスを制御する通信のことを「セッション」と呼ぶことが多い。セッションの内訳は，TCP, UDP, ICMPをはじめ，フィルタリング可能な様々なプロトコルがある。「コネクション」ではTCPに限定されてしまうため，「セッション」という語を用いている

FWをアクティブ／スタンバイ構成で冗長化するには，FWのフェールオーバ時に，アクティブ側のセッション情報をスタンバイ側に渡す機能が必要となる。この機能をステートフルフェールオーバ機能という。ステートフルフェールオーバ機能について，平成30年午後Ⅱ問2，平成26年午後Ⅰ問2で出題された

Webアプリケーションの通信に特化したアプリケーションレベルゲートウェイのことを，WAF（Web Application Firewall）という

試験に出る

UTMについて，平成23年午後I問3で出題された

回るようになっている。このような機器を UTM（Unified Threat Management）という。

8.3.2 プロキシ

詳説

プロキシサーバには，様々なプロトコル（HTTP, FTP, Telnet, SMTP, POP 等）に対応したものがある。しかし，単に「プロキシ」という場合は「HTTP プロキシ」を指していることが多い

プロキシ（代理）サーバは，クライアントに代わって，インターネット上の目的のコンテンツ（Web ページなど）を取得する役割を担うサーバである。

こうした基本的な機能に加え，キャッシュ機能，認証機能などの付加的な機能をもつ場合がある。

試験に出る

複数台あるPCのブラウザにプロキシの情報を自動的に設定する機能をPAC（Proxy Auto Configuration）という。PACについて，令和6年午後I問3，平成30年午後I問1，平成22年午後I問1で出題された。
ブラウザ以外のアプリケーションがプロキシサーバ経由の通信を行う環境下ではPACを利用できないことについて，令和5年午後II問1で出題された

● プロキシサーバの基本的な機能

プロキシサーバは，社内クライアントから要求を受信すると，クライアントに代わって社外サーバにリクエストを送信する。社外サーバはプロキシにレスポンスを返信し，プロキシサーバはクライアントにそのレスポンスを返信する。

プロキシサーバは，いわば代理店のような役割を果たしている。つまり，組織内のクライアントに対しては組織外のサーバの代理をし，組織外のサーバに対しては組織内のクライアントの代理をしている。

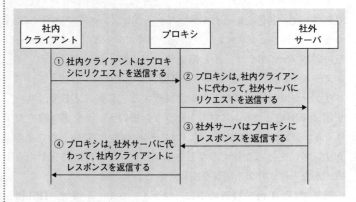

図：プロキシの動作

コンテンツの要求元（クライアント）と要求先（サーバ）の間

にプロキシサーバが介在している。外部のサーバにはプロキシ
サーバが接続することになるので，クライアント情報を外部から
隠蔽することができる。また，外部のサーバからの返信もプロキ
シサーバだけに限定されるため，基本的にプロキシサーバのセ
キュリティを強化すればよい。

● プロキシサーバを経由した HTTP 通信

　プロキシサーバを経由しない場合，PC が Web サーバに発行
する HTTP リクエストの URI は，Web サーバのホスト名を含ま
ない，単なるパス名である。例えば，「/index.html」ページを対
象とする GET メソッドを発行するときは，

　　GET　/index.html　HTTP/1.1

となる。

　これに対し，プロキシサーバを経由した場合，PC がプロキシ
サーバに発行する HTTP リクエストの URI は，Web サーバの
ホスト名を付与したパス名となる。例えば，Web サーバ「www.
example.com」向けに，「/index.html」ページを対象とする GET
メソッドを発行するときは，

　　GET　www.example.com/index.html　HTTP/1.1

となる。

　これを受信したプロキシサーバは，リクエスト URI に含まれる
Web サーバのホスト名の名前解決を行う。その後，プロキシサー
バは，Web サーバに向けて HTTP リクエストを発行する。この
ときの URI は，Web サーバのホスト名を含まない，単なるパス名
である。つまり，通常，PC が Web サーバに直接発行するものと
同じである。

　この通信の手順を次の図に示す。この図では，接続先の Web
サーバを「www.example.com」とし，プロキシサーバに接続する
ときの宛先ポート番号を 8080 番としている。

試験に出る

プロキシサーバを経由した場
合，Web サーバの名前解決を
プロキシサーバが行うことに
ついて，令和元年午後Ⅱ問2
で出題された

詳説

HTTP リクエストの Host ヘッ
ダフィールドに，宛先ホストの
ホスト名と宛先ポート番号を
格納する。
　＜ホスト名＞:＜ポート番号＞
このヘッダフィールドは必須
である。なお，ポート番号が
80 のとき，セミコロン以降の
部分は省略できる

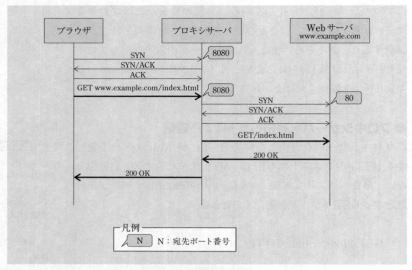

図：プロキシサーバを経由する HTTP 通信の動作手順

● プロキシサーバの付加的な機能

　プロキシサーバには，代理で通信する機能に加えて，様々な付加的な機能をもつものがある。代表的なものを幾つか紹介する。

①キャッシュ機能

　プロキシサーバはキャッシュ機能を装備している。プロキシサーバがクライアントからリクエストを受けたとき，対象となるコンテンツがプロキシサーバにキャッシュされていれば，それを送り返す。この結果，同じコンテンツを再取得する必要がなくなるため，レスポンスタイムが短縮されるというメリットが生まれる。

　プロキシサーバには先読み機能をもつものがある。先読み機能とは，参照中の Web ページに含まれるリンク情報を用いて，利用者が次に読み込む可能性のある情報を先読みし，キャッシュに蓄積しておく機能である。

②認証機能

　認証機能とは，ブラウザがプロキシサーバを経由してインターネットにアクセスする際，その通信に先立ち，強制的

に利用者認証を行わせる機能である。通常，その認証方式にはパスワード認証が用いられる。

この結果，認証に成功した利用者だけがインターネットにアクセスできるようになる。

●リバースプロキシ／ポートフォワーディング

次に示す図のネットワーク構成において，ルータの内側にある社内サーバを公開し，社外クライアントからのアクセスを受け付ける場合，主に次の三つの実現方法がある。

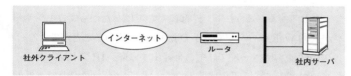

社外クライアント　　インターネット　　ルータ　　社内サーバ

図：社内サーバを公開するネットワークの構成例

①静的 NAT

宛先 IP アドレスが Web サーバの公開アドレスであるパケットを受信したルータは，Web サーバの内部アドレスに変換してパケットを転送する。

②リバースプロキシ

Web サーバの公開アドレスはルータと同じにする。宛先 IP アドレスがルータで，宛先ポート番号が HTTP（80 番）であるパケットを受信したら，ルータがプロキシの役割を果たして，Web サーバに接続する。

③ポートフォワーディング

Web サーバの公開アドレスはルータと同じにする。宛先 IP アドレスがルータで，宛先ポート番号が HTTP（80 番）であるパケットを受信したら，宛先 IP アドレスを Web サーバの内部アドレスに変換して，パケットを転送する。

これらの三つの方法のうち，静的 NAT については第 3 章で解説しているので，ここではリバースプロキシ，ポートフォワーディングについて解説する。

第**8**章

●リバースプロキシ

リバースプロキシは、サーバ側のサイトに設置されたプロキシサーバである。これは、社外のクライアントから社内の公開サーバへ接続する際、社外クライアントの代理をして社内サーバにアクセスする。「reverse」（逆）という言葉のとおり、通常のプロキシとは逆方向に動作することから、この名が付いた。

リバースプロキシサーバは、宛先が自分向けのパケットを解析し、特定の宛先ポート番号のパケットを受け取った場合に限りプロキシとして動作する。例えば、宛先ポート番号が80番のパケットを受信したら、社外のクライアントに代わって、社内のWebサーバへアクセスする。こうして、外部に対してはあたかもプロキシサーバが公開Webサーバであるかのように見せかけることができる。

次の図は、リバースプロキシを経由する際、IPアドレスとポート番号がどのように変化するのかを示している。図の中で、外部に対しては、公開サーバXのIPアドレスを、リバースプロキシの社外側インタフェースのIPアドレス「G」として公開する。よって、外部クライアント①は、公開サーバXにアクセスする際、リバースプロキシとの間でセッションを張っている。一方、リバースプロキシはサーバXとセッションを張り、この通信を中継している。このように、リバースプロキシは、アプリケーションレベルで通信をいったん終端している。

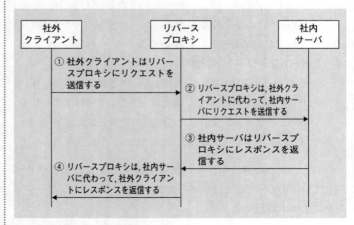

図：リバースプロキシの動作

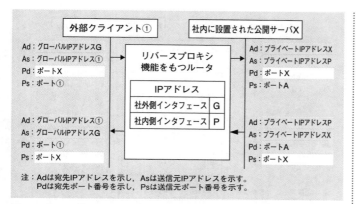

注：Adは宛先IPアドレスを示し，Asは送信元IPアドレスを示す。
　　Pdは宛先ポート番号を示し，Psは送信元ポート番号を示す。

図：リバースプロキシの仕組み

　リバースプロキシを用いるメリットは，セキュリティの向上である。社外クライアントから社内サーバに直接アクセスされず，プロキシでアプリケーション層の中継／制御を実行している。併せて，プロキシでユーザ認証を実施すれば，不正アタックやコンテンツ改ざん等のリスクを軽減できるというメリットがある。加えて，社外クライアントから社内サーバへのアクセスを必ずプロキシ経由で行うように設計すれば，監視ポイントがプロキシサーバだけとなるため，運用性の向上も図られる。

　別のメリットとして，性能の向上を挙げることができる。リバースプロキシは通常のプロキシと同様に，キャッシュ機能をもっている。これを利用してキャッシュサーバとして動作させれば，社外クライアントから見た応答時間を短縮させることが可能となる。

●ポートフォワーディング

　ポートフォワーディングは，特定の宛先ポート番号のパケットを受け取ると，宛先IPアドレスを変換して社内の公開サーバへパケットを転送する機能である。

　転送する際，通常，宛先ポート番号を自由に変更できる。もちろん，必要がなければわざわざ変更しなくてもよい。

　例えば，宛先ポート番号が80番のパケットを受信したルータは，社外のクライアントに代わって，社内のWebサーバへアクセスする。こうして，外部に対してはあたかもルータが公開Webサーバであるかのように見せかけることができる。

リバースプロキシを設け，外部からWebサーバに直接アクセスさせないことにより，Webサーバのコンテンツの改ざんを防げることについて，平成27年午前II問18で出題された。
リバースプロキシのキャッシュサーバとしての効果について，平成27年午後II問1で出題された

第**8**章

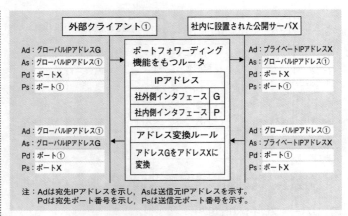

注：Adは宛先IPアドレスを示し，Asは送信元IPアドレスを示す。
　　Pdは宛先ポート番号を示し，Psは送信元ポート番号を示す。

図：ポートフォワーディングの仕組み（宛先ポート番号を変更しない例）

　この図は，ポートフォワーディングによってパケットが転送される際，IPアドレスがどのように変化するのかを示している。なお，ここでは宛先ポート番号を変更しないものとしている。

　図の中で，外部に対しては，公開サーバXのIPアドレスを，ルータの社外側インタフェースのIPアドレス「G」として公開する。よって，外部クライアント①は，公開サーバXにアクセスする際，ルータにセッションを張る。しかし，NAT機能によって宛先IPアドレスが「X」に書き換えられ，パケットはサーバXに転送される。リバースプロキシとは異なり，アプリケーションレベルで通信は終端されない。

●TLS通信のトンネル処理

　プロキシサーバを経由して，PCとWebサーバ間でTLS通信を行うとき，PCのブラウザは，プロキシサーバにCONNECTメソッドを発行する。メソッドの中に，TLS通信の接続先となるWebサーバが指定されている。

　CONNECTメソッドを受信したプロキシサーバは，PCとWebサーバ間のTLS通信を中継する。このとき，TCPコネクションは，ブラウザとプロキシサーバ間，及び，プロキシサーバとWebサーバ間の二つがある。プロキシサーバは両者の間のTCPデータをそのまま転送しているだけで，TLSセッションはPCとWebサーバ間で確立されている。

　この通信の手順を次の図に示す。この図では，接続先のWeb

試験に出る

プロキシサーバを経由したTLS通信について，令和4年午後I問3，平成30年午後I問1，平成28年午後I問2，平成26年午後II問1，平成21年午後I問2で出題された

サーバを「www.example.com」とし，プロキシサーバに接続する
ときの宛先ポート番号を 8080 番としている。

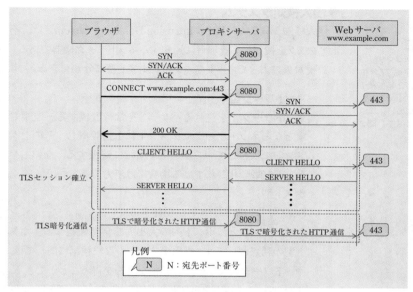

図：プロキシサーバを経由する TLS 通信の動作手順

　まず，ブラウザは，ポート 8080 番を指定してプロキシサーバ
との間で TCP コネクションを確立する。

　次いで，ブラウザは，CONNECT メソッドをプロキシサーバ
に送信する。このメソッドは，プロキシサーバに対し，PC と接
続先サーバとの間で TLS トンネルを確立することを要求してい
る。当メソッドの中で，接続先サーバのホスト名「www.example.
com」とトンネル通信のポート番号「443」を伝えている。

　次いで，プロキシサーバは，トンネルの宛先である Web サー
バとの間で TCP コネクションを確立する。そして，CONNECT
メソッドの要求に対する応答を PC に送信する。

　その後，ブラウザと Web サーバ間で TLS セッションを確立する。
このとき，ブラウザと Web サーバ間の通信は暗号化されている。
前述のとおり，プロキシサーバはトンネル処理を行っているため，
TCP データ（暗号化されたデータ）をそのまま転送しているだけ
である。つまり，TLS のやり取りには一切関与しない。

第**8**章

8.3.3 侵入検知システム，侵入防御システム

試験に出る

シグネチャ型とアノマリ型の特徴について，平成 27 年午後 I 問 3, 平成 22 年午後 I 問 3 で出題された。ホスト型／ネットワーク型の特徴について，平成 22 年午後 I 問 3 で出題された

● 侵入検知システム

侵入検知システム（IDS：Intrusion Detection System）は，不正アタックを検知して管理者に通知するネットワーク機器である。監視対象によってネットワーク型とホスト型に分類できる。

- **ネットワーク型**

  ネットワーク上を流れるパケットを常時監視する。監視対象となるネットワークセグメントに 1 台設置し，そのセグメントに収容しているホストを同時に監視する。なお，パケットが暗号化されている場合には無力である。

- **ホスト型**

  OS やアプリケーションが記録するログ，ネットワークインタフェースなど，ホスト内の入出力を常時監視する。ホスト型の利点としては，対象ホストへの攻撃検出に関しては，ネットワーク型より正確で詳細な情報を得ることができる。また，ルールセットをホストごとに調整できる（例えば，メールサーバを稼働させていないホストでは，そのルールセットを削除できるので，CPU 負荷を軽減できる）。ただし，攻撃の検出が必要な全てのホストにインストールしなければならないので，導入は容易ではない。

ここでは，ネットワーク型 IDS を例に説明する。セグメントを流れるパケットを分析し，不正アタックを検出したら，管理者に通知する。攻撃を検出する方法には，シグネチャ型とアノマリ型の 2 種類がある。

試験に出る

シグネチャ型について令和 5 年午前 II 問 18 で出題された

- **シグネチャ型**

  既知の侵入手口のパターンと照合することにより検出する方法である。このパターンのことをシグネチャと呼ぶ。

- **アノマリ型**

  定義された通信の仕様とは異なる振る舞いを検出することにより，侵入を推測する方法である。例えば，プロトコル異常検出の場合，RFC に違反するような，異常なビット列

を含むヘッダフィールド，異常に長い文字列や無効な文字を使用したペイロード等をチェックする。

未知の攻撃に対処するが，正常と判断する基準によっては，正常な通信を誤って不正と検知してしまうことがある。

アプリケーション層の通信内容を解析することにより，SQLインジェクション，クロスサイトスクリプティングなど，アプリケーションを標的にした攻撃を防ぐことができる。この点，ファイアウォールは，トランスポート層以下の情報（IPアドレス，ポート番号，等）でフィルタリングしているだけなので，ファイアウォールよりも機能が強化されている。

製品によっては，攻撃を検出したらファイアウォールに指示を出して疑わしいセッションを切断する機能をもつものや，攻撃元ホストにRSTパケット（TCPヘッダのRSTフラグをオンにしたパケット）を送信してTCPコネクションを切断する機能をもつものなど，防衛措置を講じるものがある。

次に，ネットワーク型IDSの設置例を示す。ここでは，IDSセンサとIDSコンソールが別々になっている装置を用いている。

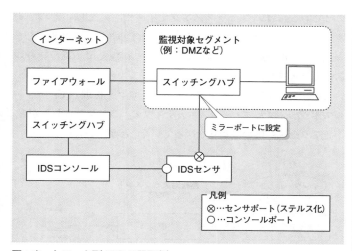

図：ネットワーク型 IDS の設置例

IDSセンサは，パケットを収集するポート（センサポート）と，アラートをIDSコンソールに通知するポート（コンソールポート）

詳説

アプリケーションゲートウェイ型のファイアウォールは，IPSと同様に，アプリケーション層の通信内容を解析できる。近年では，1台の機器の中に，ファイアウォール機能，IPS機能，アンチウイルス機能，コンテンツフィルタリング機能，VPN機能などを装備したUTM（Unified Threat Management）も市場に出ている

試験に出る

IDSとファイアウォールとの連携機能やIDSがRSTパケットを送付してコネクションを切断する機能をもつことについて，平成27年午後I問3で出題された。IDSがSQLインジェクション，クロスサイトスクリプティングなどを防ぐことができる点について，平成22年午後I問3で出題された

試験に出る

IDSでパケットを収集する際，IDS側のポートをプロミスキャスモードに設定すること，IPアドレスを割り当てないことについて，及び，IDSを収容するSW側のポートをミラーポートに設定することについて，平成27年午後I問3で出題された

第8章

を装備している。自分以外のものを宛先とするパケットも収集できるようにするため，センサポートはプロミスキャスモードに設定する。外部からの攻撃を避けるため，センサポートには IP アドレスを付与しない。これをステルス化という。IDS を収容するスイッチングハブのポートはミラーポートに設定し，セグメントを流れる全てのパケットが IDS センサに取り込まれるようにする。

● 侵入防御システム

侵入防御システム（IPS：Intrusion Prevention System）は，通信の経路上（インライン）に設置することで，不正アタックを検知するだけでなく，検知した際にこれを遮断する機能をもつネットワーク機器である。

製品によっては，アプリケーション層の通信を監視対象とすることができるため，SQL インジェクションのような Web アプリケーションの脆弱性をついた攻撃に対処できる。

IPS は，通信を遮断する点で IDS よりもセキュリティが強化されているが，注意すべき点がある。それは，正常な通信を誤って不正なものとして検知してしまうと，その通信を遮断してしまうことである。これをフォールスポジティブという。とはいえ，フォールスポジティブを懸念するあまり，防御するルールを緩めてしまうなら，不正な通信を見逃してしまいかねない。これをフォールスネガティブという。

したがって，IPS の運用においては，ログを採取して，フォールスポジティブとフォールスネガティブのバランスを取りながら，不正アクセス対応の最適化を図っていくことが求められる。

インラインで動作する IPS が，監視対象の通信を通過させるように経路上に設置されることについて，令和5年午前Ⅱ問18で出題された

IPS による不正アクセスへの対応を最適化するために，ログを取得して解析することについて，平成 27 年午後Ⅰ問3で出題された

図：IPS の設置例

8.3.4 ウイルス対策

ウイルス対策は，入口対策と出口対策に大別できる。

入口対策とは，ウイルスの侵入を防ぐことである。例えば，次に示すものがある。

- クライアントで実施するウイルススキャン
- メールのスキャン（メールサーバで実施）
- Web トラフィックのスキャン（プロキシサーバで実施）

出口対策とは，ウイルスの活動を抑えたり，ウイルスの活動を発見したりすることである。ウイルスの中には，感染した後に，ウイルスを送り込んだ攻撃者のためにバックドアを開設するもの，システム内部への侵入を試みるものなどがある。この点を踏まえた出口対策として，例えば次に示すものがある。

- ファイアウォールで，内部から外部への通信も最小限なものに限定する。
- 外部に出ていくHTTP，HTTPS通信はプロキシサーバを経由するようにし，かつプロキシサーバで利用者認証を行わせる。ウイルスは認証に失敗するため外部とのバックドア通信を阻止でき，かつ，失敗の記録がログに残るのでバックドア通信の発見につながる。
- HTTPSを使って外部と通信する場合があるので，SSL可視化装置を設置し，通信内容を検査する。

以降の解説では，入口対策であるメールのスキャン，Web トラフィックのスキャンを取り上げる。

ウイルスをスキャンする方法には，クライアントの PC にウイルス対策ソフトをインストールする方法とウイルス対策サーバを設置する方法がある。

また，スキャンする対象として，メールや Web トラフィックなどがある。

● メールのスキャン

ウイルス感染の多くはメール経由によるものである。一般的に

試験に出る

プロキシサーバを使った出口対策について，令和元年午後II問2，平成26年午後II問1で出題された。SSL可視化装置について，平成30年午後I問1，平成29年午後I問1，平成26年午後II問1で出題された

試験に出る

標的型メール攻撃について，平成26年午後II問1で出題された。標的型メールは，攻撃対象者と関係がありそうな組織，機関及び実在の人物を装ったメールを送り付けてくるため，メールの内容を信頼してしまう危険性がある。その結果，添付ファイルを開いたり，リンク先にアクセスしたりして，ウイルスに感染してしまう

第**8**章

言って，メールを通してマルウェアに感染する方法は大きく二つ
ある。

　一つ目は，マルウェアが埋め込まれたファイルが添付されてお
り，そのファイルを不用意に開くことにより感染することである。

　二つ目は，マルウェアが仕込まれた Web サイトへのリンク先を
示す URL が本文に記載されており，そのリンク先に不用意にア
クセスすることにより感染することである。

　そこで，メールサーバでメールを中継する際，メールスキャン
を実施する方法がある。これをメールフィルタリングなどと呼ぶ
ことも多い。スキャニングの対象となるのは，メール本文と添付
ファイルである。なお，メールサーバ上のメールスキャンは暗号
化メールには無力であるため，クライアントでのスキャンも不可
欠である。

　次に，ウイルス対策サーバの設置例を示す。全てのメールが
SMTP/POP サーバを経由していることから，これをウイルス対
策サーバとするためにウイルス対策ソフトをこのサーバ上で動作
させる（これはあくまでも一例であり，実際には様々な方法があ
る）。

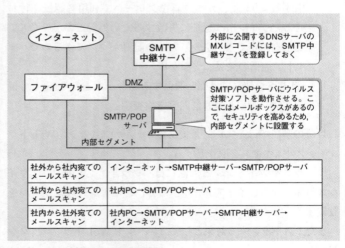

図：ウイルス対策サーバの設置例

● Web トラフィックのスキャン（コンテンツフィルタリング）

「●メールのスキャン」のところで，メールに記載されたリンクにアクセスし，ウイルスをダウンロードする危険性について述べた。このように Web 経由でウイルスに感染する可能性もある。

そこで，Web にアクセスするときに必ずプロキシサーバを経由するようにし，プロキシサーバ上で Web トラフィックのウイルススキャンを実施する方法がある。これをコンテンツフィルタリングなどと呼ぶことも多い。

HTTP を例に挙げると，スキャニングの対象となるのは，ヘッダ（リクエストメソッド，URL，クエリ文字列など）とメッセージ本文である。Java アプレットや ActiveX コンポーネントをフィルタリングして取り除いたり，特定の URL へのアクセスをブロックしたりすることができる。

なお，SSL 可視化機能をもたない通常のプロキシサーバ上でのスキャンは TLS などの暗号化通信には無力であるため，クライアントでのスキャンも不可欠である。

試験に出る

コンテンツフィルタリングについて，令和元年午後II問2，平成26年午後II問1で出題された。プロキシサーバにTLSの復号機能（SSL可視化機能）をもたせ，プロキシサーバでウイルスを監視する方法について，同じく平成26年午後II問1で出題された

8.3.5 迷惑メール対策

迷惑メールは，UCE（Unsolicited Commercial Email），UBE（Unsolicited Bulk Email），SPAM メールなどとも呼ばれている。狭義には，一方的かつ大量に送り付けられる広告メールを指すが，広義には，広告のみならず，架空請求メール，フィッシング詐欺メール，なりすましメール，チェーンメール，嫌がらせを目的としたメール，ウイルスに感染したメールも含めて，受信者に迷惑をかけるメール全般を指す。

迷惑メール対策には，次に示すような幾つかの方法がある。

表：迷惑メール対策

目　的	内　容	実施するところ
送信ドメインのなりすましを防止	送信ドメイン認証	送信側サイト，受信側サイト
	DNS の逆引きの利用	送信側サイト，受信側サイト
迷惑メールの中継を防止	第三者中継の厳密な設定	各サイト
	25 番ポートブロック（OP25B：Outbound Port 25 Blocking）	各 ISP（主に，大手 ISP）

（表は次ページに続く）

試験に出る

令和6年午後II問2で，なりすまし防止対策のため送信ドメイン認証のSPF，DKIMを両方とも導入する問題が出題された。送信者のなりすまし防止対策のため電子署名の付与（S/MIME）が出題された（出題ミスの発覚により不成立となった）。

平成28年午後I問1で，電子メールのセキュリティ対策として，OP25B，SMTP-AUTH，送信ドメイン認証（SPF）が出題された。

平成26年午後II問2で，標的型メール攻撃の対策としてSPFを導入する問題が出題された。

第**8**章

目　的	内　容	実施するところ
迷惑メールの受信を低減	不正中継ホストデータベースの利用	受信側サイト
	受信メールのフィルタリング	受信側サイト，受信者端末
送信者のなりすまし防止，本文の改ざん検知	送信者の署名をを本文に付与	送信者，受信者

●送信ドメインのなりすまし防止

　RFC2822で標準化されたの電子メールの仕様では，メールヘッダに書かれた送信元メールアドレスは容易に詐称できてしまう。

　それゆえ，フィッシング詐欺メールや標的型攻撃メールなど悪意あるメールは，送信元メールアドレスを詐称し，標的となる受信者から見て信頼できる組織から送信されたものであるかのようになりすますことが多い。例えば，取引先になりすましてメールを送り，受信者を悪意あるサイトに誘導して，フィッシング詐欺や標的型攻撃を行おうとしている。

　送信ドメイン認証は,送信者元メールアドレスのドメイン（@以降のドメイン）のなりしましを防止するために標準化された技術である。これは，受信側サイトのメールサーバが，メールを受信したとき，送信側サイトのDNSサーバに問い合わせることで，送信ドメインの真正性を確認する仕組みになっている。

　送信ドメイン認証を実行するために，送信者又は受信者がMUA（Mail User Agent：メールソフト）で特別な操作を行う必要がないため，人為的な不作為や誤操作を心配する必要がない。

　送信ドメインを認証する方式は，SPF（Sender Policy Framework），DKIM（Domain Keys Identified Mail）の二種類ある。両者を組み合わせた方式として，DMARC（Domain-based Message Authentication, Reporting & Conformance）がある。

●SPF

　SPFによる送信ドメイン認証は，およそ次に示す動作シーケンスに従って実行される。

関連RFC

RFC7208

詳説

受信したメールを誰かに転送することは，日常よく行われるメール操作の一つである。SPF方式は，転送メールによってドメイン名とIPアドレスの整合性が保てなくなると，検証に失敗する。

試験に出る

令和6年午後Ⅱ問2で，なりすまし防止対策のため送信ドメイン認証のSPF，DKIMを両方とも導入する問題が出題された。DKIMについては，セレクタの詳細な点について出題されたが，本文中の説明から推論して解を導けるように配慮されていた。
平成28年午後Ⅰ問1で，電子メールのセキュリティ対策として，OP25B，SMTP-AUTH，送信ドメイン認証（SPF）が出題された。
平成26年午後Ⅱ問2で，標的型メール攻撃の対策としてSPFを導入する問題が出題された。

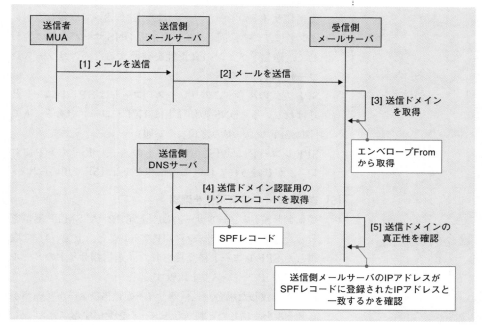

図：SPF方式の動作シーケンス

[1] **メールを送信**

送信者MUAが，送信側メールサーバ（送信者MUAに登録されたメールサーバ）にメールを送信する。

[2] **メールを送信**

送信側サイトのメールサーバは，受信側サイトのメールサーバにSMTPでメールを送信する。

SMTPの仕様上，送信側サイトのメールサーバは，受信側サイトのメールサーバに向けて，SMTPコマンドのMAIL FROMコマンドを使ってエンベロープFrom（送信元メールアドレス）を通知する仕組みになっている。

[3] **送信ドメインを取得**

受信側サイトのメールサーバは，エンベロープFromから送信ドメイン名を取得する。

[4] 送信ドメイン認証用のリソースレコードを取得

受信側サイトのメールサーバは，上記［3］で取得したドメイン名に基づき，同ドメインの権威 DNS サーバに問い合わせて，送信ドメインの真正性を確認するためのリソースレコードを取得する。

SPF 方式の場合，このリソースレコードは SPF レコードと呼ばれている。DNS の仕様上は TXT レコードである（下の「図：SPF レコードの書式」を参照）。

SPF レコードには「送信側サイトのメールサーバの IP アドレス」が登録されており，この情報が下記［5］で用いられる。

[5] 送信ドメインの真正性を確認

受信側サイトのメールサーバは，上記［2］で SMTP 通信を行った送信側メールサーバの IP アドレスと，上記［4］で取得した SPF レコードに登録された「送信側サイトのメールサーバの IP アドレス」を比較する。

両者が一致した場合，送信側サイトの正当なメールサーバからメールを受信したと判断し，メールを受信する。

一致しなかった場合，なりすましメールであると判断し，自サイトのポリシーに従って隔離又は廃棄などを行う。

ドメイン名	IN	TXT	正規のメールサーバの IP アドレス

図：SPF レコードの書式

参考までに，平成 26 年午後Ⅱ問 2 で出題された，SPF の認証処理手順を示す。この図で SPF レコードを登録しておく DNS サーバは，右側のドメイン「example.com」である。SPF を用いてメールの送信元を認証するメールサーバは，左側のドメイン「example.co.jp」のメールサーバである。

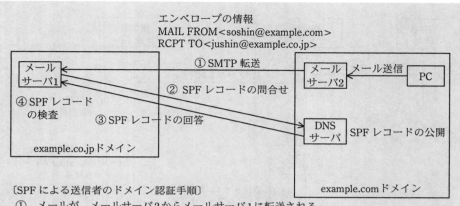

〔SPF による送信者のドメイン認証手順〕

① メールが，メールサーバ2からメールサーバ1に転送される。

② メールサーバ1は，エンベロープ中のメールアドレスを基に，DNS サーバにSPF レコードを問い合わせる。

③ DNSサーバから，SPF レコードが回答される。

④ メールサーバ1 は，SPF レコードに登録されたメールサーバの IP アドレスを基に，受信したメールの正当性を検査する。不正なメールと判断したときには，受信したメールを廃棄又は隔離することができる。

図：SPF による認証処理手順の概要（平成 26 年午後Ⅱ問 1 図 2 より抜粋）

　IPA はセキュリティ技術を重視しており，ネットワークスペシャリスト試験では，送信ドメイン認証（SPF, DKIM）や OP25B（詳しくは後述）などの迷惑メール対策が何度も出題されている。

　とはいえ，この掲載例のように本文中に詳しく説明されていることが多い。ゆえに，試験対策の観点から言えば，細かい手順を無理に暗記する必要はないだろう。

●DKIM

　DKIM による送信ドメイン認証は，およそ次に示す動作シーケンスに従って実行される。このシーケンス図と前述の SPF 方式のシーケンス図を比較すると明らかだが，基本的なシーケンスは両方式とも同じである。

RFC6376

第 **8** 章

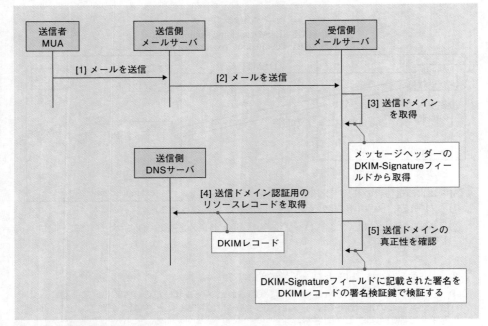

図：DKIM 方式の動作シーケンス

詳説

DKIMの署名の対象範囲
DKIM方式の署名は，メッセージヘッダーのフィールド，メッセージボディ（MIMEエンコードされた添付ファイルを含む）である。メッセージヘッダーのフィールドとして選ばれるのは，通常，From, To, Subject, Dateなど重要なフィールドである。DKIM-Signatureフィールドには，署名とともに，どのフィールドが選ばれたのかが記載されている。

[1] メールを送信

　　送信者 MUA が，送信側メールサーバ（送信者 MUA に登録されたメールサーバ）にメールを送信する。

[2] メールを送信

　　DKIM 方式の場合，送信に先立ち，送信側サイトのメールサーバは，DKIM 方式専用のメッセージヘッダーフィールドである **DKIM-Signature** フィールドを付加する。

　　その後，送信側サイトのメールサーバは，受信側サイトのメールサーバに SMTP でメールを送信する。

[3] 送信ドメインを取得

　　DKIM-Signature フィールドには，「送信側サイトのドメイン名」が格納されており，受信側サイトのメールサーバはここから送信ドメイン名を取得する。

　　このフィールドにはさらに，メッセージヘッダーとメッセージボディに基づいて作成された「デジタル署名」が格納さ

れている。この署名は，送信側サイトの署名作成鍵（秘密鍵）で作成されたものであり，下記［5］で用いられる。

［4］ 送信ドメイン認証用のリソースレコードを取得

受信側サイトのメールサーバは，上記［3］で取得したドメイン名から，同ドメインの権威DNSサーバに問い合わせて，送信ドメインの真正性を確認するためのリソースレコードを取得する。

DKIM方式の場合，このリソースレコードは**DKIM レコード**と呼ばれている。DNSの仕様上はTXTレコードである(次ページの「図：DKIMレコードの書式」を参照)。

DKIMレコードには「送信側サイトの署名検証鍵」（公開鍵）が登録されており，この情報が下記［5］で用いられる。

［5］ 送信ドメインの真正性を確認

受信側サイトのメールサーバは，上記［3］で取得したDKIM-Signatureフィールドに格納された署名を，上記［4］で取得したDKIMレコードに登録された署名検証鍵を使って検証する。

署名検証に成功した場合，送信側サイトの正当なメールサーバからメールを受信したと判断し，メールを受信する。併せて，メールが改ざんされていないことも確認できる。

署名検証に失敗した場合，なりすましメールであると判断し，自サイトのポリシーに従って隔離又は廃棄などを行う。

DKIM方式の署名検証鍵（公開鍵）は，自サイトのDNSサーバのDKIMレコードに登録されている以上，その真正性が明らかである。それゆえ，CAによる第三者認証は不要であり，電子証明書を使用しない。このため，電子証明書の発行や維持管理に掛かるコストと運用負荷が軽減される。

DKIM方式では，署名作成鍵／検証鍵のペアを1個以上用意することができる。一組の鍵ペアにつき，一つのDKIMレコードをDNSサーバに登録する。DKIMレコードには署名検証鍵を登録するので，署名検証鍵の分だけDKIMレコードが存在することになる。それらDKIMレコードを識別するキーが「セレクタ」

第**8**章

セレクタについて，平成6年
午後Ⅱ問2で出題された

である。言うまでもないが，セレクタは鍵ペアを識別するキーで
もある。

　DKIM レコードの書式は下記のとおりであり，セレクタ名は
FQDN 中のホスト名に相当する情報として登録されている。それ
ゆえ，この DKIM レコードを取得するには，セレクタ名とドメイ
ン名からなるこの FQDN を指定した上で，TXT レコードに対す
る名前解決を実施すればよい。

| セレクタ名 | ._domainkey. | ドメイン名 | IN | TXT | 署名検証鍵等の情報 |

図：DKIM レコードの書式

　上記の ［2］ において，送信元メールサーバがデジタル署名を
作成する際，一つのセレクタを選択し，このセレクタに対応する
鍵ペアの署名作成鍵を用いる。同メールサーバが送信メールに付
与する DKIM-Signature フィールドには，選択した「セレクタ名」，
作成した「デジタル署名」，及び，送信ドメイン認証の対象とな
る「ドメイン名」が指定されている。

　上記の ［4］ において，受信側サイトのメールサーバは，
DKIM-Signature フィールドに指定された「ドメイン名」の権威
DNS サーバに対し，DKIM レコードの問合せを行う。その際，「セ
レクタ名」に対応する DKIM レコードを DNS の名前解決を通し
て取得できるので，当該 DKIM レコードから署名検証鍵を取得
することができる。

●DMARC

RFC7489

DMARC は，SPF，DKIM と連携して動作する方式である。
両方式を単純に組み合わせているのでなく，いくつかの追加の機
能を備えている。

- **メッセージヘッダーのFromフィールドの確認**
  メッセージヘッダーのFromフィールドの送信元ドメイン
  を検証する。
- **認証失敗時の処理方法をドメイン所有者が定義**
  SPF方式，DKIM方式に基づく送信ドメイン認証は，受信
  側サイトで認証失敗を検出した場合，その対処方法は受

信側サイトの判断に委ねられていた。これに対し，DMARC
方式では，ドメイン所有者（送信側サイト）が認証失敗時
のメール処理方法（何もしない／隔離／拒否）を定義する
ことができる。そのポリシーはDNSサーバのDMARCレ
コードに登録されており，受信側サイトのメールサーバは
これを問い合わせてメールを処理する。

- **認証結果のレポートをドメイン所有者に通知**

    認証失敗の事実を送信者に通知する。これにより，送信側
    サイト（ドメイン所有者）が不正な活動を把握し，必要な
    対策を講ずることができるようになる。

●第三者中継の厳密な設定

第三者中継とは，自サイトの外部から受け取ったメールを，自
サイトの外部へ送ることである。つまり，第三者（自サイト以外
の利用者）のメールを中継する行為を指す。これを阻止すること
により，自サイトのメールサーバが，スパマー（SPAMメールの
送信者）の踏み台として不正に利用され，迷惑メールを中継する
ことがないようにする。MTAは，受け取ったメールの送信元情
報と宛先情報をフィルタリングすることで，第三者中継であるか
どうかを判断する。送信元情報のチェックには，送信元IPアド
レス，エンベロープFromを，宛先情報のチェックには，宛先IP
アドレス，エンベロープToを用いる。なお，今日のMTAのデフォ
ルト設定では，第三者中継が禁止されている。

試験に出る

踏み台について，平成28年
午後I問1で出題された

業務上の理由から，第三者中継を許可したい場合がある。もし，
中継元又は中継先のIPアドレスが固定であるならば，その中継
だけを許可するよう，MTA上で配信ルールを設定する。

第三者中継を許可する理由として，他には，次に述べるプロバ
イダの例を挙げることができる。自プロバイダのIPアドレスブ
ロックの範囲外（利用者の宿泊先など，他プロバイダのIPアド
レスブロック）に収容されたホストから，自プロバイダ以外の宛
先に向けて，プロバイダの利用者がメールを配信するケースに対
応する必要がある。そのときには，送信者認証（**SMTP-AUTH**
又は **POP before SMTP**）を実施し，認証に成功した送信者に
ついては，第三者中継を許可する（つまり，前述のチェックを実

試験に出る

SMTP-AUTHについて，平成
28年午後I問1，平成26年
午前I問12で出題された

第
8
章

試験に出る

POP before SMTPについて，
平成26年午前II問21で出題
された

施しない)。

● 25 番ポートブロック（OP25B）

　迷惑メール送信を防止するため，ISP は，「自 ISP から他 ISP に転送されるメールは，自 ISP が指定したメールサーバを経由する」という規制を設けている。これを OP25B（Outbound Port25 Blocking）という。

　この規制対象となるホストは，ISP から IP アドレスの動的な割当てを受けるものである。具体的に言うと，それは主に，個人や小規模な組織の利用者のホストである。

　この OP25B を実現するため，ISP とインターネットとの境界に位置するルータで，ISP は SMTP 通信をフィルタリングしている。

　次に示す二つの条件 [1]，[2] を同時に満たすパケットは，OP25B のポリシに反するため，この境界ルータで破棄される。

OP25Bについて，平成28年午後Ⅰ問1，令和5年午前Ⅱ問20，令和3年午前Ⅱ問20，平成27年午前Ⅱ問19，平成25年午前Ⅱ問17で出題された

［破棄される条件］
　[1] ISP から割り当てられるグローバル IP アドレスが，動的なものである。
　[2] ISP 外のメールサーバと TCP の 25 番ポートでコネクションを確立し，同サーバを用いてメールを送信する。

　これが迷惑メール送信を防止する対策となる理由は，多くの迷惑メール（ウイルスに感染した端末から送信されたメールを含む）が，ISP 指定のメールサーバを経由せずに送信されているからだ。

　この対策を実施することで，この種の迷惑メールを撲滅できる。

　ISP が OP25B を導入することにより，ISP にとっては，自 ISP 内の動的 IP アドレスを送信元とする迷惑メールを防止するというメリットがもたらされる。OP25B を採用する ISP が増えることにより，社会全体として迷惑メールの削減に寄与できる。

● OP25B の仕組み

　具体例を使って，OP25B の仕組みを説明しよう。ある小規模な企業 C 社が，ISP からグローバル IP アドレスを動的に割り当てられており，OP25B の規制の対象になっているものとする。

　次の図は，ISP が実施する OP25B によって，パケット通信が許可されるケース (a) と禁止されるケース (b) とを比較している。

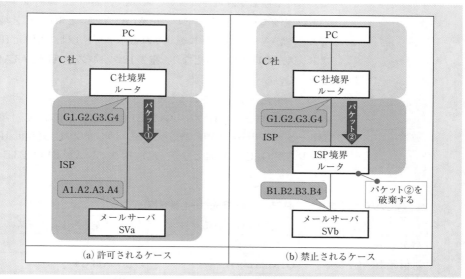

図：ISP が実施する OP25B において，パケット通信が許可されるケース (a)，禁止されるケース (b)

　C 社 PC は，SMTP 通信を行うことを意図し，メールサーバとの間で TCP コネクションを確立する SYN パケットを送信している。図中の左側 (a) のパケット①，右側 (b) のパケット②が，宛先ポート番号が 25 (SMTP) の SYN パケットである。

　図の左側 (a) は，パケット通信が許可されるケースである。このメールサーバ SVa は，プロバイダの内側に存在し，プロバイダが指定したメールサーバである。このケースでは，SYN パケットは SVa に到達する。

　図の右側 (b) は，パケット通信が禁止されるケースである。このメールサーバ SVb は，プロバイダの外側に存在し，プロバイダが指定していないメールサーバである。このケースでは，SYN パケットは ISP の境界ルータで破棄され，SVb には到達しない。

　図のケース (a)，(b) について，前述の「破棄される条件」に照らし合わせながら，もう少し詳しく解説しよう。

　C 社が ISP から動的に割り当てられるグローバル IP アドレスを G1.G2.G3.G4 とする。これは C 社境界ルータに割り当てられ，

第8章

同ルータからインターネットに出ていく際，NAPT によって送信元 IP アドレスとなる。

　パケット通信が許可されるケース（a）において，メールサーバ SVa のグローバル IP アドレスを A1.A2.A3.A4 とする。C 社境界ルータからサーバ SVa に転送されるパケット①は，送信元 IP アドレスが G1.G2.G3.G4 となり，宛先 IP アドレスが A1.A2.A3.A4 となっている。

　パケット通信が禁止されるケース（b）において，メールサーバ SVb のグローバル IP アドレスを B1.B2.B3.B4 とする。C 社境界ルータからサーバ SVb に転送されるパケット②は，送信元 IP アドレスが G1.G2.G3.G4 となり，宛先 IP アドレスが B1.B2.B3.B4 となっている。

表：前図のパケットを比較（IP アドレス，宛先ポート番号等）

項目	（a）許可されるケース	（b）禁止されるケース
パケット	パケット①	パケット②
送信元 IP アドレス	G1.G2.G3.G4	G1.G2.G3.G4
宛先 IP アドレス	A1.A2.A3.A4	B1.B2.B3.B4
宛先ポート番号	25	同左
パケットの内容	TCP の SYN パケット（コネクション確立要求）	

　この図では，前述の OP25B の規制対象となる条件 [1] をどちらも満たしている。両者の違いは，条件 [2] の宛先 IP アドレスだけだ。禁止されるケース（b）のパケット②は，宛先が ISP 指定外のメールサーバであるため ISP 境界ルータで破棄される。

●サブミッションポート

　個人や小規模な組織など，動的な IP アドレスの割当てを受ける利用者にとっては，メールを送信できなくなるケースが生じ得る。次に示す二つの条件 [1]，[2] を同時に満たすパケットが，これに該当する。

［破棄される条件］
　[1] 宿泊施設が ISP から動的 IP アドレスを割り当てられ
　　　ているとき，「破棄される条件」の [1] に該当する。

---

[2] 利用者が，宿泊施設のインターネット接続回線を経由
してインターネットにアクセスし，自分の ISP のメー
ルサーバにメールを送信する。宿泊施設の ISP が利用
者の ISP と異なっている場合，宿泊施設の ISP から見
ると，このメール送信は，「破棄される条件」の [2]
に該当する。

　宿泊施設が，個人や小規模な組織のものであるならば，動的
IP アドレスの割当てを受けるのが一般的なので，条件 [1] に合
致してしまう。この宿泊施設で，利用者がいつもどおり SMTP に
よるメール送信を行うと，条件 [2] に合致してしまう。このよう
な外出先でメールを送信できないのは大変不便である。

　この問題を解消するため，OP25B を採用している ISP は，
TCP の 587 番ポート（サブミッションポート）を用いたメール送
信を，OP25B の規制から外している。

　外出先で，利用者が自 ISP のメールサーバにメールを送信した
いとき，サブミッションポートで TCP コネクションを確立すれば
よいわけだ。

　サブミッションポートで接続を受けるメールサーバは，通常，
ユーザ認証を行う。なぜなら，この設定を行わないならば，このメー
ルサーバを踏み台にして，迷惑メールを不正に送り付けることが
可能となってしまうからだ。

　一般的には，このユーザ認証の方式として **SMTP-AUTH** が採
用されている。

●サブミッションポートで送信したときの OP25B の仕組み

　比較のために，このサブミッションポートを用いるケース（c）
を，パケット通信が禁止されるケース（b）と一緒に示してみる。
両者のネットワーク構成に変化は見られない。異なっているのは，
ケース（c）の宛先ポート番号をサブミッションポートに変更した
だけである。

詳説

実際の運用において，C 社の
PC が他 ISP のメールサーバ
を使用する場面は考えにくい。
この図はあくまで比較のため
に用意したものだと割り切っ
ていただきたい。
サブミッションポートで送信す
る典型例は，C 社の社員が宿
泊施設から，C 社契約先 ISP
のメールサーバに送信する
ケースである。

第 **8** 章

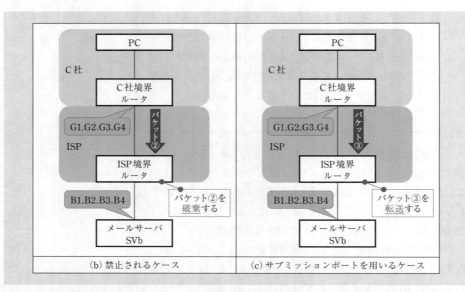

図：ISP が実施する OP25B において，パケット通信が禁止されるケース（b），サブミッションポートを用いるケース（c）

表：前図のパケットを比較（IP アドレス，宛先ポート番号等）

項目	（b）禁止されるケース	（c）サブミッションポートを用いるケース
パケット	パケット②	パケット③
送信元 IP アドレス	G1.G2.G3.G4	G1.G2.G3.G4
宛先 IP アドレス	B1.B2.B3.B4	B1.B2.B3.B4
宛先ポート番号	25	587
パケットの内容	TCP の SYN パケット（コネクション確立要求）	TCP の SYN パケット（コネクション確立要求）

　この図のケース（c）が示すとおり，PC がメールサーバに対してコネクションを確立する宛先ポート番号をサブミッションポートに変更すれば，コネクション確立に成功する。

　この図を一見すると OP25B の規制をすり抜けているように見えるが，サブミッションポートで接続を受けるメールサーバはユーザ認証を行うので，正規の利用者だけがメールを送信できる。

●迷惑メールの受信の低減

近年のウイルス対策サーバの中には（クライアント PC にインストールするウイルス対策ソフトも同様に），受信した迷惑メールをフィルタリングする機能をもつものがある。

迷惑メールをフィルタリングする方法を次に示す。

表：迷惑メールのフィルタリング方法

フィルタリング方法	内容
カスタムブラックリスト	特定のメールアドレス（ドメイン）からの受信を拒否する
カスタムホワイトリスト	信頼できるドメインを登録し，フィルタ処理をバイパスさせて高速化を図る
ヒューリスティック	SPAM の特徴（例えば，同じ送信元からの大量メール配信）を有するメールをフィルタリングする
コンテンツフィルタリング	件名，本文中に含まれる文字列などでフィルタリングする

●送信者のなりすまし防止と改ざん検知

前述の「●送信ドメイン認証」で述べたように，フィッシング詐欺メールなど悪意あるメールを送る人物は，標的となる受信者から見て信頼できる組織になりすますことが多い。例えば銀行になりすましてメールを送り，受信者を悪意あるサイトに誘導して，フィッシング詐欺を行おうと企んでいる。

なりしましの対象となり得る，銀行などの組織は，一般の利用者がフィッシング詐欺の被害に遭うのを防ぐために何ができるだろうか。そのための有効な対策が，組織が送信するメールにデジタル署名を付与することである。

メールにデジタル署名を付与する仕組みとして標準化された技術が，**S/MIME**（Secure/MIME）である。S/MIME を使用すると，署名付与だけでなく暗号化を行うこともできる。ただし，ここでは署名付与に絞って解説する。

S/MIME を使用する場合，送信者の組織は電子証明書を CA（認証局）から取得しなければならない。電子証明書には，送信時に使用するメールアドレスと自組織に関する情報（受信者が真正性を確認できる情報），署名検証鍵（公開鍵）などが登録されている。送信者（自組織の要員）は，電子証明書と署名作成鍵（秘密鍵）を自分の MUA に事前に設定しておく。

送信者は，証明書に登録されたメールアドレスを使用してメー

詳説

S/MIME は RFC8551（Ver4）で標準化されている。
S/MIME の保護対象となるデータは，メールの本文と添付ファイルである。S/MIME を適用する前に，添付ファイルは MIME によってメッセージボディの一部になっているので，メールの本文と合わせて保護対象となる。
さらに，MIME の仕組みを使うと，メッセージヘッダーとメッセージボディを一括りにまとめることができるので（message/rfc822），メッセージヘッダーも S/MIME の保護対象に含めることが可能となる

試験に出る

送信者のなりすまし防止対策のため電子署名の付与について，令和6年午後Ⅱ問2で出題された。ただし，S/MIME自体は深く取り上げられなかった（出題ミスの発覚により不成立となった）

第**8**章

ルを送信する。その際，送信者の MUA は，自動的に，メールの本文と添付ファイルに基づいて，デジタル署名を作成する。次いで，S/MIME の形式に従ってデジタル署名や電子証明書などを付与し，メールを送信する。

受信者は，送信者のような事前の準備は必要ない。受信者の MUA は，S/MIME でデジタル署名が付与されたメールを受信すると，自動的に，送信者の真正性の確認とメール内容の改ざんの検知を行う。なお，受信者自身も，必要であれば，電子証明書に登録されたメールアドレス等の情報を目視で確認し，送信者の真正性を確かめることができる。

このように S/MIME はなりすまし防止に有効な技術である。自組織の利用者がフィッシング詐欺の被害に遭わないようにするため，なりすましメールの被害について啓蒙するとともに，自組織で S/MIME 対応メールを送信している旨を広告することができる。こうした取り組みを広告することで，利用者からの信頼を高めると共に，フィッシング詐欺を働こうとする者たちへの牽制にもなる。

8.3.6　ネットワーク経由のサイバー攻撃

様々なサイバー攻撃のうち，ネットワークスペシャリスト試験で出題されるのは，ネットワーク経由のサイバー攻撃が中心である。

その代表的なものとして，DoS 攻撃，公開サーバの脆弱性をねらった攻撃を解説する。

●DoS 攻撃

DoS（Denial of Service）攻撃とは，標的サーバの通信量を増大させ，ネットワークやサーバのリソースを無駄に消費させて正常なサービスを妨害するものである。場合によってはサーバのダウンを引き起こしてしまう。

例えば，TCP のコネクション確立要求パケットを大量に送信し，応答待ちにして新たな接続を妨害する SYN フラッド攻撃，コネクションレス型の UDP パケットを使った UDP フラッド攻撃，ICMP パケットを使った ICMP フラッド攻撃などがある。

試験に出る

DoS 攻撃について，令和元年午後Ⅱ問 2，平成 26 年午後Ⅰ問 3 で出題された。
本文中の記述から DoS 攻撃を受けていることを推論させる問題が，平成 22 年午後Ⅰ問 3 で出題された。ICMP フラッド攻撃について，平成 30 年午前Ⅱ問 16 で出題された

多数のコンピュータが標的サーバを集中的に攻撃する分散型 **DoS**（Distributed DoS）攻撃は，送信元ホストの特定が難しく，被害が拡大しやすい。

●SYN フラッド攻撃

TCP のコネクション確立フェーズは，スリーウェイハンドシェイクと呼ばれる，3 個のパケットのやり取りからなる。パケットの送信元とヘッダ中のビットに着目すると，その内訳は次のとおりである。TCP のコネクション確立について，詳しくは第 3 章「3.3.4 TCP コネクション」を参照されたい。

SYN フラッド攻撃について，令和元年午後 II 問2，平成 26 年午後 I 問3で出題された

表：TCP コネクション確立フェーズでやり取りされるパケットの
　　送信元とヘッダ中のビット

順序	送信元	ビット
1	クライアント（コネクションの要求元）	SYN ビット
2	サーバ（コネクションの要求先）	SYN ビット，ACK ビット
3	クライアント（コネクションの要求元）	ACK ビット

1 番目のパケットは，TCP のコネクション確立を要求するものである。これを SYN パケットと呼ぶ。SYN パケットを受信したホストは，要求元に 2 番目のパケットを返信するとともに，コネクションのためにリソースを確保する。そして，要求元から 3 番目のパケットが送られるのを待っている。この 3 番目のパケットを待っている状態を，ハーフオープンと呼ぶ。

SYN フラッド攻撃は，SYN パケット受信時のホストの振る舞いを悪用した，DoS 攻撃である。

攻撃者は，標的サーバに SYN パケットを送信する際，送信元 IP アドレスを詐称する。そして，攻撃者は，この詐称した SYN パケットを短時間に大量に送信するのである。

SYN フラッド攻撃を行うとき，送信元アドレスに指定する詐称用の IP アドレスとしてダークネット（未使用の IP アドレス空間）が選ばれることについて，令和元年午前 II 問18，平成 29 年午前 II 問17で出題された

標的サーバは，これを受信すると，詐称された送信元に返信する。2 番目のパケットを受け取った相手は，そもそもコネクション確立を要求していないので，3 番目のパケットを送ることはない。あるいは，詐称した IP アドレスはそもそもホストが存在しないことも多く，そのときは，3 番目のパケットがくることはない。この結果，標的サーバはハーフオープン状態のままになり，リソースを無駄に消費させられてしまう。さらに，新たな接続も妨害される。

このような SYN フラッド攻撃の仕組みにより，サーバの処理能力を占有され，正常なサービスを提供できなくなってしまう。

● UDP フラッド攻撃

UDP フラッド攻撃について，平成26年午後Ⅰ問3で出題された

ホストは UDP パケットを受信すると，通常は次の順序に従って動作する。これを基本フローと呼ぶことにしよう。

〔基本フロー〕

  (1)　OS は，宛先ポート番号に対応するアプリケーションが自ホストで動いているかを調べる。

  (2)　アプリケーションが動いている場合，OS は UDP パケットのペイロード部分を取り出し，これをアプリケーションに渡す。

  (3)　アプリケーションは，ペイロードの内容を処理する。

〔基本フロー〕の順序 (1) で，もしもアプリケーションが動いていなかった場合，次の順序に従って動作する。これを代替フローと呼ぶことにしよう。順序 (1) は基本フローと同じである。

〔代替フロー：アプリケーションが動いていない場合〕

  (1)　OS は，宛先ポート番号に対応するアプリケーションが自ホストで動いているかを調べる。

  (2a)アプリケーションが動いていない場合，OS は，ICMP の Destination Unreachable メッセージ（Port Unreachable コード）を送信元ホストに返信する。

UDP のクローズポートにアクセスされた場合，ICMP Unreachable メッセージを返送することについて，令和元年午後Ⅱ問2，令和元年午前Ⅱ問19で出題された

UDP フラッド攻撃は，この代替フローの振る舞いを悪用した，DoS 攻撃である。

攻撃者は，標的サーバに UDP パケットを送信する際，宛先ポート番号として，対応するアプリケーションが到底存在しないようなポート番号を指定する。加えて，送信元 IP アドレスを詐称する。そして，攻撃者は，この詐称した UDP パケットを短時間に大量に送信するのである。

標的サーバは，これを受信すると，ICMP パケットを詐称された送信元に返信する。この結果，ネットワークの帯域は，攻撃用の UDP パケットとその返信用の ICMP パケットを伝送する分だ

け無駄に消費させられる。さらに、標的サーバのCPU時間も、代替フローを処理する分だけ無駄に消費させられる。一方、送信元は詐称されているため、攻撃者はICMPパケットを受信することはなく、その分のリソース消費は免れている。

　このようなUDPフラッド攻撃の仕組みにより、ネットワークやサーバの処理能力が占用され、正常なサービスを提供できなくなってしまうのである。

● 公開サーバの脆弱性をねらった攻撃

　Webサーバは、SQLインジェクション、クロスサイトスクリプティング攻撃のような、アプリケーション上で稼働するプログラム（サーブレット、スクリプト）の脆弱性をねらった攻撃を受けることがある。

　DNSサーバは、コネクションレス型のUDPを用いて問合せを行うため、送信元を詐称した攻撃を受けることがある。例えば、DNSリフレクタ攻撃、DNSキャッシュ汚染などが代表的である。

　ここでは、公開サーバの脆弱性をねらった攻撃の具体例として、DNSリフレクタ攻撃について解説する。DNSキャッシュ汚染については、第4章「4.2.7　DNSキャッシュ汚染」を参照されたい。

　DNSの問合せは、トランスポート層プロトコルとして、コネクションレス型であるUDPを使用する。DNSリフレクタ攻撃は、送信元の詐称が容易であるというコネクションレス型通信の脆弱性を悪用したDoS攻撃である。まずはその脆弱性を解説し、次いで、DNSリフレクタ攻撃について解説しよう。

●送信元の詐称が容易であるというコネクションレス型 通信の脆弱性

　コネクション型であるTCPは、送信元を詐称して通信することができない。そのことが分かれば、コネクションレス型であるUDPが、送信元を詐称できるという脆弱性をもっていることを理解できる。

　UDPの脆弱性を理解しやすくするため、TCPでは送信元を詐称できない理由について、まずは説明する。

　コネクション型のTCPでは、アプリケーション層プロトコルの

試験に出る

DNSキャッシュ汚染について、令和元年午後Ⅱ問2で出題された

詳説

DNSは、問合せ及び応答メッセージのサイズが512バイト以下であるとき、UDPを使用する。メッセージのサイズが512バイトを超えるとき、TCPを使用するか、又は、EDNS0（RFC6891で標準化された、UDPで512バイト超のメッセージを応答する方式）に則ってUDPを使用するか、いずれかの方法を採る

第 **8** 章

通信に先立って TCP のコネクションを確立する。このとき，もしも送信元 IP アドレスが詐称されていたら，コネクション確立フェーズのやり取りに失敗するので，データ通信フェーズに遷移しない。コネクション確立フェーズに成功したら，そのフェーズで交換したシーケンス番号に従ってデータ通信フェーズのやり取りが順番どおりに行われる。そのため，悪意のある第三者が途中から割り込んで，コネクションをハイジャックすることは至難の業となる。それゆえ，ひとたびコネクションを確立すれば，パケットの送信元 IP アドレスは，そのパケットを本当に送信したホストのものであることが保証される。

これに対し，コネクションレス型の UDP では，コネクションを確立せず，最初のパケットからアプリケーション層プロトコルのやり取りが始まる。それゆえ，パケットの送信元 IP アドレスが，パケットを本当に送信したホストのものであるのか，あるいは詐称されたものであるのかを（少なくとも，トランスポート層以下のヘッダ情報だけでは），見分けることができない。

したがって，トランスポート層プロトコルに UDP を使用するアプリケーションは，送信元 IP アドレスの詐称が容易であるという脆弱性をもっている。

● DNS リフレクタ攻撃

DNS リフレクタ攻撃は，送信元の詐称が容易であるというコネクションレス型通信の脆弱性を悪用している。

DNS の問合せパケットを送信する際，送信元 IP アドレスを詐称したらどうなるだろうか。問合せを受けた DNS サーバは，問合せパケットの送信元 IP アドレスを通信相手であると判断するので，その相手に対し，応答パケットを返信してしまう。

攻撃者は，DNS の問合せパケットの送信元 IP アドレスとして，標的となるサーバの IP アドレスを格納する。そして，この問合せを，オープンリゾルバと呼ばれる DNS サーバに送信する。オープンリゾルバとは，インターネット上に存在し，どの端末からも再帰的問合せを受け付ける DNS サーバのことである。

攻撃者から問合せを受けたオープンリゾルバは，当然ながら，これに対する応答を標的サーバに返信する。攻撃者は，この問合

試験に出る

DNS リフレクタ攻撃について，平成 26 年午後 I 問 3，令和 3 年午前 II 問 17，令和元年午前 II 問 21 で出題された。NTP サーバのリフレクタ攻撃について，平成 28 年午前 II 問 18 で出題された

詳説

DNS リフレクタ攻撃について，詳しくは下記のサイトが参考になる。
https://jprs.jp/tech/notice/2013-04-18-reflector-attacks.html

せを大量に送り付けることによって，標的サーバへの DoS 攻撃
を仕掛けることを企図している。

　DNS リフレクタ攻撃では，攻撃側といえども，問合せパケッ
トを送信する以上，ネットワークとサーバのリソースを消費する。
とはいえ，DNS の応答パケットのサイズは，問合せパケットのサ
イズより大きくなる。攻撃する際は，応答のサイズが何倍にも，
何十倍にも増大するように，問い合わせる内容を巧妙に指定する。
攻撃側よりも標的側の方がリソース消費のダメージがはるかに大
きくなるので，DNS リフレクタ攻撃は DoS 攻撃になるのだ。

　実を言うと，DNS リフレクション攻撃は，キャッシュサーバ，
コンテンツサーバの両方を攻撃に利用できる。キャッシュサーバ
のほうが増幅率が高いので，一般的によく用いられている。

　より巧妙な攻撃として，攻撃者はリフレクタ攻撃を直接実行せ
ず，インターネット上に用意した大量のボットに指示を与えて，
ボットがリフレクタ攻撃を行う方法がある。個々のボットのリソー
ス消費を小さく抑えつつ，これを一斉に大量に行うことで，標的
サーバへの分散型 DoS 攻撃を仕掛けるのである。

　参考までに，「DNS リフレクタ攻撃」のことを「DNS Amplifi
cation 攻撃」（略して，「DNS Amp 攻撃」）という文献もある。これは，
応答のサイズが問合せに比べて何十倍にも増幅されるという特徴
に由来する呼び名である。ただし，RFC5358 では「DNS リフレ
クタ攻撃」と呼んでいる。

● サイバー攻撃への対策

　サイバー攻撃への対策として，アプリケーション層の通信内
容を検査して不正な通信を防御する機能をもつファイアウォール
（アプリケーションレベルゲートウェイ）や IPS を設置し，攻撃を
防ぐことが効果的である。

　DDoS 攻撃への対策として，**BGP Flowspec** 方式と呼ばれ
る，BGP を利用して攻撃トラフィックを遮断する方法がある。自
組織内に DDoS 検知サーバを設置し，自組織内の公開サーバへ
の DDoS 攻撃を検知する。その後，BGP ルータに対し，外部か
ら流入する攻撃トラフィックを遮断するように指示する。フィル
タリングの条件として，攻撃先 IP アドレスだけでなく攻撃元 IP

第**8**章

アドレスを指定することが可能である。詳しくは第3章「3.8.6 BGP」の「●パスアトリビュート」の「● COMMUNITY パスアトリビュート」を参照していただきたい。

　さらに，セキュリティ対策の状況を評価するため，擬似的に攻撃を仕掛けるペネトレーションテストを実施し，脆弱性の有無を確かめることも効果的である。

試験に出る

DDoS 攻撃を自動的に検知し攻撃トラフィックを遮断するために BGP を利用する方法について，令和6年午後 I 問 1 で出題された。
ペネトレーションテストについて，平成26年午後 I 問3で出題された

8.4 • セキュリティプロトコル

　ここではセキュリティプロトコルを解説する。近年の出題頻度を考慮するなら，IEEE802.1X，IPsec，TLS，無線LANで使用されるIEEE802.11iを重点的に学習しておくとよい。

8.4.1 認証プロトコル

　ここでは，認証に用いられるプロトコルとして，CHAP，EAPを解説する。

● CHAP

　CHAP（Challenge Handshake Authentication Protocol）は，ワンタイムパスワード認証方式のプロトコルで，PPPなどにおけるユーザ認証方式として用いられている。

　CHAPでは，PPPのリンク確立後に，一定の周期でチャレンジメッセージを送り，それに対して相手がハッシュ関数による計算で得た値を返信する。このようなユーザ認証方式をチャレンジ／レスポンス方式と呼ぶ。このシーケンスを次に示す。

試験に出る

チャレンジ／レスポンス方式について，平成24年午前Ⅱ問20，平成21年午前Ⅱ問18で出題された

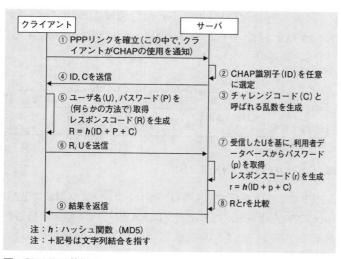

注：h：ハッシュ関数（MD5）
注：＋記号は文字列結合を指す

図：CHAPの仕組み

第8章

クライアントが管理しているパスワード「P」と，サーバが管理しているパスワード「p」が同じものであれば，ハッシュ関数「h」の演算結果「R」と「r」は一致する。チャレンジコード「C」は乱数なので，レスポンスコード「R」は毎回異なる。回線を伝達する情報が毎回異なっているので，ワンタイムパスワードを実現できる。また，「R」はハッシュ値なので，仮に盗聴されても「P」を推定することは不可能に近い。

● EAP

関連RFC

RFC2284：EAP

EAP（Extensible Authentication Protocol）は，様々な認証方式をカプセル化する仕組みをもち，PPP，IEEE802.1X（EAP over LAN）など，様々なプロトコルで使用することができる。

サポートされている認証方式には，**TLS**（Transport Layer Security），**PEAP** などがある。EAP でやり取りするパケットの種別は，要求（Request），応答（Response），認証成功，認証失敗の4種類である。このうち，Request，Response には，認証方式などを指定する「タイプ」領域と，指定された認証方式のデータを格納する「タイプデータ」領域がある。

認証に先立ち，サーバはクライアントに対し，ユーザID の送信を要求する。クライアントはこれに応答するが，このやり取りにも EAP パケットが用いられる。それぞれアイデンティティ要求／アイデンティティ応答と呼び，「タイプ」領域には「アイデンティティ」が指定され，「タイプデータ」領域にユーザID が格納される。

要求，応答のパケットフォーマットを図に示す。

(1)	(1)	(2)	(1)	(可変)
コード [パケット種別]	識別子	長さ	タイプ [認証方式，アイデンティティなど]	タイプデータ

注：( )内の数字はオクテット長を表す。

図：EAP のパケットフォーマット

PPP にカプセル化する場合は，プロトコルタイプ領域で EAP（0xC227）を指定し，PPP データに EAP パケット本体が格納される。

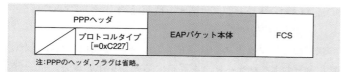

図：PPP にカプセル化された EAP パケット

　IEEE802.1X（詳しくは後述）では，EAP over LAN（以下，「EAPOL」と称する）というフレームフォーマットに EAP フレームをカプセル化する。MAC フレームのタイプ領域で EAP を指定し，MAC フレームのデータ部分に EAPOL フレームが格納される。さらに，EAPOL フレームのデータ部分に EAP フレームが格納される。そのフレームフォーマットを次に示す。

詳説

宛先 MAC アドレスは「01-80-C2-00-00-03」（フラッディングされないマルチキャストアドレス），送信元 MAC アドレスは送信元ステーションの MAC アドレス，タイプ領域の値は「0x888E」である

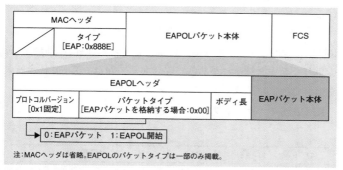

図：EAPOL にカプセル化された EAP パケット

8.4.2 RADIUS

　RADIUS（Remote Access Dial In User Service）は，認証（Authentication），認可（Authorization），アカウンティング（Accounting）の三つの機能を提供するプロトコルである。この3機能を，それぞれの頭文字を取って AAA モデルと呼ぶ（「トリプル・エイ」と読む）。

　認証機能は，利用者の主体認証を行う。RADIUS クライアントは，実際の利用形態ではアクセスサーバである。よって，認証対象の「利用者」とは，アクセスサーバから見たクライアント（リモートアクセスしたユーザ）のことである。認証には，PAP，CHAP，EAP など種々のプロトコルを使用することができる。なお，ユー

関連RFC

RFC2865（RADIUS 全般，認証と認可）
RFC2866（アカウンティング）

第8章

ザ名, パスワードなど認証に関する情報は, 後述する「アトリビュート」を用いて指定する。

　認可機能（アクセス制御機能）は, 認証に成功した利用者に対し, どのようなサービスを許可するのかを決定する。例えば, RADIUS サーバは, コールバックを行うよう, RADIUS クライアントに通知することができる。許可する情報は, アトリビュートを用いて指定し, パケットの中に格納する。ただし, RADIUS クライアントと RADIUS サーバは, 自分がサポートしていないアトリビュートを無視する。例えば, RADIUS クライアントがコールバック機能をサポートしていなければ, RADIUS サーバから要求を受けても, 答えに応じることはできない。アトリビュートは, RFC 標準のもの以外に, ベンダ拡張のものが数多く規定されている。

　アカウンティング機能は, 利用状況を記録する。例えば, RADIUS クライアントの切断, 接続, セッション時間（秒数）, 送受信したデータ量などがある。記録する情報は, アトリビュートを用いて指定し, パケットの中に格納する。

　RADIUS のパケットフォーマットを次に示す。

(1)	(1)	(2)	(16)	(可変)
種別コード	ID	パケット長	認証符号	アトリビュート情報（複数指定可能）

注：(　) 内の数字はオクテット長を表す。

図：RADIUS パケットフォーマット

　種別コードは, RADIUS パケットの種別を示す。ID は, 要求と応答の対応付けに用いられる識別子であり, 要求ごとに生成される。パケット長は, 図に示した RADIUS パケットの全体の長さである。認証符号は, RADIUS クライアント側で RADIUS サーバの主体認証と応答パケットのメッセージ認証を行う際に用いられる。アトリビュート情報は, 規定のフォーマット（本書では省略）に従って, 複数のアトリビュートを指定することが可能である。

　なお, アクセス要求, アクセス許可, アクセス拒否, アクセスチャレンジには 1812 ／ UDP を, アカウンティング要求, アカウンティング応答には 1813 ／ UDP を使用する。

表：RADIUS パケットの種別

種別（種別コード）	種類	内容
アクセス要求（1）	要求	RADIUS クライアント（アクセスサーバ）が，PAP や CHAP を用いて利用者（アクセスサーバから見たクライアント）の認証を行う。さらに，RADIUS クライアントが，RADIUS サーバに対して，サービスの使用を要求する。1台の RADIUS クライアントは，複数のアクセス要求を同時に送信してもよい（各要求は，パケットの ID 領域に格納された値によって識別される。最大 256 個まで同時送信が可能である）
アクセス許可（2）	応答	アクセス要求に対する応答には，アクセス許可とアクセス拒否の 2 種類がある。RADIUS サーバがアクセス要求を許可するときには，アクセス許可を送信する。一方，拒否するときには，アクセス拒否を送信する。RADIUS サーバは，許可であろうと拒否であろうと，必ず応答する（その際，アクセス要求と同じ ID 値を使って，どの要求に対する応答であるのかを指定する）
アクセス拒否（3）		
アクセスチャレンジ（11）	応答	RADIUS サーバ側（あるいは，これを利用しているシステム側）が生成した乱数（チャレンジ）を用いて認証を行いたいとき；RADIUS サーバがアクセスチャレンジを送信する。これを受信した RADIUS クライアントは，アクセス要求を送信しなければならない
アカウンティング要求（4）	要求	RADIUS クライアントがアカウンティング情報の記録を要求する
アカウンティング応答（5）	応答	RADIUS サーバがアカウンティング要求を受信したことを通知する。これは単なる受信確認である

詳説

IEEE802.1X において，RADIUS サーバからオーセンティケータへ送信する EAP 要求パケットは，アクセスチャレンジに格納される。

オーセンティケータから RADIUS サーバへ送信する EAP 応答パケットは，アクセス要求に格納される。

認証に成功したとき，RADIUS サーバからオーセンティケータへ送信する EAP 成功パケットは，アクセス許可に格納される。

IEEE802.1X の詳細は，「8.4.3 IEEE802.1X」を参照

　例として，RADIUS を用いた CHAP の仕組みを次に示す。ここでは，RADIUS クライアント（アクセスサーバ）が，利用者（アクセスサーバから見たクライアント）の認証を行うため，RADIUS サーバを用いている。RADIUS クライアントと RADIUS サーバのやり取りは，⑦～⑩である。

第8章

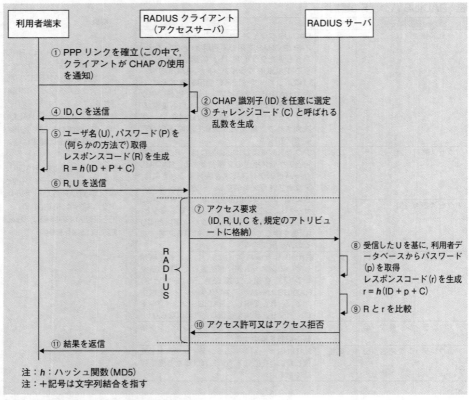

注：h：ハッシュ関数（MD5）
注：＋記号は文字列結合を指す

図：RADIUS を用いた CHAP の仕組み

8.4.3 IEEE802.1X

試験に出る

無線 LAN 環境で利用者認証と
アクセス制御に IEEE802.1X と
RADIUS を利用する方法につい
て，平成 26 年午前Ⅱ問 18 で
出題された。認証スイッチにつ
いて，平成 25 年午後Ⅱ問 2，
平成 21 年午後Ⅱ問 1 で出題さ
れた

IEEE802.1X は，認証に成功した端末だけが特定の VLAN に
接続できるようにする技術である。

この技術は，当初は有線 LAN で使われていた。スイッチのポー
トに端末が接続すると，この認証の手順が実行される。認証の成
否に応じて，端末収容ポートの VLAN を切り替える。このような
機能を有するスイッチを，認証スイッチという。

この技術が，後に無線 LAN の AP でも使われるようになった。
無線 LAN で，認証スイッチと端末のケーブル接続に相当する手
順が，AP と端末のアソシエーション確立となる。AP は認証スイッ
チの役割を担っているわけだ。

● 認証と接続の手順

IEEE802.1X の認証と接続は，次の手順に従って行われる。

ここで，認証に成功する前の VLAN を「認証用 VLAN」，成功した後の VLAN を「接続許可 VLAN」と呼ぶことにする。

試験に出る

無線 LAN で IEEE802.1X を使用する際，アソシエーション確立がポートへの接続とみなされることについて，平成21年午後Ⅱ 問1で出題された。
IEEE802.1X が利用者認証に用いられることについて，令和3年午前Ⅱ問19で出題された

①端末が認証スイッチのポートに接続されると，認証サーバは端末を認証する。同時に，端末も認証サーバを認証する（つまり，お互いに認証し合っている）。端末収容ポートが所属する VLAN は，この時点では認証用 VLAN である。
②認証に成功すると，認証サーバは，接続許可 VLAN の VLAN ID を認証スイッチに送信する。
③認証スイッチは，端末収容ポートが所属する VLAN を，接続許可 VLAN に動的に切り替える。

ここに登場する認証サーバは，RADIUS サーバである。

手順①から明らかであるが，端末が認証用 VLAN に収容されている間，RADIUS サーバと端末間の RADIUS 通信は，認証スイッチによって転送されている。

認証スイッチの役割は，単なる転送に留まらない。手順②，③から分かるとおり，認証スイッチは認証サーバの指示に従ってポートの VLAN を切り替える。こうして，ポート単位でアクセス制御を実現している。

なお，IEEE802.1X の用語では，認証スイッチのことをオーセンティケータといい，認証対象の端末（又は，端末にインストールされた認証用ソフトウェア）のことをサプリカントという。

● EAP による認証方式の指定

上述のとおり，IEEE802.1X の認証では，サーバ認証（正規の認証サーバであること），クライアント認証（正規の利用者であること）の両方を認証する。

認証方式として様々なものが規定されており，EAP を利用して認証方式が指定される。

具体例を挙げると，例えば，サーバ認証に電子証明書を用いクライアント認証にパスワードを用いる EAP-PEAP 認証，サーバ

試験に出る

サプリカント，オーセンティケータについて，平成30年午前Ⅱ問21（平成26年午前Ⅱ問18と同じ），平成29年午後Ⅱ問2で出題された

第**8**章

認証とクライアント認証の両方に電子証明書を用いる EAP-TLS 認証，等がある。

試験に出る

EAP-TLS でクライアント証明書が必要であることについて，令和5年午前II問19で出題された。EAP-TLS 認証を導入するため，クライアント端末に次のものをインストールする必要がある。この点について，平成29年午後II問2で出題された。

● クライアント証明書
● クライアント秘密鍵
● サーバ証明書を発行したプライベート CA（RADIUS サーバの CA 機能）の自己証明書

EAP-TLS でクライアント認証を行う場合，認証しているのは，電子証明書をインストールした端末である。端末の利用者ではないため，パスワード認証などの利用者認証が別途必要になる。この点について，平成21年午後II問2で出題された

表：IEEE802.1X で選択できる認証方式

認証方式	認証方法		特　徴
	サーバ	クライアント	
EAP-PEAP	電子証明書	パスワード	TLS でサーバ認証のみ実施し，TLS で生成・交換した共通鍵を使って暗号化通信を行いながら，チャレンジ／レスポンスでパスワード認証を実施する
EAP-TLS	電子証明書	電子証明書	認証サーバとクライアント間の双方に電子証明書をインポートし，電子証明書による相互認証を行う。電子証明書の管理が必要となる

プロトコルスタックは以下のようになる。

図：IEEE802.1X のプロトコルスタック

　端末と認証サーバがやり取りする認証パケットは，EAP でカプセル化される。認証期間中，認証スイッチは，両者間の EAP パケットの通信を中継する役割を担う。認証サーバには，通常，RADIUS サーバを使用する。認証スイッチは RADIUS クライアントとなり，認証スイッチと認証サーバ間の EAP パケットは，RADIUS でカプセル化される。

● EAP-TLS 認証方式の認証シーケンス

　無線 LAN における，EAP-TLS（TLS バージョン 1.2）を使った認証シーケンスの流れを解説しよう。

　最初に，無線 LAN 端末と AP（アクセスポイント）間でアソシエーションが確立される。しかし，IEEE802.1X の機能により，認証に成功しない限り，無線 LAN 端末は AP を経由してデータを転送することはできない。

試験に出る

IEEE802.1X規格（EAP-TLS 方式）のシーケンスについて，平成21年午後II 問1で出題された

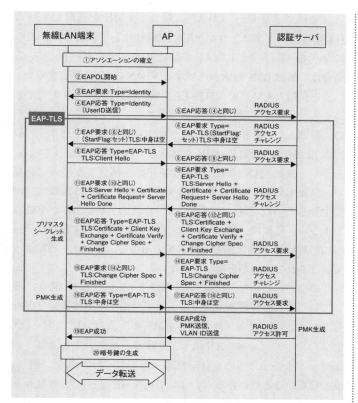

図：IEEE802.1Xを使った認証の流れ（EAP-TLSの例）

RFC3580では，VLANの通知に使用するRADIUS属性を次のように定めている。

● RADIUSパケットの種類：アクセス許可(Access Accept)
● RADIUS属性：
　○ Tunnel-Type=13（VLANを示す）
　○ Tunnel-Medium-Type=6（IEEE802を示すが，事実上はイーサネットの意）
　○ Tunnel-Private-Group-ID=VLAN ID（1〜4094までの値を文字列で格納）

⑱で認証サーバからAPにPMKを送信するとき，MPPE（Microsoft Point-to-Point Encryption）というプロトコルを用いてPMKを暗号化している。

WiFi-Allianceは，この送信に使用するRADIUS属性を次のように定めている。

● RADIUSパケットの種類：アクセス許可(Access Accept)
● RADIUS属性：
　○ Tunnel-Type=13（VLANを示す）
　○ MS-MPPE-Recv-Key

プロトコルスタックの観点で見ると，②〜⑳では無線LAN端末とAP間はEAPOL，APと認証サーバ間はRADIUSで通信している。認証の観点で見ると，④〜⑰は無線LAN端末と認証サーバ間で相互の主体認証が行われている。⑳は無線LAN端末とAP間における相互の主体認証である。併せて，データ選定時の暗号化とメッセージ認証に使用する暗号鍵を生成する。

⑳まで無事に終了した後，データ転送が可能となる。

④〜⑰は，EAP-TLS方式により，無線LAN端末と認証サーバ間が認証されている。この間，APはEAPパケットを中継しているだけである。この認証に成功すると，両者は**PMK**（Pairwise Master Key）を共有できる。PMKとは，暗号化通信の鍵の基となる情報である。

PMKキャッシュにより，無線LANのローミング時にIEEE802.1X認証を省略できることについて，平成25年午後Ⅱ問1で出題された

PMKキャッシュ

PMKキャッシュとは，無線LAN端末とAPがそれぞれPMKをキャッシュしておく技術である。無線LAN端末は，別のAPへローミングした後，元のAPのところへ再び戻ってくることがある。PMKをキャッシュしておけば，元のAPへローミングした直後に行うことは，「①アソシエーションの確立」と「⑳暗号鍵の生成」となる。したがって，②～⑲のIEEE802.1X認証が不要となる

IEEE802.1Xを用いた認証シーケンスは，エンタープライズモードで用いられている。パーソナルモードは利用者認証にPSK（事前認証鍵）を用いるが，本例の認証シーケンスをパーソナルモードに読み替えるには，IEEE802.1Xのやり取りをすべて取り去り，無線LAN端末とAPが同一のPMKを保持している状態から，4ウェイハンドシェークを開始すると考えればよい。パーソナルモードは，PSKからPMKを生成する。WPA3では，PSKからPMKを動的に生成するため，4ウェイハンドウェイシェークの直前に，無線LAN端末とAP間でSAEプロトコルによる鍵交換を行う

⑱では，認証サーバがAPに対してPMKを送信している（MPPEというプロトコルを用い，暗号化して送信する仕組みになっている）。さらに，APが認証VLANをサポートしている場合は，無線LAN端末が所属するVLANのIDを通知する。

⑲を受信した時点で，無線LAN端末は，EAP-TLS方式に基づく④～⑰のやり取りが無事終了したことが分かる。この時点で，無線LAN端末と認証サーバは相互認証されており，無線LAN端末とAPは同じPMKを共有している状態になっている。しかし，無線LAN端末とAPは相互に主体認証ができていない。無線LAN端末から見ると，④～⑰のやり取りにおいてAPは中継していただけの存在なので，正規のAPであるかを確認できない。同様に，APから見ると，無線LAN端末と認証サーバ間の通信はTLSで暗号化されているので，認証サーバによって認証されているかを確認できない。

そこで⑳において，無線LAN端末とAPが同じPMKを共有していることを検証することによって，相互に主体認証を実行している。なぜなら，両者間のPMKの一致は，IEEE802.11X認証の全手順（無線LAN端末と認証サーバ間の主体認証，認証サーバからAPへのPMK転送）が正しく行われない限り，成し得ないことだからだ（例えば，不正なAPだったら，認証サーバからAPへのPMK転送が行われない）。

●4ウェイハンドシェーク

⑳は2往復（4回のやり取り）から構成され，4ウェイハンドシェークと呼ばれている。

⑳では，無線LAN端末とAP間の通信で使用される共通鍵が，PMK，乱数及びMACアドレス（無線LAN端末とAP）に基づいて生成される。この共通鍵は，暗号化鍵と認証鍵が別々であり，両者を合わせて**PTK**（Pair Transient Key）と言う。APにアソシエーションするたびに生成されることから，一時鍵（Temporal Key）とも呼ばれている。

さらに，⑳では，マルチキャスト通信で使用される共通鍵がAPから配信される。この共通鍵は，暗号化鍵と認証鍵が別々であり，両者を合わせて**GTK**（Group Transient Key）と言う。この共通鍵は，APが定期的に生成する**GMK**（Group Master

Key）と呼ばれる乱数等に基づいて生成される。なお，GMK
が変更されるとき，GTK も新たに生成されて配信される。

　4 ウェイハンドシェークのやり取りの中で，無線 LAN 端末と
AP が同一の PMK を保持していることを確認するため，一時鍵
生成用に交換する乱数を利用する。

　まず，AP は乱数（以下，乱数 A と称する）を生成し，これを
無線 LAN 端末に送信する（1 回目のパケット）。無線 LAN 端末
はこれを受信すると，乱数（以下，乱数 S と称する）を生成し，
PMK，乱数 A，乱数 S 等から PTK を作成した上で，乱数 S を送
信する（2 回目のパケット）。この 2 回目のパケットには，PTK の
認証鍵で作成されたメッセージ認証コードが格納されている。

　AP はこれを受信すると，PMK，乱数 A，乱数 S 等から PTK
を作成する。AP は，2 回目のパケットを受信した際にメッセージ
認証に成功すれば，相手が自分と同じ PMK を保持していること
が分かる。その後，AP は暗号化通信の準備ができたことを無線
LAN 端末に通知する（3 回目のパケット）。この 3 回目のパケッ
トにも，PTK の認証鍵で作成されたメッセージ認証コードが格納
されている。

　無線 LAN 端末はこれを受信する。その際にメッセージ認証に
成功すれば，相手が自分と同じ PMK を保持していることが分か
る。最後に，無線 LAN 端末は暗号化通信の準備ができたことを
AP に通知する（4 回目のパケット）。

　このようにして，一時鍵生成用に交換する乱数を交換しながら，
お互いに同一の PMK を保持していることを確認している。

8.4.4　トンネリング

　トンネリングとは，インターネットのような共用ネットワーク上
の 2 点間で，仮想の専用線を構築することである。

　トンネリングは，あるプロトコルのパケットをトンネリング用プ
ロトコルでカプセル化することで実現する。トンネリング用プロ
トコルとして，GRE，L2TP，IP in IP（IP パケットを別の IP パケッ
トでカプセル化）などが用いられる。

試験に出る

GRE over IPsec について平
成 30 年午後 I 問 3，平成 28
年午後 II 問 2 で，IP in IP につ
いて平成 29 年午後 I 問 3 で，
L2TP over IPsec について
平成 28 年午後 I 問 2 で出題
された

第 **8** 章

●GRE

GRE（Generic Routing Encapsulation）は，ネットワーク層のプロトコルのパケットをカプセル化するトンネリングプロトコルである。トンネリング対象となるネットワーク層のプロトコルの代表例は，IP パケットである。

GRE のトンネル区間の両端は，通常，ルータである。次の図は，GRE を使用したトンネリングの例を示す。

本文の図「GRE を使用したトンネリングの例」は，平成 28年午後Ⅱ問 2 で出題されたものである。試験では，本節で説明している内容を理解していることが求められているので，しっかり学習しておきたい

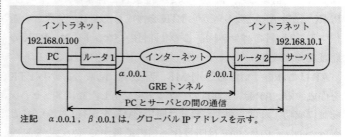

図：GRE を使用したトンネリングの例

この図には，インターネットを介して接続された二つのイントラネットが描かれている。一方のイントラネットには PC があり，他方のイントラネットにはサーバがある。

この PC とサーバ間の通信において，インターネット区間をトンネリングしている。このときトンネリングに用いられているカプセル化用プロトコルが，GRE である。

GRE トンネル区間を通過するとき，パケットがカプセル化される。前述の図でカプセル化を行っているのは，ルータ 1 とルータ 2 である。

GRE トンネルは，仮想的な専用線の役割を果たす。実際には 2 拠点のイントラネットがインターネットで接続されているにもかかわらず，仮想的には専用線で直接接続されているかのように見えているわけだ。つまり，イントラネット内の端末（PC，サーバ）から見ると，2 拠点のイントラネットがあたかも専用線で直接接続されているかのように見える。

●カプセル化されたパケットフォーマット

GRE で IP パケットをカプセル化したパケットフォーマットを次の図に示す。

　以下の解説で，イントラネット区間を通過するパケットをオリ
ジナル IP パケットと呼び，これを GRE でカプセル化したインター
ネット区間を通過するパケットを GRE パケットと呼ぶことにする。

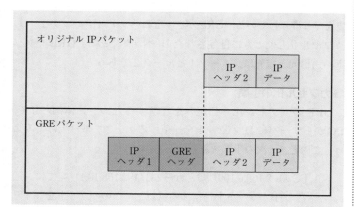

図：GRE のパケットフォーマット

　先ほど登場したネットワーク構成に当てはめると，送信元／宛
先 IP アドレスは次の図のようになる。

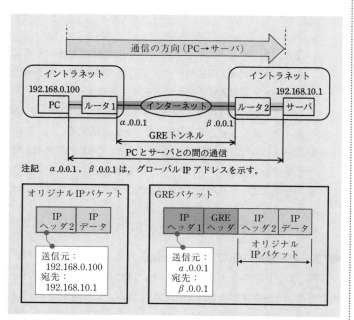

図：GRE のパケットの送信元／宛先の IP アドレス

　PCとサーバ間は，オリジナルIPパケットをやり取りしている。オリジナルIPパケットのヘッダ（IPヘッダ2）の送信元／宛先IPアドレスは，プライベートIPアドレスである。

　ルータ1とルータ2間（GREトンネル区間）は，GREパケットをやり取りしている。GREパケットのヘッダ（IPヘッダ1）は，カプセル化したときに付与されたIPヘッダである。GREパケットの送信元と宛先は，ルータ1とルータ2である。

●カプセル化の手順

　GREのカプセル化の仕組みを理解するため，具体例として，PCからサーバにIPパケットを送信するケースを取り上げてみよう。このとき，次の手順を踏む。

1. PC（192.168.0.100）は，サーバ（192.168.10.1）宛てに，通常のIPパケットを送信する（以下，このパケットを「オリジナルIPパケット」と称する）。
   オリジナルIPパケットは，図中のイントラネット区間を流れる。
2. ルータ1がオリジナルIPパケットを受け取ると，ルータ1内のGREトンネルインタフェース経由でルータ2に転送する。
   なお，トンネルインタフェースへの転送は仮想的なものであり，実際にはGREパケット（GREでカプセル化されたパケット）をWANインタフェースに転送する。
3. ルータ1（a.0.0.1）は，ルータ2（β.0.0.1）宛てに，WANインタフェース経由でGREパケットを送信する。
4. ルータ2がGREパケットを受け取ると，GREのカプセル化を解除し，オリジナルIPパケットを取り出す。
5. ルータ2は，サーバ宛てに，LANインタフェース経由でオリジナルIPパケットを転送する。
6. サーバは，オリジナルIPパケットを受信する。

●GREの使用例（GRE over IPsec）

　GREは，IPユニキャストパケットだけでなく，IPマルチキャストパケットをカプセル化することができる。これらIPパケットをカプセル化したGREパケットは，トンネル区間の両端を送信

元／宛先とする IP ユニキャストパケットとなる。

　この特徴を活かし，GRE は，IP マルチキャストパケットをカプセル化できないプロトコルと組み合わせて使用される。加えて，GRE は暗号化の仕組みをもたないため，暗号化機能を備えたプロトコルと組み合わせて使用されることがある。

　その具体例として，GRE と IPsec を組み合わせた，**GRE over IPsec** を挙げることができる。

　GRE over IPsec は，トンネリングに GRE を用い，トンネル区間の暗号化に IPsec を用いる技術である。

　GRE でトンネリングすることによって，インターネット区間を仮想的な専用線とみなして通信することを可能にする。それだけでなく，その区間を通るオリジナル IP パケットが IP マルチキャストパケットであったとしても，GRE パケットとしてカプセル化されることにより，IP ユニキャストパケットとして扱うことが可能となる。

　IPsec は，IP マルチキャストパケットをカプセル化できないが，IP ユニキャストパケットをカプセル化することができる。それゆえ，IP マルチキャストパケットをカプセル化した GRE パケットを IPsec でカプセル化することによって，インターネット経由で拠点間の IP マルチキャスト通信を実現することができ，かつ，インターネット区間を暗号化することができる。

　GRE over IPsec について，より詳しい解説を次項「8.4.5 IPsec」の「● GRE over IPsec」に記載しているので，参照していただきたい。

試験に出る

GRE over IPsecについて，平成30年午後Ⅰ問3，平成28年午後Ⅱ問2で出題された

8.4.5　IPsec

　IPsec（IP security）とは，IP パケットをカプセル化して伝送する規定であり，IPv4 のみならず IPv6 でも使用できる。なお本書では，これまでの試験の出題傾向を踏まえて，IPsec バージョン 2，IKE バージョン 1 とバージョン 2 に基づいて解説する。

●通信モード

　IPsec は，通信経路上でカプセル化する範囲を一部の区間とす

第**8**章

るのか，それとも全区間とするのかに応じて，2種類ある通信モードのうち一つを選択する。全区間にわたって実施する場合はトランスポートモードを用い，一部の区間だけで実施する場合はトンネルモードを用いる。

ここで言う「全区間」は，IPsec のカプセル化対象となる IP パケットに基づいて定義されるものである。すなわち，全区間とは，その IP パケットの送信元から宛先までの区間を指している。

それゆえ，IPsec のカプセル化対象となる IP パケットが，既に別のトンネリングプロトコルでカプセル化済みであった場合，そのトンネリングプロトコルで付加された IP ヘッダの送信元と宛先を両端とする区間を，全区間ととらえる必要がある。

これら二つのモードは，IPsec の機能を，通信経路上のルータがもつか，終端ノードがもつかによって使い分ける必要がある。以下の解説で，IPsec の機能をもつ IP ノードをゲートウェイと呼ぶことにする。

L2TP over IPsec は，IP パケットを L2TP でトンネリングし，その L2TP パケットを IPsec でカプセル化する。このとき，IPsec 通信はトランスポートモードを用いる。なぜなら，L2TP でトンネリングが既に行われているため，IPsec のカプセル化対象である L2TP パケットの送信元と宛先は，トンネル区間の両端となっているからだ。つまり，L2TP トンネルの全区間を，IPsec でカプセル化することになる。
同じことが GRE over IPsec にも当てはまる

L2TP over IPsec について，平成28年午後I問2で出題された。GRE over IPsec について，平成28年午後II問2で出題された

午後試験の出題例は，ほとんどがトンネルモードであった。例外は，GRE over IPsec が登場した平成28年午後II問2である。そこでは，トンネルモードが使用されない理由が問われた

- **トランスポートモード**
  トランスポートモードでは，ゲートウェイになる IP ノードは2台の終端ノードである。それゆえ，通信経路全体がカプセル化の範囲となる。
  送信側ノードは，IP パケットを組み立てた後，カプセル化してから IPsec パケットを送信する。
  受信側ノードは，IPsec パケットを受信し，カプセル化を解除して IP パケットを取り出す。その後は IP パケット受信時と同じ処理をする。

- **トンネルモード**
  トンネルモードでは，ゲートウェイになる IP ノードは，ルータであっても終端ノードであってもよい。つまり，通信経路上の2台のルータがゲートウェイになることも，1台のルータと1台の終端ノードがゲートウェイになることもある。これら2台のゲートウェイで挟まれた区間が，カプセル化の範囲となる。

ゲートウェイは，カプセル化区間側に IP パケットを送信するとき，カプセル化してから IPsec パケットを送信する。一方，カプ

セル化区間側から IPsec パケットを受信したとき，カプセル化を
解除して IP パケットを取り出す。その後は IP パケット受信時と
同じ処理をする。

● セキュリティポリシ

ゲートウェイは，受信したパケットの種類を調べ，その種類に
応じて動作を決定する。カプセル化対象の IP パケットであるか，
又は，カプセル化解除対象の IPsec パケットであれば，ゲートウェ
イとして動作する。

パケットの種類を識別する情報をセレクタといい，IP アドレス，
ポート番号，上位層プロトコル，等がある。

セレクタに応じた動作は，PROTECT（IPsec の処理を行
う），BYPASS（IPsec の処理を行わず，通常の処理を行う），
DISCARD（パケットを破棄する）の 3 種類がある。

この決定を下すための情報（セレクタと動作の組）をセキュリ
ティポリシという。ゲートウェイは複数のセキュリティポリシを
もつことができ，SPD（Security Policy Database）に登録される。

●SA

IPsec で使用されるメッセージ認証方式，暗号化方式，暗号
鍵などは，IKE（Internet Key Exchange）のやり取りを経て
ゲートウェイ間で合意される。この合意のことを SA（Security
Association）と呼ぶ。

この合意に基づき，ゲートウェイはそれぞれ，共通鍵方式に基
づく暗号鍵を生成する。そして，SAを通過するすべてのトラフィッ
クに対し，同一の暗号化とメッセージ認証の処理を行う。

SA は，次の二つがある。

① IKE SA

IKE SAは，IPsecで使用するパラメータを交換するために
生成される。

IKE SAの通信は暗号化とメッセージ認証が行われるため，
安全である。この暗号化とメッセージ認証に用いられる共
通鍵は，IKE SAの通信に先立って，Diffie-Hellman 鍵交
換により生成される。

試験に出る

セレクタについて，平成28年
午後Ⅱ問2で出題された。IKE
SA，IPsec SA通信のための
パケットフィルタリングについ
て，平成26年午後Ⅱ問2で出
題された

詳説

本書が述べたSAの定義は，
平成28年午後Ⅱ問2の説明
を参考にしたものである。
IPsecの概要をつかむにはこ
の説明でよいだろうが，RFC
に基づく正確な定義を目にす
る機会があるだろうから，参
考までに紹介しておこう。
IPsecの規格を定めたRFC
（本書執筆時点の最新版は
RFC4301）によれば，「SAは
単方向のコネクションであり，
SAによって伝送されるトラ
フィックに対し，セキュリティ
サービスを供給するものであ
る」と定義されている。
（原文）
An SA is a simplex
"connection" that affords
security services to the
traffic carried by it.

第8章

このセキュリティ処理に使用されるメッセージ認証方式，暗号化方式，暗号鍵は，上りと下りの双方向の通信で共通に用いられる。つまり，IKE SAは双方向のSAである。

IKE SAは，IKEv1では**ISAKMP SA**とも呼ばれている。本書では，特に断らない限り，IKE SAと表記する。

② **IPsec SA（Child SA）**

IPsec SAは，IPsecを用いたセキュアな通信を行うために生成される。

IPsec SAの通信は暗号化とメッセージ認証が行われるため，安全である（厳密に言うと，ESPが選択されると暗号化される）。このセキュリティ処理に使用されるメッセージ認証方式，暗号化方式，暗号鍵は，上り用と下り用の通信で異なるものが用いられる。つまり，IPsec SAは単方向のSAであり，通信のたびに2個生成される。

さらに，少々複雑だが，IPsecのカプセル化に使用するIPsecプロトコル（AH，ESP）ごとに，別々のIPsec SAを生成する。具体的に言うと，ESPのみを使用するとき，2個（上り用と下り用）のIPsec SAが生成される。ESPとAHを併用するとき，ESPで2個（上り用と下り用），AHで2個（上り用と下り用），合計4個のIPsec SAが生成される。

IPsec SAは，IKEv1ではIPsec SAと呼ばれているのに対し，IKEv2ではChild SAと呼ばれている。本書では，特に断らない限り，IPsec SAという表記を用いる。

●リキー

IPsecではSAが生成されるたびに異なる暗号鍵が生成される。通信の暗号化は，これを使って共通鍵暗号方式により行われる。

一般的に言って，暗号化通信で同じ鍵を長期間にわたって使用し続けると，解読されるリスクが高まる。そこで，IPsec通信では，暗号化通信の安全性を確保するため，SAの生存期間を定め，生存期間が満了するたびに暗号鍵を作り替えている。

このように，SAを作り替えることをリキー（ReKey）と呼ぶ。生存期間は，時間または送信データ量で指定する。

リキーは，生存期間が満了する前に後継のSAが作成され，通

試験に出る

リキーについて，平成28年午後Ⅱ問2で出題された

詳説

IKEv1では，IKE SAは生存期間が満ちてSAが破棄されても，IKE SAを必要とする通信が起こるまで，新しいSAは作成されない。つまり，事実上，リキーはないと言ってよい。
IKEv2では，IKE SAはIPsec SAと同様にリキーが行われる。
IKEv2は，双方がそれぞれ生存期間をもち，自分の生存期間の満了が近づいたら，CREATE_CHILD_SA交換を用いて新たなSAを生成する。この交換は，すでに確立されたIKE_SAで暗号化されており，IKE_SAのリキーもCHILD_SAのリキーも行うことができる

信が遮断されないように SA の移行が行われる。

IKE SA を生成する際，Diffie-Hellman 鍵交換を行う（詳しく
は「● IKEv1」で後述）。これは離散対数問題の困難性を安全性
の根拠にしている。

● SPI

SPI（Security Parameters Index）は，IPsec 通信を行う両端
ホストが IPsec SA を識別するのに用いる 32 ビット長の番号であ
る。IPsec SA を生成する際，SPI が割り当てられる。

送信ホストが IPsec 通信を行う際，IPsec SA ごとに生成された
暗号鍵（共通鍵）を使って暗号化する。IPsec ヘッダには SPI が
格納されている。

受信ホストはヘッダから SPI を取得し，当該 IPsec SA の暗号
鍵（共通鍵）を使って復号する。

IPsec では，IPsec SA 生成時に鍵を交換するだけでなく，互い
が使用する暗号化方式やメッセージ認証方式も交換しており，こ
れも SPI によって識別される。

● IKE

IKE（Internet Key Exchange）は，IPsec 鍵交換のためのプロ
トコルである。送信元と宛先のポート番号はともに UDP の 500
番が使用される。

現在，IKE には二つのバージョン（バージョン 1 とバージョン 2）
があり，それぞれ内容が異なっている。試験では，令和 3 年まで
はバージョン 1 が出題されていたが，令和 4 年にバージョン 2 が
登場した。そこで，本書では二つのバージョンについて説明する。

まずは IKE の概要をつかむため，それぞれのバージョンの通
信手順を次に示す。

詳説

Diffie-Hellman 鍵交換の計算には CPU パワーを要することから，端末が低スペックである場合，IKE SA の寿命を IPsec SA より長く設定するとよい

SPI について，平成 28 年午後 II 問 2 で出題された

詳説

IKEv2 からは，IKE SA を識別する SPI が規定されている。この長さは 64 ビットである

令和 4 年午後 I 問 2 で IKEv2 が初めて出題された。今後，IKEv2 の出題が増えてくると考えられる

第8章

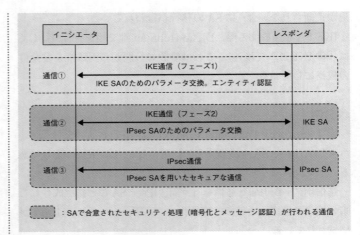

図：IKEv1 に基づく通信手順

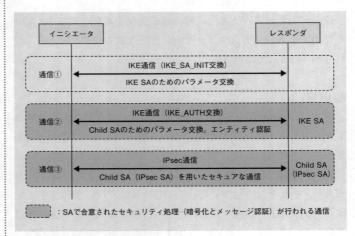

図：IKEv2 に基づく通信手順

詳説

「図：IKEv2の通信手順」は，IKEv2に基づく通信手順のうち，最も基本的なものである。IKEv2はこれ以外の手順も規定しているが，ここでは省略している。

この図をざっくり眺めると,IKEv1のフェーズ1がIKEv2のIKE_SA_INIT交換に対応し,IKEv1のフェーズ2がIKEv2のIKE_AUTH交換に対応しているように見えるだろう。

しかしながら，IKEv2を規定したRFC 4306「Internet Key Exchange (IKEv2) Protocol」によれば，IKEv1のフェーズ1がIKEv2のIKE_SA_INIT交換とIKE_AUTH交換に対応し,IKEv1のフェーズ2がIKEv2のCREATE_CHILD_SA交換（この図には記載されていない）に対応していると述べている。実を言うと，IKEv1のフェーズ1で行われていたエンティティ認証(機器認証)は,IKE_AUTH交換に含まれているのだ。それゆえ，IKE_SA_INIT交換だけではIKEv1のフェーズ1に厳密に対応しているとは言えず,IKE_AUTH交換も併せることでようやく網羅することができる。IKE_AUTH交換はIPsec SAのパラメータ交換を含んでいるので，実質上，IKEv1のフェーズ2を包含している。CREATE_CHILD_SA交換はIPsec SAのパラメータ交換を行うので，IKEv1のフェーズ2に厳密に対応していると言える

見てのとおり，どちらのバージョンも基本的な流れは同じである。大きく3種類の通信があり，

通信①：SAを用いない通信（セキュリティ処理がない）
通信②：IKE SAを用いた通信
通信③：IPsec SAを用いた通信

という流れになっている。

通信①は，次の通信②を準備するために行われる。通信②は，次の通信③を準備するために行われている。最後の通信③が，いわば本番というべきもので，我々が通常「IPsec 通信」と呼んでいる通信である。

これから IKE のバージョン 1（IKEv1）とバージョン 2（IKEv2）をそれぞれ解説してゆくが，もし分かりづらく感じたら，この全体像に立ち返って考えるとよいだろう。

なお，IKE では起動側を「イニシエータ」，応答側を「レスポンダ」と区別しているので，この専門用語を使って解説する。

● IKEv1

IKEv1 は二つのフェーズからなる。フェーズ 1 で IKE SA のパラメータを交換し，これを生成する。フェーズ 1 では，パラメータ交換と同時にエンティティ認証も行う。フェーズ 2 で IPsec SA のパラメータを交換し，これを生成する。この IPsec SA を用いて，IPsec の通信が行われる。

以下，二つのフェーズを順番に解説しよう。

● フェーズ 1

フェーズ 1 では，IKE SA 生成のためのパラメータ交換を行う。

フェーズ 1 で交換される IKE SA のパラメータは，上りと下りの双方向の通信で共通のものである。つまり，この SA は，ゲートウェイのペア毎に一つ生成されるわけだ。

フェーズ 1 の通信は次に示す 2 種類のモードが規定されており，どちらか一方を選択する。

- **メインモード**
  相手の IP アドレスを基に，エンティティ認証に必要な情報を選ぶ（通常，事前共有鍵が用いられる）。そのため，メインモードを行うには，イニシエータ，レスポンダ双方の IP アドレスが固定でなければならない。
  メインモードは 3 往復で行われる。
- **アグレッシブモード**
  メインモードに比べて，処理が簡略化されている。イニシエータの IP アドレスは固定でなくてもよい。
  アグレッシブモードは 1 往復半で行われる。

試験に出る

IP アドレスが固定されていない場合，メインモードが使用できずアグレッシブモードを使用する点について，平成22年午後Ⅱ問2で出題された

詳説

IKE バージョン 2 からは，メインモードとアグレッシブモードの区別がなくなった。つまり，モードは一つだけになった

第**8**章

試験に出る

トンネルを張るセキュリティゲートウェイの間で共通の事前共有を設定することについて，令和6年午後Ⅰ問3で出題された

いずれかのモードを用いて，下記の処理が実行される。

①暗号化やメッセージ認証のアルゴリズムの合意

IKE SA で使用される暗号化アルゴリズム，メッセージ認証アルゴリズムなどを交換する。

ここで合意されたメッセージ認証用のハッシュアルゴリズムを基に，鍵生成のための疑似乱数関数が暗黙的に選定される。

②暗号鍵（共通鍵）の生成

Diffie-Hellman 鍵交換により，互いが同じ暗号鍵（共通鍵）を生成し共有できるよう，乱数（Diffie-Hellman 鍵交換の公開鍵）を交換する。この暗号鍵はフェーズ 2 の通信を暗号化するために用いられる。

Diffie-Hellman 鍵交換方式は，第三者が通信を傍受しても，二者間で安全に暗号鍵を交換できる。しかし，悪意ある第三者によるなりすましが行われると，その第三者に暗号鍵が漏洩してしまう。そのため，③のエンティティ認証が必要となる。

③エンティティ認証（ゲートウェイの認証）

エンティティ認証の方式は，事前鍵共有方式，デジタル署名方式，公開鍵暗号方式（RSA を用いる方式）などがある。通常，事前鍵共有方式が用いられる。これは，イニシエータ，レスポンダが事前に同じキー（秘密の文字列）を共有する方式である。このキーのことを，事前共有鍵（**PSK**：Pre-Shared Key）という。

なお，ここで行っているエンティティ認証の対象は，あくまで IPsec 通信を行っているゲートウェイ（機器）である。この機器を使っている利用者の認証を行っているわけではない。

エンティティを認証するため，フェーズ 1 で交換した情報のハッシュ値を使用する。事前共有鍵方式の場合，フェーズ 1 で交換した情報に対し，事前共有鍵をキーとする鍵付きハッシュ関数を用いてハッシュ値を求め，イニシエータとレスポンダはこれを交換する。この結果，同じ事前共有鍵を有していること，すなわち正当な通信相手であること

厳密に言うと，IPsec では暗号鍵を生成するために，Diffie-Hellman鍵交換でやり取りした値だけでなく，フェーズ1で別途やり取りしたナンス（再利用されない乱数）も使用している。詳細は割愛するが，かなり複雑な方法を採用している。
Diffie-Hellman鍵交換について，詳しくは本章の「8.2.1 暗号化方式」を参照していただきたい

IKEv1 では，事前共有鍵方式，デジタル署名方式，公開鍵暗号化認証方式，改良型公開鍵暗号化認証方式の四種類が規定されている。
IKEv2 では，事前共有鍵方式，デジタル署名方式の二種類が規定されている

デジタル署名方式の場合，自分の電子証明書（公開鍵）を送信する。通常のハッシュ関数で求めたハッシュ値に対し，自分の秘密鍵でデジタル署名を作成する。イニシエータとレスポンダは，ハッシュ値，デジタル署名を互いに交換する。この結果，署名した相手の真正性を検証できる。さらに，フェーズ1で交換した情報が改ざんされていないことも検証できる

を認証できる。さらに，フェーズ1で交換した情報が改ざんされていないことも検証できる。

④ IKE SA の生成

パラメータを交換した後，IKE SA を生成する。

フェーズ1で交換される主なパラメータを次の表に示す。

表：フェーズ1で交換される主なパラメータ

パラメータ	説明
暗号化アルゴリズム	IKE SA で使用する暗号化のアルゴリズム
ハッシュアルゴリズム	IKE SA で使用するメッセージ認証のアルゴリズム。鍵生成のための疑似乱数関数の基となるハッシュアルゴリズム
Diffie-Hellman グループ	Diffie-Hellman 鍵交換に使う離散対数の計算方法，及びその計算用のパラメータの値。これが決まると鍵長も決まる
Diffie-Hellman 鍵交換の公開値	Diffie-Hellman 鍵交換でやり取りする乱数。「公開鍵」とも呼ばれている
エンティティ認証の方式	ゲートウェイ（機器）を認証する方式（事前鍵共有方式，デジタル署名認証，公開鍵暗号認証，等）。通常，事前鍵共有方式が用いられる
ID	ゲートウェイの ID。 事前鍵共有方式の場合，メインモードのときは IP アドレスのみ指定できる。アグレッシブモードのときは IP アドレス以外のもの，すなわち，機器の FQDN，ユーザ名（foo@bar.com のようなメールアドレスの形式）を指定できる。デジタル署名方式の場合，第三者認証を受けた電子証明書を相手に送る。電子証明書のサブジェクトの値が，ここに格納される
ライフタイム	IKE SA の生存期間

●フェーズ2

フェーズ2では，IPsec SA 生成のためのパラメータ交換を行う。フェーズ2の通信は IKE SA を用いているので，セキュリティ処理（暗号化，メッセージ認証）が行われる。それゆえパラメータ交換を安全に行うことができる。

フェーズ2で交換される IPsec SA のパラメータは，上り用と下り用の単方向の通信で別々のものである。つまり，IPsec SA は，ゲートウェイのペア毎に二つ生成されるわけだ。さらに，IPsec プロトコル（AH，ESP）を併用する場合，その各々で IPsec SA のパラメータが交換される。

ゲートウェイは IPsec SA を生成してから，いよいよ IPsec 通信を開始する。

試験に出る

IPアドレスが固定されていない場合，メインモードが使用できずアグレッシブモードを使用する点について，平成22年午後Ⅱ問2で出題された

詳説

Diffie-Hellman鍵交換による高負荷な鍵交換はIKE SAの生成時に実施する。PFSを無効にした場合，低負荷な鍵交換をIPsec SAの生成時に実施する。通常，IKE SAの寿命はIPsec SAよりも長く設定されるため，Diffie-Hellman鍵交換の発生回数が抑えられることになる

フェーズ2の通信は「クイックモード」と呼ばれ，1往復半で行われる。

このモードを用いて，下記の処理が実行される。

① IPsec通信に関する合意

IPsecのカプセル化モード（AHのみ使用，ESPのみ使用，AHとESPを共に使用，の中から選択），通信モード（トンネルモード，トランスポートモードの中から選択），IPsec通信でカプセル化するオリジナルパケットのIPアドレスの範囲などを交換する。

② 暗号化やメッセージ認証のアルゴリズムの合意

IPsec SAで使用される暗号化アルゴリズム，メッセージ認証アルゴリズムなどを交換する。

③ 暗号鍵（共通鍵）の生成

フェーズ2の通信は暗号化されており安全であると考えられるため，このとき生成する暗号鍵（共通鍵）は，Diffie-Hellman鍵交換ではなく，ナンス（再利用されない乱数）を交換するだけの低負荷な方法で生成される。

ただし，後述するPFS（Perfect Forward Security）を有効にした場合，新たにDiffie-Hellman鍵交換が行われる。

④ IPsec SAの生成

パラメータを交換した後，IPsec SAを生成する。

フェーズ2で交換される主なパラメータを次の表に示す。

表：フェーズ2で交換される主なパラメータ

パラメータ	説明
カプセル化モード	IPsec通信のカプセル化に使用するプロトコル
通信モード	トンネルモード又はトランスポートモード
ID	IPsec通信でカプセル化するオリジナルパケットのIPアドレスの範囲。IKEv1はIDを用いてこの情報を交換する
暗号化アルゴリズム	IPsec SAで使用する暗号化のアルゴリズム
認証アルゴリズム	IPsec SAで使用するメッセージ認証のアルゴリズム
Diffie-Hellman グループ	PFS（Perfect Forward Security）を選択すると，フェーズ2においてDiffie-Hellman鍵交換が行われ，フェーズ1とは異なる乱数に基づいて共通鍵が算出される
Diffie-Hellman 鍵交換の公開値	
ライフタイム	IPsec SAの生存期間

●PFS（Perfect Forward Security）

　共通鍵に基づく暗号化通信は，長期間，同じ鍵を使い続けると，解読されるリスクがある。それゆえ，もしも IKE SA の暗号鍵が破られると，IPsec SA でせっかくリキーをしても，そのやり取りはすべて解読されてしまうため，IPsec 通信を安全に行うことができなくなる。

　そこで，フェーズ 2 では PFS（Perfect Forward Security）というオプションが規定されている。これは，IPsec SA を生成するたび，新たな Diffie-Hellman 鍵交換を行う方法である。

　これにより，前方秘匿性（Forward Security）が実現できる。前方秘匿性とは，鍵交換方式によって暗号鍵（共通鍵）を生成する際，その生成に使用したパラメータを別の暗号鍵を生成するときに使用しないことを言う。

　この結果，何らかの方法で鍵交換のパラメータが漏洩したとしても，過去に生成された暗号鍵は異なるパラメータを使用しているため，過去の暗号文の安全性は保たれる。

試験に出る

前方秘匿性（Forward Security）について，令和3年午前Ⅱ問18で出題された

●XAUTH

　当初，IKEv1 には，実際に IPsec 通信を行う利用者の認証を行う仕組みが規定されていなかった。後に，XAUTH と呼ばれる仕組みが追加された。

　XAUTH で認証するには，まずフェーズ 1（ISAKMP SA の確立）の中で，ゲートウェイは互いに XAUTH をサポートしていることを伝え合う。フェーズ 1 が完了すると，XAUTH による認証が行われる。この認証では，ユーザ名とパスワードが用いられる。認証に成功すると，フェーズ 2（IPsec SA の確立）に進むことができる。

　IPsec で利用者認証が必要となるのは，リモートアクセスにより VPN 通信を行うときである。しかし，VPN 通信では IKE に頼らずとも利用者認証の仕組みを備えているため，XAUTH は普及していない。

● IKEv2

●IKEv1 からの変更点

　IKEv2 の詳細に入る前に，IKEv1 からの主な変更点を明らかに

第**8**章

しよう。

表：IKEv1 から IKEv2 の主な変更点

変更点	IKEv1	IKEv2
1番目の通信(IKE SA より前に行われる通信)	フェーズ1	IKE_SA_INIT 交換
2番目の通信(IKE SA を用いた通信)	フェーズ2	IKE_AUTH 交換
エンティティ認証(機器の認証)を行うタイミング	フェーズ1で実施	IKE_AUTH 交換で実施
リモートアクセス VPN 通信のパラメータ交換	フェーズ1のアグレッシブモードでパラメータ交換を行う必要がある	IKEv1 のメインモードとアグレッシブモードの区別はない
通信モードの選択	トンネルモードとトランスポートモードのどちらかを選択する	トンネルモードがデフォルトになり,トランスポートモードを使用する場合,その旨を通知する
NAT トラバーサルを使用することの合意	必要に応じ,フェーズ1で実施(IKEv1 の仕様を拡張)	必要に応じ,IKE_SA_INIT 交換で実施(最初から仕様として規定されている)
SA のライフタイムの管理	パラメータ交換を実施	パラメータ交換を実施せず,ゲートウェイが独立して管理
エンティティ認証(利用者の認証)を行うタイミング	必要に応じ,フェーズ1とフェーズ2の間で XAUTH を実施(IKEv1 の仕様を拡張)	必要に応じ,IKE_AUTH 交換で実施(最初から仕様として規定されている)
SPI (Security Parameters Index)	IPsec SA にのみ,4バイトの SPI が割り当てられている	従来の IPsec SA に加え,IKE SA にも SPI が割り当てられている。IKE SA の SPI は,イニシエータ SPI,レスポンダ SPI があり,それぞれ8バイトである。ただし,IKE SA は双方向の SA なので,イニシエータ SPI またはレスポンダ SPI のいずれかで識別できる

　過去問題での IKEv1 の出題傾向を踏まえると,次の点を押さえておきたい。

- IKEv1のフェーズ1がIKEv2のIKE_SA_INIT交換にほぼ対応し,IKEv1のフェーズ2がIKEv2のIKE_AUTH交換にほぼ対応している。
- エンティティ認証(機器の認証)を行うタイミングが,IKEv1ではフェーズ1であったのに対し,IKEv2ではIKE_AUTH交換になっている。

- IKEv1のフェーズ1はメインモードとアグレッシブモードの
二種類あったが，IKEv2ではその区別がなくなっている。

この相違点を踏まえ，以下，IKEv2のパラメータ交換の手順
を解説しよう。なお，ここでのIKEv2の解説に限り，「IPsec SA」
という表記に代わって「Child SA」を用いることにする。

●IKE_SA_INIT交換

IKE_SA_INIT交換は，IKEv1のフェーズ1に相当し，IKE SA
生成のためのパラメータ交換を行う。

下記の点がフェーズ1と同じである。

- IKE_SA_INIT交換の通信はSAを用いていないので，セ
キュリティ処理（暗号化，メッセージ認証）が行われてい
ない。パラメータ交換を安全に行うためDiffie-Hellman鍵
交換を使用する。
- 交換されるIKE SAのパラメータは，上りと下りの双方向
の通信で共通のものである。

下記の点がフェーズ1と異なる。

- エンティティ認証（ゲートウェイの認証）を行なわない。
- メインモードとアグレッシブモードの区別がない。やりと
りは1往復となる。

IKE_SA_INIT交換を用いて，下記の処理が実行される。

①暗号化やメッセージ認証のアルゴリズムの合意
　IPsec SAで使用される暗号化アルゴリズム，メッセージ認
証アルゴリズム，鍵生成のための疑似乱数関数などを交換
する。IKEv1とは異なり，疑似乱数関数を明示的に合意す
る。
②暗号鍵（共通鍵）の生成
　Diffie-Hellman鍵交換により，互いが同じ暗号鍵（共通
鍵）を生成し共有する。この暗号鍵（共通鍵）は，IKE_
AUTH交換の通信を暗号化するために用いられる。
　IKEv1のフェーズ1で解説したとおり，Diffie-Hellman鍵交

第**8**章

換では，なりすましによる暗号鍵の漏洩を防止するため，エンティティ認証（ゲートウェイの認証）が必要となる。

IKEv2は，INIT_AUTH交換の際にエンティティ認証を行う。

③IKE SAの生成

パラメータを交換した後，IKE SAを生成する。

IKE_SA_INIT交換で交換される主なパラメータを次の表に示す。

表：IKE_SA_INIT交換で交換される主なパラメータ

パラメータ	説明
暗号化アルゴリズム	IKE SAで使用する暗号化のアルゴリズム
ハッシュアルゴリズム	IKE SAで使用するメッセージ認証のアルゴリズム
疑似乱数関数	鍵生成のための疑似乱数関数
Diffie-Hellman グループ	Diffie-Hellman鍵交換に使う離散対数の計算方法，及びその計算用のパラメータの値。これが決まると鍵長も決まる
Diffie-Hellman 鍵交換の公開値	Diffie-Hellman鍵交換でやり取りする乱数。「公開鍵」とも呼ばれている

●IKE_AUTH交換

IKE_AUTH交換は，IKEv1のフェーズ1で行われていたエンティティ認証を行い，さらにフェーズ2に相当するパラメータ交換を行う。

下記の点がフェーズ2と同じである。

- IKE_AUTH交換の通信はIKE SAを用いているので，パラメータ交換は低負荷な方法で行われる。
- 交換されるChild SAのパラメータは，上り用と下り用の単方向の通信で別々のものである。さらに，IPsecプロトコル（AH，ESP）を併用する場合，その各々でIPsec SAのパラメータが交換される。

下記の点がフェーズ2と異なる。

- エンティティ認証（ゲートウェイの認証）を行なう。
- クイックモードとは異なり，やりとりは1往復となる。ただし，オプションにより往復数は増える。

IKE_AUTH交換を用いて，下記の処理が実行される。

試験に出る

IKEv2では，IKE SAの後にChild SAが生成されることについて，令和4年午後Ⅰ問2で出題された

①エンティティ認証（ゲートウェイの認証）

エンティティ認証の方式は，事前鍵共有方式，デジタル署名方式の二つである。

それぞれの方式で行われる認証のやり方は，IKEv1と同様である。

IKEv1の解説で述べたが，このエンティティ認証の対象は，IPsec通信を行っているゲートウェイ（機器）である。

②IPsec通信に関する合意

IPsec通信のカプセル化モード（AHのみ使用，ESPのみ使用，AHとESPを共に使用，の中から選択），通信モードを交換する。カプセル化モードは，AHのみ使用，ESPのみ使用，AHとESPを共に使用，の中から選択する。通信モードは，トンネルモードがデフォルトになった。トンネルモードのときは通信モードを指定せず，トランスポートモードのときだけ指定する。

さらに，IPsec通信でカプセル化するオリジナルパケットのIPアドレスの範囲などを交換する。IKEv1ではIDを用いていたが，IKEv2ではトラフィックセレクタを用いて，これを交換する。

③暗号化やメッセージ認証のアルゴリズムの合意

Child SAで使用される暗号化アルゴリズム，メッセージ認証アルゴリズムなどを交換する。

④暗号鍵（共通鍵）の生成

IKE_AUTH交換の通信は暗号化されており安全であると考えられるため，このとき生成する暗号鍵（共通鍵）は，Diffie-Hellman鍵交換ではなく，ナンス（再利用されない乱数）を交換するだけの低負荷な方法で生成される。

ただし，PFSを有効にした場合，新たにDiffie-Hellman鍵交換を行う。

⑤IPsec SAの生成

パラメータを交換した後，IPsec SAを生成する。

詳説

IKEv2は，IPsec通信を行っている利用者の認証を行う仕組みが新たに規定されている。もしこれを行う場合，IKE_AUTH交換でやり取りされるが，これに伴って往復数が増えてしまう。

IKEv1の「●XAUTH」で解説したが，IPsecで利用者認証が必要となるのは，リモートアクセスによりVPN通信を行うときである。しかし，VPN通信ではIKEに頼らずとも利用者認証の仕組みを備えているので，特段の理由がなければ引き続きそれを用いればよいだろう

第**8**章

IKE_AUTH交換で決定される主なパラメータを次の表に示す。

表：IKE_AUTH交換で交換される主なパラメータ

パラメータ	説明
エンティティ認証の方式	ゲートウェイ（機器）を認証する方式
ID	ゲートウェイのID
カプセル化モード	IPsec通信のカプセル化に使用するプロトコル（AHのみ使用，ESPのみ使用，AHとESPを共に使用）
通信モード	未指定のときはトンネルモードとなる。トランスポートモードのときだけ指定する
トラフィックセレクタ	IPsec通信でカプセル化するオリジナルパケットのIPアドレスの範囲
暗号化アルゴリズム	IPsec SAで使用する暗号化のアルゴリズム
認証アルゴリズム	IPsec SAで使用するメッセージ認証のアルゴリズム
Diffie-Hellmanグループ	PFS（Perfect Forward Security）を選択すると，IKE-AUTH
Diffie-Hellman鍵交換の公開値	交換においてDiffie-Hellman鍵交換が行われ，IKE-SA-INIT交換とは異なる乱数に基づいて共通鍵が算出される

●その他の交換

IKEv2は，他にもCREATE_CHILD_SA交換，INFORMATIONAL交換，等を定めている。

CREATE_CHILD_SA交換は，すでに生成されたIKE SAを使用して，Child SAを生成するために用いられる。具体的に言うと，リキーに伴い新たなChild SAを生成するときに用いられる。

INFORMATIONAL交換は，エラーやステータスの通知，ネットワーク設定情報の通知，SAの削除などを行うために用いられる。

●IPsec プロトコル（AH又はESP）

IPsec SAが確立された後，ホストはIPsecパケットをやり取りする。具体的には，**AH**（Authentication Header）ヘッダ又は**ESP**（Encapsulating Security Payload）ヘッダを付加する。IP層から見るとAH又はESPは上位層のプロトコルに相当し，IPヘッダ中のプロトコル番号は，AHが51番を使用し，ESPが50番を使用している。

AH又はESPが上位層プロトコル（TCP，UDP，ICMPなど）に提供するセキュリティサービスには，次のようなものがある。

表：AH と ESP の比較

サービス	内　容	AH	ESP
メッセージ認証	データの改ざんチェック。AH と ESP では認証の範囲が異なる	○	○
暗号化	ESP のみ対応している	×	○
リプレイ攻撃の拒否	AH ヘッダ，ESP ヘッダにはシーケンス番号が格納されており，送信側はパケットを送信するたびに，これをカウントアップする。受信側はこの番号の順序を確認することで，リプレイ攻撃に対処できる	○	○

用語解説

リプレイ攻撃
悪意ある者が通信内容を傍受して得たパケットを，当事者になりすまして送信し，不正アタックを行うこと

　AH はメッセージ認証（改ざんチェック）を行う。認証範囲のデータから生成されたメッセージダイジェスト値（ハッシュ値）を，認証データとして AH ヘッダ中に格納している。このときに用いられる認証アルゴリズムは，IPsec SA 生成時に交換されている。

　AH の認証範囲を次に示す。

試験に出る

AH の認証範囲に外側 IP ヘッダが含まれるために NAT 機器経由の通信で支障が出ることについて，平成 27 年午後Ⅱ問 2 で出題された

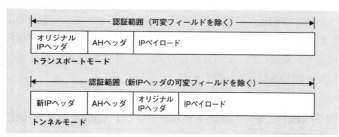

トランスポートモード

トンネルモード

図：AH の認証範囲

詳説

認証範囲の対象外となっている「可変フィールド」とは，IP パケットの転送中に値が変化する可能性があるものを指しており，「フラグ」，「フラグメントオフセット」，「TTL」，「ヘッダチェックサム」である。逆に認証の対象となるのは，「バージョン番号」，「ヘッダ長」，「送信元 IP アドレス」，「宛先 IP アドレス」などである

　ESP は，暗号化を行ってからメッセージ認証を行う。まず，暗号化範囲のデータを，IPsec SA 生成時に交換済みの暗号鍵（共通鍵）を用いて暗号化する。次いで，認証範囲のデータから生成されたメッセージダイジェスト値（ハッシュ値）を ESP 認証データ中に格納する。このときに用いられる暗号化アルゴリズムと認証アルゴリズムは，IPsec SA 生成時に交換されている。

　使用する暗号化アルゴリズムがブロック暗号方式であるとき，固定長ブロックごとに暗号化を行う。暗号利用モードによっては（CBC モード等），一つの平文を固定長ブロックに分割した結果，末尾ブロックの長さが固定長に満たないときにパディングを行い，末尾ブロックを固定長に揃えてから暗号化する。このパディングに相当するのが ESP トレーラである。

　ESP の認証／暗号化範囲を次に示す。

第8章

試験に出る

ESPトンネルモードの暗号化範囲について，令和6年午後Ⅰ問3，平成28年午後Ⅱ問2，令和5年午前Ⅱ問9，平成28年午前Ⅱ問7，平成24年午前Ⅱ問12で出題された。ESPが暗号化を行ってからメッセージ認証を行い，パケットをカプセル化することについて，令和4年午後Ⅰ問2で出題された

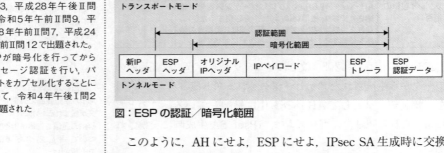

図：ESP の認証／暗号化範囲

このように，AH にせよ，ESP にせよ，IPsec SA 生成時に交換したパラメータに基づき，メッセージ認証や暗号化を行っている。SA は SPI と呼ばれる番号で識別されており，AH ヘッダと ESP ヘッダには SPI が格納されている。受信側ゲートウェイは，受信したパケットのヘッダからこれを読み取ることで，送信側ゲートウェイが使用した SA が分かるので，同じ SA を使用して改ざん検知や復号を行うことができる。

● IPsec で IP マルチキャストパケットを直接カプセル化できない

試験に出る

IPsecでIPマルチキャストパケットを直接カプセル化できないため，GRE over IPsecを用いることについて，平成30年午後Ⅰ問3，平成28年午後Ⅱ問2で出題された

IPsec の仕様上，IP マルチキャストパケットのカプセル化を直接行うことができない。

幾つかの理由からそのように言えるが，代表的なものを二つ挙げておく。

一つ目は，IKE の制約である。

IKE では鍵交換を行うが，この暗号鍵は「共通鍵」である。これは，1 対 1 の通信を暗号化するときに用いられるものである。

IKE では，この 1 対 1 の通信を前提に，様々なパラメタ（共通鍵の基となる乱数など）を交換する手順が規定されている。それゆえ，IPsec ではマルチキャスト通信をカプセル化できない。

二つ目は，IPsec 通信のリプレイ攻撃防御の制約である。

リプレイ攻撃とは，暗号化されたパケットを第三者が傍受し，なりすましなどの不正行為を目論んで，当該パケットを第三者が再び送信する攻撃である。それを防御するため，ESP ヘッダはシー

ケンス番号をもち，パケットを送信するたびにカウンタが増える仕組みになっている。このシーケンス番号を受信時にチェックすればリプレイ攻撃を見破ることができる。

　この仕組みは，1対1の通信ではうまくいく。しかし，1対多の通信ではシーケンス番号の同期を取ることが困難となるため，リプレイ攻撃防御が機能しなくなる。それゆえ，IPsec ではマルチキャスト通信をカプセル化できない。

● IPsec の死活監視

　IPsec は，トンネルを張るエンドポイント間で死活監視を行うため，IKE DPD（Dead Peer Detection）パケットを定期的に交換する仕組みを備えている。送信間隔はデフォルトで 30 秒（Cisco Systems 社の場合）である。

　IKE DFD の代わりに，**BFD**（Bidirectional Forwarding Detection）を用いることで，より短い時間間隔を設定して迅速な死活監視を行うこともできる。

　BFD について，詳しくは第 6 章「6.2.6 経路の冗長化」の「● BFD」を参照していただきたい。

● IPsec の主な利用形態

　IPsec の主な利用形態は，拠点間を接続する VPN 通信，リモートアクセスによる VPN 通信の 2 種類がある。

● 拠点間を接続する VPN 通信

　これは，仮想的な専用線を構築することにより，拠点間を接続する形態である。この仮想的な専用線は，IPsec のトンネルモードにより生成されたトンネルである。

　拠点間の接続に用いられる IPsec プロトコルは ESP である。したがって，インターネット区間の通信は暗号化されている。

　この形態で通信するとき，各拠点のグローバル IP アドレスは固定なので，IKEv1 を用いる場合はメインモードが使用される。

　拠点の端末は，このトンネルを通過することにより，プライベート IP アドレスのままで拠点をまたがった通信を行うことができる。

　なお，拠点の IP アドレスが固定でない場合は，次の「リモートアクセスによる VPN 通信」に述べる方法で通信すればよい。

試験に出る

IPsec と BFD を連携させて IPsec ピアの障害検知を BFD に委ねることについて，令和 6 年午後 I 問 2 で出題された

第 **8** 章

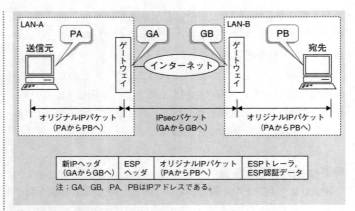

図：拠点間を接続する VPN 通信

●リモートアクセスによるVPN通信

　これは，仮想的な専用線を構築することにより，リモートアク
セス端末を，接続先拠点の内部ネットワークに接続する形態であ
る。

　リモートアクセス端末にはVPN接続用ソフトをインストールし
ておく。これにより，リモートアクセス端末はゲートウェイの役
割を担うことができる。

　通常，リモートアクセスを行うとき，接続先拠点のグローバル
IPアドレスは固定である。一方，リモートアクセス端末のグロー
バルIPアドレスは固定ではなく，ISPから動的に割り当てられた
ものである。

　この形態の通信では，**L2TP over IPsec**がよく用いられている。
詳しくは後述するが，下記の二つを同時に行いたいからだ。

　　①利用者の認証
　　②リモート端末に対する，接続先拠点のプライベートIPアド
　　　レスの払い出し

　この点について，次に示す「図：リモートアクセスによる VPN
通信」を使って説明しよう。

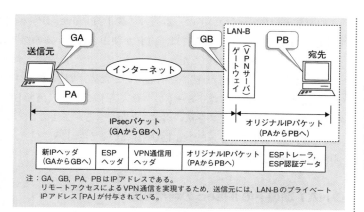

この図で付与されるPAについて補足すると、例えばL2TP over IPsecを用いる場合、PPPにより付与される。
L2TP over IPsecについては、この後の「● L2TP over IPsec」で、その仕組みやパケットフォーマットを詳しく解説している

図：リモートアクセスによる VPN 通信

リモートアクセス端末は、図中の「送信元」である。これは、ISPから動的に割り当てられたグローバル IP アドレス「GA」をもつ。

接続先の拠点は、図中の「LAN-B」である。ゲートウェイは、固定のグローバル IP アドレス「GB」をもつ。ゲートウェイは VPN サーバの役割を兼務しており、VPN 専用のプロトコルを使って、上記①、②を行う機能を装備している。

リモートアクセス端末が実際に通信を行いたい相手は、図中の「宛先」である。これはプライベート IP アドレス「PB」をもつ。「宛先」の実例として、社内の業務サーバなどが考えられる。

リモートアクセス端末のグローバル IP アドレスから VPN サーバへの接続に用いられるIPsecプロトコルはESPである。したがって、インターネット区間の通信は暗号化されている。

IPsec 通信の中で、VPN 専用プロトコルの通信が行われる。VPN 専用プロトコルとして L2TP がよく用いられるので、以下、L2TP を前提に解説しよう。

リモートアクセス端末と VPN サーバ間は L2TP over IPsec の通信が行われる。このとき、オリジナル IP パケットは PPP でカプセル化され、この PPP パケットは L2TP でカプセル化されている。

この L2TP パケットが、最終的に IPsec でカプセル化される。このカプセル化には、IPsec のトランスポートモードが用いられる。

この図で付与されるPAについ図中の「VPN通信用ヘッダ」は、具体的に言うと、オリジナルIPパケットをカプセル化したプロトコルのヘッダである。
したがって、VPN専用プロトコルにL2TPを用いる場合、「VPN通信用ヘッダ」はL2TPヘッダとなる。より正確に言うと、UDP＋L2TP＋PPPヘッダから構成されるが、詳しくは本節の「●L2TP over IPsec」で後述する

　L2TP over IPsec については，本節の「● L2TP over IPsec」で後述することにしよう。ここでは，「PPP が使用されているのだ」ということだけ，理解していただきたい。

　PPP は上記①，②を行う機能を有しているため，VPN サーバは，利用者認証に成功したリモートアクセス端末に対し，LAN-B のプライベート IP アドレスを払い出すことができる。これにより，送信元と宛先の両方ともあたかも LAN-B にいるかのように見え，利用者は「宛先」に接続することができる。

●NAT 環境下の IPsec の利用形態

　プライベートアドレスをもつ PC がインターネットにアクセスするとき，インターネットとの境界上に位置するルータや FW は，NAPT 機能により，送信元 IP アドレスをグローバル IP アドレスに変換し，ポート番号も変換する。しかし，ESP ヘッダにはポート番号が存在しないので，NAPT が機能しない。

　その問題を解決する方法は，二つある。

　一つ目は **NAT トラバーサル**であり，二つ目は **VPN パススルー**である。

　これら二つの方法について，詳しくは第 3 章「3.7.2　NAT 越え」の「● IP の上位層がポート番号をもたないプロトコルである」で解説しているので，参照していただきたい。

　本節では，一つ目の解決策である NAT トラバーサルについて詳しく解説する。

　NAT トラバーサルを使用するには，NAT トラバーサルに対応した VPN クライアントソフトを用いる。これは，新 IP ヘッダと ESP ヘッダの間に，UDP ヘッダを挿入する仕組みである。NAPT のポート番号変換は，この UDP に対して行われる。

　NAT トラバーサルを使うには，まずこれが必要かどうかを判断する。そのために，IKE 通信の段階で，イニシエータ，レスポンダはそれぞれ，自分の IP アドレスとポート番号の組から生成されたハッシュ値を通知し合う。なお，IKE 通信の送信元と宛先のポート番号は 500 番である。その通知を相手から受信したとき，受信したパケットの送信元 IP アドレスと送信元ポート番号から生成されたハッシュ値が，通知されたハッシュ値と異なっていれば，NAPT で書き換えられたと判断し，送信元と宛先のポート番

詳説

IP アドレスとポート番号の組から生成されたハッシュ値を通知するタイミングは，IKEv1 はフェーズ 1，IKEv2 は IKE_INIT_AUTH 交換である

号を 4500 番に変更して，NAT トラバーサルを使用することを通知する。

このように，IKE の段階で，イニシエータとレスポンダは NAT トラバーサルを使用することを事前に折衝する。

NAT トラバーサルを経て実施される IPsec 通信では，トンネルの送信側で UDP ヘッダを挿入し，トンネルの受信側でその UDP ヘッダを除去する動作が加わる。それ以外は，通常の IPsec 通信と同じである。

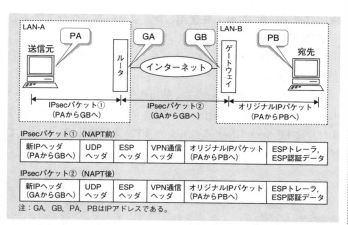

図：リモートアクセスによる VPN 通信（NAT トラバーサルを使用）

●L2TP over IPsec

L2TP（Layer 2 Tunneling Protocol）は，データリンク層の PPP フレームをトンネリングする技術である。L2TP は UDP の上位層として規格化されており，IP ネットワーク内を通信できる。

PPP（Point to Point Protocol）は，専用線などで結ばれた 2 点間の通信に用いられる，データリンク層のプロトコルである。L2TP は，ここで言う「専用線」を仮想的に生成する技術である。つまり，L2TP は，IP（レイヤ 3）のネットワーク上に，専用線の役割を果たすトンネルを設けることで，2 点間の PPP（レイヤ 2）の通信を実現しているわけだ。

もし，PPP 通信を行いたい 2 点間がインターネットで接続していた場合，つまり，L2TP 通信がインターネットを介して行われていた場合，L2TP 通信の区間を暗号化する必要がある。そのた

L2TP over IPsec について，平成 28 年午後 I 問 2，平成 28 年午後 II 問 2 で出題された

第**8**章

めに用いられるのが，L2TP over IPsec だ。

L2TP over IPsec は，トンネリングに L2TP を用い，トンネル区間の暗号化に IPsec を用いる技術である。L2TP でトンネリングすることによって，インターネット区間を仮想的な専用線とみなして，PPP 通信を実現している。そして，その L2TP パケットを IPsec でカプセル化することによって，インターネット区間を通過する L2TP パケットを暗号化し，セキュリティを確保している。

●L2TP over IPsecを使用した，リモートアクセスによる VPN通信の仕組み

L2TP over IPsec は，リモートアクセスによる VPN 通信でよく使用されている。

ここで，前述の「●IPsec の主な利用形態」に登場した「図：リモートアクセスによる VPN 通信」と同じネットワーク構成を例に取り上げ，L2TP over IPsec を使用した VPN 通信の仕組みについて解説しよう。

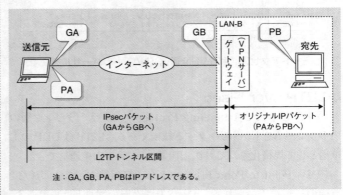

図：L2TP over IPsec を使用した，リモートアクセスによる VPN 通信

リモートアクセス端末は，図中の「送信元」である。これは，ISP から動的に割り当てられたグローバル IP アドレス「GA」をもつ。つまり，「GA」は固定ではない。

接続先の拠点は，図中の「LAN-B」である。ゲートウェイは，固定のグローバル IP アドレス「GB」をもつ。ゲートウェイは VPN サーバの役割を兼務しており，下記の①，②の機能を装備

している。

① 利用者の認証
② リモート端末に対する，接続先拠点のプライベートIPアドレスの払い出し

　リモートアクセス端末が実際に通信を行いたい相手は，図中の「宛先」である。これはプライベートIPアドレス「PB」をもつ。

　リモートアクセス端末から「宛先」にリモートアクセスする際，次の4段階の手順を踏む。

手順1. リモートアクセス端末の利用者は，VPNサーバに接続する。
手順2. VPNサーバは，上記①（利用者認証）を行う。
手順3. VPNサーバは，上記②（プライベートIPアドレスの払い出し）を行う。
手順4. リモートアクセス端末の利用者は，「宛先」に接続する。

　実は，VPNサーバがもつ上記①，②の機能は，PPPにより提供されている。この機能を利用してVPN通信を実現したいので，IPパケットをPPPフレームでカプセル化しなければならない。

　このPPPフレーム（レイヤ2）を，インターネット（レイヤ3）を介して流したいので，これをL2TPでカプセル化している。インターネットを流れるL2TPパケットを暗号化したいので，これをIPsecパケットでカプセル化し，ESPにより暗号化している。

　このようにL2TP over IPsecのカプセル化はかなり複雑だ。この点について，詳しくは「●L2TP over IPsecのパケットフォーマット」で後述しよう。

　リモートアクセス端末にはVPN接続用ソフトをインストールしておく。これにより，リモートアクセス端末はゲートウェイの役割を担うことができ，接続先拠点のゲートウェイ（VPNサーバ）とIPsec通信を行うことができる。

　VPN接続用ソフトは，送信元端末は仮想NICをもつことができる。「図：L2TP over IPsecを使用した，リモートアクセスによるVPN通信」の中で，送信元は二つのIPアドレス「GA」と「PA」をもっている。「GA」は物理NICにはじめから付与されているも

のだが、「PA」はVPN接続用ソフトが仮想NICに付与したものだ。送信元端末から見ると、仮想NICがLAN-Bに接続されているかのように見える。

　ここまで理解できたので、それでは、上記の手順1〜4について、詳しく解説しよう。

● 手順1

手順1は、VPN接続用ソフトを用いた、リモートアクセス端末からVPNサーバへの接続である。

このとき、まず、IPsecによる接続が確立される。次いで、L2TPトンネルが確立される。

上述のとおり、リモートアクセス端末のグローバルIPアドレス「GA」は固定ではないので、IPsec通信に先立つIKE通信においてIKEv1を用いる場合、アグレッシブモードが使用される。

● 手順2

手順2は、PPPの機能を利用した、VPNサーバによる利用者認証である。

この認証方式として、例えば、PPPが備えるパスワード認証方式であるCHAPなどが用いられる。ここで行われる利用者認証の方式やパラメータは、VPN接続用ソフトにあらかじめ設定しておく。

CHAPについて、詳しくは本章の「8.4.1　認証プロトコル」「●CHAP」を参照していただきたい

手順3では、IPCP(IP Control Protocol) のやり取りが行われている。IPCPとは、PPPフレーム上のIPパケット伝送を準備する目的で、IP通信に先立って自動的に実施されるものだ。このIPCPによって、PCに対し、接続先ネットワークのIPアドレスが割り当てられる

● 手順3

手順3は、PPPの機能を利用した、VPNサーバによるIPアドレスの払い出しである。

このとき、VPNサーバは、自拠点LAN-BのプライベートIPアドレスである「PA」を、リモートアクセス端末に割り当てる。割当て用のIPアドレスの範囲は、VPNサーバにあらかじめプールしておく。

VPN接続用ソフトは、この「PA」をリモートアクセス端末の仮想NICに割り当てる。

● 手順4

手順4は、リモートアクセス端末から「宛先」への接続である。

この接続に用いられる，リモートアクセス端末のIPアドレスは，仮想NICに割り当てられた「PA」である。

●L2TP over IPsecのパケットフォーマット

L2TP over IPsec のパケットフォーマットを示すため，上述のネットワーク構成を引き続き使うことにしよう。ここでは，手順4において，リモートアクセス端末から「宛先」に送信されたオリジナル IP パケットがどのようにカプセル化されるかを解説する。

手順3が完了した時点で，リモートアクセス端末の仮想 NIC の IP アドレスは「PA」になっている。LAN-B の「宛先」の IP アドレスは「PB」である。それゆえ，オリジナル IP パケットは PA から PB に向かうパケットとなる。

VPN 接続用ソフトによりリモートアクセス端末はゲートウェイになる。リモートアクセス端末，接続先拠点のLAN-Bのゲートウェイのグローバル IP アドレスは，それぞれ「GA」，「GB」である。二つのゲートウェイはインターネットを介して接続している。

L2TP のトンネル区間はゲートウェイ間であり，IPsec のカプセル化区間もゲートウェイ間である。

リモートアクセス端末の仮想 NIC から「宛先」にオリジナル IP パケットが送信されると，リモートアクセス端末のゲートウェイは，これをまず PPP でカプセル化し，次いで L2TP でカプセル化し，最後にIPsecでカプセル化する。受信側であるLAN-Bのゲートウェイはカプセル化を解除し，オリジナル IP パケットを「宛先」に転送する。

IPsec でカプセル化するときは，<u>トランスポートモード</u>を用いる。L2TP パケットは IP ヘッダを有し，既に L2TP でトンネリングしている。それゆえ，IPsec で再度トンネリングする必要がないからである。

このときのパケットフォーマットを次の図に示す。

試験に出る

オリジナルIPパケットをカプセル化する際に付与されるヘッダのサイズが，L2TP over IPsecの ほ う がGRE over IPsecより大きいことについて，平成28年午後Ⅱ問2で出題された。

ここで説明している「PA」がVPNサーバから付与されたものであることについて，平成28年午後Ⅱ問2で出題された

第**8**章

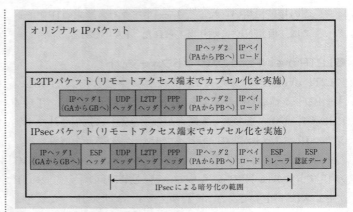

図：L2TP over IPsec のパケットフォーマット

試験に出る

GRE over IPsecについて，平成30年午後Ⅰ問3，平成28年午後Ⅱ問2で出題された

詳説

GREについて，詳しくは本章の「8.4.4　トンネリング」の「●GRE」を参照していただきたい

詳説

実は，OSPFに限った話ではなく，マルチキャストパケットを使用したダイナミックルーティングプロトコル（例：RIP等）をインターネットVPN回線で用いる場合，GRE over IPsecを使用する必要がある。
OSPFについて，詳しくは第3章「3.8.5　OSPF」を参照していただきたい

● GRE over IPsec

　GRE over IPsec は，トンネリングに GRE を用い，トンネル区間の暗号化に IPsec を用いる技術である。

　GRE でトンネリングすることによって，インターネット区間を仮想的な専用線とみなして通信することを可能にしている。そして，その GRE パケットを IPsec でカプセル化することによって，インターネット区間を通過する GRE パケットを暗号化し，セキュリティを確保している。

　GRE over IPsec を使用する典型的な例は，IPsec を使用したインターネット VPN 回線において，OSPF による動的な経路制御を行うネットワークである。この例に基づく詳しい解説は「● GRE over IPsec を使用したネットワークの例」で後述する。ここでは，まず概要を解説しよう。

　OSPF は，IP マルチキャストパケットを用いて，経路のリンク情報を交換している。しかし，IPsec は，IP マルチキャストパケットをカプセル化することができない（詳しくは，前述の「● IPsec で IP マルチキャストパケットを直接カプセル化できない」を参照していただきたい）。

　そこで，トンネリングプロトコルである GRE パケットで IP マルチキャストパケットをカプセル化し，それをさらに IPsec でカプセル化している。GRE は IP ユニキャストパケットなので，IPsec でカプセル化できるからだ。

●GRE over IPsec のパケットフォーマット

GRE over IPsec のパケットフォーマットを示すため，シンプルなネットワーク構成を例に取り上げよう。ここでは，前述の「●IPsec の主な利用形態」に登場した，「図：拠点間を接続する VPN 通信」と同じものを使うことにする。

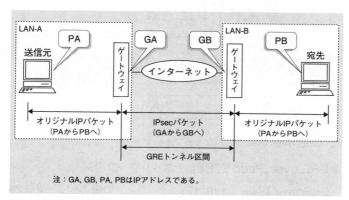

図：GRE over IPsec を使用した，拠点間接続の VPN 通信

LAN-A の「送信元」の IP アドレスは「PA」であり，LAN-B の「宛先」の IP アドレスは「PB」である。それゆえ，オリジナル IP パケットは PA から PB に向かうパケットとなる。

LAN-A，LAN-B のゲートウェイのグローバル IP アドレスは，それぞれ「GA」,「GB」である。二つのゲートウェイはインターネットを介して接続している。GRE のトンネル区間はゲートウェイ間であり，IPsec のカプセル化区間もゲートウェイ間である。

「送信元」から「宛先」にオリジナル IP パケットが送信されると，送信側である LAN-A のゲートウェイは，これをまず GRE でカプセル化し，次いで IPsec でカプセル化する。受信側である LAN-B のゲートウェイはカプセル化を解除し，オリジナル IP パケットを「宛先」に転送する。

IPsec でカプセル化するときは，トランスポートモードを用いる。GRE パケットは IP ヘッダを有し，既に GRE でトンネリングしているので，IPsec で再度トンネリングする必要がないからである。

このときのパケットフォーマットを次の図に示す。

第8章

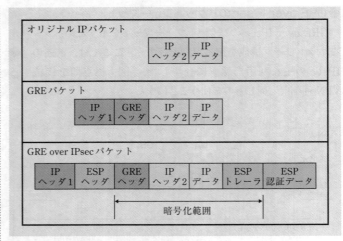

図：GRE over IPsec のパケットフォーマット

●GRE over IPsecを使用したネットワークの例

　GRE over IPsec を使用するネットワークの例として，平成 28 年午後Ⅱ問 2 に登場した，複数の WAN 回線からなるネットワークを取り上げよう。

　まず，全体のネットワーク構成を，次の表と図に示す。

表：拠点と WAN 回線

拠点	本社，営業所（名古屋，大阪，福岡），データセンタ	
WAN 回線	インターネット VPN	データセンタと本社 データセンタと各営業所間
	広域イーサ網	本社と全営業所間
	専用線	データセンタと本社間

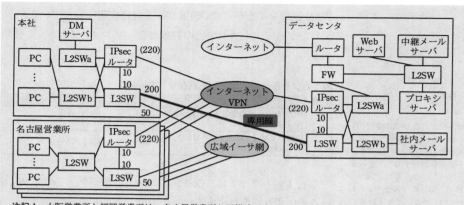

注記1 大阪営業所と福岡営業所は，名古屋営業所と同構成である。
注記2 IPsec ルータと L3SW のポートの数値は，OSPF で設定するコスト値である。
注記3 IPsec ルータのポートに示した ( ) 内の数値は，トンネルインタフェースに設定するコスト値を示す。

図：複数の WAN 回線からなるネットワーク構成の例

　表に示したとおり，インターネット VPN のトンネルは，特定の
拠点間でのみ構築されている。次の図に示しておこう。

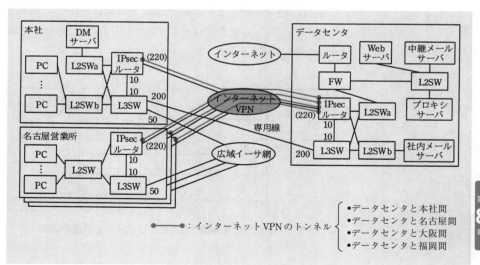

図：インターネット VPN のトンネル

　このネットワークでは，拠点間で業務トラフィックをやり取り

している。さらに，WAN 回線の冗長化を実現するため，三つの
WAN 回線をまたがって OSPF による経路広告を行っている。

したがって，カプセル化の対象となるパケットは大きく 2 種類
ある。

詳説

OSPF は，基 本 的 に IP マル
チキャストパケットでやり取り
するが，IP ユニキャストパケッ
トでやり取りすることもある
（例：LS Ack，等）。ただし，
本節では「IP マルチキャスト
パケットがカプセル化対象に
含まれている」という点に着
目できればよいので，OSPF の
詳細な仕様には立ち入らない
ことにする

表：カプセル化の対象となるパケットの種類

項番	パケットの内容	ユニキャスト／マルチキャストの区別
1	PC，サーバが送受信するデータトラフィック	IP ユニキャストパケット
2	OSPF によって広告されるリンクステート情報	IP マルチキャストパケット

項番 1 のパケットは，OSPF のコストに基づき，三つの WAN
回線のいずれかを経由する。

項番 2 の OSPF のパケットは，三つの WAN 回線を通るが，そ
の中にインターネット VPN のトンネルが含まれている。リンクス
テート情報の交換は IPsec ルータ間で行われるため，インターネッ
ト VPN 上での OSPF の通信区間は，インターネット VPN 区間と
一致する。

IPsec は IP マルチキャストパケットを直接カプセル化できない
ため，OSPF のパケットを GRE でカプセル化して IP ユニキャス
トパケットにし，これを IPsec でカプセル化する。その様子を示
したのが次の図である。

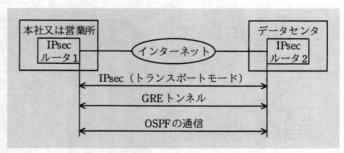

図：GRE over IPsec を稼働させたときの OSPF の通信の概要

8.4.6 SSL, TLS

SSL（Secure Sockets Layer）は，トランスポート層で TCP を用いるアプリケーション通信のセキュリティを確保するプロトコルである。米 Netscape Communications 社が開発し，後に TLS（Transport Layer Security）という名称で規格化された。

一般的には，SSL，TLS のどちらの名称も使用されている。近年の試験では「TLS」が用いられる傾向があるので，本書もそれに倣うことにする。ただし，「SSL-VPN」のように技術用語として定着したものについては「SSL」を用いる。

今日，TLS の上位層プロトコルには主として HTTP が使用されているが，FTP，SMTP，POP3 など様々なプロトコルに対応している。アプリケーションプロトコルに応じて，TLS のポート番号（及びプロトコル名）も異なっている（なお，ここでは HTTP を前提に説明する）。

関連RFC

RFC5246：TLS 1.2
RFC8446：TLS 1.3

試験に出る

令和4年午後Ⅱ問1でTLS1.3が出題された。今後，TLS1.3の出題が増えると思われる。一方，TLS1.2もまだ普及しているので，継続して出題される可能性がある

表：TLS 使用の有無に応じたポート番号

アプリケーション	TLS 使用の有無	プロトコル名	ポート番号
WWW	使用しない	http	80
	使用する	https	443
Telnet	使用しない	Telnet	23
	使用する	telnets	992
メール送信	使用しない	smtp	25
	使用する	smtps	465
メール受信	使用しない	pop3	110
	使用する	pop3s	995

詳説

厳密に言うと，SSLとTLSは異なる規格である（TLSの方がより新しい）。ブラウザなど製品のセキュリティ設定を行う際には両者を区別する必要がある。SSL及び TLS 1.0～1.1 は脆弱性があるため使用すべきではない

「常時 SSL」，「常時 TLS」という言葉を読者は聞いたことがあるだろう。これは Web 通信を TLS で暗号化することを意味し，セキュリティ強化の観点から浸透している。また，HTTP/2（HTTP/1.1 を改良して高速化を実現した HTTP）で通信するには，多くのブラウザでは TLS で暗号化することが前提になっているため，これも常時 TLS の普及を後押しする理由の一つになっている。

TLS は度重なる改良を経ており，現在のバージョンは 1.3 である。1.2 もまだ利用されているが，1.3 は数々の改良が図られていることから，利用が広まるはずだ。

第**8**章

SMTP, POP3 では, 通信の途中から TLS を用いた暗号化通信に切り替えることが可能である。この方式では, 暗号化通信に切り替わってもポート番号はそのままである。なお, 切替えには専用のコマンドを使用するが, そのコマンド名にちなんでこの方式は通称「STARTTLS方式」と呼ばれている（参考までに,SMTP では「STARTTLS」コマンドを, POP3 では「STLS」コマンドを使用する）

試験に出る

TLSの主体認証機能, メッセージ認証機能, 暗号化機能について, 平成30年午後Ⅱ問1で出題された

● TLS が提供するセキュリティ機能

TLS で暗号化されるのはトランスポート層のペイロード部分, すなわち, アプリケーション層全体である。暗号化された後, TCP の 443 番ポートを使用して TLS 通信が行われている。

TLS は, 暗号化に加え, 主体認証, メッセージ認証のセキュリティ機能を提供している。

- **主体認証**

  通常, 電子証明書を用いる。サーバ認証だけでなく, クライアント認証も行える。

- **メッセージ認証**

  パケットごとに, そのペイロード（アプリケーション層全体）のメッセージダイジェストを付与する。これを **MAC** (Message Authentication Code, メッセージ認証コード) という。

- **暗号化**

  パケットごとに, そのペイロード（アプリケーション層全体）と MAC の両者を暗号化する。

メッセージ認証と暗号化に使用される鍵は, セッションごとに生成される共通鍵である。TLS のセッションについては「● TLS 通信の種類と手順」で後述するが, 簡単に説明すると, セッションの確立時にクライアントとサーバ間で鍵交換が行われ, 共通鍵が生成される。

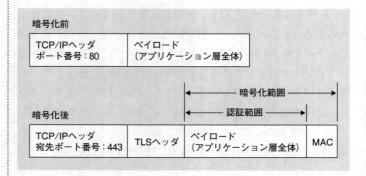

● 電子証明書を利用したサーバ認証において，利用者が留意すべき事柄

TLS で暗号化通信を行えば，通信経路における安全性は高まる。すなわち，第三者に通信を傍受されたり，第三者による改ざんに気が付かなかったりするリスクは著しく低減している。

しかし，通信相手であるサーバの真正性に関してはどうだろうか？

TLS の主体認証は，通常，電子証明書を使用している。それゆえ，以下の点に注意を払うべきことは言うまでもない。さもないと，不正な相手と通信してしまい，安全性が損なわれてしまう。

- サーバの電子証明書が認証するのは，あくまで通信相手の公開鍵の正当性である。サイト運営者が悪意のない者かどうかまでは定かではない。
- ブラウザは，「信頼できる CA」のリストを管理しており，電子証明書の発行元 CA が同リストに登録されていない場合，警告メッセージを出す。利用者はそれを無視してはならない。
- ブラウザは，アクセスしているサーバの FQDN と，電子証明書のサブジェクトに記載された FQDN が一致していない場合，警告メッセージを出す。アクセス先のサーバは，悪意ある第三者が運営している可能性が高いからだ。電子証明書は公開されており誰もが入手できるので，悪意あるサイトはなりすましを意図して他者の電子証明書を送りつけているのかもしれない。利用者はこの警告を無視してはならない。
- ブラウザは，有効期限，失効の有無（証明書失効リストを確認する機能を有効にした場合）などを確認し，電子証明書の有効性が疑われる場合，警告メッセージを出す。利用者はそれを無視してはならない。

● TLS 通信の種類と手順

TLS の仕様は，4 種類の通信を規定している。仕様上は，それらはプロトコルと呼ばれている。

試験に出る

同一セッションの中では TLS 通信と非 TLS 通信を混在させないようにする。さもないと，TLS から非 TLS に代わったときに，URL リライティングに埋め込まれたセッション情報などが漏えいする可能性がある。この点について，平成24年午後Ⅰ問3で出題された

詳説

TLS1.3 を標準化した RFC 8446 は，TLS1.3 で Change Cipher Spec が残されている理由について，ミドルボックスの互換性のためであると述べている。

世の中で TLS1.2 は広く普及しているが，TLS1.3 はまだこれからの状況である。それゆえ，これらミドルボックスは，TLS1.2 をサポートしているに違いないが，TLS1.3 はまだサポートしない可能性がある。

ミドルボックスの中には，TLS のハンドシェイクプロトコルのシーケンスを監視しているものがいるかもしれず，TLS1.2 とは異なるシーケンスである場合，不正な通信であると判断してこれを遮断してしまうかもしれない。

それを防ぐため，TLS1.3 に対応しているクライアントとサーバがそれぞれ，TLS の暗号化通信の直前に Change Cipher Spec メッセージを送信する。これにより，ミドルボックスは一連のシーケンスが TLS1.2 に沿ったものであると解釈するので，TLS1.3 のパケットを問題なく転送する

1. **アプリケーションデータプロトコル**

   これは，アプリケーション通信を暗号化した通信であり，これまで本節で解説したものに他ならない。

2. **ハンドシェークプロトコル**

   これは，TLSセッションを確立するための通信である。アプリケーションデータプロトコルの通信に先立って実施され，通信相手の主体認証と共通鍵の交換が行われる。ここで得られた共通鍵をアプリケーション通信の暗号化に用いている。

   TLS1.3は，TLS1.2のハンドシェークプロトコルのシーケンスが大きく見直され，効率化が図られている。

3. **Change Cipher Spec プロトコル**

   これは，TLS1.2まで使用されていた。TLS1.3からは後方互換性のために残されているだけで，通常は不要なものである。

   Change Cipher Specメッセージは，「これ以降のパケットは共通鍵によって暗号化されている」ことを通知する役割を担っている。クライアント，サーバがそれぞれ，このメッセージを通知することが規定されている。

4. **アラートプロトコル**

   これは，警告やエラーを相手に伝えるための通信である。

TLS通信は，大まかに言うと，次の順序で行われる。

- セッションの確立（ハンドシェークプロトコル）
- アプリケーション層の暗号化通信（アプリケーションデータプロトコル）

その一連のシーケンスについて，TLS1.2とTLS1.3を分けて解説しよう。なお，セッションの確立には様々なバリエーションがあり，本書の説明はその一例に過ぎない。

●TLS1.2 のシーケンス

次に示すシーケンスは，サーバとクライアントの主体認証に電子証明書を用い，鍵交換にサーバ公開鍵を用いた例である。クライアント認証の有無はケースバイケースである。

用語解説

ミドルボックス
ミドルボックスは，RFC 3234で定義されている。これは，ルータ以外にIPパケットを転送する機器を指している。具体的に言うと，ファイアウォール，ネットワークアドレス変換（NAT）装置，侵入検知システム（IDS）などである。これらは通信路の間（middle）に存在する機器（box）であることから，ミドルボックスといわれている

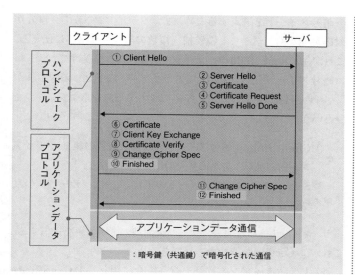

図：TLS1.2 のシーケンス

TLS の仕様上，複数のハンドシェークプロトコルのメッセージを１個のパケットに格納して送信することができる。例えば，このシーケンスについては，①，②～⑤，⑥～⑩，⑪～⑫という４個のパケットのやり取りで実行できる。

最初に，クライアントとサーバの双方は，セッション確立時とデータ通信時に用いる暗号スイートを決定する。暗号スイートの内訳は，次の４種類である。

表：TLS1.2 の暗号スイート

種類	用途	使用するプロトコル	アルゴリズムの例
鍵交換	共通鍵の鍵交換	ハンドシェーク	RSA DHE ECDHE
署名	主体認証 （サーバ，クライアント）	ハンドシェーク	RSA ECDSA
暗号化	ペイロードの暗号化	アプリケーションデータ	AES_256_CBC
ハッシュ関数	ペイロードのメッセージ認証，鍵生成のための疑似乱数関数の基となるハッシュアルゴリズム	アプリケーションデータ	SHA_256

注）厳密に言うと，ハンドシェークプロトコルの Finish メッセージは，パケットの暗号化とメッセージ認証が行われている。ここで使用されるアルゴリズムは，アプリケーションデータプロトコルの暗号化通信で使用されるものと同じである。

詳説

Client Hello メッセージ，Server Hello メッセージ，及び，Hello Request メッセージを総称して Hello メッセージと呼ぶ。Hello Request メッセージとは，サーバがクライアントに対し，Client Hello の送信を要求するメッセージである。Web ブラウザがクライアントになる場合は，通常，クライアントは最初から Client Hello を送信するので，サーバから Hello Request は送信されない

試験に出る

Hello メッセージについて，平成25年午後Ⅰ問1で出題された。Client Hello メッセージと Server Hello メッセージについて，平成28年午後Ⅰ問1で出題された。暗号化スイートの用途について，平成28年午後Ⅰ問1で出題された

詳説

厳密に言うと，Change Cipher Spec メッセージ（⑨と⑪）は，Change Cipher Spec プロトコルである

第8章

詳説

主体認証に電子証明書を用いる場合，クライアントとサーバ間で合意する署名アルゴリズムはRSAとなる。

鍵交換にサーバの公開鍵を用いる場合，クライアントとサーバ間で合意する鍵交換アルゴリズムはRSAとなる

詳説

サーバ証明書のサブジェクト（または拡張領域のサブジェクト代替名）には，サーバのFQDNが記載されている。クライアントのブラウザは，自分がアクセスしているサーバのFQDNが，これと一致しているかを検証している

試験に出る

クライアント証明書を発行したのがプライベートCAである場合，クライアント証明書を検証するために同CAのルート証明書をサーバにインストールしておくことについて，令和4年午後II問1で出題された。プリマスタシークレットがサーバの公開鍵で暗号化されている点について，平成26年午後II問1で出題された。クライアント認証の際にクライアント署名を送付することについて，平成21年午後II問1で出題された

　暗号スイートを決定するため，まずクライアントから，自分が対応可能な暗号スイートの候補（複数の組）をサーバに伝える。これが① Client Hello メッセージである。これを受けて，サーバは暗号スイートを一つ選定してクライアントに通知する。これが② Server Hello メッセージである。このやり取りをネゴシエーションという。

> ①Client Hello：暗号スイートの候補（複数の組），クライアント側の乱数，アクセス先のホスト名，など
> ②Server Hello：暗号スイートの選定（一組），サーバ側の乱数，など

　サーバは，サーバ証明書（サーバ公開鍵の証明書）を送信する。これが③ Certificate メッセージである。

　さらに，クライアント認証を行う場合に限り，④ Certificate Request メッセージを送信する。

> ③Certificate：サーバ証明書（サーバの公開鍵証明書）
> ④Certificate Request：クライアント認証の要求
> ⑤Server Hello Done：全てのハンドシェークメッセージを送信したことの通知

　クライアントは，受け取ったサーバ証明書を用いてサーバ認証を行う。本章の「8.2.2　認証方式」の「●第三者認証と電子証明書」で解説したとおり，クライアントは，サーバ証明書が信頼できるCAから発行されていること，サーバ証明書が発行元CAにより署名されていること，サーバ証明書を送信したサーバが，電子証明書が格納されている公開鍵の所有者であること（ブラウザの場合，アクセス先サーバのFQDNが，電子証明書のサブジェクトのコモン名と一致していることを確認する），等を検証する。認証に成功したら，証明書からサーバ公開鍵を取得する。

　その後，クライアントは，以下を送信する。

> ⑥Certificate：クライアント証明書（クライアントの公開鍵証明書）
> ⑦Client Key Exchange：サーバの公開鍵で暗号化されたプリマスタシークレット

⑧Certificate Verify：クライアント署名（これまでやり取りされたハンドシェークメッセージのハッシュ値から，クライアントの秘密鍵で作成された署名）

⑨Change Cipher Spec：②にて選定された暗号化アルゴリズムと認証アルゴリズムの使用を開始することの通知（TLSの仕様上，これはハンドシェークメッセージではないが，この段階で送信される）

⑩Finished：これまでにやり取りされたハンドシェークのメッセージが改ざんされていないことの確認

クライアントは，クライアント認証を行う場合，（つまり，④を受信した場合），⑥ Certificate メッセージ（クライアント証明書）と⑧ Certificate Verify メッセージ（クライアントの秘密鍵で作成した署名）を送信する。

クライアント証明書のサブジェクトは，通常，利用者の ID や名称などが記載されている。この情報だけでは真正性を検証できない。なぜなら，クライアント証明書は公開されたものなので，クライアント以外の者であっても送信することが可能であり，容易になりすますことができるからだ。そこで，クライアントの秘密鍵で作成したクライアント署名を⑧から取得し，これを使ってクライアント認証を実施する。

サーバは，まず，クライアント証明書が信頼できる CA から発行されていること，クライアント証明書が発行元 CA により署名されていることを検証する。次いで，証明書に記載されたクライアントの公開鍵を使って，クライアント署名を検証する。検証に成功すれば，通信相手が真正なクライアントであることを認証できる。

なお，クライアント証明書を発行した CA がプライベート CA である場合，プライベート CA のルート証明書をサーバにインストールしておき，プライベート CA が信頼に値するものとして扱われるようにしなければならない。さもないとクライアント証明書の検証に失敗してしまう。

クライアントは，⑦ Client Key Exchange メッセージを送信する前に，プリマスタシークレットと呼ばれる 48 バイトの値（そのうち 46 バイトは乱数）を生成する。⑦はサーバの公開鍵で暗号

詳説

Finished メッセージには，メッセージ認証コードが格納されている。これは，これまでやり取りしたメッセージのデータ，マスタシークレット，等を組み合わせた文字列をハッシュ化したものである。攻撃者は，クライアントとサーバの間に割り込んで改ざんしていたとしても，その改ざんに合わせてメッセージ認証コードを生成することはできない。なぜなら，プリマスタシークレットはサーバの公開鍵で暗号化した上で送信しているため，攻撃者はプリマスタシークレット（及び，それから生成されたマスタシークレット）を知ることができないからだ。したがって，クライアントとサーバは，⑩と⑫でメッセージ認証コードを交換することで，これまでの一連のやり取りが攻撃者によって改ざんされていないかを確認することができる

第8章

化されているため，第三者は解読できない。

　サーバは，⑦を受信すると，サーバの秘密鍵で復号してプリマスタシークレットを取得する。この時点で，両者はプリマスタシークレットを共有する。その後，①，②でやり取りされた二つの乱数及びプリマスタシークレットからマスタシークレットを生成する。このマスタシークレットから，TLS 通信で使用される鍵を生成する。この結果，クライアントとサーバは，同じ鍵を共有する。

　その後サーバは，以下を送信する。

> ⑪Change Cipher Spec：②にて選定された暗号化アルゴリズムと認証アルゴリズムの使用を開始することの通知（TLSの仕様上，これはハンドシェークメッセージではないが，この段階で送信される）
>
> ⑫Finished：これまでにやり取りされたハンドシェークメッセージが改ざんされていないことの確認

　クライアントとサーバは，⑩と⑫で互いに Finished メッセージを交換している。これを交換することで，一連のハンドシェークプロトコルのやり取りが攻撃者によって改ざんされていないか，互いに確認することができる。⑩と⑫のメッセージは共通鍵（マスタシークレットから生成されたもの）で暗号化されているので，機密性が確保されている。

　この後，アプリケーションデータプロトコルに移行して TLS の暗号化通信を開始する。

● TLS1.3 のシーケンス

　TLS1.3 の詳細に入る前に，TLS1.2 からの主な変更点を明らかにしよう。

● ハンドシェークプロトコルの改善

共通鍵で暗号化されたメッセージを送るタイミングは，TLS1.2では，ハンドシェークプロトコルのChange Cipher Specの直後から（つまり，Finishedメッセージ以降）であった。TLS1.3では，ハンドシェークプロトコルのServer Helloメッセージの直後からとなる。この結果，より多くの情報を暗号化して安全に交換できるようになった。

本書では，鍵交換の手順として，プリマスタシークレットをサーバの公開鍵で暗号化する方法を解説している。
実は，これ以外にも，Diffie-Hellman鍵交換を用いる方法も規定されている。
どの手順が用いられるかは，暗号スイートの鍵交換アルゴリズムの選択にかかっている。鍵交換について，詳しくは本章の「8.2.1　暗号化方式」の「●鍵交換」を参照していただきたい

TLS1.3のセッション再開のシーケンスは2種類ある。一つ目は1-RTTと呼ばれ，暗号化通信に先行するやり取りが1往復であるものだ。二つ目は0-RTTと呼ばれ，先行するやり取りを行わず，ただちに暗号化通信を開始するものだ。ただし，0-RTTではセキュリティ強度が低下するという懸念がある。なぜなら，PSKから得られるのは再開前の情報なので，これを再利用して暗号化通信をただちに開始することは，前方秘匿性を損なうことになるからだ。さらに，0-RTTはリプレイ攻撃に脆弱であるという点も指摘されている

さらに，TLS1.3では，セッション再開のシーケンスを簡素
化している。セッション再開に備え，サーバが動的に生成
した**PSK**（Pre-Shared Key 事前共有鍵）をクライアントに
送信し，両者で共有しておく。PSKの中には，セッション
の再開に必要な情報が格納されている。再開時にこれを用
いることで，すぐに暗号化通信を行うことができるように
なった。

上記以外にも，ハンドシェークプロトコルのシーケンスが
全体的に見直されている。

● AEAD暗号利用モードの必須化

TLS1.3では，**AEAD**（Authenticated Encryption with
Associated Data）暗号利用モードの利用が必須になってい
る。併せて，脆弱性が見つかった暗号化アルゴリズム
（RC4，AES-CBC，等）が廃止された。

● 前方秘匿性（Forward Security）の確保

TLS1.3では，暗号鍵（共通鍵）の鍵交換は前方秘匿性
（**Forward Security**）が確保されている。具体的に言う
と，TLS1.3で規定されている鍵交換方式は，動的な公開鍵
／秘密鍵ペアを用いたDiffie-Hellman鍵交換に基づく方式
（**DHE，ECDHE**）などに限定されている。

前方秘匿性とは，鍵交換方式によって暗号鍵（共通鍵）を
生成する際，その生成に使用したパラメータを別の暗号鍵
を生成するときに使用しないことを言う。

この結果，何らかの方法で鍵交換のパラメータが漏洩した
としても，過去に生成された暗号鍵は異なるパラメータを
使用しているため，過去の暗号文の安全性は保たれる。

TLS1.2では，静的なRSA鍵交換方式，すなわち，「クライ
アントがプリマスタシークレットを生成し，電子証明書の
サーバ公開鍵でこれを暗号化してサーバに送信する方式」
がよく採用されていた。しかし，電子証明書は一定期間使
用されるので，その公開鍵／秘密鍵ペアは静的なものであ
り，鍵交換の度にこれを繰り返し使うことは前方秘匿性を
損なってしまう。それゆえ，TLS1.3では静的なRSA鍵交換

詳説

AEADについて，詳しくは本
章の「8.2.1 暗号化方式」
「●共通鍵方式」「●ブロック
暗号方式」を参考にしていた
だきたい。
DHEについて，詳しくは本章
の「8.2.1 暗号化方式」「●
鍵交換」「●Diffie-Hellman
鍵交換の手順」を参考にして
いただきたい。そこでは具体
例としてDHEの手順を丁寧
に解説している

試験に出る

TLS1.3でAEADが用いられ
ていること，前方秘匿性が必
須となり鍵交換方式の一つに
DHEが用いられていることに
ついて，令和4年午後Ⅱ問1
で出題された。
前方秘匿性（Forward
Security）について，令和3
年午前Ⅱ問18で出題された

第**8**章

方式が廃止された。

●シーケンスの例

次に示すシーケンスは，サーバとクライアントの主体認証に電子証明書を用い，Diffie-Hellman 鍵交換を用いた例である。

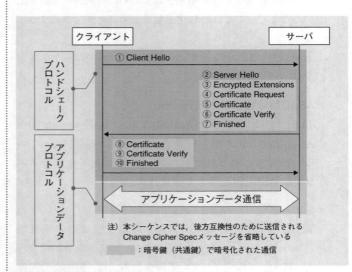

図：TLS1.3 のシーケンス

最初に，クライアントとサーバの双方は，セッション確立時とデータ通信時に用いる暗号スイートを決定する。暗号スイートの内訳は，次の2種類である。

表：TLS1.3 の暗号スイート

種類	用途	使用するプロトコル	アルゴリズムの例
暗号化	AEAD に対応した，ペイロードの暗号化とメッセージ認証を同時に行うアルゴリズム	ハンドシェーク，アプリケーションデータ	AES_256_GCM AES_256_CCM CHACHA20_POLY1305
ハッシュ関数	鍵生成のための関数（HKDF：HMAC-based Extract-and-Expand Key Derivation Function）の基となるハッシュアルゴリズム	アプリケーションデータ	SHA256

「鍵交換」と「署名」のアルゴリズムは，TLS1.3 の暗号スイートに含まれなくなったが，別の方法で決定される。

詳説

暗号スイートの「暗号化」は AEAD を指定するために用いられる。AEAD は暗号化のみならずメッセージ認証のセキュリティ機能をもっている。暗号スイートの「ハッシュ関数」は鍵生成関数を指定するために用いられる

表：TLS1.3 の鍵交換と署名

種類	用途	使用するプロトコル	アルゴリズムの例
鍵交換	前方秘匿性に対応した鍵交換	ハンドシェーク	DHE ECDHE PSK
署名	主体認証 （サーバ，クライアント）	ハンドシェーク	RSA （RSASSA-PSS） ECDSA EdDSA

　結局のところ，TLS1.3 においても鍵交換，署名，暗号化，ハッシュ関数を，クライアントとサーバの間で決定することには変わりはない。

　これらのパラメータを決定するため，まずクライアントから，自分が対応可能な候補（複数の組）をサーバに伝える。これが① Client Hello である。

　それだけでなく，クライアントは①の中で，候補に挙げた鍵交換アルゴリズムの中から一つ選び，当該鍵交換アルゴリズムにより公開鍵／秘密鍵ペアを生成した上で，その公開鍵をサーバに伝えてしまう。その鍵交換アルゴリズムにサーバが合意するかどうか定かではないが，もし合意してくれたならば，ハンドシェークプロトコルのやり取りを減らすことができるからだ。

　これを受けて，サーバは，鍵交換，署名，暗号化，ハッシュ関数を一つ選定してクライアントに通知する。クライアントが選んだ鍵交換アルゴリズムにサーバが合意した場合，当該鍵交換方式の公開鍵／秘密鍵ペアを生成した上で，その公開鍵をクライアントに伝える。これが② Server Hello である。

①Client Hello：鍵交換，署名，暗号化，ハッシュ関数の候補（複数の組），鍵交換の公開鍵（クライアント側），クライアント側の乱数，アクセス先のホスト名，など

②Server Hello：鍵交換，署名，暗号化，ハッシュ関数の選定（一組），鍵交換の公開鍵（サーバ側），サーバ側の乱数，など

　サーバは，Server Hello メッセージが終わった時点で，暗号化アルゴリズムも選定しており，暗号鍵（共通鍵）の基となる情報をすべて手元にもっている。それゆえ，サーバはこれ以降の通信を暗号化する。すなわち，サーバが送信するパケットの中には，

詳説

クライアントが選んだ鍵交換アルゴリズムにサーバが合意しなかった場合，サーバは，別のアルゴリズムを指定するためにHello Retry Requestメッセージを返信する。これを受けて，クライアントは，サーバから指定された鍵交換アルゴリズムにより公開鍵／秘密鍵ペアを生成した上で，その公開鍵をサーバに伝えるためにClient Hello メッセージを再送する

第 **8** 章

暗号化されていない Server Hello メッセージと，暗号化された後続のメッセージが一緒に格納されることになる。

サーバは，他に決定したいパラメータを送信する。これが③ Encrypted Extensions メッセージである。上述のとおりこの段階で暗号化されているので，パラメータを安全に送信することができる。

③Encrypted Extensions：他に決定したいパラメータ

次は，主体認証である。サーバは，クライアント認証を行う場合に限り，④ Certificate Request メッセージを送信する。

続いて，サーバ証明書（サーバ公開鍵の証明書）を送信する。これが⑤ Certificate メッセージである。加えて，公開鍵の対になる秘密鍵をもっていることを示すため，サーバは自分の秘密鍵で作成した署名を送信する。これが⑥ Certificate Verify メッセージである。

④Certificate Request：クライアント認証の要求
⑤Certificate：サーバ証明書（サーバの公開鍵証明書）
⑥Certificate Verify：サーバ署名（これまでやり取りされたハンドシェークメッセージのハッシュ値から，サーバの秘密鍵で作成した署名）

最後にサーバは，これまでの一連のハンドシェークプロトコルのやり取りが攻撃者によって改ざんされていないことを示すため，メッセージから作成したハッシュ値を送信する。これが⑦ Finished である。

⑦Finished：これまでにやり取りされたハンドシェークメッセージが改ざんされていないことの確認

クライアントは，クライアント認証を行う場合，（つまり，④を受信した場合），⑧ Certificate メッセージ（クライアント証明書）と⑨ Certificate Verify メッセージ（クライアントの秘密鍵で作成した署名）を送信する。

⑧Certificate：クライアント証明書（クライアントの公開鍵証明書）

詳説

主体認証に電子証明書を利用する場合，クライアントとサーバ間で決定する署名アルゴリズムはRSAとなる。TLS1.2と同様にTLS1.3でも，サーバ認証とクライアント認証は電子証明書を用いることができる。このときの認証方法は，「●TLS1.2のシーケンス」で解説しているものと同じ要領で行われているので，詳しくはそちらを参照していただきたい

試験に出る

クライアント証明書を発行したのがプライベートCAである場合，クライアント証明書を検証するために同CAのルート証明書をサーバにインストールしておくことについて，クライアント署名がクライアント秘密鍵で作成されていることについて，令和4年午後Ⅱ問1で出題された

⑨Certificate Verify：クライアント署名（これまでやり取りされたハンドシェークメッセージのハッシュ値から，クライアントの秘密鍵で作成した署名）

最後にクライアントは，これまでの一連のハンドシェークプロトコルのやり取りが攻撃者によって改ざんされていないことを示すため，メッセージから作成したハッシュ値を送信する。これが⑩ Finished である。

⑩Finished：これまでにやり取りされたハンドシェークメッセージが改ざんされていないことの確認

TLS1.2 と同様，クライアントとサーバは，⑦と⑩で互いにFinished メッセージを交換している。これを交換することで，一連のハンドシェークプロトコルのやり取りが攻撃者によって改ざんされていないか，互いに確認することができる。

一連のやり取りが終わると，クライアントとサーバの双方は，暗号鍵（共通鍵）を保有し，かつ，相互に主体認証に成功している。

この後，アプリケーションデータプロトコルに移行して TLS の暗号化通信を開始する。

●ハンドシェークの拡張機能

TLS のハンドシェークには拡張機能が定義されている。

- SNI

  クライアントのWebブラウザは，自分がアクセスしているWebサーバのFQDNと，Webサーバから送信された電子証明書のコモン名を照合して，サーバ認証を行う。

  今日，Webサーバは「名前ベースのバーチャルホスト」（DNSのAレコードを用いて，WebサーバのIPアドレスに複数のFQDNを対応付けた上で，WebサーバのコンテンツをFQDNごとに区別する技術）として運用されている可能性がある。

  そこで，クライアントのWebブラウザは，ClientHello メッセージの中でアクセス先のFQDNをサーバに伝えることで，それに対応する電子証明書をWebサーバから受け取

るように仕向けることができる。これをSNI（Server Name Indication）という。

● ALPN

暗号化対象のアプリケーション層プロトコルをネゴシエーションするため，クライアントがClientHelloでプロトコルを複数列挙し（例：HTTP1.1, HTTP2），サーバがServerHelloでその中から一つ選択することができる。これを**ALPN**（Application-Layer Protocol Negotiation）という。

HTTP2は上位互換性のためURIスキームに「https」を使用する。それゆえサーバは，URIスキームだけではHTTP2であるか否かが分からない。

そこでクライアントは，ALPNを使ってHTTP2で通信する旨をサーバに通知し，ネゴシエーションに成功したらHTTP/2を使用する。

● SSL-VPN の仕組み

SSL-VPN は，TLS プロトコルを利用した VPN 技術である。

拠点内のアプリケーションサーバ（以下，AP サーバと称する）に，PC がインターネット経由でリモートアクセスするときに利用する。

SSL-VPN は，主に三つの動作方式に類別でき，次に示す特徴を有している。

表：SSL-VPN の動作方式

動作方式	専用モジュール	使用できるアプリケーション
リバースプロキシ方式	不要	ブラウザ上で動作できるアプリケーションに限定される
ポートフォワーディング方式	必要	ポート番号が実行時に変化しないアプリケーションに限定される
L2 フォワーディング方式	必要	アプリケーションには制限がない

以下，それぞれの動作方式を解説するが，本書で説明しているのは実装の一例であると考えていただきたい。SSL-VPN はベンダ独自の技術であるため，同じ動作方式であっても，実装の詳細はベンダによって異なっている可能性があるからだ。

● リバースプロキシ方式

リバースプロキシ方式の一般的なネットワーク構成を次の図に示す。

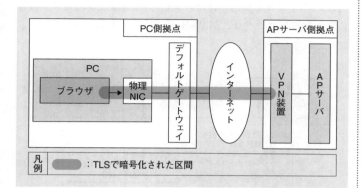

図：SSL-VPN を利用した AP サーバへのリモートアクセス（リバースプロキシ方式）

リバースプロキシ方式は，VPN 装置がリバースプロキシとして動作する仕組みになっている。

VPN 装置の外部側（インターネット側インタフェース）の IP アドレスは，グローバル IP アドレスである。一方，PC 及び AP サーバの IP アドレスは，プライベート IP アドレスである。

利用者はブラウザを用いて VPN 装置にアクセスする。PC と VPN 装置間の通信は TLS で暗号化されており，VPN 装置はこれを復号した後，AP サーバに中継する。

具体的には，次の手順に従って接続する。

[1] 利用者が VPN 装置宛てに TLS 通信を行う。利用者認証に成功すると，同装置が提供する Web ページの中から，AP サーバを選択する。

[2] VPN 装置がリバースプロキシとなり，AP サーバ宛てに HTTP 通信を行う。

利用者から見ると，一連の動作はブラウザ上で行われている。したがって，リバースプロキシ方式では，使用できるアプリケーションは，ブラウザ上で動作できるもの（基本的に HTTP）に限定される。

第8章

　利用者がVPN装置にアクセスすると，VPN装置は利用者認証を行う。認証に成功したらリバースプロキシとして動作し，APサーバへの中継を行う。その具体的な認証方法は，実装依存である（TLSプロトコルで規定されたクライアント認証であったり，VPN装置の認証用プログラムがWebページ上で実施するパスワード認証であったりする）。

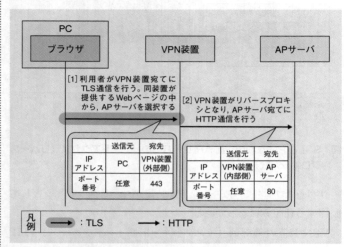

図：SSL-VPN通信（リバースプロキシ方式）

●ポートフォワーディング方式

　ポートフォワーディング方式の一般的なネットワーク構成を次の図に示す。

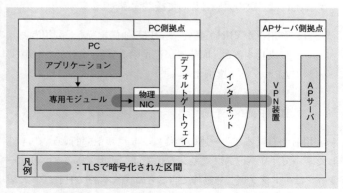

図：SSL-VPNを利用したAPサーバへのリモートアクセス（ポートフォワーディング方式）

ポートフォワーディング方式を利用するには，利用者のPCに専用モジュールをインストールする必要がある。

専用モジュールをインストールすると，PCのhostsファイルを書き換え，APサーバのホスト名に対応するIPアドレスとして，ループバックアドレスを登録する。その後，同モジュールは，AP通信用ポートを宛先とする通信（以下，AP通信と称する）を待ち受ける。

PCが実施する名前解決は「hostsファイルの方がDNSよりも先に行われる」という仕様になっているため，AP通信用ポートを宛先にした通信が行われると，同モジュールがこれを受け取ることができるわけだ。

具体的には，次の手順に従って接続する。

［1］ 利用者がAPサーバ宛てにAP通信を行う。
［2］ APサーバのホスト名の名前解決を，hostsファイルを用いて実施する。
　　　その結果，ループバックアドレス宛てにAP通信を行い，専用モジュールがこれを受け取る。
［3］ VPN装置に転送するため，［2］のAP通信のTCPペイロードを取り出し，これをTLSでカプセル化し，暗号化する。
［4］ VPN装置宛てにTLS通信を行う。
［5］ TLSの復号とカプセル化解除を行ってTCPペイロードを取り出し，APサーバ宛てにAP通信を行う。

なお，この手順には明記していないが，通常，どこかのタイミングで利用者認証を行う。その具体的な方法は実装依存である。

手順［4］，［5］を見ると，VPN装置は，PCとAPサーバとの間を中継する役割を担っている。手順［4］でVPN装置がPCから受信するパケットと，手順［5］でVPN装置がAPサーバに送信するパケットの，それぞれの宛先ポート番号を比較すると，前者はTLS（443）であり，後者はAP通信用のポート番号である。つまり，宛先ポート番号を変更した上で中継している。

このような中継動作を従来から「ポートフォワーディング」と呼んでいるため，これが本方式の名称の由来となっている。

詳説

ポートフォワーディング方式の出題例を見てみると，専用モジュールの具体的な実装技術を明記していたものは2問ある（平成25年午後I問1，平成18年午後I問3）。そのいずれもJavaアプレットであった。Java 11でJavaアプレットは廃止されたため，Javaアプレットを使用する形態のSSL-VPNは，今後出題されなくなるだろう

第**8**章

　中継対象となるAPサーバが一つしかないとき，ポートフォワーディングするポート番号（手順［5］でAP通信するパケットの宛先ポート番号）はただ一つに限定される。

　一方，中継対象となるAPサーバが複数あるときは，VPN装置が中継先を決定する仕組みが別途必要になる。その仕組みは実装依存であるが，例えば，手順［3］の段階で，TLSヘッダとTCPペイロードの間に独自ヘッダを挿入し，ここに中継先APサーバを判別できる情報を格納しておく方法が考えられる。こうすれば，手順［5］でTCPペイロードを取り出す際に独自ヘッダを取り除き，独自ヘッダの情報に基づいて中継先を判別して，当該APサーバ宛てのパケットを組み立てればよい。この種の方法で中継先を決定したら，当該APサーバに応じたAP通信用ポート番号を，ポートフォワーディングするポート番号に指定すればよい。

　ポートフォワーディング方式では，（中継対象のAPサーバが一つであれ複数であれ，）APサーバが決まればポートフォワーディングするポート番号も決まること，つまり，両者のマッピングが1対1に定まることが前提になっている。このマッピングをVPN装置に事前に登録しておき，実行時に参照する仕組みになっている。

　したがって，この方式で使用できるアプリケーションは，ポート番号が実行時に変化しないものに限定されるわけだ。

詳説

平成25年午後I問1で出題されたポートフォワーディング方式では，中継先となるAPサーバが複数存在している。ここでは，専用モジュールが手順［2］で待ち受けるパケットの宛先ポート番号が，VPN装置に伝達される仕組みになっている（その具体的な方法は説明されていなかった）。手順［2］で待ち受けるポート番号と，手順［5］で中継するAPサーバの情報（IPアドレスとポート番号）とのマッピングを，VPN装置に事前に登録する仕様になっており，使用できるアプリケーションはポート番号が実行時に変化しないものに限定されている

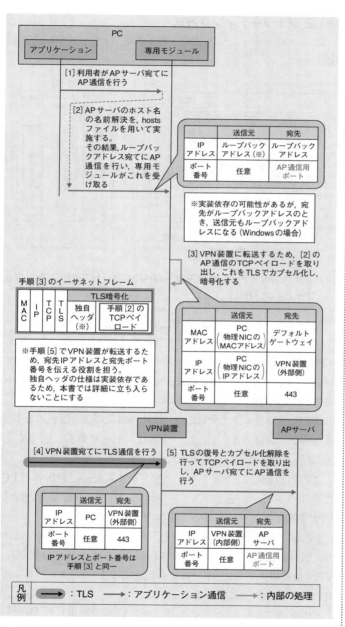

図：SSL-VPN通信（ポートフォワーディング方式）

●L2 フォワーディング方式

L2 フォワーディング方式の一般的なネットワーク構成を次の図に示す。

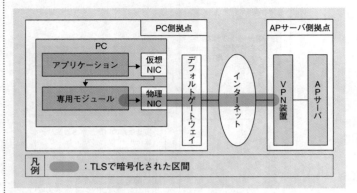

図：SSL-VPN を利用した AP サーバへのリモートアクセス（L2 フォワーディング方式）

L2 フォワーディング方式は，仮想的に見ると，同じ L2 ネットワークに，VPN 装置と PC が存在する仕組みになっている。このとき，VPN 装置は，ルータ又は L2 スイッチのどちらかの役割を担っている。どちらであるかは実装依存であるが，いずれにせよ，VPN 装置を介して PC は AP サーバに接続できるわけだ。

説明を分かりやすくするため，以降の解説では，仮想的なネットワークにおける VPN 装置の役割はルータであるとし，PC と AP サーバのデフォルトゲートウェイであるとしよう。

この仮想的な L2 ネットワークを実現するため，利用者の PC に専用モジュールをインストールする。さらに，接続先となる VPN 装置のグローバル IP アドレスを設定しておく。

PC が VPN 装置に接続すると，専用モジュールの働きにより，PC 内部に仮想 NIC が構築される。さらに，VPN 装置から，VPN 接続用ネットワーク（前述の仮想的な L2 ネットワーク）の IP アドレスが動的に割り当てられる。

仮想的な L2 ネットワークは，図「SSL-VPN を利用した AP サーバへのリモートアクセス（L2 フォワーディング方式）」における「TLS で暗号化された区間」，つまり，VPN トンネル上に構築されている。その構成を次の図に示す。

試験に出る

L2 フォワーディング方式の出題例を見てみると，仮想的なネットワークにおける VPN 装置の役割は，デフォルトゲートウェイであったり，L2 スイッチであったりする。平成29年午後I問1ではデフォルトゲートウェイであり，平成20年午後II問1ではL2スイッチであった

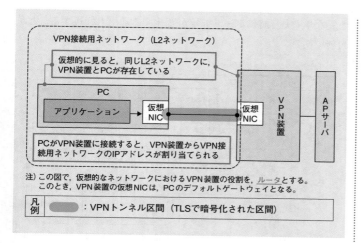

図：L2 フォワーディング方式における，仮想的なネットワーク構成

仮想 NIC を経由する通信は，全て専用モジュールが受け取る。専用モジュールは，受け取ったイーサネットフレーム全体を暗号化して VPN 装置に転送する仕組みになっている。

具体的には，次の手順に従って接続する。

[1] 仮想NICを指定し，APサーバ宛てにAP通信を行う。
[2] 仮想NICを経由する通信は専用モジュールが受け取る。
[3] VPN装置に転送するため，[2]のイーサネットフレーム全体をTLSでカプセル化し，暗号化する。
[4] VPN装置宛てにTLS通信を行う。
[5] TLSの復号とカプセル化解除を行ってイーサネットフレームを取り出し，APサーバに転送する。

なお，この手順には明記していないが，どこかのタイミングで利用者認証を行う。その具体的な方法は実装依存である。

手順［3］，［5］を見ると，PC と AP サーバはイーサネットフレームをやり取りしているので，同フレームのペイロード（L3 以上の部分）は変化していないことが分かる。

したがって，この方式は，リバースプロキシ方式やポートフォワーディング方式と異なり，IP に限らず様々な L3 パケットを転送することが可能である。さらに，ポートフォワーディング方式

詳説

L2 フォワーディング方式の実装例として，SoftEther がある。SoftEther の実施する利用者認証は，新しいVPNセッションがVPN装置に接続した時点で行われる。
これと同様に，平成29年午後I問1で出題されたL2フォワーディング方式では，VPN装置に接続したときに利用者認証を行っている

第**8**章

463

と異なり，実行時にポート番号が変化する通信も転送することが可能である。

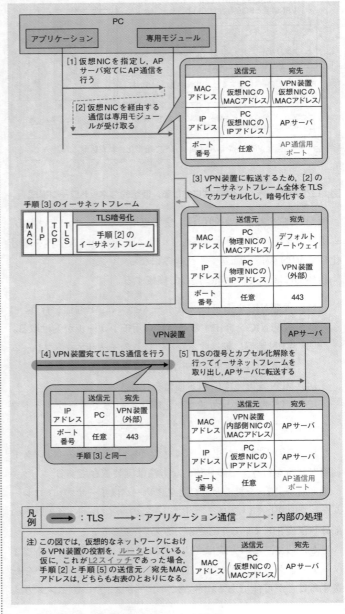

図：SSL-VPN通信（L2フォワーディング方式）

8.4.7 無線LAN

IEEE802.11が標準化された当初，暗号化方式はWEPが採用されていた。しかし，この脆弱性が明るみに出てしまい，早急な対応が求められたが，IEEEが主導する，新たなセキュリティ規格の標準化作業には，数年の期間を費やすことが見込まれた。

この待ったなしの状況を踏まえ，無線LAN機器ベンダの業界団体 **Wi-Fi Alliance** が，**WPA**（Wireless Protected Access）を発表した。

このWPAでは，暗号化方式，メッセージ認証方式及び利用者認証方式が規定されている。

Wi-Fi Allianceはその後，WPAを改良した**WPA2**を発表した。

実は，こうした業界団体の動きと並行して，IEEEは，強固な無線LANのセキュリティ規格である**IEEE802.11i**の標準化作業を着々と進めていた。WPA2は，このIEEE802.11iの最終版を参考にしたものである。なお，WPA2は，IEEE802.11iと完全に一致しているわけではないため，「IEEE802.11i準拠」に位置付けられる。

IEEE802.11iの策定後，Wi-Fi Allianceは，WPA2を改良した**WPA3**を発表した。これは，IEEE802.11-2020規格の一部に取り込まれている。

以下，Wi-Fi Allianceが定めている無線LANの利用者認証，暗号化及びメッセージ認証の方式を次に示す。

表：暗号化，メッセージ認証，利用者認証

セキュリティ技術	WPA	WPA2, WPA3
暗号化，メッセージ認証	TKIP	CCMP
利用者認証	パーソナルモード	
	エンタープライズモード	

● 利用者認証方式

無線LANは，利用者認証方式として，エンタープライズモードとパーソナルモードを定めている。

● エンタープライズモード

エンタープライズモードは，**IEEE802.1X**を使用して利用者

試験に出る

WPAが標準化されるまで，無線LANの暗号化方式はWEPであった。WEPの脆弱性について，平成29年午後Ⅱ問2，平成25年午後Ⅱ問1で出題された

試験に出る

WPA3のSAEについて，令和5年午後Ⅰ問3で出題された。WPA2の事前鍵認証及びPMKキャッシュについて，平成29年午後Ⅱ問2で出題された。
PSK認証について，平成28年午後Ⅰ問2で出題された。
WPA2の暗号化方式がAES-CCMPであることについて，平成27年午前Ⅱ問17，平成26年午前Ⅰ問15，平成25年午前Ⅱ問19で出題された

詳説

IEEE802.1Xについて，詳しくは本章の「8.4.3　IEEE802.1X」を参照していただきたい。特に，「● EAP-TLS認証方式の認証シーケンス」の中で，EAP-TLS認証を例に取り上げて具体的な認証シーケンスを解説しているので，参照していただきたい

第**8**章

試験に出る

WPA3からSAEが導入され
パスワード辞書攻撃への耐性
が強化されたことについて，
令和5年午後Ⅰ問3で出題さ
れた

詳説

SAEは鍵交換プロトコルであ
り，4ウェイハンドシェークの前
に実施される。4ウェイハンド
シェークについて詳しくは「8.
4.3 IEEE802.1X」「●EAP-
TLS認証方式の認証シーケン
ス」「●4ウェイハンドシェーク」
を参照していただきたい。そこ
に記述された「㉑暗号鍵の生
成」が，4ウェイハンドシェー
クである。

そこで説明している認証シー
ケンスはエンタープライズ
モードである。すなわち，IEEE
802.1X認証を経て無線LAN
端末とAPが同一のPMKを
保持している状態から，4ウェ
イハンドシェーク（㉑暗号鍵
の生成）を開始する。

この認証シーケンスをパーソ
ナルモードに読み替えるには，
IEEE802.1Xのやり取りをす
べて取り去り，無線LAN端末
とAPが同一のPMKを保持
している状態から，4ウェイハ
ンドシェークを開始すると考えれ
ばよい。

WPA2までは，無線LAN端
末とAPがそれぞれ，PMKを
PSKから固定的に生成してい
る。WPA3は，4ウェイハンド
シェークに入る直前に両者間
でSAEの鍵交換が実行され，
PMKをPSKから動的に生成
している。

いずれにせよ，4ウェイハンド
シェークがスタートする時点
で，無線LAN端末とAPが同
一のPMKを保持していること
に変わりはない

認証を行う方式である。エンタープライズモードを用いると，無
線 LAN に接続するたびに，暗号鍵が動的に生成される。

　IEEE802.1X を使用して無線 LAN 端末の利用者認証を実施す
るには，認証サーバ（RADIUS サーバ），及び，認証スイッチの
役割を担う AP を設置する必要がある。

　IEEE802.1X の認証では，サーバ認証（正規の認証サーバであ
ること），利用者認証（正規の利用者であること）の両方を認証
する。

　認証方式として様々なものが規定されており，EAP を利用し
て認証方式が指定される。

　具体例を挙げると，例えば，サーバ認証に電子証明書を用い利
用者認証にパスワードを用いる **EAP-PEAP** 認証，サーバ認証と
利用者認証の両方に電子証明書を用いる **EAP-TLS** 認証，等が
ある。

　利用者認証に成功した後，認証サーバと無線 LAN 端末は，
256 ビットの **PMK**（Pairwise Master Key）を動的に生成する。
この PMK は，無線 LAN 通信を暗号化する共通鍵の基となるも
のだ。その後，認証サーバと無線 LAN 端末間の通信を中継する
AP に対し，認証サーバから PMK が配布される（MPPE という
プロトコルを用い，暗号化して送信される仕組みになっている）。

●パーソナルモード

　パーソナルモードは，AP と無線 LAN 端末が同じ事前共有鍵
（**PSK**：Pre-Shared Key）を設定しているときに限り，認証に成
功する。利用者から見ると，PSK の果たす役割は実質上パスワー
ドと変わらない。

　WPA2 までは，PSK から生成される PMK は固定であった。そ
れゆえ，利用者が長期間にわたって PSK を変更しない状況下で，
大量の通信パケットが傍受されると辞書攻撃で PSK が解読され
るリスクがあった。

　WPA3 ではこの点が改良され，PSK から PMK を動的に生
成し PSK の推測を困難にする技術が導入された。それが **SAE**
（Simultaneous Authentication of Equals）と呼ばれる鍵交換プロ
トコルである。SAE は無線 LAN 端末と AP 間でやり取りされ，
PSK から PMK を動的に生成する仕組みを備えている。

　パーソナルモードは，エンタープライズモードのように認証サーバを設置する必要がないため，導入が容易であるというメリットがある。

　一方で，PSK を頻繁に変更することは運用上の負担となるため，結果として，「同じ PSK が使われ続ける」という事態を招いてしまう。ひとたび PSK が漏えいすると通信の秘匿性を保てなくなってしまう。

　このリスクを解消するには，より本格的な利用者認証方式である，エンタープライズモードを使用する必要がある。

● 暗号化方式とメッセージ認証方式

　暗号化方式とメッセージ認証方式は，WPA と WPA2 以降で異なるアルゴリズムを採用している。本書では，より安全で，今日一般的に用いられている，WPA2 以降の方式を解説する。

　WPA2 は，暗号化プロトコルとして，**CCMP**（Counter-mode with CBC-MAC Protocol）を規定している。CCMP は，暗号化だけでなく，フレームのメッセージ認証も併せて行うことができる優れた技術である。

　利用者認証方式がエンタープライズモードであろうとパーソナルモードであろうと，正規の無線 LAN 端末は，AP との間で同一の PMK を共有している。この状態から，4 ウェイハンドシェークが開始される。4 ハンドシェークについて，詳しくは「8.4.3 IEEE802.1X」「● EAP-TLS 認証方式の認証シーケンス」「● 4 ウェイハンドシェーク」を参照していただきたいが，簡潔に説明しよう。4 ウェイハンドシェークでは，両者は乱数を交換し，PMK，乱数及び MAC アドレス（無線 LAN 端末と AP）から，暗号化鍵，認証鍵を生成する。

　WPA2 は，暗号化アルゴリズムとして AES を採用し，暗号化鍵の長さを 128 ビットに定めている。WPA3 は，AES に加えて CNSA も採用し，暗号化鍵の長さを 128 ビット又は 192 ビットに定めている。

　CCMP は，フレームの暗号化に **CTR**（カウンタ）モードを採用している。CTR モードでは，ブロックサイズと同じバイト数のカウンタ値を AES で暗号化し，暗号化したカウンタ値と平文ブ

ロックを XOR（排他的論理和）演算して暗号文ブロックを生成する。

　CCMP は，フレームのメッセージ認証に CBC モードを採用している。平文ブロックを先頭から順に暗号化していき，最後の暗号ブロックをメッセージダイジェストに用いる。これを MAC（Message Authentication Code，メッセージ認証コード）という。CBC モードは一つ前の暗号ブロックと平文ブロックを XOR 演算してから AES で暗号化する方式であるため，CBC モードで生成された MAC（CBC-MAC）は，平文全体を取り込んだ内容になっていると言える。この CBC-MAC をフレームに付与する。

　カウンタモードについて，詳しくは本章の「8.2.1　暗号化方式」の「●ストリーム暗号方式とブロック暗号方式」「●ブロック暗号方式」の「●CTR（Counter，カウンタ）」を参照していただきたい。CBC カウンタモードについて，詳しくは同じ箇所の「●CBC（Cipher Block Chaining，暗号ブロック連鎖）」を参照していただきたい。

第 **9** 章

移行・運用

第1節は，移行と運用について，全体的な出題内容を概観した後，運用設計，移行，運用というカテゴリ別に試験でよく出題される「考え方」を整理している。

第2節〜第4節は，出題範囲に絞って，運用設計，移行，運用の「考え方」をより具体的に解説する。

最後に，移行と運用をテーマにした出題例を紹介する。

午後試験では，一般的な状況設定の下で，移行手順，切替え手順，障害対応などが問われている。移行と運用の基本的な考え方を身に付けていれば解答できるものが多いので，基本をしっかり学習しておきたい。

アクセスキー　**X**
（大文字のエックス）

9.1 ・ 午後試験対策のアドバイス

　ここでは，午後試験の出題例を紹介し，ネットワークスペシャリストにふさわしい「考え方」を解説する。出題傾向を踏まえ，問題を解く際にどのように考えればよいのかを理解していただきたい。

9.1.1　移行・運用の全体像

● 何が出題されているのか？

　ITサービスのライフサイクルの観点から移行・運用を整理するとおおよそ次のようになる。

　　1. 運用設計（運用体制・環境の整備，提供するサービスの設計）
　　2. 移行（運用設計したサービスの展開）
　　3. 運用（通常運用業務や障害時運用業務の遂行，継続的な改善）

　それでは，「ITサービス」の観点から，ネットワークスペシャリスト試験で出題される「移行」「運用」の領域を概観してみよう。

　この試験では，ITサービスに求められているもの（サービスレベル）は定義済みである。そのITサービスを実現するために，何らかのシステムを構築したり，外部業者の提供するITサービスを利用したりする事例が登場する。

　ここで，「ITサービスを実現する」と書いたが，ITサービスを実現するものとは，いったい何であろうか。

　ITIL（ITサービスマネジメントのベストプラクティス集）によれば，ITサービスとは「情報技術の使用を前提とした，受益者の業務プロセスを支援するサービス」であり，「人々，プロセス，技術の組合せ」からなるもので，サービスレベルで定義されるべきものである。現実世界の業務は，システムだけでは成立せず，システムを用いる組織の働きが必要不可欠である。だから，業務プロセスを支援するためのITサービスは，「システム（技術）」「組織（人々）の働き（プロセス）」の組合せで実現されるのである。

　多くの業務システムは，システム基盤の上で稼働している。そのシステム基盤が正常に稼働するために，それを運用する組織の働きが不可欠である。したがって，ITサービスを実現するものには，システム基盤とそれを運用する組織の働きも含まれている。

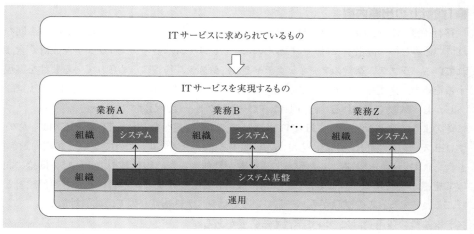

図：ITサービスの実現

このうち，この試験が問うている領域は，システム基盤とそれを運用する組織の働きである。もっとも，「システム基盤」と「運用する組織の働き」の出題比率は，システム基盤の方が圧倒的に多い。要するに，基本的に問われているのは，技術に関するものと言える。ただし，本章が取り扱う「移行」「運用」に関しては，運用する組織（人々）の働き（プロセス）も登場する。試験対策として，この視点を忘れないようにしたい。

●「移行」「運用」の出題内容

試験で「移行」や「運用」を問うとき，企業に求められているITサービスは既に定義されている。ITサービスを実現するものについても，おおよそ検討済みである。とはいえ，システム基盤が関係するところは検討中で，これから構築する状況であったりする。あるいは，現行のITサービスに不備があり，改善が求められている状況であったりする。

試験では，そのような状況を設定し，現行システムから新システムへの移行，新システムでの運用について問うている。特に，システム基盤に関わる部分が出題される。

言うまでもなく，移行に先立って，システムが「実装」され，「テスト」される。移行の後にもテストして確認する必要がある。つまり，「テスト」は，移行の前と後に実施される。

この試験では，「実装」は出題されないが，「テスト」については出題される。そのほとんどは移行後のテストについてであるが，移行前に確認しておくことも問われたことがある。この出題傾向を踏まえ，本書では，テストも移行に含めることにする。

●「設計」の出題内容

　移行や運用に先立ち，設計が行われる。言うまでもなく，この試験では「設計」も問われている。この「設計」には，もちろんのこと，システム基盤のアーキテクチャ設計が含まれている。システム基盤のアーキテクチャとは，システム基盤に求められている要件を実現するための，構成や制御方式のことだ。この点については，本書の第5章で解説している。

　しかし，試験で問われる「設計」は，アーキテクチャ設計だけではない。

　そのように言える理由は，先ほどITサービスについて述べたとおり，ITサービスは「人々，プロセス，技術の組合せ」だからである。要するに，「システム」だけでなく，「組織の働き」も含まれているのである。したがって，組織が機能するための体制や，サービス供給に向けて組織が実行するプロセスについても，設計する必要がある。本書はこれを運用設計と呼ぶことにする。この試験がカバーしているのはシステム基盤なので，試験対策として，システム基盤の運用設計について学習する必要がある。

　システム基盤の運用は，その多くが自動化されている。例を挙げると，監視，バックアップ，時刻同期，パッチの自動更新などがある。この試験で運用設計を問うときは，それら自動化されたもの，つまり，「ITが関わる部分」が中心となる。

　一方，組織の体制や組織が実行するプロセスなどの「人間が関わる部分」の運用設計については，本格的に出題されるわけではない。詳しくはすぐ後の「9.1.2　運用設計」で述べるが，その頻度は高くはない。仮に出題されたとしても，運用に関する一般的な知識から類推可能なものだ。

●本書の構成と，「設計」「移行」「運用」の関係

　ここまでの説明で，試験に出題される移行・運用の全体像，及び，運用設計との関係などが分かったと思う。これらを本書の第2部「応用編」の構成と対比させると，次のようになる。

表：本書の第2部「応用編」の構成と設計，移行，運用

章		内容		
第5章	設計	システム基盤のアーキテクチャ設計		
第6章	信頼性	非機能要件を実現するための設計や要素技術（システム基盤に関するものが中心）		
第7章	性能			
第8章	セキュリティ			
第9章	移行・運用	第2節	運用設計	システム基盤の運用に関する設計（ITが関わる部分）
		第3節	移行	システム基盤の移行，テスト
		第4節	運用	システム基盤の通常運用，障害時運用

　本節の趣旨は，第9章「移行・運用」について，午後試験の出題と試験対策のポイントを解説することである。それでは，本章の第2節〜第4節に呼応して，「運用設計」「移行」「運用」の順に，一つずつポイントを解説していこう。

9.1.2 　運用設計

●出題のポイント

　試験では，既に運用の体制と環境は整備されており，サービスに関する要件は定義済みである。とはいえ，運用体制の一部を見直したり，サービスを実現する仕組みを見直したりすることがある。そのような状況を設定した上で，「運用設計」について問うている。

　運用設計でよく出題されるのは，主に次の2点である。

　　1. 体制・環境の整備
　　2. サービスの設計

　特に，サーバやネットワークなどのシステム基盤が関わるものや，メールなど全社的に提供されるサービスが，主に取り上げられる。

● 1. 体制・環境の整備

　はじめに断わっておくが，ここで言う「体制・環境」とは，組織，システム環境，設備，ドキュメント等を含んだ，運用業務全般に関わるものとする。

　体制・環境の整備に関する基礎的な知識について，詳しくは本章の「9.2　運用設計」を参照していただきたい。

　この試験では，運用の方針は本文の中で明確に示されている。方針の策定はネットワークスペシャリストの範囲ではないからだ。したがって，この種の出題では，どのような方針が示されているかに着目すればよい。それさえ見つかれば，一般的な知識に基づいて解を導くことができるだろう。

　出題頻度はそれほど高くはないが，幾つか挙げてみよう。

表：体制・環境の整備

方針	着眼点	出題例
一元管理	・障害時に，窓口担当者に全ての情報を一元管理し，複数の担当者の間で情報共有できるようにする	平成21年午後Ⅱ問2
保守管理の容易性 機能提供の迅速化 構成変更の柔軟性	・ネットワークを仮想化してシステム環境を構築する （本文に記されていた点であるが，設問として出題されたわけではない）	平成26年午後Ⅱ問2

（表は次ページに続く）

方針	着眼点	出題例
スペースの節約	・ブレードサーバを導入すると，外部インタフェースの接続スペースを節約でき，配線数を削減できる	平成23年午後Ⅱ問1

　システム環境については，表に挙げた仮想化技術のメリットを覚えておきたい。仮想化技術はよく出題されるテーマであるが，設計だけでなく運用の観点からも今後は出題される可能性があるからだ。

　なお，ドキュメントの中で，移行手順書や機器交換手順書などの詳細な手順を記載したマニュアルは，後ほど解説する。移行手順については「9.1.3　移行」で，切替え手順や交換手順については「9.1.4　運用」でそれぞれ取り上げているので，参照していただきたい。

●2.　サービスの設計

　本章の「9.1.1　移行・運用の全体像」で述べたとおり，試験で出題される運用設計は，ITが関わる部分が中心である。

　システム基盤の運用の多くは自動化されている。その代表例は監視である。

　試験では監視についてよく出題されているので，その例を幾つか挙げる。

表：監視

監視	着眼点	出題例
稼働監視	・仮想マシンの稼働状態だけでなく物理サーバの稼働状態も監視し，両者を対応付ける	平成22年午後Ⅱ問1
	・障害に結び付くログだけを検知するよう，イベントログ監視をチューニングする	
	・関連し合う複数の検知内容を一つにまとめて通知しないと，重要なものを見落としてしまう	平成23年午後Ⅰ問3
	・冗長構成が失われたことを検知するため，アクティブ側とスタンバイ側の双方の稼働を監視する	平成29年午後Ⅰ問3
性能監視	・ICMPエコー応答の受信率により輻輳を検知する場合，2種類の誤検知がある。一つ目は，輻輳していないが，障害により応答がないためアラートが出るケースである。二つ目は，輻輳しているのに，受信率の閾値をたまたま上回っていたためアラートが出ないケースである ・負荷分散装置から，サーバの負荷に応じた監視をするには，応答時間，データ転送量を監視する	令和3年午後Ⅱ問2 平成24年午後Ⅰ問1
ログ監視	・不正アクセスへの対応を最適化するために，ログを取得して解析する	平成27年午後Ⅰ問3
	・ログを定期的に検査する	平成26年午後Ⅱ問1

9.1.3　移行

●出題のポイント

　試験では，移行を問う場合，システム基盤のアーキテクチャ設計，移行の主な要件（移行対象，移行方式，移行時期）はおおよそ検討済みである。問われているのは，その後の段階である。

　移行で出題されるのは，主に次の2点である。

　1. 移行計画
　2. テスト計画

なお移行時に障害が発生する事例も時折出題されている。移行を含めた様々な局面での障害対応については，「9.1.4　運用」の「●出題のポイント」の「1. 障害対応」を参照していただきたい。

●1.　移行計画

　指針，時期，手順，移行に伴う影響の分析など，移行の作業に関する具体的な計画が出題される。

表：移行計画

移行計画	着眼点	出題例
指針	・サーバの移行によってトラフィックに変化が生じると，性能劣化が懸念される ・一部だけ先行的に移行してトラフィックの変化を把握し，次の移行にフィードバックする	平成23年午後Ⅱ問2
	・PCからシンクライアント環境に移行するときは，PCのデータをファイルサーバ（NAS）に保存する	
	・現行環境と新環境が混在する段階的移行では，現行環境と新環境を分離したネットワーク構成にする	令和元年午後Ⅱ問1
	・データ移行時に予測できる問題を事前に明確化して，対応策を作っておく ・システム切替えを断念するときの判断基準と，それを決定する時間を明確化する	平成22年午後Ⅱ問1
	・チェックポイントを設ける	平成21年午後Ⅱ問2
	・移行時間（切替え時間）を見積もる際，切替え作業時間，動作確認時間に加え，切り戻し作業時間も含めておく	平成28年午後Ⅱ問1

（表は次ページに続く）

第9章

移行計画	着眼点	出題例
手順	・サーバ移行の際，新旧サーバのホスト名が同じでIPアドレスが異なるとき，並行稼働しながらDNSのAレコードの書き換えをする。並行稼働の期間を短くするために，移行前からDNSのTTLをあらかじめ短くしておく	令和4年午後Ⅱ問2
	・サーバを並行稼働させながら移行する際，旧サーバに切り戻せるように，旧サーバをしばらく稼働させておく。したがって，新サーバのIPアドレスを別のものにする	令和元年午後Ⅱ問1
	・段階的移行では，現行環境と新環境を分離すること，機器を切り替える時期とその方法を計画する	令和元年午後Ⅱ問1
	・撤去可能な機器の撤去時期を明確にする	令和元年午後Ⅱ問1
	・作業手順書を作成しておく －構成図，設定情報，配線図，動作確認テスト手順書	平成24年午後Ⅱ問2
	・ITに不慣れな利用者が行う作業は，時間的な余裕を見込んでおく	平成23年午後Ⅱ問2
	・サーバ移行によってサーバのIPアドレスが変化する場合，DNSサーバのAレコードの変更を手順に含める	今後出題される可能性がある
	・切替え時間，切り戻し時間を短くするために，機器の設定ファイルを事前に用意しておく	平成28年午後Ⅱ問1
分析	・サーバの移行によってボトルネックの発生箇所が変化する	平成22年午後Ⅰ問1
	・サーバの移行によってFWのフィルタリングルールが変化する	平成28年午後Ⅰ問3 平成28年午後Ⅱ問1

● 2.　テスト計画

導入前又は導入後に実施するテストに関する計画が出題される。

表：テスト計画

テスト計画	着眼点	出題例
導入前	・サービス停止時間をできるだけ短くするため，動作確認は，切替作業で新設した機器と変更した機器を対象とする ・データ移行の前に，移行するシステムの動作，データの完全性をテストしておく	平成22年午後Ⅱ問1
	・リハーサルを実施し，作業時間や移行体制の確認，発生したトラブルの回避策などを整理できる	平成22年午後Ⅱ問2
	・本番環境に影響を与えない環境を準備する ・障害発生時の解析手段を用意する	今後出題される可能性がある
導入後	・無線LAN環境に移行した場合，性能劣化が生じていないかをテストする	平成25年午後Ⅱ問1
	・移行に伴って機能（接続の仕組みなど）が変化した場合，機能が満たされているかをテストする	平成25年午後Ⅱ問1

9.1.4 運用

●出題のポイント

運用は，通常の運用業務と，障害時の運用業務に大別できる。このうち，試験でよく出題されるのは，障害時の運用業務である。

運用業務は，ネットワーク監視プロトコルをはじめ，運用系の技術によって支えられている。

したがって，障害時の運用でよく出題されるのは，次の3点である。

1. 障害対応
2. 切替え手順
3. 運用系の技術

● 1. 障害対応

障害対応に関する基礎的な知識について，詳しくは本章の「9.4.2　インシデント管理」及び「9.4.3　問題管理」を参照していただきたい。

ネットワークの障害は，通常の運用業務の遂行時だけでなく，移行時にも発生する。試験では，どちらも出題されている。

障害対応に関する出題例は数多くある。そこで，試験対策として重要なものに絞り，比較的難易度が高く，かつ，今後とも出題される可能性の高いトピックを扱った出題例を幾つか挙げる。

見通しを良くするために，障害の原因が OSI 基本参照モデルのどの階層であるのかに着目して分類している。こうしてみると，L2（第2層）に起因するものがやや多いように見受けられる。とはいえ，どの層も出題されているので，実際に障害対応の問題が出たときは，本文の条件に合わせて様々な階層の観点から考えてみよう。

表：OSI 基本参照モデルの階層による分類

階層		着眼点	出題
L1	ポートの障害	・リンク LED が点灯しない	平成 26 年後 I 問 2 平成 24 年後 II 問 2
L2	古いキャッシュ	・機器の交換時に SW の MAC アドレステーブルが更新されていなかった	平成 26 年後 I 問 2
	スイッチの設定ミスや不具合	・ミラーポート出力フレームをスイッチ経由で取り込もうとしたため，アドレス学習機能により，意図したとおりに転送できなかった	平成 26 年後 II 問 2

（表は次ページに続く）

階層		着眼点		出題
L2	ブロードキャストフレーム	・利用者の誤接続や設定ミスによりループ状態が生じる		令和5年午後Ⅰ問3
		・SWの設定不備や不具合により, DHCPのブロードキャストフレームがスイッチ間で延々と折り返していた		平成25年午後Ⅰ問2
		・ケーブルの誤接続によりフレームがループして, ブロードキャストストームが発生した		平成21年午後Ⅰ問1
		・CPU負荷が高くなってSTPのBPDUが処理できなくなり, フレームがループして, ブロードキャストストームが発生した		平成21年午後Ⅱ問2
L3 L4	ルーティングテーブルの設定	移行時の不適切な手順によるルーティングループの発生		令和5年午後Ⅱ問1
	IPの設定	・デフォルトゲートウェイ, サブネットマスクの設定ミス		平成21年午後Ⅰ問3 平成21年午後Ⅱ問2
		・IPアドレスが重複したため, 通信できない		平成25年午後Ⅰ問2
L7	宛先サーバが真の原因ではない	DNSサーバ	・サイトにアクセスできない	今後出題される可能性がある

●2. 切替え手順

　障害が発生したときに速やかに切り替えることができるよう, 切替え手順をあらかじめ定めておく必要がある。試験では, 機器が故障したときの切替え手順のような小規模なものから, バックアップ拠点への切替え手順のような大規模なものまで出題されている。

　出題例を幾つか挙げる。

表：切替え手順

対象	着眼点	出題例
機器	・FW (Active-Standby) の交換作業手順の作成 (穴埋め問題)	平成26年午後Ⅰ問2
	・利用者が行うL2SWの交換作業手順の作成 (穴埋め問題)	平成23年午後Ⅰ問3

●3. 運用系の技術

　運用系の技術は様々あるが, よく出題されるのはネットワーク監視の技術である。

　ネットワーク監視に関する基礎的な知識について, 詳しくは付録PDF「9.5　ネットワーク監視」を参照していただきたい。

　出題例を幾つか挙げる。

表：運用系の技術

対象			着眼点	出題例
監視	監視対象機器の発見		・LLDP を使用したネットワーク構成の把握	令和 3 年午後 I 問 1 平成 29 年午後 II 問 1
			・インテリジェントな L2SW は IP アドレスをもつので，SNMP の監視対象となる	令和 3 年午後 I 問 1 平成 30 年午後 I 問 2 平成 25 年午後 I 問 3
			・ローカルネットワークのブロードキャストアドレス（ディレクテッドブロードキャストアドレス）宛てに ping を発行して，対象機器を発見する（ping 応答はないが，ARP テーブルに実在機器の IP アドレスと MAC アドレスが記録される）	平成 22 年午後 II 問 1
	障害検知		・関連し合う複数の検知内容を，一つにまとめて通知しないと，重要なものを見落としてしまう	平成 23 年午後 I 問 3
	障害通知の失敗		・STP 再構築中は通信ができないため，障害通知が失敗する	平成 30 年午後 I 問 2
			・SNMP トラップは応答確認がないため，通知の失敗が分からない。そのため，応答確認がある SNMP インフォームを用いる	
	SNMP		・コミュニティ名	平成 23 年午後 I 問 3
			・MIB カウンタ値のラップ	平成 22 年午後 I 問 2
	ログ		・syslog	令和 4 年午後 I 問 1 平成 30 年午後 I 問 2
バックアップ	・メールアーカイブ			平成 23 年午後 I 問 2
	・リモートバックアップの重複排除技術			平成 22 年午後 II 問 1
その他	・ミラーポートの設定，取り込む側のプロミスキャスモードの設定			令和 4 年午後 I 問 1 平成 27 年午後 I 問 3 平成 26 年午後 II 問 2
	・サーバ間で時刻同期をとる			令和 4 年午後 I 問 3
	・KVM 装置			平成 21 年午後 II 問 2

9.2 · 運用設計

　移行・運用に先立ち，運用設計を行う。ここでは，試験範囲に絞って，システム基盤の運用体制・環境の整備と，提供するサービスの設計について解説する。

9.2.1　体制・環境の整備

　運用管理の業務を遂行するためには，ネットワークの目的やサービスの利用実態に照らして運用の体制を整備し，環境を構築することが，第一に求められている。

　運用体制の整備には，運用組織を確立すること，運用ルールを定めること，運用要員に教育を施すこと，利用者対応や外部業者対応の取決めを設けることなどがある。

　環境の構築には，システム基盤のハードウェア機器を設置するための前提条件や制約事項を明確にし，それに見合った設備を用意することなどがある。出題頻度は高くないものの，電源系統の二重化やスペース節約について出題されたことがある。

●運用組織

　運用組織を確立する上で必要とされるのは，組織とその要員が担う責任範囲と役割領域を明確にすることである。そのためには，それらが運用規程で明文化されていなければならない。

　また，体制を整備する上で，利用者から見た連絡窓口が明確になっていることは重要である。

　窓口の機能を果たすものをサービスデスクという。窓口は単一窓口（SPOC：Single Point Of Contact）であることが望ましい。利用者にとって窓口が明確になっていないと，専門家にコンタクトを取ろうとすることが考えられる。その結果，専門家が本来行うべき業務の時間が割かれてしまい，結果としてコストの増大を招くことになる。

　さらに，組織内で効率的なインシデント管理を行う体制を整備することも重要である。インシデントとは，サービスの質の低下

試験に出る

障害時の情報を一元管理するため，連絡体制を整備することについて，平成21年午後II問2で出題された

を招く事象であり，本来の標準的な運営の一部ではないものである。運用組織は，インシデントの悪影響を最小限に抑え，できる限り素早く正常なサービスに回復させる必要がある。

インシデント対応においては，最初の連絡窓口で初期対応が可能かどうかを判断し，それができない場合は専門家（サポート要員）にエスカレーションを行う。サービスの復旧に向けて要員を割り当て，終結した後は再発防止に努めなければならない。

なお，インシデント対応について，詳しくは本章の「9.4.2　インシデント管理」で解説している。

●運用ルール

安定したシステム運用を実現するためには，運用作業を標準化し，サービス品質を一定に保つ必要がある。そこで重要となるのが運用ルールの策定である。自社内で情報セキュリティポリシを定めている場合は，それと運用ルールの整合性が取られている必要がある。

運用ルールを定めた文書として，運用組織やサービスの概要を定めた「運用規程」と，具体的な作業やスケジュールを定めた「運用マニュアル」などを整備するとよい。

運用規程に記載するべき事項の一例を次に示す。

試験に出る

平成26年午後II問1では，標的型メールを題材に，管理規程に盛り込むべき内容について出題された

表：運用規程に記載する事項の一例

項　目	内　容
運用要件	サービスの目標。構成管理，障害管理，性能管理，セキュリティ管理など，提供するサービスの範囲とそのレベル
運用組織	運用組織の構成と要員数。要員の責任範囲と役割領域。利用者から見た連絡窓口や組織内のエスカレーション体制
運用システム	運用対象となるシステムの構成
運用業務	定常作業／非定常作業など，運用組織が遂行する業務の内容とそのスケジュールについて（具体的な作業手順は運用マニュアルに記載する）
運用コスト	業務遂行に必要な人件費（要員数と作業時間数），管理ツールや機材の購入費，保守費，トレーニングの費用など

運用マニュアルは，運用規程に定められた業務を詳細に記述したものである。運用マニュアルは，「定常作業用」と「非定常作業用」の二つに大きく分けることができる。それらに記載する項目の一例を次に示す。必要に応じ，個別の作業手順を記載したマニュアルを別途用意してもよい。

第9章

- **定常作業用のマニュアル**

  日常業務に使用する。例えば，データバックアップ，ネットワーク監視，ログ分析，機材の保守点検や所在確認などが該当する。定期的に行う作業について，日次，週次，月次などに区分して記載する。また，随時に行う作業についても記載する。例えば，アカウント登録／抹消，ネットワーク構成変更（機器の増設／移設／撤去，アドレス割振り），セキュリティパッチ適用などが該当する。

- **非定常作業用のマニュアル**

  インシデント対応に使用する。例えば，種々のトラブル対応手順やリカバリ手順を具体的に記述する。

● 要員の教育

試験に出る
作業手順書にないことを担当者だけの判断で実施しないことについて，平成21年午後Ⅱ 問2で出題された

　組織に見合ったメンバを要員として選んだ後，必要なスキルを身に付けさせるため，要員に教育を施す必要がある。例えば，データの可用性を確保するためにバックアップを取得していながら，リカバリ作業で失敗するようなことがあってはならない。

　安定したサービスレベルを維持するためには，要員による運用手順書の遵守が大切である。それとともに，定められたルールの真意を要員が理解していることも大切である。

　マニュアルに定められていない事態に直面しても，問題の兆候を機敏に察知して，臨機応変に対応して危機を回避する能力が要員には求められている。これを「マインドフル」（mindful）という。

　その逆に，型にはまった対応しかできなかったり，マニュアルの変更に対して感情的な抵抗を感じたりすることを「マインドレス」（mindless）という。

　要員の教育には，知識やスキルの向上を目指すことだけでなく，要員の意識やモチベーションを高め，マインドフルな状態を維持できるようにすることも含まれている。

● 利用者への対応

　EUC（End User Computing）環境の拡大に伴い，利用者（エンドユーザ）に対するサポート体制の強化が重要となっている。

　それだけでなく，設定マニュアルや **FAQ**（Frequently Asked Question）を整備しておくこと，利用者が理解できる言葉で啓蒙することも重要である。これにより，軽微なインシデントを利用者側で解決できるようになれば，運用組織側の負担を削減することができる。

● 外部業者への対応

　システムインテグレータやベンダに対し，ネットワークシステムの構築を依頼する場合は，発注側と受注側の双方に誤解が生じないよう，十分な取決めに基づいて業務委託契約を締結する必要がある。複数の業者に依頼する場合は，作業スケジュールの調整や，業者間の意見調整などが求められる。

　運用稼働後は，ハードウェア及びソフトウェアのベンダと保守契約を結ぶかどうかを決定する。保守は，ベンダから技術者が派遣される「オンサイト保守」と，実作業は自らが行う「オフサイト保守」に大別できる。なお，マルチベンダ環境においては，障害発生時の初動の切分けを自分たちで行い，保守対応を依頼すべきベンダを識別することが求められる。

　サービスプロバイダや通信事業者のサービスを利用する場合は，SLA を締結することが多い。**SLA**（Service Level Agreement，サービスレベル合意文書）とは，サービスの提供者と受益者の間で取り交わされる合意文書である。「合意文書」（agreement）という語は必ずしも法的な契約を意味するものではなく，重要なサービスについての目標と責任について双方が合意していることを表している。その内容は分かりやすく，具体的，かつ現実的なものであることが求められる。

　たとえ SLA を締結しなかった場合でも，業者との間で責任分界点を定め，障害発生時の切分け手順，連絡手順，及び役割分担などを明確に規定し，双方で合意しておく必要がある。

試験に出る

SLA に記載する内容について，平成 26 年午前 I 問 20 で出題された

● システム環境

　システム基盤の構築に当たって，ハードウェア機器を設置するための設備を整える必要がある。

　試験ではあまり出題されていない分野であるが，出題例を挙げておく。

・電源

平成 21 年午後 II 問 2 では，機器の配置設計で電源容量を考慮することが言及されている。電源容量の計算，電源系統を二重化する配線設計が出題されている。

・スペース

平成 23 年午後 II 問 2 では，ブレードサーバを導入するメリットが出題されている。そのメリットとは，外部インタフェースの接続スペースを節約でき，配線数を削減できることである。

・検証環境の設置

平成 20 年午後 II 問 2 では，本番環境に影響を与えないようにするため，検証環境を別途設置する必要性について出題されている。

9.2.2 サービスの設計

本章の「9.1.1 移行・運用の全体像」で述べたとおり，試験で出題される運用設計は，IT が関わる部分である。例を挙げると，監視（稼働監視，性能監視，ログ監視），バックアップ，時刻同期，パッチの更新などがある。

なお，監視に用いられるプロトコルについて，詳しくは付録PDF「9.5 ネットワーク監視」を参照していただきたい。

● 稼働監視

稼働監視では，複数のネットワーク階層を対象に実施するとよい。監視対象サーバに対して定期的に ping コマンドを投入することは，ネットワーク層レベルの死活監視を行っていることになる。監視対象サーバの特定のポートに対して定期的に TCP コネクションを接続することは，トランスポート層レベルの死活監視を行っていることになる。監視対象サーバが Web サーバであれば，特定の URL に対して定期的に HTTP リクエストを発行することは，アプリケーション層レベルの死活監視を行っていることになる。

稼働監視の結果，異常が検知されたならば，ネットワーク管理者に通知する必要がある。業務用ネットワークがダウンするなどして監視サーバからの通知が届かなくなってしまうことがないよう，稼働監視では，業務用ネットワークと監視ネットワークを別々に設けることなども行われている。こうすることにより，業務用ネットワークの影響を受けないようになる。

また，障害の通知においては，複数の検知内容を関連付け，それらを「1件の異常」として識別するとよい。1件の異常に対して複数のアラートが発生するなら，障害の切分けや原因究明に役立つ重要な情報が大量のアラートの中に埋もれてしまう可能性があるからだ。

この点，市販の監視ツールには，アラートを集約する機能を装備したものがある。代表的な例を二つ紹介しよう。

例1) 経路途中の障害経路

経路途中で障害が発生した場合，その先にある監視対象機器との通信が一斉に途絶えてしまう。このような事象は経路途中の障害に特有のものなので，その障害であると判断し，1件のアラートに集約して通知する。

例2) 復旧期間中の非通知

通常，障害から復旧するまでには時間がかかる。そこで，対象機器のダウンを検知したとき，前回の監視時でも当該機器のダウンを検知していたのであれば，同じ内容のアラート通知を控える機能がある。つまり，今回の異常が前回から継続したものであるならば，「1件の異常」として識別するのである。当該機器への一定間隔の監視は継続しているので，もし応答があったら，障害から復旧したと判断する。そして，それ以降，再びダウンを検知したら，新たな障害が発生したと判断して，アラートを通知する。

● 性能監視

性能劣化は，突然起こることは少なく，システムの稼動後に徐々に発生していく。したがって，一定期間にわたって監視し，蓄積したデータを分析して，性能劣化の兆候を探る必要がある。

試験に出る

複数のネットワーク階層を対象に監視することについて，令和4年午後II問2で出題された。

負荷分散装置のヘルスチェック機能は，振り分け先サーバのレイヤー3，4及び7レベルの稼働監視を行い，障害が発生したサーバを振分け対象から除外する機能である。この点について，令和5年午後II問2（レイヤー7方式），令和元年午後I問2（レイヤー7方式）で出題された。

複数の検知内容を関連付けて通知することについて，平成23年午後I問1で出題された

試験に出る

Webサーバの性能監視項目について，平成24年午後I問1で出題された。監視用パケットのポーリングポイントを設定する際，業務用通信に影響を与えないように配慮する点について，平成22年午後I問2で出題された

第9章

　市販の性能監視ツールには，アクセス数などをレポーティングする機能をもつものがある。例えば，1時間単位，1日単位，1週間単位，1か月単位など，一定期間ごとに平均値を取って，アクセスの増加傾向などをグラフ化して表示する。

　ネットワーク機器の性能監視では，監視対象のネットワーク機器に定期的にポーリングし，MIB情報を取得することがよく行われている。監視用パケットのポーリングポイントを設定する際，業務用通信の帯域に影響を与えないように配慮する必要がある。

●ログ監視

　大量のイベントログがあると重要な情報を発見しづらくなるため，特定のメッセージだけをフィルタリングするなど，目的に応じてイベントログを記録しておく必要がある。

　不正アクセスなどを検知するため，認証に失敗したログなどを取得することがある。不正アクセスの早期発見に努めるため，そのようなログは短い間隔で検査しなければならない。

●バックアップ

　データのバックアップは運用管理における重要な業務なので，バックアップの取得方法からメディアの保管方法に至るまで明確に定めて，マニュアルを整備しておくべきである。そこに記載する事項としては，例えば次のようなものがある。

- 対象システムとデータファイル
- バックアップの種類とスケジュール
- バックアップ方法（実行するコマンドなど）
- 保存するバックアップの世代数
- メディアのローテーション方法
- メディアのラベル記載事項
- メディアの保管場所

バックアップの種類には次のようなものがある。

- フルバックアップ
  全てのデータが対象となる。

試験に出る

ログを監視することによって，通信量の突発的な異常を検知できることについて，令和3年午後II問2で出題された。
ログの検査間隔を短くして早期発見に結び付けることについて，平成26年午後II問1で出題された。ログの検査条件を適時見直す必要性について，平成26年午後II問1で出題された。ログ転送に用いられるsyslogについて，令和4年午後I問1，平成30年午後I問2で出題された

試験に出る

データのバックアップについて，平成22年午後II問1で出題された。
メールのバックアップ（メールアーカイブ）について，平成23年午後I問2で出題された

- **増分バックアップ**

  前回のバックアップ（フル又は増分）からの変更分が対象
  となる。

- **差分バックアップ**

  前回のフルバックアップからの変更分が対象となる。

　フルバックアップは，バックアップ時間がかかり所要容量もか
さむが，データ復旧時間を短くすることができる。バックアップ
を計画するときは，データ復旧の目標時間を念頭に置いて，フル
バックアップと増分／差分バックアップを適切に組み合わせる必
要がある。

　バックアップに関連した業務のうち，運用管理者が日々行うべ
きもの（自動化できないもの）が幾つかある。

　一つ目は，バックアップジョブが正常に実行されることの確認
である。ジョブが実行できない原因の一つにバックアップ領域の
容量不足があるので，十分な空き容量があるかも確認しておくと
よい。

　二つ目は，バックアップメディアの管理である。バックアップ
データをメディアに保存する場合，メディアにラベルを貼付し，
耐火金庫などのしかるべき場所に保管しておく。

　三つ目は，バックアップデータからリストアする訓練である。
要員のスキルを維持しておくことで，いざ障害が発生したときに
も，迅速かつ確実にリストアできるようになる。また，このよう
な訓練の機会を通し，マニュアルの記述を見直して整備すること
もできるだろう。

●時刻同期

　自社のサーバの時刻が不正確であるなら，複数のサーバ間で時
刻がずれてしまう。その結果，サーバ間でファイルやデータベー
スを共有する際に不具合が生じる可能性がある。さらに，インシ
デントが発生したときにサーバ間のログを突き合わせて解析する
ことがあるが，ログの時刻がずれているならば解析に支障が生じ
る可能性もある。

　サーバの時刻を正確に維持するために通常採用されている方
法は，正確な時刻情報を保持しているタイムサーバから時刻情報

第9章

を受給する，というものである。このとき利用するプロトコルが**NTP**（Network Time Protocol）である。インターネット上にはタイムサーバ（以下，公開タイムサーバという）が数多く設置されており，無償で利用可能である。

ただし，インターネット経由の通信はベストエフォートであり，遅延の影響を受ける。

公開タイムサーバに対し，自社のサーバが各々接続するなら，それぞれの遅延時間にばらつきが生じる可能性がある。そうなると，サーバ間の時刻がわずかながらずれてしまう。これを回避する方法には主に二つある。一つ目は，公開タイムサーバは，自社から見てネットワーク的に近いもの（遅延の影響が小さいもの）を選ぶようにすることである。二つ目は，自社ネットワーク上にタイムサーバ（以下，社内タイムサーバ）を設置し，公開タイムサーバに接続するのは社内タイムサーバに限定し，かつ，自社のサーバは社内タイムサーバから時刻情報を受給することである。自社ネットワークでは遅延時間のばらつきはほぼないからだ。

● パッチの更新

インストールされたソフトウェアの欠陥（セキュリティホールなど）の脆弱性を塞ぐため，ソフトウェアのベンダから提供されるパッチを迅速に適用することが求められる。さらには，パッチ適用状況の確認方法，未実施端末への対応についても策定しておくとよい。

稀にではあるが，パッチを適用することで，他のソフトウェアに悪影響を及ぼす可能性がある。ベンダから提供されるパッチ自体に欠陥があるかもしれない。そこで，ソフトウェアごとにパッチの適用方針（自動更新の可否，等）を定めておく。自動更新しない場合は，本番環境とは別に用意した検証環境で，パッチ適用による悪影響がないことを事前に確認することになる。

試験に出る

利用しているサービスの脆弱性とそのセキュリティパッチが公開されたとき，早急にパッチを適用する必要がある。とはいえ，パッチ適用には時間がかかる。パッチを適用し終えるまでの一時的な運用として，IPS（侵入防御システム）の中には，脆弱性をもつ通信を遮断する機能をもつものがある。このIPSの機能を用いた一時的な運用について，平成27年午後I問3で出題された

9.3 ・ 移行

運用設計したサービスを展開するために，移行を行う。ここでは，試験範囲に絞って，移行の計画，実施及びテストについて解説する。さらに，移行に伴ってシステム基盤の構成に変化が生じるので，そのときに実施する構成管理についても解説する。

9.3.1 計画，実施，テスト

●計画

現行環境へのサービスの追加，現行サービスの変更に当たって，移行を計画しなければならない。

移行を計画するときは，移行の時期，方式，対象に基づき，次に示す項目を決定する。

- 作業の工程と順序
- 各工程の開始時刻と所要時間
- 各工程の担当者
- 作業に必要なもの（ツール，データ）
- 動作テスト

移行の工程の中で，利用者が行うものがある場合，分かりやすい手順書を用意し，十分な期間を見込んでおく必要がある。

移行によくありがちなエラーとして，設定のミス，誤った操作や配線，機器の不具合などがある。このように予測できるエラーについては，動作テストの中で容易に確認できるように解析手段を用意し，対処策を準備しておく。移行の実施時に慌てて考えるのではなく，前もって決めておくわけだ。

移行に取り掛かる前に確認しておくべき点があれば，その点も明確にしておく。例えば，システムを構築してから本番環境に移行するときには，移行するシステムの動作，移行するデータの完全性は，テストされていなければならない。この前提条件が満たされていないなら，移行時に障害が発生したときに，その切分けが難しくなる。原因がシステムやデータにある可能性を否定できなくなるからだ。

詳説

移行の方式には，一括方式，段階方式がある。段階方式は，拠点を分けて行うもの，機能を分けて行うものがある。
移行の対象には，ソフトウェア，ハードウェア，データ，備品などがある。データの移行では，データ量，データ形式の変更要否などを確認しておくとよい

試験に出る

段階的移行について，令和元年午後II問1で出題された。
作業に必要なドキュメントには，構成図，設定情報，配線図，動作確認テスト手順書などがある。その点について，平成24年午後II問2で出題された。
利用者が行う手順は，十分な期間を見込んでおく必要があることについて，平成23年午後II問2で出題された。
データ移行について，平成22年午後II問1で出題された

旧サーバから新サーバに業務サーバを移行するとき，移行期間中も業務を停止させたくないときがある。このとき，新旧サーバを並行稼働させなければならない。

通常，新旧サーバのIPアドレスは異なるがホスト名を同じくするので，新サーバにアクセスさせるため，DNSのAレコードの書き換えが必要となる。並行稼働の期間を短くするために，移行前からDNSのTTLをあらかじめ短くしておくとよい。

・リハーサルの重要性

計画の精度を高めるために，前もってリハーサルをしておくことが重要である。机上の検討だけでは不確かなことがあるからだ。例えば，作業の難易度や所要時間を確認できる。作業に必要なツールやデータ，作業者に求められているスキルなどは，実際に手を動かしてみることで，足りなかったものに気付きやすくなる。

さらに，リハーサルでは，エラーが発生したときの解析手段や対応方法についても検証しておき，その有効性を確かめておくとよい。

・切り戻しの重要性

いざというときに切り戻せるように計画を立てることも大切である。そのためには，次のものを工程に含めておく。

- 設定を変更する前にバックアップを取っておく。
- 移行の全ての手順が成功するまでは，機器を撤去しない。
- 要所要所でチェックポイントを設けておく。

チェックポイントでは，主要関係者が集まり，状況を確認した上で，次工程に進むか否かを判断する。問題点がある場合は，リトライするか切り戻しをするかを判断する。計画段階で，その判断基準をあらかじめ設けておく必要がある。

移行の工程が進むにつれて，切り戻すための所要時間も長くなる。切り戻しの所要時間も見積もっておき，切り戻しの実施可能なデッドタイムラインを定めておく。

●実施とテスト

移行の計画時に作成した手順書に従って，移行を実施する。

手順書にないことを担当者の独断で行わないようにし，不明点は
しかるべき担当者に確認する必要がある。

　切替え時間と切り戻し時間を短くするために，機器の設定ファ
イルを事前に用意しておくとよい。その設定ファイルを指定して
機器を再起動するだけで，設定が完了するからだ。

　前述のとおり，移行を計画する段階で，要所要所で動作テスト
を実施することも決めておく必要がある。テストで確認すること
は，移行手順の正当性，移行前後のデータの完全性などである。

　エラーが発生したときには，しかるべき担当者にただちに連絡
する。移行に許される時間は限られており，いざというときには
切り戻さなくてはならないからだ。もちろん，軽微なエラーであ
れば，リカバリしたりリトライしたりして，解決できる可能性が
ある。そのためにも，エラーの解析手段や対応策を計画段階で検
討しておくことは重要である。事前に用意したそれらの方法で解
決できなかった場合には，切り戻すことになる。

　こまめに確認を取ることでエラーを早期に発見でき，切り戻し
の判断も的確に下せるようになる。

9.3.2　構成管理と変更管理

　ITサービスにおける「構成」（configuration）とは，ネットワー
ク，ハードウェア，ソフトウェア，設定情報，マニュアル，備品，
消耗品など，ITサービスを提供する上で必要な構成要素とその
集合体を指す。

　ITサービスの構成要素を管理するプロセスを，構成管理という。
構成管理では，相互に結び付いた構成要素の関連を管理するこ
とと，サービスの変化に追随して内容を日々更新していくことが
重要である。

　ITサービスが変化し，その構成に変更を加えるときは，まず，
その変更を行うべきかどうかを判断する必要がある。この変更の
可否判断を行うプロセスを，変更管理という。

　変更することを決定した後，移行を計画し実施することになる。

● 構成管理

構成管理は，運用管理のあらゆるプロセスに関連する重要な業務である。

構成管理が適切に行われていないなら，何らかの問題が発生したとき，それがどの構成要素と関連しているのかを正確に把握できず，解決策，被害拡大防止策，再発防止策を有効に打ち出せなくなる。また，ある構成要素を変更する際も，その影響範囲を把握できないため，影響分析に時間がかかる。

さらに，認められていない不適切な外部要素の混入を発見するのも困難となるので，それを原因とするシステム障害やセキュリティ侵害が発生する可能性もある。

構成管理を首尾よく実施する上で重要となるのが，一元管理，構成要素の識別，変更時の速やかな更新である。

- **一元管理**
  構成情報を文書化／電子化して一元管理する。管理体系がバラバラになっていると，登録漏れや二重登録が生じる可能性がある。

- **構成要素の識別**
  構成要素を細分化してもキリがないため，組織もしくはサービスにとって必要な詳細化のレベルを定めておく必要がある。構成要素の登録に際しては，要素のタイプを識別し，管理番号を与え，現物にラベルを貼る。ラベルに記載する内容は，運用マニュアルに定めておく。
  例えば，ケーブルの両端にラベルが貼られていなかったり，バックアップ用テープメディアの記載内容に漏れがあったりすると，ケーブルの断線障害やデータの消失といった不測の事態が発生したとき，復旧に手間取ることになる。

- **変更時の速やかな更新**
  構成が変化したら，構成情報を速やかに更新する必要がある。そのために，更新する手順や更新する担当者をあらかじめ決めておくとよい。

試験に出る

構成変更の手順を決めておくことについて，平成21年午後Ⅱ問2で出題された

構成情報の登録の際は，できる限りツールを導入することが望ましい。例えば，ネットワークに収容されている機器をツールで

監視していれば，機器構成の変化に自動的に追随でき，構成情報をリアルタイムに更新できる。さらに，登録作業における人的ミスの削減や，省力化に伴う人的コストの削減も図ることができる。

● 変更管理

構成を変更したいという要求に基づき，変更可否を判断する。

そのための手順，判断するための基準，判断する責任者などをきちんと定めておく必要がある。その際，変更の内容に応じて，可否判断の手順を幾つか用意しておくことができる。

例えば，次のようなものが考えられる。

- **通常の変更**

  前述のとおり，しかるべき責任者の許可なくては変更を行えないようにしておく。

- **標準的な変更**

  標準的な内容であれば，責任者の判断を逐一仰ぐことなく行ってよいものとする。例えば，クライアント端末の OS のパッチ自動更新などがある。

- **緊急を要する変更**

  サイバー攻撃など，深刻な障害をもたらしかねず，ネットワーク切断といった応急処置を速やかに講ずる必要があるものは，セキュリティ担当者の判断で変更してもよいものとする。このような緊急性を有する変更については，その権限と責任をあらかじめ委ねておくことができる。

通常の変更では，その可否判断に当たって変更の影響を分析する必要がある。例えば，その変更を許可することによって，アクセス経路が変化して性能が劣化しないかどうか，セキュリティの脅威や脆弱性が発生しないかどうか，などの変更に伴う様々なリスクを検討しておく必要がある。

さらに，変更にかかるコストも重要な判断材料となる。新たに構成要素を追加するとき，その構成要素を調達するためのコストはもちろんのこと，現行環境に移行するためのコスト，日々運用するためのランニングコストもかかる。そのようなコストに見合うだけの価値があるかどうかも検討する必要がある。

試験に出る

プロキシサーバの入替えに伴う性能劣化（ボトルネックの発生）を分析する問題が平成 22 年午後I問 1 で出題された

● ドキュメント類

　構成管理では，種々のドキュメントを整備することが求められる。特に決まったフォーマットはないが，必要なドキュメント類には次のようなものがある。

表：構成管理に必要なドキュメント類

実施事項	内　容
ネットワーク構成図 （論理構成）	サーバやルータのホスト名／アドレス情報を記載する。実際の機器構成とは異なっており，物理層レベルの構成（ハブなど）は省略される。上位層から見たネットワークの全体像を把握するのに適している
ネットワーク構成図 （物理構成）	機器の配線図を記載する。ネットワークの物理的な接続構成を把握するのに適している。通常，詳細なロケーション情報は省略されるが，必要に応じて，別途用意してもよい。例えば，サーバルームのラックに収容されている機器の位置，PC の配置を記したオフィスレイアウトなどがある
電源系統図	電源容量の算出に役立つ
通信設備台帳	通信事業者が敷設した WAN 回線など，通信設備の情報を記載する
機器管理台帳 サーバ管理台帳 PC 管理台帳	品目情報（製品名，型番，ベンダ名など），個別情報（製造シリアル番号，インストールされた OS ／アプリケーション，内蔵／外付けされた付属品など），サポート情報，及び管理情報（管理番号，ホスト名，アドレス，設置場所，管理責任者など）を記載する。管理者用パスワードは，当該機器の管理責任者（又は運用組織の統括責任者）が厳重に管理する。機器の設定情報（コンフィグレーション情報）は，リセットなどによるデータ消失に備えて，安全な場所（例：別のサーバ）に保管しておく
備品管理台帳 消耗品管理台帳	通常は品目単位に在庫数量を管理する。必要に応じ，一品ごとに管理番号を与えて個別管理を導入する
ソフトウェア管理台帳	品目情報（製品名，型番，ベンダ名など），サポート情報，及びライセンス情報（ライセンス番号，ライセンス形態など）を記載する
契約書，マニュアル類	ソフトウェアライセンス契約書，サポート契約書，製品マニュアル類は，別途，書棚に保管する
資産管理台帳	ファイナンシャル情報（購入時期／購入費，リース期間／月額費，レンタル期間／月額費，サポート保守費用など）を記載する

9.4 運用

ITサービスを移行した後，運用が開始される。運用は，通常運用と障害時運用に大別することができる。このうち，試験でよく出題されるのは，障害時運用である。障害時運用には，インシデント管理，問題管理と呼ばれるプロセスがある。

ここでは，試験範囲に絞って，通常運用の管理，インシデント管理，及び，問題管理の3点について解説する。

9.4.1 通常運用の管理

通常運用には，自動化されていない作業と自動化された処理とがある。

自動化されていない作業の代表例は，利用者への対応であろう。利用者からは日々様々な要望が上がってくる。例えば，アカウント情報の登録や変更，オペレーションに関する質問対応などがある。

利用者対応について，詳しくは本章の「9.2.1 体制・環境の整備」で解説しているので参照していただきたい。

自動化された処理の代表例は，監視，バックアップ，時刻同期，パッチの自動更新などである。とはいえ，これらの処理が適正に実行されているかどうか，最終的には人間が確認しなければならない。

例えば，バックアップを取得するジョブを定期的に実行しているのであれば，そのジョブが正常に実行されているかどうかを，ログやメッセージなどで確認する必要がある。

試験では，通常運用についてはあまり出題されない。通常運用に入る前段階の，運用設計の観点から主に出題される。詳しくは，本章の「9.2.2 サービスの設計」で解説したとおりである。

9.4.2 インシデント管理

インシデントとは，ITサービスの停止，又はサービス品質を低下させる事象のことである。

インシデントが発生したとき，その原因と解決策が同時に確定できるとは限らない。その場合は，サービスの復旧を優先させる必要がある。このように，インシデントが発生したときにサービス復旧を目指すプロセスのことを，インシデント管理という。

一方，原因を究明して除去することや，再発を防止することなどは，別のプロセスである。これは問題管理という。問題管理は，次項「9.4.3　問題管理」で説明する。

インシデントの対応手順を次に示す。

①インシデントの検出と記録

利用者からの通報や監視システムからアラート通知をサービスデスクが受け付ける。まず最初に行うのは，記録に残すことである。受け付けられたインシデントは，作業の進捗とともに記録されていき，最終的に保管される必要がある。

②インシデントの種類と優先度を判別

情報を収集してインシデントを分類する。

インシデントの緊急度と影響度に基づき，優先度を決定する。

③初期の診断／エスカレーション

サービスデスクで対応できるか，もしくはサポート部門にエスカレーションするかを見極める。これを初期の診断という。

もし類似したインシデントが過去に発生しており，かつ，その記録がきちんとデータベース化されていれば，それと照らし合わせることで早期に解決できる。類似したインシデントが発生していた場合，その対応策を今回適用できるかどうかを判断する。

④障害の連絡

解決に時間を要すると判断されるインシデントについては，関連する利用者部門に障害を連絡し，協力を要請する必要がある。利用者部門への連絡は，経過報告も含め，その後も適時行う必要がある。

⑤調査と診断

インシデントの調査と診断を行い，サービス復旧に向けた対応策を検討する。

詳説

インシデントの記録票のフォーマットをあらかじめ決めておく。インシデントの検出時に記録される項目は，例えば，次のようなものがある。

・インシデント番号，記録日時，検出の方法，（利用者からの通報の場合）通報者名と今後の連絡先，受付者名，発生日時，発生場所，発生時の症状（画面に表示されたエラーメッセージなど），発生前後の出来事とその正確な順序（利用者が行った操作など）

インシデントが解決するまでに，次の項目が順次埋まっていく。

・インシデントの種類（障害／問合せ／変更要求／他），既知のエラーとの照合，関連する構成要素（ハードウェア／ソフトウェア），緊急度，影響度，優先度，エスカレーション時の担当者名，対応の履歴（日時と内容），ステータス，解決日時

詳説

応急処置で対応した場合，後日，本格復旧を行うことになる

原因がすぐに判明し，障害を恒久的に除去できれば，それに越したことはない。しかし，原因の究明には相当の時間がかかることが多い。そこで，応急処置でも構わないので，サービスの早期復旧を優先して対応策を講ずることになる。対応策を見極めるためには，障害がどこで発生しているのかを突き止めなくてはならない。障害の部位を特定することを，「切分け」という。

一般的に言って，障害の切分けは，障害を含む範囲と含まない範囲を明確にし，障害を含む範囲を徐々に絞り込むことによって達成される。そのためには，仮説検証型のアプローチを用いればよい。すなわち，切分け対象となる範囲に障害がある（又は，障害がない）という仮説を立て，その仮説から導かれる事象の発生を検証すればよい。

障害部位が特定されたならば，対応策を決定する。

よく用いられるのは，「正常なものと交換する」という方法である。故障している場合，これは有効な方法だ。

交換できない場合は，「全体から切り離す」という方法もある。残った正常なものでサービスを復旧できる場合は，この方法も有効である。

⑥ 復旧策の実施

決定した復旧策を実行する。

⑦ インシデントのクローズ

復旧したら利用者部署や運用責任者に復旧を報告し，これをもってインシデントを終結する。

詳説

障害の切分けの際，次のような情報も役に立つ。インシデントを受け付けた時点できちんと記録を取っておくことで，診断に役立たせることができる。
・発生時の症状
・発生前後の出来事とその正確な順序
・影響範囲
・既知のエラーの情報，類似のインシデントの情報

9.4.3 問題管理

障害への対応には，インシデント管理だけでなく，障害を早期に発見すること，障害に迅速に対応して早期に復旧できるよう事前に備えておくこと，障害の真の原因を究明して再発を防止することも含まれている。これを問題管理という。

● 早期発見

早期発見の代表的な手段を次に示す。

- **監視**
  監視システムを用い，機器やプロセスの稼働状態を常時確認する。さらに，ログを採取し，ツールを用いてアラートやエラーを検出する。
- **定期保守**
  システムや機器の稼働状態を定期的に点検する。ベンダの保守サービスに含まれていることがある。さらに，ファームウェア，OS，アプリケーションソフトのセキュリティパッチを逐次適用する（なお，稼働中のシステムに関しては，パッチ適用によって障害が発生しないか，事前にテストするとよい）。
- **情報収集**
  ベンダなどが提供する情報を収集する。
- **構成管理**
  インシデントに関連する構成要素を速やかに分析するために，構成管理情報が常に最新の状態に更新されていることが不可欠である。

● 早期対応，早期復旧

早期対応，早期復旧の代表的な手段を次に示す。

- **インシデント対応の評価と見直し**
  インシデントがクローズした後，今回の対応に改善すべき点はなかったかを見直し，将来の発生に備えておく。
  インシデント対応はあくまでもサービスの復旧を目指した

ものである。有効な再発防止策がとられるまで，インシデント再発の可能性がある。それゆえ，より良い対応策を検討しておく。

- **インシデント記録のデータベース化**

  今回の経験を次回に活かせるように，記録をデータベース化して検索できるようにしておく。

- **既知のエラーのデータベース化**

  根本原因と有効な対応策が明らかになった場合，その記録を残しておき，データベース化しておく。

  原因と対策が特定できたものを，既知のエラーと呼ぶ。

- **マニュアル作成**

  対応策の中には，決められた手順に従って慎重に行うべきものがある。不適切な処置は新たな障害をもたらしかねない。サポート要員の誰もが対応策を確実に実行できるよう，マニュアルを準備しておく。

- **要員の訓練**

  想定されるリスクの大きさに応じ，定期的に訓練を施す。

- **データのバックアップ**

  データの消失は業務に深刻な被害をもたらす。定期的にバックアップを取っていれば，たとえ機器を交換するような事態が発生しても，障害発生前の時点にさかのぼって業務を再開できる。

  さらに，バックアップしたデータは，過失によって消去されたデータを復元するのにも使用される。業務のトランザクション処理で，利用者が誤って削除指示を発行し，その処理がコミットしてしまったら，もはやロールバックできなくなる。バックアップしたデータがあれば，そこから戻すことができる。

●原因究明と再発防止

原因の究明は一筋縄ではいかないことも多いが，もしかすると，過去に似たような障害を経験しており，それが解決のヒントにつながるかもしれない。

そこで，過去の調査結果を整理してデータベース化し，原因の

究明に役立てるようにしておくとよい。

　原因を究明したら，原因を除去し，再発を防止する方法を見つけ出す必要がある。

　再発防止策は，何らかの構成変更を伴うことがある。例えば，機器の設定を変更したり，機器にパッチを適用したりすることなどだ。その変更が新たな障害をもたらす可能性があるので，再発防止策をテストする必要がある。

　再発防止策の検証のために，本番環境とは異なる検証環境を別途設けておくとよい。その環境で，障害を正確に再現できるか，障害を除去できるか，再発を防止できるかを，入念に確認する。

　検証した後，変更管理のプロセスに従って変更の承認を得てから，再発防止策を実行する。

令和6年度春期
本試験問題・解答・解説

ここには令和6年（2024年）度春期に行われた試験問題,及びその解答・解説を掲載する。

平成16年（2004年）度春期試験より,情報処理推進機構（IPA）から試験問題の正解又は解答例が公表されている。また,平成18年（2006年）度秋期試験より,採点講評が公表されるようになった。本書解説中の「解答例」「出題趣旨」「採点講評」は,公表されたものに従っている。

午前I及び午前IIの解答・解説は,翔泳社のWebサイトで配布しています。
入手方法などについては,巻頭「本書の使い方」のxviページをご覧ください。

午後Ⅰ問題

ネットワークスペシャリスト試験
午後Ⅰ　問題

試験時間	12:30 ～ 14:00 （1 時間 30 分）

注意事項

1. 試験開始及び終了は，監督員の時計が基準です。監督員の指示に従ってください。

2. 試験開始の合図があるまで，問題冊子を開いて中を見てはいけません。

3. **答案用紙への受験番号などの記入は，試験開始の合図があってから始めてください。**

4. 問題は，次の表に従って解答してください。

問題番号	問1～問3
選択方法	2問選択

5. 答案用紙の記入に当たっては，次の指示に従ってください。

（1）B 又は HB の黒鉛筆又はシャープペンシルを使用してください。

（2）**受験番号欄に受験番号**を，**生年月日欄に受験票の生年月日**を記入してください。
正しく記入されていない場合は，採点されないことがあります。生年月日欄につい
ては，受験票の生年月日を訂正した場合でも，訂正前の生年月日を記入してくださ
い。

（3）**選択した問題**については，次の例に従って，**選択欄の問題番号を○印で囲んで**
ください。○印がない場合は，採点されま
せん。3 問とも○印で囲んだ場合は，はじ
めの 2 問について採点します。

（4）解答は，問題番号ごとに指定された枠内
に記入してください。

（5）解答は，丁寧な字ではっきりと書いてく
ださい。読みにくい場合は，減点の対象に
なります。

〔問1，問3を選択した場合の例〕

6. 退室可能時間中に退室する場合は，手を挙げて監督員に合図し，答案用紙が回収されてから静かに退室してください。

退室可能時間	13:10 ～ 13:50

7. **問題に関する質問にはお答えできません。**文意どおり解釈してください。

8. 問題冊子の余白などは，適宜利用して構いません。ただし，問題冊子を切り離して利用することはできません。

9. 試験時間中，机上に置けるものは，次のものに限ります。

　なお，会場での貸出しは行っていません。

　受験票，黒鉛筆及びシャープペンシル（B 又は HB），鉛筆削り，消しゴム，定規，時計（時計型ウェアラブル端末は除く。アラームなど時計以外の機能は使用不可），ハンカチ，ポケットティッシュ，目薬

　これら以外は机上に置けません。使用もできません。

10. 試験終了後，この問題冊子は持ち帰ることができます。

11. 答案用紙は，いかなる場合でも提出してください。回収時に提出しない場合は，採点されません。

12. 試験時間中にトイレへ行きたくなったり，気分が悪くなったりした場合は，手を挙げて監督員に合図してください。

13. 午後Ⅱの試験開始は 14:30 ですので，14:10 までに着席してください。

試験問題に記載されている会社名又は製品名は，それぞれ各社又は各組織の商標又は登録商標です。

なお，試験問題では，™ 及び ® を明記していません。

問1　コンテンツ配信ネットワークに関する次の記述を読んで，設問に答えよ。

　D社は，ゲームソフトウェア開発会社で三つのゲーム（ゲームα，ゲームβ，ゲームγ）をダウンロード販売している。D社のゲームはいずれも利用者の操作するゲーム端末上で動作し，ゲームの進捗データやスコアはゲーム端末内に暗号化して保存される。D社のゲームは世界中に利用者がおり，ゲーム本体及びゲームのシナリオデータ（以下，両方をゲームファイルという）はインターネット経由で配信されている。

〔現状の配信方式〕

　D社は，ゲームファイルの配信のためのデータセンターを所有している。

　D社データセンターの構成を図1に示す。

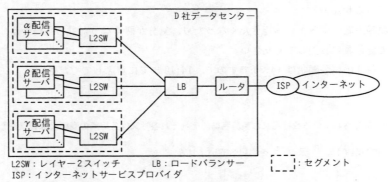

L2SW：レイヤー2スイッチ　　　LB：ロードバランサー　　┌┈┐：セグメント
ISP：インターネットサービスプロバイダ
注記　α配信サーバは，ゲームαのゲームファイルを配信するサーバである（β，γも同様）。

図1　D社データセンターの構成（抜粋）

　ゲーム端末は，インターネット経由でゲームごとにそれぞれ異なるURLにHTTPSでアクセスする。LBは，プライベートIPアドレスが設定されたHTTPの配信サーバにアクセスを振り分ける。また，①LBは配信サーバにHTTPアクセスによって死活確認を行い，動作が停止している配信サーバに対してはゲーム端末からのアクセスを振り分けない。

　ゲームファイルの配信に利用するIPアドレスとポート番号を，表1に示す。

表1　ゲームファイルの配信に利用するIPアドレスとポート番号

内容	URL	LB		配信サーバ	
		IPアドレス	ポート	所属セグメント	ポート
ゲームα	https://alpha.example.net/	203.x.11.21	443	172.21.1.0/24	80
ゲームβ	https://beta.example.net/	203.x.11.21	443	172.22.1.0/24	80
ゲームγ	https://gamma.example.net/	203.x.11.21	443	172.23.1.0/24	80

注記　203.x.11.21はグローバルIPアドレス

　D社が導入しているLBのサーバ振分けアルゴリズムには，ラウンドロビン方式及び最少接続数方式がある。ラウンドロビン方式は，ゲーム端末からの接続を接続ごとに配信サーバに順次振り分ける方式である。最少接続数方式は，ゲーム端末からの接続をその時点での接続数が最も少ない配信サーバに振り分ける方式である。

　D社のゲームファイル配信では，振り分ける先の配信サーバの性能は同じだが，接続ごとに配信するゲームファイルのサイズに大きなばらつきがあり，配信に掛かる時間が変動する。各配信サーバへの同時接続数をなるべく均等にするために，LBの振分けアルゴリズムとして　ア　方式を採用している。

　ゲームβの配信性能向上が必要になる場合には，表1中の所属セグメント　イ　にサーバを増設する。

〔配信方式の見直し〕

　D社は，ゲームファイルの大容量化と利用者のグローバル化に伴い，ゲームファイルの配信をコンテンツ配信ネットワーク（以下，CDNという）事業者のE社のサービスで行うことにした。

　E社CDNは，多数のキャッシュサーバを設置する配信拠点（以下，POPという）を複数もち，その中から，ゲーム端末のインターネット上の所在地に対して最適なPOPを配信元としてコンテンツを配信する。

　あるPOPが端末からアクセスを受けると，POP内でLBがキャッシュサーバにアクセスを振り分ける。E社CDNのキャッシュサーバにコンテンツが存在しない場合は，D社データセンターの配信サーバからE社CDNのキャッシュサーバにコンテンツが同期される。

　配信方式の見直しプロジェクトはXさんが担当することになった。Xさんは，E社

が提供している BGP anycast 方式の POP 選択方法を調査した。X さんが E 社からヒアリングした内容は次のとおりである。

　E 社 BGP anycast 方式では，同じアドレスブロックを同じ AS 番号を用いてシンガポール POP 及び東京 POP の両方から BGP で経路広告する。シンガポール POP と東京 POP の間は直接接続されていない。ゲーム端末が接続する ISP では，E 社 AS の経路情報を複数の隣接した AS から受信する。どの経路情報を採用するかは BGP の経路選択アルゴリズムで決定される。ゲーム端末からの HTTPS リクエストのパケットは，決定された経路で隣接の AS に転送される。

　BGP anycast 方式による E 社の経路広告イメージを図 2 に示す。

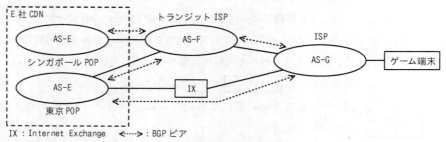

IX : Internet Exchange　<┄┄> : BGP ピア
注記　AS-E は E 社の AS，AS-G はゲーム端末が接続する ISP の AS を示す。
図 2　BGP anycast 方式による E 社の経路広告イメージ

　図 2 で IX は，レイヤー2 ネットワーク相互接続点であり，接続された隣接の AS 同士が BGP で直接接続することができる。

　BGP での経路選択では，LP（LOCAL_PREF）属性については値が　　ウ　　経路を優先し，MED（MULTI_EXIT_DISC）属性については値が　　エ　　経路を優先する。E 社では，LP 属性と MED 属性が経路選択に影響を及ぼさないように設定している。これによって②E 社のある POP からゲーム端末へのトラフィックの経路は，その POP の BGP ルータが受け取る AS Path 長によって選択される。

　X さんは，BGP のセキュリティ対策として何を行っているか，E 社の担当者に確認した。E 社 BGP ルータは，③隣接 AS の BGP ルータと MD5 認証のための共通のパスワードを設定していると説明を受けた。また，④アドレスブロックや AS 番号を偽った不正な経路情報を受け取らないための経路フィルタリングを行っていると説明があっ

た。

〔配信拠点の保護〕

　D社ではDDoS攻撃を受けることが何度かあった。そこでXさんは，コンテンツ配信サーバへのDDoS攻撃対策について，どのような対策を行っているかE社の担当者に確認したところ，E社ではRFC 5635の中で定義されたDestination Address RTBH（Remote Triggered Black Hole）Filtering（以下，RTBH方式という）のDDoS遮断システムを導入しているとの回答があった。E社POPの概要を図3に示す。

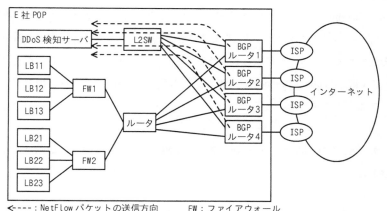

◄---- : NetFlowパケットの送信方向　　FW : ファイアウォール
注記　装置間の接続とISPの接続は，全て10Gビットイーサネットである。
図3　E社POPの概要（抜粋）

　E社のDDoS遮断システムは，RFC 3954で定義されるNetFlowで得た情報を基にDDoS攻撃の宛先IPアドレスを割り出し，該当IPアドレスへの攻撃パケットを廃棄することで，ほかのIPアドレスへの通信に影響を与えないようにする。DDoS検知サーバは，E社POP内の各BGPルータとiBGPピアリングを行っている。

　E社のBGPルータは，インターネット側インタフェースから流入するパケットの送信元と宛先のIPアドレス，ポート番号などを含むNetFlowパケットを生成する。生成されたNetFlowパケットはDDoS検知サーバに送信される。DDoS検知サーバは，送られてきたNetFlowパケットを基に独自アルゴリズムでDDoS攻撃の有無を判断し，攻撃を検知した場合はDDoS攻撃の宛先IPアドレスを取得する。

　DDoS 検知サーバは，検知した DDoS 攻撃の宛先 IP アドレスへのホスト経路を生成し RTBH 方式の対象であることを示す BGP コミュニティ属性を付与して各 BGP ルータに経路広告する。RTBH 方式の対象であることを示す BGP コミュニティ属性が付いたホスト経路を受け取った各 BGP ルータは，そのホスト経路のネクストホップを廃棄用インタフェース宛てに設定することで，DDoS 攻撃の宛先 IP アドレス宛ての通信を廃棄する。

　DDoS 遮断システムの今後の開発予定を E 社技術担当者に確認したところ，RFC 8955 で定義される BGP Flowspec を用いる対策（以下，BGP Flowspec 方式）を E 社が提供する予定であることが分かった。

　BGP Flowspec 方式では，DDoS 検知サーバからの iBGP ピアリングで，DDoS 攻撃の宛先 IP アドレスだけではなく，DDoS 攻撃の送信元 IP アドレス，宛先ポート番号などを組み合わせて BGP ルータに広告して該当の通信をフィルタリングすることができる。

　X さんは，⑤ BGP Flowspec 方式の方が有用であると考え，E 社技術担当者に早期提供をするよう依頼した。

　X さんは，E 社 CDN と DDoS 遮断システムを導入する計画を立て，計画は D 社内で承認された。

設問1　〔現状の配信方式〕について答えよ。

　　(1)　本文中の下線①について，HTTP ではなく ICMP Echo で死活確認を行った場合どのような問題があるか。50 字以内で答えよ。

　　(2)　本文中の　　ア　　に入れる適切な字句を，本文中から選んで答えよ。また，本文中の　　イ　　に入れる適切なセグメントを，表1中から選んで答えよ。

　　(3)　HTTPS に必要なサーバ証明書はどの装置にインストールされているか。必ず入っていなければならない装置を一つだけ選び，図1中の字句で答えよ。

設問2　〔配信方式の見直し〕について答えよ。

　　(1)　本文中の　　ウ　　，　　エ　　に入れる適切な字句を，"大きい"，"小さい"のいずれかから選んで答えよ。

　　(2)　本文中の下線②について，図2で AS-E 東京 POP に AS-G からの HTTPS リク

エストのパケットが届く場合，E 社トラフィックはどちらの経路から配信されるか。途中通過する場所を，図 2 中の字句で答えよ。ここで，AS Path 長以外は経路選択に影響せず，途中に無効な経路や経路フィルタリングはないものとする。

(3) 本文中の下線③の設定をすることで何を防いでいるか。"BGP" という字句を用いて 10 字以内で答えよ。

(4) 本文中の下線④について，フィルタリングせずに不正な経路を受け取った場合に，コンテンツ配信に与える悪影響を "不正な経路" という字句を用いて 40 字以内で答えよ。

設問 3　〔配信拠点の保護〕について答えよ。

(1) 図 3 において，インターネットから BGP ルータ 1 を経由して LB11 に HTTPS Flood 攻撃があったとき，FW1 でフィルタリングする方式と比較した RTBH 方式の長所は何か。30 字以内で答えよ。

(2) 本文中の下線⑤について，RTBH 方式と比較した BGP Flowspec 方式の長所は何か。30 字以内で答えよ。

問2　SD-WAN による拠点接続に関する次の記述を読んで，設問に答えよ。

　　G 社は，本社とデータセンター及び二つの支店をもつ企業である。G 社では，業務
拡大による支店の追加が計画されている。支店の追加によるネットワーク構成の変
更について，SD-WAN を活用することで，設定作業を行いやすくするとともに WAN の
冗長化も行うという改善方針が示された。そこで，情報システム部の J さんが設計担
当としてアサインされ，対応することになった。G 社の現行ネットワーク構成を図 1
に示す。

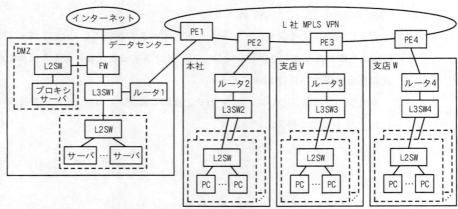

FW：ファイアウォール　L2SW：レイヤー2スイッチ　L3SW：レイヤー3スイッチ
PE：プロバイダエッジルータ　MPLS VPN：MPLS VPN サービス網
注記　　　　　はサブネットを示す。

図1　G 社の現行ネットワーク構成（抜粋）

〔現行ネットワーク概要〕
　　G 社の現行ネットワーク概要を次に示す。
　・G 社には，データセンター，本社，支店 V 及び支店 W の四つの拠点がある。これら
　　の拠点は，L 社が提供する MPLS VPN（以下，L 社 VPN という）を介して相互に接続
　　している。
　・各拠点の PC とサーバは，データセンターのプロキシサーバを経由してインターネ
　　ットへアクセスする。
　・データセンターの FW は，パケットフィルタリングによるアクセス制御を行ってい

510

る。

・PE1～4 は，L 社 VPN の顧客のネットワークを収容するために設置した，プロバイダエッジルータ（以下，PE ルータという）である。

・ルータ 1～4 は，拠点間を接続する機器であり，L 社の PE ルータと対向する ア エッジルータである。

・L 社の PE ルータは，G 社との間の BGP ピアに as-override を設定している。この設定によって，G 社の複数の拠点で同一の AS 番号を用いる構成が可能になっている。一般に，PE ルータにおける as-override 設定の有無によって，経路情報交換の処理をする際にやり取りされる経路情報が異なったものとなる。例えば，本社のルータ 2 に届く支店 V の経路情報は，① as-override 設定の有無で表 1 となる。② G 社現行ネットワークで利用している各拠点の IP アドレスと AS 番号を表 2 に示す。

表1　本社のルータ2に届く支店Vの経路情報

	Prefix	AS PATH
as-override 設定無し	a	64500　65500
as-override 設定有り	a	b

注記　64500 は，L 社 VPN の AS 番号である。

表2　各拠点のIPアドレスとAS番号一覧

ネットワーク	IPアドレス	AS番号
データセンター	10.1.0.0/16	c
DMZ	x.y.z.0/28	
本社	10.2.0.0/16	d
支店 V	10.3.0.0/16	e
支店 W	10.4.0.0/16	f

注記　x.y.z.0 は，グローバルアドレスを示す。

〔現行の経路制御概要〕

G 社の現行の経路制御の概要を次に示す。

・拠点内は，OSPF によって経路制御を行っている。

・拠点間は，BGP4 によって経路制御を行っている。

511

・OSPF エリアは全てエリア 0 である。

・ルータ 1〜4 で二つのルーティングプロトコル間におけるルーティングを可能にするために，経路情報の　イ　をしている。このとき，一方のルーティングプロトコルで学習された経路がもう一方のルーティングプロトコルを介して③再び同じルーティングプロトコルに渡されることのないように経路フィルターが設定されている。

・全拠点からインターネットへの http/https 通信ができるように，　ウ　のサブネットを宛先とする経路を OSPF で配布している。この経路情報は，途中 BGP4 を経由して，④3 拠点（本社，支店 V，支店 W）のルータ及び L3SW に届く。

・BGP4 において，AS 内部の経路交換は iBGP が用いられるのに対し，各拠点のルータと PE ルータとの経路交換では　エ　が用いられる。

・L 社 VPN と接続するために，AS 番号 65500 が割り当てられている。この AS 番号はインターネットに接続されることのない AS のために予約されている番号の範囲に含まれる。このような AS 番号を　オ　AS 番号という。

・L 社 VPN の AS 番号は 64500 である。

〔SD-WAN 導入検討〕

　J さんは，SD-WAN を取り扱っているネットワーク機器ベンダーK 社の技術者に相談しながら検討することにした。また，K 社がインターネット経由でクラウドサービスとして提供している SD-WAN コントローラーの活用を検討することにした。

　K 社の SD-WAN 装置と SD-WAN コントローラーの主な機能を次に示す。

・SD-WAN コントローラーは，SD-WAN 装置に対して独自プロトコルを利用して，オーバーレイ構築に必要な情報の収集と配布を行うことで，複数の SD-WAN 装置を集中管理する。

・アンダーレイネットワークとして，MPLS VPN とインターネット回線が利用可能である。

・オーバーレイネットワークは，SD-WAN 装置間の IPsec トンネルで構築される。IPsec トンネルの確立では SD-WAN 装置の IP アドレスが用いられる。IPsec トンネルの端点を TE（Tunnel Endpoint）と呼ぶ。

・オーバーレイネットワークは，アプリケーショントラフィックを識別したルーテ

ィングを行う。このように，アプリケーショントラフィックを識別したルーティ
ングを ┃ カ ┃ ルーティングという。

・SD-WAN コントローラーが SD-WAN 装置に配布する主な情報は，SD-WAN 装置ごとのオ
ーバーレイの経路情報と，⑤ IPsec トンネルを構築するために必要な情報の2種類
がある。

・SD-WAN コントローラーと SD-WAN 装置間の通信は TLS で保護される。

・SD-WAN 装置は，VRF（Virtual Routing and Forwarding）による独立したルーティ
ングインスタンス（以下，RI という）を複数もつ。そのうちの一つの RI はコント
ロールプレーンで用いられ，他の RI はデータプレーンで用いられる。

・SD-WAN 装置は，RFC 5880 で規定された BFD（Bidirectional Forwarding Detection）
機能を有する。

　J さんは，K 社の SD-WAN を G 社ネットワークへ導入する方法を検討し，実施する項
目として次のとおりポイントをまとめた。

・各拠点のルータを K 社の提供する SD-WAN 装置に置き換える。各拠点の SD-WAN 装置
を2台構成とする冗長化は次フェーズで検討する。

・SD-WAN 装置の設定については，K 社がクラウドサービスとして利用者に提供する
SD-WAN コントローラーで集中管理する。

・拠点ごとに新規にインターネット接続回線を契約し，SD-WAN 装置に接続する。

・拠点の SD-WAN 装置間に，インターネット経由と L 社 VPN 経由で IPsec トンネルを
設定する。

・⑥拠点の SD-WAN 装置のトンネルインタフェースで，BFD を有効化する。

・全体的な経路制御は SD-WAN コントローラーと SD-WAN 装置で行う。

・PC からインターネットへのアクセスは現行のままデータセンターのプロキシサー
バ経由とし，各拠点から直接インターネットアクセスできるようにすることは次
フェーズで検討する。

　J さんが検討した，G 社の SD-WAN 装置導入後のネットワーク構成を図2に示す。

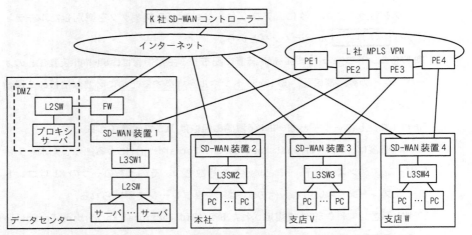

図2　G社のSD-WAN装置導入後のネットワーク構成（抜粋）

〔SD-WAN トンネル検討〕

　Jさんは，図2のネットワーク構成における SD-WAN 装置間の IPsec トンネルの構成について検討した。Jさんが考えた SD-WAN 装置間の IPsec トンネルの構成を図3に示す。

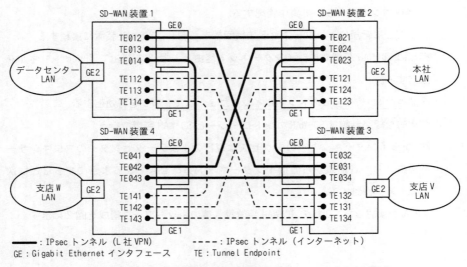

―――：IPsec トンネル（L社VPN）　-----：IPsec トンネル（インターネット）
GE：Gigabit Ethernet インタフェース　　TE：Tunnel Endpoint

図3　Jさんが考えた SD-WAN 装置間の IPsec トンネルの構成

　Jさんは，このIPsecトンネルの構成を前提として，今後設計するSD-WANの動作を次のようにまとめた。

・SD-WANコントローラーは，各拠点のSD-WAN装置から経路情報を受信し，それらにポリシーを適用して，全拠点のSD-WAN装置に経路情報をアドバタイズする。

・このときアドバタイズされる経路情報は，SD-WAN装置にローカルに接続されたネットワーク情報とそれぞれのSD-WAN装置がもつTE情報である。

・拠点間の通信は，⑦L社VPNを優先的に利用し，L社VPNが使えないときはインターネットを経由する。

　Jさんは，これらの検討結果を基に報告を行い，SD-WAN導入の方針が承認された。

設問1　本文中の　ア　～　カ　に入れる適切な字句を答えよ。

設問2　〔現行ネットワーク概要〕について答えよ。

　（1）本文中の下線①について，as-override設定の前後における経路情報の違いについて，表1中の　a　，　b　を埋めて表を完成させよ。

　（2）本文中の下線②について，G社現行ネットワークで用いられているAS番号は何か。表2中の　c　～　f　を埋めて表を完成させよ。

設問3　〔現行の経路制御概要〕について答えよ。

　（1）本文中の下線③について，経路フィルターによって防止することが可能な障害を20字以内で答えよ。

　（2）本文中の下線④について，3拠点のL3SWにこの経路情報が届いたときのOSPFのLSAのタイプを答えよ。また，支店VのL3SW3にこのLSAが到達したとき，そのLSAを生成した機器は何か。図1中の機器名で答えよ。

設問4　〔SD-WAN導入検討〕について答えよ。

　（1）本文中の下線⑤について，SD-WANコントローラーから送られる情報を二つ挙げ，それぞれ25字以内で答えよ。

　（2）本文中の下線⑥について，トンネルインタフェースにBFDを設定する目的を，"IPsecトンネル"という用語を用いて35字以内で答えよ。

設問5　〔SD-WANトンネル検討〕について答えよ。

　（1）本文中の下線⑦について，通常時に本社のPCから支店VのPCへの通信が

通過する TE はどれか。図 3 中の字句で全て答えよ。

(2) (1)において支店 V の L 社 VPN 接続回線に障害があった場合，本社の PC から支店 V の PC への通信が通過する TE はどれか。図 3 中の字句で全て答えよ。

問3　ローカルブレイクアウトによる負荷軽減に関する次の記述を読んで，設問に答え
　　よ。

　A社は，従業員300人の建築デザイン会社である。東京本社のほか，大阪，名古屋,
仙台，福岡の4か所の支社を構えている。本社には100名，各支社には50名の従業
員が勤務している。

　A社は，インターネット上のC社のSaaS（以下，C社SaaSという）を積極的に利用
する方針にしている。A社情報システム部ネットワーク担当のBさんは，C社SaaS宛
ての通信がHTTPSであることから，ネットワークの負荷軽減を目的に，各支社のPC
からC社SaaS宛ての通信を，本社のプロキシサーバを利用せず直接インターネット
経由で接続して利用できるようにする，ローカルブレイクアウトについて検討する
ことにした。

〔現在のA社のネットワーク構成〕

　現在のA社のネットワーク構成を図1に示す。

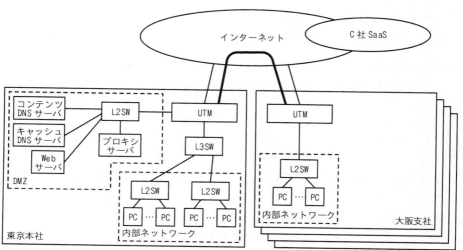

L2SW：レイヤー2スイッチ　　L3SW：レイヤー3スイッチ　　UTM：統合脅威管理装置
　　　　：IPsecトンネル

図1　現在のA社のネットワーク構成（抜粋）

現在のA社のネットワーク構成の概要を次に示す。

・本社及び各支社はIPsec VPN機能をもつUTMでインターネットに接続している。

・プロキシサーバは,従業員が利用するPCのHTTP通信,HTTPS通信をそれぞれ中継する。プロキシサーバではセキュリティ対策として各種ログを取得している。

・DMZや内部ネットワークではプライベートIPアドレスを利用している。

・PCには,DHCPを利用してIPアドレスの割当てを行っている。

・PCが利用するサーバは,全て本社のDMZに設置されている。

・A社からインターネット向けの通信については,本社のUTMでNAPTによるIPアドレスとポート番号の変換をしている。

〔現在のA社のVPN構成〕

A社は,UTMのIPsec VPN機能を利用して,本社をハブ,各支社をスポークとする

| ア | 型のVPNを構成している。本社と各支社との間のVPNは,IP in IP トンネリング(以下,IP-IPという)でカプセル化し,さらにIPsecを利用して暗号化することでIP-IP over IPsecインタフェースを構成し,2拠点間をトンネル接続している。①本社のUTMと支社のUTMのペアではIPsecで暗号化するために同じ鍵を共有している。②この鍵はペアごとに異なる値が設定されている。

③ IPsecの通信モードには,トランスポートモードとトンネルモードがあるが,A社のVPNではトランスポートモードを利用している。

A社のVPNを構成するIPパケット構造を図2に示す。

(1) 元のIPパケットをIP-IP でカプセル化したIPパケット		元のIPパケット		
	IPヘッダー	元のIPパケット		
		元の IPヘッダー	元の IPペイロード	

(2) (1)のIPパケットを更に IPsecで暗号化したIPパケット				元のIPパケット			
IPヘッダー	ESP ヘッダー	元の IPヘッダー	元の IPペイロード	ESP トレーラ	ESP 認証データ		

注記　元のIPパケットは,DMZや内部ネットワークから送信されたIPパケットを示す。

図2　A社のVPNを構成するIPパケット構造

VPNを構成するために,本社と各支社のUTMには固定のグローバルIPアドレスを割り当てている。④ IP-IP over IPsecインタフェースでは,IP Unnumbered 設定が行

われている。また，⑤ IP-IP over IPsec インタフェースでは，中継する TCP パケットの IP フラグメントを防止するための設定が行われている。

〔プロキシサーバを利用した制御〕

　B さんが UTM について調べたところ，追加ライセンスを購入することでプロキシサーバ（以下，UTM プロキシサーバという）として利用できることが分かった。

　B さんは，ネットワークの負荷軽減のために，各支社の PC から C 社 SaaS 宛ての通信は，各支社の UTM プロキシサーバをプロキシサーバとして指定することで直接インターネットに向けることを考えた。また，各支社の PC からその他インターネット宛ての通信は，通信相手を特定できないことから，各種ログを取得するために，これまでどおり本社のプロキシサーバをプロキシサーバとして指定することを考えた。各支社の PC から，C 社 SaaS 宛てとその他インターネット宛ての通信の流れを図 3 に示す。

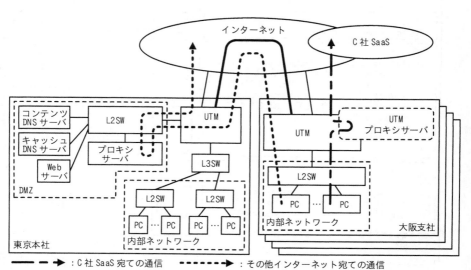

図 3　各支社の PC から，C 社 SaaS 宛てとその他インターネット宛ての通信の流れ

　B さんは，各支社の PC が利用するプロキシサーバを制御するためにプロキシ自動設定（以下，PAC という）ファイルと Web プロキシ自動検出（以下，WPAD という）の

導入を検討することにした。

〔PAC ファイル導入検討〕

　B さんは PAC ファイルの作成方法について調査した。PAC ファイルは JavaScript で記述する。PAC ファイルに記述する FindProxyForURL 関数の第 1 引数である url にはアクセス先の URL が，第 2 引数である host にはアクセス先の URL から取得したホスト名が渡される。これらの引数に渡された値を様々な関数を用いて条件分けし，利用するプロキシサーバを決定する。FindProxyForURL 関数の戻り値が "DIRECT" ならば，プロキシサーバを利用せず直接通信を行う。戻り値が "PROXY host:port" ならば，指定されたプロキシサーバ（host）のポート番号（port）を利用する。

　テスト用に大阪支社の UTM を想定した PAC ファイルを作成した。B さんが作成した大阪支社の UTM の PAC ファイルを図 4 に示す。

```
function FindProxyForURL(url, host) {
    // (a)
    var ip = dnsResolve(host);

    // (b)
    if (localHostOrDomainIs(host, "localhost") ||
        isInNet(ip, "10.0.0.0", "255.0.0.0") ||
        isInNet(ip, "127.0.0.0", "255.0.0.0") ||
        isInNet(ip, "172.16.0.0", "255.240.0.0") ||
        isInNet(ip, "192.168.0.0", "255.255.0.0") ||
        dnsDomainIs(host, ".a-sha.jp")
        ) {
        return "DIRECT";
    }

    // (c)
    if (
        dnsDomainIs(host, "image.cdn.example") ||
        shExpMatch(host, "*.c-saas.example") ) {
        return "PROXY proxy.osaka.a-sha.jp:8080";
    }

    // (d)
    return "PROXY proxy.a-sha.jp:8080";
}
```

処理名	処理の説明文
(a)	host を IP アドレスに変換し，変数 ip に代入する。
(b)	host が localhost，又は(a)で宣言した ip がプライベート IP アドレスやループバックアドレス，又は host が A 社の社内利用ドメイン名に属する場合，FindProxyForURL 関数の戻り値として "DIRECT" を返す。
(c)	host が C 社 SaaS 利用ドメイン名に属する場合，又は host が C 社 SaaS 利用ドメイン名のシェルグロブ表現に一致する場合，FindProxyForURL 関数の戻り値として "PROXY proxy.osaka.a-sha.jp:8080" を返す。
(d)	(b)，(c)どちらにも該当しない場合，FindProxyForURL 関数の戻り値として "PROXY proxy.a-sha.jp:8080" を返す。

a-sha.jp：A 社の社内利用ドメイン名
proxy.a-sha.jp：本社のプロキシサーバの FQDN
proxy.osaka.a-sha.jp：大阪支社のUTMプロキシサーバの FQDN

image.cdn.example：C 社 SaaS 利用ドメイン名　　　c-saas.example：C 社 SaaS 利用ドメイン名

注記　説明文中の host は，引数 host に渡された値（ホスト名）を示す。

図 4　B さんが作成した大阪支社の UTM の PAC ファイル

Bさんは，テスト用のPCとテスト用のUTMプロキシサーバを用意し，作成したPACファイルを利用することで，テスト用のPCからC社SaaS宛ての通信が，期待どおりに本社のプロキシサーバを利用せずに，テスト用のUTMプロキシサーバを利用することを確認した。⑥Bさんは各支社のPACファイルを作成した。

〔WPAD導入検討〕

WPADは，　イ　や　ウ　の機能を利用して，PACファイルの場所を配布するプロトコルである。PCやWebブラウザのWebプロキシ自動検出が有効になっていると，　イ　サーバや　ウ　サーバと通信を行い，アプリケーションレイヤープロトコルの一つである　エ　を利用して　エ　サーバからPACファイルのダウンロードを試みる。

WPADの利用には，PCやWebブラウザのWebプロキシ自動検出を有効にするだけでよく，簡便である一方，悪意のある　イ　サーバや　ウ　サーバがあると⑦PCやWebブラウザが脅威にさらされる可能性も指摘されている。Bさんは，WPADは利用しないことにし，PCやWebブラウザのWebプロキシ自動検出を無効にすることにした。PCやWebブラウザにはPACファイルの　オ　を直接設定する。

Bさんが検討した対応案が承認され，情報システム部はプロジェクトを開始した。

設問1　〔現在のA社のVPN構成〕について答えよ。
　（1）　本文中の　ア　に入れる適切な字句を答えよ。
　（2）　本文中の下線①について，本社のUTMと支社のUTMのペアで共有する鍵を何と呼ぶか答えよ。
　（3）　本文中の下線②について，鍵は全て同じではなく，ペアごとに異なる値を設定することで得られる効果を，鍵の管理に着目して25字以内で答えよ。
　（4）　本文中の下線③について，A社のVPNで利用しているトランスポートモードとした場合は元のIPパケット（元のIPヘッダと元のIPペイロード）とESPトレーラの範囲を暗号化するのに対し，A社のVPNをトンネルモードとした場合はどの範囲を暗号化するか。図2中の字句で全て答えよ。
　（5）　本文中の下線④について，IP Unnumbered設定とはどのような設定か。"IP

アドレスの割当て"の字句を用いて 30 字以内で答えよ。

(6)　本文中の下線⑤について，中継する TCP パケットの IP フラグメントを防止するための設定を行わず，UTM で IP フラグメント処理が発生する場合，UTM にどのような影響があるか。10 字以内で答えよ。

設問2　〔PAC ファイル導入検討〕について答えよ。

(1)　図4について，DMZ にある Web サーバにアクセスする際，プロキシサーバを利用する場合はプロキシサーバ名を答えよ。プロキシサーバを利用しない場合は"利用しない"と答えよ。

(2)　図4について，インターネット上にある
https://www.example.com/foo/index.html にアクセスする際，プロキシサーバを利用する場合はプロキシサーバ名を答えよ。プロキシサーバを利用しない場合は"利用しない"と答えよ。

(3)　図 4 について，isInNet(ip, "172.16.0.0", "255.240.0.0")のアドレス空間は，どこからどこまでか。最初の IP アドレスと最後の IP アドレスを答えよ。

(4)　図 4 について，変数 ip がプライベート IP アドレスの場合，戻り値を"DIRECT"にすることで得られる効果を，"負荷軽減"の字句を用いて 20 字以内で答えよ。

(5)　本文中の下線⑥について，PAC ファイルは支社ごとに用意する必要がある理由を 25 字以内で答えよ。

設問3　〔WPAD 導入検討〕について答えよ。

(1)　本文中の　　イ　　～　　オ　　に入れる適切な字句を答えよ。

(2)　本文中の下線⑦について，どのような脅威があるか。25 字以内で答えよ。

午後Ⅰ問題の解答・解説

注：情報処理推進機構（IPA）が公表している出題趣旨・採点講評・解答例を転載している。

問1

出題趣旨

　Webビジネスの普及に伴い，コンテンツ配信の対象顧客は国内にとどまらず，海外にも広がってきている。

　広域でのコンテンツ配信時には，自社で広域ロードバランサーを導入する方法と，コンテンツ配信ネットワーク（CDN：Content Delivery Network）を契約して配信を委託する方法がある。近年では，コンテンツ事業者側の運用負担の少ないCDNの利用が増えている。

　また，コンテンツ配信を行う際にはDDos攻撃への対策が必要である。

　本問では，ロードバランサーやBGP，CDN，DDos対策を題材として，コンテンツ配信ネットワークを実業務に活用できる水準かどうかを問う。

採点講評

　問1では，コンテンツ配信ネットワークを題材に，ロードバランサーやBGP，CDN，DDoS対策について出題した。全体として正答率は平均的であった。

　設問2では，(1)の正答率がやや低く，(4)の正答率が低かった。(1)では，BGPの基本を正しく理解していないと思われる解答が多かった。出題した属性は，BGPの中でも重要なものなので，理解を深めておいてほしい。

　(4)では，トラフィックの向きを逆方向に考えた誤答が多かった。BGPで受け取った経路がどのトラフィックに影響するか正しく理解し，正答を導き出してほしい。また，BGP運用に必要なIRR(Internet Routing Registry) や経路ハイジャック対策についての知識を是非身につけておいてほしい。

設問		解答例・解答の要点	備考
設問1	(1)	ICMP Echoに応答するがHTTPサーバのプロセスが停止している状態を検知できない。	
	(2)	ア	最少接続数	
		イ	172.22.1.0/24	
	(3)	LB	
設問2	(1)	ウ	大きい	
		エ	小さい	
	(2)	IX	
	(3)	不正なBGP接続	
	(4)	不正な経路に含まれるアドレスブロックへのコンテンツ配信ができなくなる。	
設問3	(1)	攻撃パケットを攻撃元に近いところで遮断できる。	
	(2)	より細かい条件で選別して破棄することができる。	

　本問は，ゲームソフトウェア会社 D 社が，三つのゲーム（ゲーム α，ゲーム β，ゲーム γ）を，世界中に点在する利用者にダウンロードさせるため，コンテンツ配信ネットワーク（Content Delivery Network，以下，CDN と称する）を導入する事例を取り上げている。さらに，本事例では DDoS 攻撃を防ぐため DDoS 遮断システムも導入する。

　CDN，DDoS 遮断システムのどちらも BGP を利用している。

●本問の構成

　本問の構成を概観すると，下記のように整理できる。

見出し	主な内容	主に対応する出題箇所	
		設問	小問
現状の配信方式	• D 社データセンターの構成（図1） • ゲームファイルの配信に利用する IP アドレスとポート番号（表1） • LB の振分けアルゴリズム	1	(1)〜(3)
配信方式の見直し	• BGP anycast 方式の説明 • BGP anycast 方式による E 社の経路広告イメージ（図2）	2	(1)〜(4)
配信拠点の保護	• E 社 POP の概要（図3） • RTBH 方式，BGP Flowspec 方式の説明	3	(1)〜(2)

　それでは，設問の解説に移ろう。

■設問 1

設問 1 は，〔現状の配信方式〕について問うている。

本設問は，LB のヘルスチェック方式，振分け方式，等が取り上げられている。LB について，詳しくは本書の第 6 章「6.2.3 サーバの冗長化」の「●負荷分散装置」を参照していただきたい。

(1)

解答例

I	C	M	P	E	c	h	o	に	応	答	す	る	が	H	T	T	P	サ	ー	バ	の	プ
ロ	セ	ス	が	停	止	し	て	い	る	状	態	を	検	知	で	き	な	い	。	(43字)		

問題文は，「本文中の下線①について，HTTP ではなく ICMP Echo で死活確認を行った場合どのような問題があるか」と記述されている。

下線①は，〔現状の配信方式〕の第 3 段落の中にある。そこには，「① LB は配信サーバに HTTP アクセスによって死活確認を行い，動作が停止している配信サーバに対してはゲーム端末からのアクセスを振り分けない」と記述されている。

ICMP Echo（ping）を使用した死活確認は，ネットワーク層が稼働しているときに成功する。HTTP アクセスを使用した死活確認は，アプリケーション層が稼働しているときに成功する。上位層は下位層に依存しているので，アプリケーション層の稼働を確認できたとき，ネットワーク層の稼働も同時に確認できる。つまり，両者の相違は，アプリケーション層の死活確認を行えるか否かである。

ここで問われているのは，「HTTP ではなく ICMP Echo で死活確認を行った場合どのような問題があるか」についてである。それゆえ，アプリケーション層に着目し，HTTP アクセスを使用した死活確認では問題にならないが，ICMP Echo を使用した死活監視では問題になる点を指摘する必要がある。

負荷分散装置（LB）は，振分け先サーバの死活確認（ヘルスチェック）を実施し，動作が停止しているサーバには振り分けない。つまり，あるサーバが停止していても別のサーバが稼働している限り，サーバの停止は問題にならない。サーバ停止が発生しているにもかかわらず，それを見過ごしてしまうことが，死活監視における問題点となる。そのサーバが LB の振分け対象に留まってしまうからだ。

そこで，ある配信サーバの OS の TCP/IP 通信機能は正常に稼働しているが，HTTP サーバのプロセスが停止したケースを考えてみよう。ネットワーク階層に当てはめる

と，トランスポート層，ネットワーク層及び下位層は稼働しているが，アプリケーション層が稼働していないケースに該当する。

HTTP アクセスを使用した死活確認は，HTTP サーバのプロセス停止を検知できる。それゆえ，LB は別の配信サーバに振り分けることができる。

ICMP Echo を使用した死活監視は，HTTP サーバのプロセス停止を検知できない。しかし，TCP/IP 通信機能が稼働していると ICMP Echo に応答するため，「正常」であると誤って判断する。つまり，サーバ停止を見過ごしてしまうという，死活監視における問題が発生する。このとき，もし LB がこの配信サーバに振り分けたら，利用者がダウンロードを行えないという業務上の支障が生じる。

したがって，この死活監視における問題点を解答すればよい。

よって，正解は「**ICMP Echo に応答するが HTTP サーバのプロセスが停止している状態を検知できない。**」となる。

(2)

解答例

ア：最少接続数
イ：172.22.1.0/24

本問題は，空欄ア，イに入れる適切な字句を問うている。

ア

空欄アは，〔現状の配信方式〕の第6段落の中にある。そこには，次のように記述されている。

> D 社のゲームファイル配信では，振り分ける先の配信サーバの性能は同じだが，接続ごとに配信するゲームファイルのサイズに大きなばらつきがあり，配信に掛かる時間が変動する。各配信サーバへの同時接続数をなるべく均等にするために，LB の振分けアルゴリズムとして ア 方式を採用している。

空欄アに入る字句は，前後の文脈を考慮すると，振分けアルゴリズムであることが分かる。D 社が導入している LB の振分けアルゴリズムに関する説明が，一つ前の第5段落に記述されている。

> 　D 社が導入している LB のサーバ振分けアルゴリズムには，ラウンドロビン方
> 式及び最少接続数方式がある。ラウンドロビン方式は，ゲーム端末からの接続を
> 接続ごとに配信サーバに順次振り分ける方式である。最少接続数方式は，ゲーム
> 端末からの接続をその時点での接続数が最も少ない配信サーバに振り分ける方
> 式である。

「接続ごとに配信するゲームファイルのサイズに大きなばらつきがあり，配信に掛か
る時間が変動する」という条件下では，「あるサーバは配信中であるが，他のサーバは
誰にも配信していない」という，サーバ間の同時接続数の偏りが生じ得る。このよう
な状況の下で，これら二つの方式について，「各配信サーバへの同時接続数をなるべく
均等にする」という観点から比較してみよう。

　ラウンドロビン方式の場合，振分け先サーバの同時接続数の偏りがあるか否かに関
わらず，接続するたびに順次振り分けてしまう。それゆえ，配信サーバ間の同時接続
数の均等化に寄与しない。

　最少接続数方式の場合，接続時点での同時接続数が最も少ない配信サーバに振り分
ける。それゆえ，配信サーバ間の同時接続数に偏りがある場合，その均等化に寄与す
ることが分かる。

　したがって，二つの方式のうち，各配信サーバへの同時接続数をなるべく均等にす
るために採用すべき方式は，最少接続数方式である。

　よって，正解は「**最少接続数**」となる。

イ

　空欄イは，〔現状の配信方式〕の第7段落の中にある。そこには「ゲーム β の配信性
能向上が必要になる場合には，表1中の所属セグメント　イ　にサーバを増設す
る」と記述されている。

　ゲーム β の配信サーバの所属セグメントは，表1を見ると，「172.22.1.0/24」である。
したがって，このセグメントに配信サーバを増設すれば，配信に掛かる負荷がより多
くのサーバ間で分散されるため，配信性能が向上する。

　よって，正解は「**172.22.1.0/24**」となる。

(3)

LB

　問題文は,「HTTPS に必要なサーバ証明書はどの装置にインストールされているか。必ず入っていなければならない装置を一つだけ選び, 図 1 中の字句で答えよ」と記述されている。

　HTTPS 通信のサーバ証明書は, HTTPS 通信のサーバ側のエンドポイントにインストールする必要がある。

　HTTPS 通信のサーバ側のエンドポイントを知るには, 端末と LB 間の通信区間, LB と振分け先サーバ間の通信区間のそれぞれのプロトコルが分かればよい。

　その点について,〔現状の配信方式〕の第 3 段落には「ゲーム端末は, インターネット経由でゲームごとにそれぞれ異なる URL に HTTPS でアクセスする。LB は, プライベート IP アドレスが設定された HTTP の配信サーバにアクセスを振り分ける」と記述されている。

　この記述から, 端末と LB 間の通信区間のプロトコルは HTTPS であり, LB と振分け先サーバ間の通信区間のプロトコルは HTTP であることが分かる。それゆえ, HTTPS 通信のエンドポイントは, クライアント側が端末となり, サーバ側が LB となる。

　したがって, 図 1 中で, HTTPS に必要なサーバ証明書をインストールする必要がある装置は, LB である。よって, 正解は「**LB**」となる。

■設問 2

　設問 2 は,〔配信方式の見直し〕について問うている。

(1)

ウ：大きい
エ：小さい

| ウ | , | エ |

本問題は，空欄ウ，エに入れる適切な字句を問うている。

二つの空欄は，〔配信方式の見直し〕の第8段落の中にある。そこには「BGPでの経路選択では，LP（LOCAL_PREF）属性については値が｜　ウ　｜経路を優先し，MED（MULTI_EXIT_DISC）属性については値が｜　エ　｜経路を優先する」と記述されている。

BGPの経路選択は複数のパスアトリビュートに基づいて決定される。経路選択はパスアトリビュートごとに定められた評価順に従って行われ，あるパスアトリビュートの値が等しければ，次の順位のもので評価する仕組みになっている。

空欄ウのLOCAL_PREF属性については値が大きい経路を選択し，空欄エのMED属性について値が小さい経路を選択する。

よって，空欄ウの正解は「大きい」となり，空欄エの正解は「小さい」となる。

参考までに，評価順は，1番目がLP属性，2番目がAS_PATH属性と続き，4番目がMEDである。本事例ではAS_PATH属性に基づいて経路選択を行うので，複数ある経路情報に対して付与するLP属性の値を等しくしていることが分かる。

午後Ⅰ 答1 答2 答3

(2)

解答例

IX

問題文は，「本文中の下線②について，図2でAS-E東京POPにAS-GからのHTTPSリクエストのパケットが届く場合，E社トラフィックはどちらの経路から配信されるか。途中通過する場所を，図2中の字句で答えよ。ここで，AS Path長以外は経路選択に影響せず，途中に無効な経路や経路フィルタリングはないものとする」と記述されている。

下線②は，〔配信方式の見直し〕の第8段落の中にある。そこには，「②E社のあるPOPからゲーム端末へのトラフィックの経路は，そのPOPのBGPルータが受け取るAS Path長によって選択される」と記述されている。

POP（Point of Presence）とは，クラウド事業者やCDN事業者が利用者に提供する接続拠点である。ダウンロードをするために端末は配信サーバにHTTPSリクエストを送信する。そのリクエストパケットの接続先がPOPである。

E社のPOPは，シンガポールPOPと東京POPの二つあり，どちらか一方がBGP

の経路制御に基づいて選択される。E社は，POP選択方式としてBGP anycast方式を採用している。この点について，第5段落には次のように記述されている。

E社BGP anycast方式では，同じアドレスブロックを同じAS番号を用いてシンガポールPOP及び東京POPの両方からBGPで経路広告する。シンガポールPOPと東京POPの間は直接接続されていない。ゲーム端末が接続するISPでは，E社ASの経路情報を複数の隣接したASから受信する。どの経路情報を採用するかはBGPの経路選択アルゴリズムで決定される。ゲーム端末からのHTTPSリクエストのパケットは，決定された経路で隣接のASに転送される。

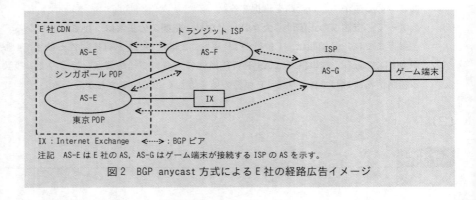

IX：Internet Exchange　<----> ：BGP ピア
注記　AS-EはE社のAS，AS-Gはゲーム端末が接続するISPのASを示す。
図2　BGP anycast方式によるE社の経路広告イメージ

　BGPは一つのベストパスを選択する仕組みになっている。ベストパス選択には複数のパスアトリビュートが関与しているが，本問題では「AS Path長以外は経路選択に影響せず，途中に無効な経路や経路フィルタリングはないものとする」（問題文）という前提を置くので，経由するAS数が最小の経路がベストパスになる。
　BGPは，同一IPアドレスをもつノードが複数の拠点に存在していても，送信元から見てベストパスとなる拠点（本事例では，最短のAS Pathで到達する拠点）を選択し，そこにルーティングする機能をもつ。あるIPアドレスをもつノードが物理的に複数の拠点に存在しているとき，その中から一つの拠点を選んでユニキャスト通信を行う仕組みを，エニーキャストという。BGPはベストパスを選択するルーティング方式なので，エニーキャスト通信を難なく実現することができる。その仕組みについて，詳しくは後述の「●参考：本事例に登場するBGP anycast通信の仕組み」を参照していただきたい。
　本事例の場合，ゲーム端末がD社からゲームをダウンロードするには，D社配信

サーバにいったん接続する必要がある。つまり，D社配信サーバのIPアドレスを宛先とするIPパケットをゲーム端末から送信する必要がある。D社配信サーバはE社のPOPに配置されているので，宛先ASはAS-Eである。ゲーム端末はISPに収容されているので，送信元ASはAS-Gである。

E社のASはシンガポールPOPと東京POPにそれぞれ配置されており，物理的には2台存在している。それぞれのPOPが自拠点宛ての経路を広告するので，送信元であるAS-Gから見ると，宛先であるAS-Eに至る経路が二つあるように見える。

一つ目は，AS-Fをネクストホップとする経路である。宛先であるAS-Eに至るAS Path長は「AS-F → AS-E」の二つ分である。

二つ目はIXを経由しAS-E（東京POP）をネクストホップとする経路である。宛先であるAS-Eに至るAS Path長は「AS-E」の一つ分である。要するに，IXを経由して直接接続している。IXとは，第7段落にあるとおり「レイヤー2ネットワーク相互接続点」であるので，「接続された隣接のAS同士がBGPで直接接続することができる」のだ。

上述のとおり，本問題を解く際，BGPの経路選択に関して前提条件が設定されている。それは，「AS Path長以外は経路選択に影響せず，途中に無効な経路や経路フィルタリングはないものとする」というものだ。それゆえ，AS Path長の短い方が選択されるので，二つ目の経路がベストパスになる。

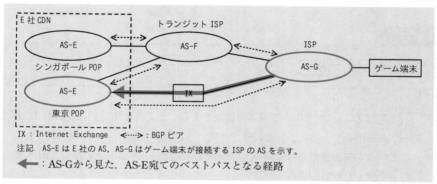

図：AS-Gを送信元とし，AS-Eを宛先とする経路

東京POPの配信サーバを宛先とするHTTPSリクエストは，上図の赤矢印で示した経路を通って到達する。東京の配信サーバからダウンロードされるトラフィックは，この経路を逆順に辿って端末に到達する。

本問題は，E社トラフィックはどちらの経路から配信されるかを問うている。途中

通過する場所を，図2中の字句で答えるよう求めている。したがって，ベストパスとなる経路（二つ目の経路）の途中通過する場所である「IX」を解答すればよい。

よって，正解は「IX」となる。

●参考：本事例に登場する BGP anycast 通信の仕組み

BGPの観点に立つと，エニーキャスト通信のためにわざわざ特別なことを行っているわけではない。同一IPアドレスブロックをもつ拠点が物理的に一つあるのか複数あるのかを問わず，それぞれのASでベストパスを選択しているに過ぎない。この点を具体的に解説しよう。

同一IPアドレスブロックを宛先ネットワークとする経路が複数広告されてインターネットに伝搬したとき，その広告を受信した各ASにおいて，ベストパスとなる経路が選ばれる。

まず，送信元ASが，宛先に至る最適なASをネクストホップとして経路選択する。以下同様に，経路上の各ASは，宛先に至る最適なASをネクストホップとして経路選択する。

順次これが繰り返されるので，ラストホップとして選ばれるのは，宛先ASの複数ある拠点のうち，送信元から見たベストパスのものになる。

(3)

解答例

| 不 | 正 | な | B | G | P | 接 | 続 | （8字）

問題文は，「本文中の下線③の設定をすることで何を防いでいるか。"BGP"という字句を用いて…答えよ」と記述されている。字数指定は「10字以内」であり，"BGP"という字句が指定されていることを考慮すると「7字以内」となる。的確なキーワードを使った解答が求められている。

下線③は，〔配信方式の見直し〕の第9段落の中にある。そこには，「BGPのセキュリティ対策として何を行っているか，E社の担当者に確認した。E社のBGPルータは，③隣接ASのBGPルータとMD5認証のための共通パスワードを設定していると説明を受けた」と記述されている。

MD5認証は，RFC2385「Protection of BGP Sessions via the TCP MD5 Signature Option」で規定されている。この仕組みはオプションの扱いになっている。RFC2385

の原題を見ると，「MD5認証」という日本語訳は，「TCP MD5署名」と訳すこともできる。具体的な仕組みはすぐ後で述べるが，この技術は「署名」の一種であると言える。

MD5認証を有効にすると，送信側BGPルータは，BGPパケットを送信するたびに，IPヘッダーとTCPヘッダー（一部のフィールドをゼロで埋める），及びTCPセグメント（TCPパケットのペイロード）からメッセージダイジェストを生成し，共通鍵を用いて署名を作成してパケットに付加した上で送信する。

この共通鍵は本文中で「共通パスワード」と呼ばれており，BGPセッションの通信に先立ち，BGPピアを張るBGPルータ間で事前に共有されていなければならない。

受信側BGPルータはこの署名を検証することで，送信側BGPが正当な通信相手であること，及び，通信が改ざんされていないことを検証することができる。

以上を踏まえ，MD認証のための共通パスワードを設定することにより防いでいるものを，字数指定の10字以内で解答すればよい。よって，正解は「**不正なBGP接続**」などとなる。

なお，上述のRFC2385には，「このオプションを使用すると，BGPを対象とする特定のセキュリティ攻撃による危険が顕著に軽減される」，「特に懸念されるのは，TCPリセットである」と記述されている。それゆえ，このMD5認証は，直接的には「不正なBGP通信を防ぐ」仕組みではあるが（これが試験の正解になるが），最終的に意図しているものは，「特定のセキュリティ攻撃を防御する」ことだと言えるだろう。

解答の指定字数を10字以内に絞ったのは，直接的な防御の方を正解とするように配慮したのかもしれない。

(4)

解答例

不	正	な	経	路	に	含	ま	れ	る	ア	ド	レ	ス	ブ	ロ	ッ	ク	へ	の
コ	ン	テ	ン	ツ	配	信	が	で	き	な	く	な	る	。	(35字)					

問題文は，「本文中の下線④について，フィルタリングせずに不正な経路を受け取った場合に，コンテンツ配信に与える悪影響を"不正な経路"という字句を用いて…答えよ」と記述されている。

下線④は，〔配信方式の見直し〕の第9段落の中にある。そこには，「④アドレスブロックやAS番号を偽った不正な経路情報を受け取らないための経路フィルタリング

を行っている」と記述されている。

ここで解答テクニックを一つ紹介しよう。「不正な経路」のような曖昧な用語が登場した場合，何を以て「不正」と定めているのか，その定義を本文に求めることである。本問題において，その定義は下線④にあり，「アドレスブロックや AS 番号を偽った」経路のことを「不正な経路」と呼んでいる。

したがって，ここで問われているのは，「アドレスブロックや AS 番号を偽った経路を受け取った場合に，コンテンツ配信に与える悪影響」であることになる。

あるアドレスブロックを IP-A とし，これが「不正な経路」として広告されているとする。これに加え，この IP-A より広範囲のアドレスブロック（サブネットマスクをより短く設定したネットワークアドレス）が，正当な AS からも広告されているケースを考えてみよう。このとき，「不正な経路」と正当な経路の二つを E 社は受け取るが，ロンゲストマッチアルゴリズムに基づいて「不正な経路」が選択される。

別のケースを挙げると，この IP-A と同じ範囲のアドレスブロックが，正当な AS からも広告しているとしよう。このときも，「不正な経路」と正当な経路の二つを E 社は受け取るが，設問 2（2）で考察したエニーキャスト通信と同じ状況が生じ，「不正な経路」がベストパスとして選択される可能性がある。

今，利用者の端末の IP アドレスが IP-A に含まれており，同端末からコンテンツ配信の HTTP リクエストを受信したとしよう。この端末に HTTP レスポンスを返信するとき，E 社 AS から見た IP-A 宛ての経路情報として「不正な経路」が選択されるなら，同利用者へのコンテンツ配信が阻害されてしまう。

したがって，この旨を解答すればよい。よって正解は「**不正な経路に含まれるアドレスブロックへのコンテンツ配信ができなくなる。**」となる。

参考までに，「BGP ハイジャック」等のキーワードで検索すると，誤った経路情報が広告されたことで大規模な通信障害が生じた事例（2017 年の Google の事例，2008 年の YouTube の事例，等）を見つけることができる。

●**参考：採点講評について**

採点講評は，本問題について「トラフィックの向きを逆方向に考えた誤答が多かった。BGP で受け取った経路がどのトラフィックに影響するか正しく理解し，正答を導き出してほしい」と述べている。本文を見ると，「E 社」が不正な経路を受け取ることを想定しており，問題文を見ると「コンテンツ配信に与える悪影響」と記されているので，トラフィックの向きは配信元の E 社を起点に考える必要がある。何が問われているかを注意深く見定めながら，解を導くことが大切である。

採点講評は，さらに「また，BGP 運用に必要な IRR（Internet Routing Registry）や

経路ハイジャック対策についての知識を是非身につけておいてほしい」と述べている。近年，BGPの出題が増えており，この傾向はしばらく続くと思われる。BGPについては，運用面も含めしっかり勉強しておく必要がある。

■設問3

設問3は，〔配信拠点の保護〕について問うている。

〔配信拠点の保護〕は，コンテンツ配信サーバへのDDoS攻撃対策について，E社が導入しているDestination Address Remote Triggered Black Hole Filtering（以下，RTBH方式と称する）と，E社が導入を予定しているBGP Flowspec方式について説明している。小問（1）はRTBH方式を，小問（2）はBGP Flowspec方式を取り上げている。

（1）

解答例

> | 攻 | 撃 | パ | ケ | ッ | ト | を | 攻 | 撃 | 元 | に | 近 | い | と | こ | ろ | で | 遮 | 断 | で | き | る | 。 |（23字）

問題文は，「図3において，インターネットからBGPルータ1を経由してLB11にHTTPS Flood攻撃があったとき，FW1でフィルタリングする方式と比較したRTBH方式の長所は何か」と記述されている。

図3中のLB11のグローバルIPアドレスを宛先とするHTTPS Flood攻撃（大量のHTTPSリクエストを送信することでサービス妨害をもたらす攻撃）が発生したとしよう。今，このDDoS攻撃のパケットは，BGPルータ1とBGPルータ3から流入したと仮定する。文脈上，DDoS攻撃の対策を検討しているので，送信元端末は大量にあると仮定しよう。

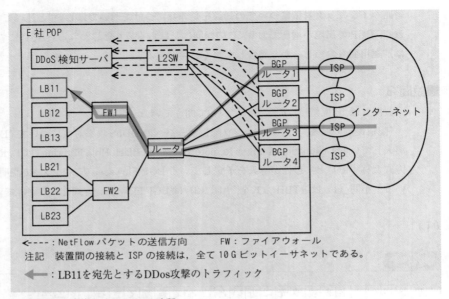

← ---- : NetFlow パケットの送信方向   FW：ファイアウォール
注記　装置間の接続と ISP の接続は，全て 10 G ビットイーサネットである。
← : LB11を宛先とするDDos攻撃のトラフィック

図：LB11 を宛先とする DDoS 攻撃

　本問題は，FW1 でフィルタリングする方式と比較した RTBH 方式の長所を問うている。これを解くために，まず，それぞれの方式について，どの機器でどのようにフィルタリングを実施しているかを考察しよう。次いで，二つの方式の相違点に着目し，RTBH 方式の長所を考察しよう。それが求める解となる。

● FW1 でフィルタリングする方式

　実を言うと，FW1 でフィルタリングする方式については，本文に特に明記されていない。一般的に考えると，FW でフィルタリングする条件は，宛先 IP アドレス，送信元 IP アドレス，宛先ポート番号などがある。

　今は DDoS 攻撃の様態で HTTPS Flood 攻撃を受けているという仮定に基づけば，宛先 IP アドレス（LB11 のグローバル IP アドレス）と宛先ポート番号（HTTPS：443/TCP）は特定できるが，送信元 IP アドレスは特定しづらい状況であると考えられる。

　DDoS 攻撃を検知したら，宛先 IP アドレスと宛先ポート番号に基づくフィルタリングルールを FW1 に設定し，DDoS 攻撃の通信を遮断する。

　この結果，攻撃パケットは FW1 まで到達するが，LB11 には到達しない。それゆえ，LB11 への DDoS 攻撃を防ぐことができる。

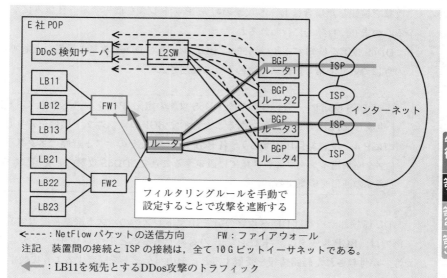

図：LB11 を宛先とする DDoS 攻撃を FW1 で遮断

　この方式を適用するには，何らかの方法で DDoS 攻撃を受けていると判断し，FW のフィルタリングルールを設定する必要がある。なお，フィルタリングルールの設定を「手動」で行うのか「自動」的に行うのかについて，本文は具体的に説明していない。E 社は DDoS 検知サーバを導入済みなので，FW との連携を自動的に行えるかもしれない。

● RTBH 方式

　E 社の RTBH 方式について，〔配信拠点の保護〕の第 2 ～ 4 段落の中で説明されている。適宜引用しながら，要点を解説しよう。

　第 2 段落の中で，E 社の RTBH 方式の概要が示されている。

> 　DDoS 攻撃の宛先 IP アドレスを割り出し，該当 IP アドレスへの攻撃パケットを廃棄することで，ほかの IP アドレスへの通信に影響を与えないようにする。

　DDoS 攻撃の宛先 IP アドレスを割り出す役割を担っているのは，図 3 中の DDoS 検知サーバである。第 3 段落を見ると，同サーバは，E 社の各 BGP ルータから送信された NetFlow パケットを受信すると，「独自アルゴリズムで DDoS 攻撃の有無を判断し，

攻撃を検知した場合はDDoS攻撃の宛先IPアドレスを取得する」仕組みになっている。つまり，自動的に行われるわけだ。

DDoS攻撃を検知すると，最終的にBGPルータがDDoS攻撃の通信を遮断する。その点について，第4段落には次のように記述されている。

> DDoS検知サーバは，検知したDDoS攻撃の宛先IPアドレスへのホスト経路を生成しRTBH方式の対象であることを示すBGPコミュニティ属性を付与して各BGPルータに経路広告する。…各BGPルータは，そのホスト経路のネクストホップを廃棄用インタフェース宛てに設定することで，DDoS攻撃の宛先IPアドレス宛ての通信を廃棄する。

DDoS検知サーバはDDoS攻撃の宛先IPアドレスへのホスト経路を広告する。本事例では，BGPルータは，「RTBH方式の対象であることを示すBGPコミュニティ属性」が付与された経路情報を受信すると，そのパケットを廃棄するように設定されている。

BGPコミュニティ属性とは，経路情報に付与されたタグである。タグをどのように解釈するかについては，この経路情報を送信したBGPルータ（本事例ではDDoS検知サーバ）とこれを受信したBGPルータの間で自由に取り決めてよい。ここでは，「RTBH方式の対象であることが分かるように目印が付いたホスト経路が広告される」と理解しておけば十分である。

本来であれば，BGPルータから見ると，LB11を宛先とする経路のネクストホップは，図3中の「ルータ」（BGPルータとFW間に位置するルータ）である。しかし，LB11へのホスト経路がRTBH方式の対象として広告されることで，ネクストホップを廃棄用インタフェースに切り替えて，DDoS攻撃パケットを廃棄している。

この結果，攻撃パケットはBGPルータまで到達するが，E社POP内部のネットワークには到達しない。それゆえ，LB11へのDDoS攻撃を防ぐことができる。

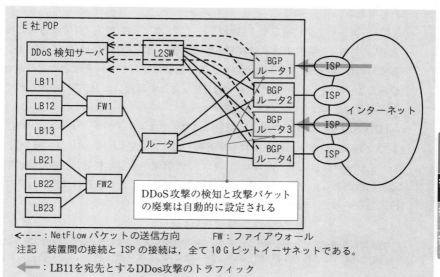

図:LB11 を宛先とする DDoS 攻撃を BGP ルータで遮断

この方式を適用する際,DDoS 攻撃の判断は DDoS 検知サーバが自動的に行う。さらに,BGP ルータによる DDoS 攻撃パケットの廃棄も自動的に設定される。

● FW1 でフィルタリングする方式と RTBH 方式の比較

これまでの解説に基づくと,二つの方式はどちらもフィルタリングに基づいて DDoS 攻撃を遮断している。両者を比較するため複数の観点から評価すると,おおむね次のように整理できる。

評価の観点	FW1 でフィルタリングする方式	RTBH 方式
LB11 に対する DDoS 攻撃の防御	達成できる	達成できる
フィルタリングに指定する情報	宛先 IP アドレス 宛先ポート番号 (*)	宛先 IP アドレス
DDoS 攻撃パケットの流入範囲	FW1 まで	BGP ルータまで
DDoS 攻撃の判断と対策の実施	(自動か否かが不明)	自動的に行う

(*) 本文には明記されていないので,FW の一般的な機能を前提に考える

この表に基づいて二つの方式を比較し,RTBH 方式の長所を考察しよう。
「LB11 に対する DDoS 攻撃の防御」という目的を達成する点では,どちらの方式も

同じである。

「フィルタリングに指定する情報」は，FW1でフィルタリングする方式の場合，宛先IPアドレスと宛先ポート番号である（ただし，本文には明記されていない）。RTBH方式の場合，宛先IPアドレスだけである。前者はプロトコルを限定できる点で優位性があるように見えるが，そもそもLB11を宛先とする通信はHTTPSに限られているので，実質的な差はないと言えるだろう。

「DDoS攻撃パケットの流入範囲」は，FW1でフィルタリングする方式の場合，FW1までである。つまり，たとえ対策を実施しても，大量のパケットがE社POPの内部ネットワークに流入するわけだ。これにより輻輳が生じ，利用者への配信が阻害される可能性がある。一方，RTBH方式の場合，攻撃パケットはE社内部ネットワークに流入しないので，輻輳が生じないはずだ[*]。

> (*) 実際に輻輳が生じるかどうかは，通信区間の帯域幅や通信機器の性能に依存する。本文には具体的な情報が示されていないが，ここでは一般論に基づいて考察している。

「DDoS攻撃の判断と対策の実施」は，FW1のフィルタリングが自動化されているかが判然としない。これに対し，RTBH方式は自動的に行われることが本文中に説明されている。手動と自動を比べれば後者の方が迅速なので，RTBH方式はDDoS攻撃に迅速に対応できる点で優れた技術だ。とはいえ，FW1のフィルタリングが自動化されているか分からない以上，本文の記述から比較優位性を判断できない。したがって，この観点は考察から外すことにしよう。

●解の導出

以上を踏まえると，「DDoS攻撃パケットの流入範囲」について，二つの方式を比較すると，RTBH方式に優位性がある。この方式を採用することで，攻撃パケットがE社内部ネットワークに流入しないからだ。

よって，その旨を解答すればよい。正解は解答例に示したとおりとなる。

(2)

解答例

| より細かい条件で選別して破棄することができる。 | （23字） |

　問題文は,「本文中の下線⑤について,RTBH 方式と比較した BGP Flowspec 方式の長所は何か」と記述されている。

　下線⑤は,〔配信拠点の保護〕の第 7 段落の中にある。そこには,「⑤ BGP Flowspec 方式の方が有用である」と記述されている。

　RTBH 方式は,設問 3 (1) で解説したとおり,DDoS 攻撃の宛先 IP アドレスへのホスト経路のネクストホップを廃棄用インタフェースに切り替えることで,DDoS 攻撃の通信を遮断している。

　それでは,BGP Flowspec 方式はどのように通信を遮断しているのだろうか。この点について,第 6 段落には次のように記述されている。

> 　BGP Flowspec 方式では,…DDoS 攻撃の宛先 IP アドレスだけではなく,DDoS 攻撃の送信元 IP アドレス,宛先ポート番号などを組み合わせて BGP ルータに広告して該当の通信をフィルタリングすることができる。

　二つの方式を比較すると,フィルタリングに指定する情報に相違があることが分かる。

　RTBH 方式の場合,宛先 IP アドレスだけであるのに対し,BGP Flowspec 方式の場合,宛先 IP アドレス,送信元 IP アドレス,宛先ポート番号などを組み合わせたものとなる。

　したがって,RTBH 方式の場合,宛先 IP アドレスだけでフィルタリングを実行するので,HTTPS 通信を用いた DDoS 攻撃を受けている間,標的となっている配信サーバとの通信は一切遮断される。この結果,正規の利用者がダウンロードを行えなくなってしまう。

　これに対し,BGP Flowspec 方式の場合,攻撃元 IP アドレスを組み合わせてフィルタリングを実行する。DDoS 検知サーバは「独自のアルゴリズムで DDoS 攻撃の有無を判断」するので,HTTPS リクエストパケットが DDoS 攻撃のものであるのか,正規の利用者がダウンロードするために送信したものであるのかを判断することができる。つまり,HTTPS 通信を用いた DDoS 攻撃であると判断したとき,その送信元 IP アドレスを「攻撃元 IP アドレス」として特定した上で,BGP ルータに広告するわけだ。

　したがって,HTTPS 通信を用いた DDoS 攻撃を受けている間,攻撃者に対しては通信が遮断される一方,正規の利用者に対しては通信が遮断されることがないので,ダウンロードを行うことができる。これが BGP Flowspec 方式の長所であると言える。

　よって,その旨を解答すればよい。正解は解答例に示したとおりとなる。

問2

設問			解答例・解答の要点	備考
設問1		ア	カスタマー	
		イ	再配布	
		ウ	DMZ	
		エ	eBGP	
		オ	プライベート	
		カ	ポリシーベース	
設問2	(1)	a	10.3.0.0/16	
		b	64500 64500	
	(2)	c	65500	
		d	65500	
		e	65500	
		f	65500	
設問3	(1)	ルーティングループによる障害		
	(2)	タイプ	Type5 又は 外部 LSA	
		機器	ルータ3	
設問4	(1)	①	・IPsec トンネル確立のための IP アドレス	
		②	・IPsec トンネル確立のための鍵情報	
	(2)	IPsec トンネルに障害があった場合の検出を高速にする。		
設問5	(1)	TE023, TE032		
	(2)	TE123, TE132		

　本問は，複数の拠点をもつ G 社が，設定作業の簡便化と WAN の冗長化を実現するという方針の下，SD-WAN による拠点接続を行う事例を取り上げている。

　SD-WAN 装置は平成 30 年午後Ⅰ問 1 設問 1 で取り上げられたことがある。本問と同様，IPsec ルータとして使われているので，本問と出題趣旨は異なるが，参考までに解いてみるとよいだろう。

●本問の構成

　本問の構成を概観すると，下記のように整理できる。

見出し	主な内容	主に対応する出題箇所	
		設問	小問
（序文）	• 現行ネットワーク構成（図 1） • SD-WAN を活用したネットワーク構成の改善方針	—	—
現行ネットワーク概要	• 現行ネットワークの概要	1	空欄ア
		2	(1)～(2)
現行の経路制御概要	• 現行の経路制御の概要	1	空欄イ～オ
		3	(1)～(2)
SD-WAN 導入検討	• SD-WAN 装置と SD-WAN コントローラーの主な機能 • SD-WAN を G 社ネットワークへ導入する方向の検討と実施する項目	1	空欄カ
	• SD-WAN 装置導入後のネットワーク構成（図 2）	4	(1)～(2)
SD-WAN トンネル検討	• SD-WAN 装置間の IPsec トンネルの構成 • SD-WAN の動作	5	(1)～(2)

　それでは，設問の解説に移ろう。

午後Ⅰ 答1 答2 答3

■設問1

設問1は,〔現行ネットワーク概要〕,〔現行の経路制御概要〕,〔SD-WAN 導入検討〕の空欄ア～カに入れる適切な字句を問うている。

解答例

ア:カスタマー　　イ:再配布

ウ:DMZ　　　　　エ:eBGP

オ:プライベート　カ:ポリシーベース

ア

空欄アは,〔現行ネットワーク概要〕の第1段落,5番目の箇条書きの中にある。そこには「ルータ1～4は,拠点間を接続する機器であり,L社の PE ルータと対向する　　ア　　エッジルータである」と記述されている。

本事例のように,閉域網を介して自社の複数の拠点を接続する場合,各所のルータを分かりやすく区別するため,よく使われる呼称がある。この呼称は通信事業者の目線に立っており,通信事業者は自らをサービスプロバイダと称し,自分たちは顧客(Customer)に閉域網サービスを提供している,とみなしている。

顧客(本問ではG社)の拠点に設置され,閉域網に接続するためのルータを,カスタマーエッジルータ(Customer Edge ルータ,CE ルータ)と呼ぶ。閉域網に設置され,アクセス回線を介してカスタマーエッジルータと接続しているルータを,プロバイダエッジルータ(Provider Edge ルータ,PE ルータ)という。

顧客の拠点間は VPN で接続されているので,顧客から見ると PE ルータ間がフルメッシュで接続しているように見える。閉域網の内奥にあるプロバイダルータ(Provider Router)は,その存在が利用者に意識されない。

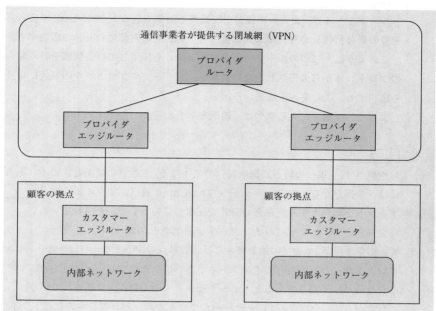

図：閉域網（VPN）を構成する各ルータの名称

以上を踏まえ，空欄アの文脈を考察しよう。

G社のルータ1～4は，図1を見ると明らかなように，G社拠点に設置され，L社MPLS VPN網に接続するためのルータである。つまり，カスタマーエッジルータである。

よって，空欄アに入る字句は「**カスタマー**」となる。

イ

空欄イは，〔現行の経路制御概要〕の第1段落，4番目の箇条書きの中にある。そこには「ルータ1～4で二つのルーティングプロトコル間におけるルーティングを可能にするために，経路情報の　イ　をしている」と記述されている。

本事例では，二つのルーティングプロトコルを用いた動的経路制御を行っている。

一つ目はL社VPNを介した拠点間の経路制御であり，BGPを用いている。二つ目はそれぞれの拠点内の経路制御であり，OSPFを用いている。カスタマールータであるルータ1～4は，拠点間の経路情報がWAN側インタフェースでBGPにより広告され，拠点内の経路情報がLAN側インタフェースでOSPFにより広告される。

　ルータ1〜4は，拠点内の機器が別拠点と通信できるように，BGPで広告された他拠点の経路情報をOSPFの形式に変換し，自拠点の内部にOSPFで広告する。

　このように，二つのルーティングプロトコルを併用して経路制御を行う場合，一方のプロトコルから広告された経路情報を，もう一方のプロトコルの形式に変換してから広告する。これを再配布という。

　よって，空欄イに入る字句は「**再配布**」となる。

ウ

　空欄ウは，〔現行の経路制御概要〕の第1段落，5番目の箇条書きの中にある。そこには「全拠点からインターネットへのhttp/https通信ができるように，　ウ　のサブネットを宛先とする経路をOSPFで配布している」と記述されている。

　全拠点のPCとサーバのインターネットアクセスについて，〔現行ネットワーク概要〕の第1段落，2番目の箇条書きには「各拠点のPCとサーバは，データセンターのプロキシサーバを経由してインターネットへアクセスする」と記述されている。プロキシサーバは，図1を見ると，データセンターのDMZに設置されている。

　したがって，全拠点のPCとサーバがプロキシサーバに接続するには，DMZを宛先とする経路情報がOSPFで配布されなければならない。

　よって，空欄ウに入る字句は「**DMZ**」となる。

エ

　空欄エは，〔現行の経路制御概要〕の第1段落，6番目の箇条書きの中にある。そこには「BGP4において，AS内部の経路交換はiBGPが用いられるのに対し，各拠点のルータとPEルータとの経路交換では　エ　が用いられる」と記述されている。

　BGPの経路交換は，AS内部ではiBGPが用いられ，AS間ではeBGPが用いられる。

　本事例のように，通信事業者の閉域網と接続してBGPで経路制御する場合，通信事業者と自拠点は互いを独立したASとみなす。本事例では，L社MPLS VPNのAS番号は64500であり（8番目の箇条書き，表1注記），G社のAS番号は65500である（7番目の箇条書き）。

　したがって，閉域網側のルータ（プロバイダエッジルータ）と自拠点側のルータ（カスタマーエッジルータ）の間で行われる経路交換は，AS間の経路交換と同等の扱いになるので，eBGPが用いられる。

　よって，空欄エに入る字句は「**eBGP**」となる。

オ

空欄オは，〔現行の経路制御概要〕の第1段落，7番目の箇条書きの中にある。そこには「L社 VPN と接続するために，AS 番号 65500 が割り当てられている。この AS 番号はインターネットに接続されることのない AS のために予約されている番号の範囲に含まれる。このような AS 番号を　オ　AS 番号という」と記述されている。

本事例のように，通信事業者の閉域網と接続して BGP で経路制御する場合，通信事業者と自拠点は別々の AS になる。このとき用いる AS に割り当てる AS 番号として，インターネットに接続されることのない AS のために予約された，プライベート AS 番号を用いることができる。

プライベート AS 番号は，64512 〜 65535，4200000000 〜 4294967294 の範囲であり，インターネットに広告してはならない。ちょうど，IPv4 のプライベート IP アドレスがプライベートネットワークの内部でのみ使用が認められているのと同じである。

本事例では，G 社の AS 番号は 65500 であり（7 番目の箇条書き），プライベート AS 番号の範囲に収まっている。

よって，空欄オに入る字句は「**プライベート**」となる。

参考までに，プライベート AS 番号と区別するため，インターネットで使用する AS 番号のことをグローバル AS 番号と呼ぶ。L 社 MPLS VPN の AS 番号は 64500 であり（8 番目の箇条書き，表1注記），グローバル AS 番号である。ただし，ドキュメントに記述する用途で予約された AS 番号であり，実在する AS に割り当てられることがない。

カ

空欄カは，〔SD-WAN 導入検討〕の第2段落，4番目の箇条書きの中にある。そこには「アプリケーショントラフィックを識別したルーティングを　カ　ルーティングという」と記述されている。

通常のルーティングと異なり，アプリケーショントラフィックの種類（ポート番号）など，宛先 IP アドレス以外の情報に基づいてルーティングを行うことを，ポリシーベースルーティングという。

よって，空欄カに入る字句は「**ポリシーベース**」となる。

ポリシーベースルーティングについて，詳しくは本書の第3章「3.8.1 ルーティングの仕組み」の「●ポリシーベースルーティング」を参照していただきたい。

■設問2

設問2は，〔現行ネットワーク概要〕について問うている。

(1)

解答例

a：10.3.0.0/16　　　b：64500　64500

本問題は，空欄a, bに入れる適切な字句を問うている。これらの空欄は，〔現行ネットワーク概要〕の表1「本社のルータ2に届く支店Vの経路情報」の中にある。

表1は，本社のカスタマーエッジルータ（ルータ2）に届く，支店Vの経路情報のPrefix，AS PATHを記載している。空欄aはPrefixに入る字句であり，空欄bはas-override設定が有る場合のAS PATHに入る字句である。

a

表1は，本社のカスタマーエッジルータ（ルータ2）に届く，支店Vの経路情報である。

表2「各拠点のIPアドレスとAS番号一覧」に基づくと，IPアドレスブロックを明記した現行のネットワーク構成は，次の図のようになる。

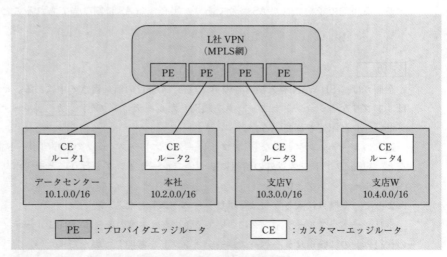

図：IPアドレスブロックを明記した，現行ネットワークの構成

支店VのIPアドレスブロックは「10.3.0.0/16」である。この値がPrefixとして格納

され，支店Vのルータ3から広告される。

　本社のルータ2に届く，支店Vの経路情報のPrefixである「10.3.0.0/16」が，表1の空欄aに入る字句となる。

　よって，空欄aの正解は「**10.3.0.0/16**」となる。

---

b

　L社VPNは，AS番号「64500」を使用している（表1注記）。

　G社は，AS番号「65500」を使用している（〔現行の経路制御概要〕の第1段落，7番目の箇条書き）。G社の各拠点は，「G社の複数の拠点で同一のAS番号を用いる」ので（〔現行ネットワーク概要〕の第1段落，6番目の箇条書き），全拠点に同一のAS番号「65500」を割り当てていることが分かる。

　つまり，ASの構成に着目すると，次の図のようになっている。

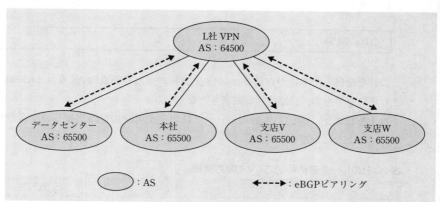

図：AS の構成

　支店Vが自拠点の経路情報を広告し，その経路情報が本社に届いたとしよう。通常のBGPの設定に従えば，支店Vの経路情報に付与されたAS_PATH属性は，「支店VのAS」，「L社VPN」の順に（右から左に向かって）追記されてゆくので，次のようになるはずだ。

64500　65500

　これを受信した本社から見ると，AS_PATHの中に自拠点のAS番号「65500」が含まれている。

BGP は，受信した経路情報の AS_PATH の中に自拠点と同一の AS 番号が含まれているとき，ルーティングループが発生したと判断して，この経路情報を破棄する。

本社が受信した AS_PATH 中の「65500」は，支店 V を指し示しており，本社を指し示すものではないので，実際にはルーティングループが発生していない。本社と支店 V に同一の AS 番号を割り振ったために生じたものである。それにもかかわらず，ルーティングループであると誤認識してしまうことで，この経路情報を破棄してしまう。

この誤認識を生じさせないために，L 社側で as-override を実行する。L 社が本社に広告する際，AS PATH に設定されていた支店 V の AS 番号「65500」を，自身の AS 番号「64500」に上書き（オーバーライド）しているのだ。

「override」という英単語には「元の設定や決定を無効にして，新しい設定や決定を適用する」という意味がある。BGP における「as-overide」も，まさしく，この意味と調和した振る舞いをしている。

L 社側で as-override を実行した結果，本社が受信する AS_PATH は次のようになる。

```
64500  64500
```

これを受信した本社から見ると，AS_PATH の中に自拠点の AS 番号「65500」は含まれていないため，経路情報が破棄されなくなる。

以上を踏まえ，「表1　本社のルータ２に届く支店 V の経路情報」の空欄を埋めると，次のようになる。

表：本社のルータ２に届く支店 V の経路情報

	Prefix	AS_PATH
as-override 設定無し	10.3.0.0/16	64500 65500
as-override 設定有り	10.3.0.0/16	64500 64500

注記）as-override によって上書きされた AS 番号を赤字で示す

L 社側で as-override を設定した場合に本社が受信する AS_PATH の値（上表の右下のセル）が，表1の空欄 b に入る字句となる。

よって，空欄 b の正解は「64500 64500」となる。

(2)

解答例

> c：65500　　　　　d：65500
>
> e：65500　　　　　f：65500

　本問題は，空欄 c ～ f に入れる適切な字句を問うている。これらの空欄は，〔現行ネットワーク概要〕の表 2「各拠点の IP アドレスと AS 番号一覧」の中にある。空欄 c ～ f は，G 社の各拠点の AS 番号に入る字句（すなわち AS 番号）である。

　設問 2（1）で解説したとおり，G 社は，AS 番号「65500」を使用している（〔現行の経路制御概要〕の第 1 段落，7 番目の箇条書き）。G 社の各拠点は，「G 社の複数の拠点で同一の AS 番号を用いる」ので（〔現行ネットワーク概要〕の第 1 段落，6 番目の箇条書き），全拠点に同一の AS 番号「65500」を割り当てている。

　したがって，空欄 c ～ f に入る AS 番号は，いずれも「**65500**」である。

■設問 3

　設問 3 は，〔現行の経路制御概要〕について問うている。

(1)

解答例

> | ルー | ティ | ング | ルー | プ | に | よ | る | 障 | 害 |（14字）

　問題文は，「本文中の下線③について，経路フィルターによって防止することが可能な障害を…答えよ」と記述されている。

　下線③は，〔現行の経路制御概要〕の第 1 段落，4 番目の箇条書きの中にある。そこには，「ルータ 1 ～ 4 で二つのルーティングプロトコル間におけるルーティングを可能にするために，経路情報の再配布をしている（空欄イを補填）。このとき，一方のルーティングプロトコルで学習された経路がもう一方のルーティングプロトコルを介して③再び同じルーティングプロトコルに渡されることのないように経路フィルターが設定されている」と記述されている。

　G 社の拠点のカスタマーエッジルータであるルータ 1 ～ 4 は，LAN 側インタフェー

スにおいて拠点内の経路情報の交換を OSPF で行っており，WAN 側インタフェースにおいて拠点間の経路情報の交換を BGP で行っている。

このカスタマーエッジルータは，双方のルーティングプロトコルで再配布を行う。具体的に言うと，次に示すように，一方のルーティングプロトコルの経路情報を，他方のルーティングプロトコルの経路情報に変換し，変換後のルーティングプロトコルで広告する。

表：カスタマーエッジルータが行う再配布

再配布時に行う変換		変換後の広告先	変換後に広告する経路情報	
変換前	変換後	となる相手	宛先ネットワーク	ネクストホップ
BGP	OSPF	自拠点内の機器	他拠点の IP アドレスブロック	自ルータの LAN 側インタフェース
OSPF	BGP	L 社 VPN の PE ルータ	自拠点の IP アドレスブロック	自ルータの WAN 側インタフェース

この再配布を行う際，下線③に記されているとおり，「一方のルーティングプロトコルで学習された経路がもう一方のルーティングプロトコルを介して③再び同じルーティングプロトコルに渡されることのないように」しなければならない。なぜならば，以下に述べるとおり，ルーティングループが発生する可能性があるからだ。

本事例で生じる可能性があるルーティングループの例を一つ挙げる。

表：ルーティングループが発生するまでの動作シーケンス

順序	ルータの動作	経路情報	
1	本社のルータ 2 が，L 社 VPN に BGP で広告する	宛先ネットワーク	本社（10.2.0.0/16）
		ネクストホップ	ルータ 2（WAN 側）
		プロトコル	BGP
2	L 社 VPN が，支店 V のルータ 3 に BGP で広告する	宛先ネットワーク	本社（10.2.0.0/16）
		ネクストホップ	ルータ 3 の対向 PE ルータ
		プロトコル	BGP
3	支店 V のルータ 3 が，項番 2 の BGP の経路情報を OSPF に変換する	BGP から OSPF に変換する。BGP 固有の情報（パスアトリビュート，等）は失われる	

（表は次ページに続く）

順序	ルータの動作	経路情報	
4	支店Vのルータ3が,支店Vの内部にOSPFで広告する	宛先ネットワーク	本社（10.2.0.0/16）
		ネクストホップ	ルータ3（LAN側）
		プロトコル	OSPF
5	支店Vのルータ3が,項番4のOSPFの経路情報をBGPに変換する	OSPFからBGPに変換する。OSPF固有の情報（LSA,等）は失われる	
6	支店Vのルータ3が,L社VPNにBGPで広告する	宛先ネットワーク	本社（10.2.0.0/16）
		ネクストホップ	ルータ3（WAN側）
		プロトコル	BGP

　ここで,再配布が2回行われている。1回目はBGPからOSPFへの再配布（項番3～4）であり,2回目はOSPFからBGPへの再配布（項番5～6）である。この振る舞いを本文の記述に照らし合わせると,「一方のルーティングプロトコルで学習された経路」（BGPで学習された本社宛ての経路）が,「もう一方のルーティングプロトコルを介して③再び同じルーティングプロトコルに渡される」（項番5～6）ことが分かる[*1]。

(*1) ここでは,「もう一方のルーティングプロトコルを介して再び同じルーティングプロトコルに渡される」という状況を作り出すためにわざと不適切に設定しているのだ,と考えていただきたい。機器の設定には様々なバリエーションがあるので,設定次第で異なる振る舞いをすることがあり得ることを申し添えておく。

　この状態で,支店Vの端末が本社宛てにIPパケットを送信したら,どうなるだろうか。

　支店VのL3SW3は,項番4で学習した経路情報に基づき,支店Vのルータ3に転送する。支店Vのルータ3は,項番2で学習した経路情報に基づき,L社VPNのPEルータ（ルータ3の対向PEルータ）に転送する。このとき,L社VPNのPEルータが,項番6で学習した経路情報に基づき,支店Vのルータ3に転送するならば,支店Vのルータ3とその対向PEルータの間で,ルーティングループが発生する。

　それでは今,下線③に記されているとおり,「再び同じルーティングプロトコルに渡されることのないように経路フィルタリングが設定されている」としよう。この状態で,支店Vの端末が本社宛てにIPパケットを送信すると,さきほどの動作シーケンスはどのように変化するだろうか。

　項番1～4までは変わらない。項番5～6の時点で経路フィルタリングが実行され,項番2で学習した経路情報は,BGPに再配布されないようになる。つまり,この経路情報に関しては,項番5～6が実行されないわけだ。

支店Vの端末が本社宛てにIPパケットを送信したとき，支店Vのルータ3はこのIPパケットをL社VPNのPEルータに転送する。L社VPNの各PEルータは，項番1の時点で本社の経路情報を学習しているので，L社VPNはこのIPパケットを本社に転送する。

したがって，ルーティングループは発生せず，L社VPNを経由した拠点間のルーティングが適切に行われる。

以上を踏まえると，経路フィルターを設定することで防止できる障害は，「**ルーティングループによる障害**」であることが分かる。よって，これが正解となる。

(2)

解答例

> **タイプ：Type5 又は 外部LSA　機器：ルータ3**

問題文は，「本文中の下線④について，3拠点のL3SWにこの経路情報が届いたときのOSPFのLSAのタイプを答えよ。また，支店VのL3SW3にこのLSAが到達したとき，そのLSAを生成した機器は何か。図1中の機器名で答えよ」と記述されている。

下線④は，〔現行の経路制御概要〕の第1段落，5番目の箇条書きの中にある。そこには，「全拠点からインターネットへのhttp/https通信ができるように，DMZのサブネットを宛先とする経路をOSPFで配布している。この経路情報は，途中BGP4を経由して，④3拠点（本社，支店V，支店W）のルータ及びL3SWに届く」と記述されている（空欄ウを補填）。それゆえ，問題文中の「この経路情報」とは，DMZを宛先とする経路情報であることが分かる。

本問題は二つのことを問うている。

一つ目は，3拠点のL3SWにDMZの経路情報が届いたときのOSPFのLSAのタイプである。

二つ目は，支店VのL3SW3にこのLSAが到達したとき，そのLSAを生成した機器である。

本問題を解くには，まず，ルータ1〜4の種類を理解する必要がある。LSAのタイプは，ルータの種類が分かると，そのルータが広告するLSAのタイプを容易に絞り込めるからだ。次いで，DMZの経路情報が支店Vに到達するまでの動作シーケンスを理解する必要がある。動作シーケンスが分かれば，L3SW3に広告された経路を生成した機器が明らかになる。

それでは以下，順を追って解説し，解を導こう。

●ルータ1〜4の種類

G社の拠点のカスタマーエッジルータであるルータ1〜4は，LAN側インタフェースにおいて拠点内の経路情報の交換をOSPFで行っており，WAN側インタフェースにおいて拠点間の経路情報の交換をBGPで行っている。それゆえ，ルータ1〜4は，LAN側のOSPFドメインとWAN側のBGPドメインの境界に位置しているため，ASBR（AS Boundary Router）になる。

OSPFエリアは，全拠点とも「エリア0」，すなわちバックボーンエリアである（〔現行の経路制御概要〕の第1段落，3番目の箇条書き）。拠点間はBGPを介して経路情報を交換しているが，OSPFの設定上は，全拠点が同一エリアに属している。それゆえ，ルータ1〜4はABR（Area Border Router）ではない。

● DMZの経路情報が支店Vに到達するまでの動作シーケンス

データセンターのサブネットワークであるDMZの経路情報（x.y.z.0/28）は，どのように広告されるのだろうか。具体例として，支店Vのルータ3，L3SW3に到達するまでの動作シーケンスを，次の表に示す。もちろん，他の拠点（本社，支店W）にも同様の動作シーケンスで到達する。

表：DMZの経路情報が広告され，支店Vに届くまでの動作シーケンス

順序	ルータの動作	経路情報	
1	データセンターのルータ1が，L社VPNにBGPで広告する	宛先ネットワーク	DMZ（x.y.z.0/28）
		ネクストホップ	ルータ1(WAN側)
		プロトコル	BGP
2	L社VPNが，支店Vのルータ3にBGPで広告する	宛先ネットワーク	DMZ（x.y.z.0/28）
		ネクストホップ	ルータ3の対向PEルータ
		プロトコル	BGP
3	支店Vのルータ3が，項番2のBGPの経路情報をOSPFに変換する	BGPからOSPFに変換する。BGP固有の情報（パスアトリビュート，等）は失われる	
4	支店Vのルータ3が，支店VのL3SW3にOSPFで広告する	宛先ネットワーク	DMZ（x.y.z.0/28）
		ネクストホップ	ルータ3（LAN側）
		プロトコル	OSPF
		LSAのタイプ	タイプ5

●解の導出

　本問題は，二つのことを問うていた。

　一つ目は，3拠点のL3SWにDMZの経路情報が届いたときのOSPFのLSAのタイプである。

　二つ目は，支店VのL3SW3にこのLSAが到達したとき，そのLSAを生成した機器である。

　上述の「表：DMZの経路情報が広告され，支店Vに届くまでの動作シーケンス」に示したように，DMZ（x.y.z.0/28）の経路情報は，BGPで広告されて支店Vのルータ3に到達する。ASBRであるルータ3は，BGPの経路情報をOSPFに再配布し，支店Vに広告する。

　したがって，これが再配布した経路情報のLSAは，タイプ5（AS External LSA）となる。もちろん，他の拠点も支店Vと同様に考えればよい。よって，一つ目の正解は「**Type5**」又は「**外部LSA**」となる。

　この表の項番4に明記したように，L3SW3は，支店Vのルータ3が生成したこの経路情報を受信する。よって，二つ目の正解は「**ルータ3**」となる。

■設問4

　設問4は，〔SD-WAN導入検討〕について問うている。

　設問の解説に入る前に，G社がSD-WANを利用して実現しようとしている「WANの冗長化」（序文第1段落）について解説しよう。

● WANの冗長化

　G社は，四つの拠点をWAN回線で接続している。現在使用しているWAN回線はL社VPNである。これに加え，WANの冗長化を行うため，新たにWAN回線をもう一つ追加する。それがインターネットである。

　この点について，本文の〔SD-WAN導入検討〕第3段落，4番目の箇条書きは，「インターネット経由とL社VPN経由でIPsecトンネルを設定する」と説明している。つまり，

(1) 従来のWAN回線であるL社VPN上で，四つの拠点をIPsecトンネルで互いに接続する
(2) インターネット上で，四つの拠点をIPsecトンネルで互いに接続する

ということが分かる。二つ目に挙げた，インターネット上にIPsecトンネルを構築す

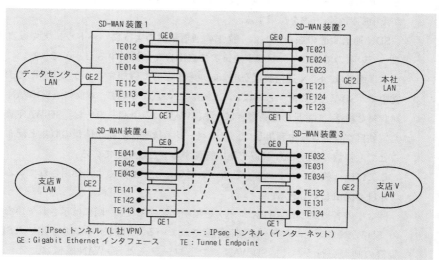

る技術は，インターネットVPNと呼ばれるものだ。

2拠点間を接続するIPsecトンネルは，仮想的な専用線とみなせる。それゆえ，本事例における，ある2拠点間のWANの冗長化は，（1）L社VPN上のIPsecトンネル，（2）インターネット上のIPsecトンネル，という2本の仮想的専用線で実現されていることが分かる。

物理的なネットワークの上に仮想的なネットワークを構築するとき，物理側と仮想側を区別するための呼称がある。物理的なネットワークをアンダーレイネットワークと呼び，その上に構築された仮想的なネットワークをオーバーレイネットワークと呼ぶ。本事例の場合，アンダーレイネットワークは二つのWAN回線（L社VPNとインターネット）であり，オーバーレイネットワークはIPsecトンネルによる仮想的専用線である。

冗長化された拠点間の通信について，〔SD-WANトンネル検討〕第2段落，3番目の箇条書きは，「拠点間の通信は，L社VPNを優先的に利用し，L社VPNが使えないときはインターネットを経由する」と記述されているので，アクティブ／スタンバイ型の冗長化構成になっていることが分かる。

G社が構築するIPsecトンネルが，本文の図3に具体的に示されている。

図：G社が構築するIPsecトンネル（本文の図3）

四つの拠点（データセンター，本社，支店V，支店W）は，仮想的な専用線（IPsecトンネル）を用いて，フルメッシュ構成で接続されている。そのフルメッシュ構成が，

L社 VPN の上，インターネットの上にそれぞれ構築されている。図の中で，L社 VPN 上の IPsec トンネルが実線で，インターネット上の IPsec トンネルが破線でそれぞれ示されている。

IPsec トンネルの本数は，一つのフルメッシュ構成は4拠点からなるので6本あり，そのフルメッシュ構成が二つあるので合計12本になる。

G社の利用者の目には，拠点間が専用線を用いたフルメッシュ構成で接続されているように見えており，その専用線を通って拠点間で IP 通信が行われる。

●参考：SD-WAN 装置と SD-WAN コントローラーの機能

参考までに，SD-WAN 装置と SD-WAN コントローラーについて手短に解説しておこう。SD-WAN の仕組みは本問題で問われていないので，SD-WAN 技術に興味のある読者だけ，目を通していただきたい。

SD-WAN は，SDN（Software Defined Network）を WAN に適用した技術である。SD-WAN の「SD」は「Software Defined」を表している。

SDN とは，「通信装置の機能をソフトウェアで定義できるようにした技術や規格」である。従来のネットワーク機器を，経路制御などの管理機能を実行するコントローラーと，データ転送を行う SDN 通信装置に分け，パケットの経路制御をコントローラーが集中制御する方式を採用する。

SDN 通信装置の振る舞いは，従来の通信装置のようにハードウェアで硬直的に定まっているのではなく，ソフトウェアで自由自在に決定することができる。

本事例では，SDN 通信装置を IPsec ルータとして機能するように定義しており，本文中で「SD-WAN 装置」と呼ばれている。この点について，本文の〔SD-WAN 導入検討〕第2段落，1番目の箇条書きは，「SD-WAN コントローラーは，SD-WAN 装置に対して独自プロトコルを利用して，オーバーレイ構築に必要な情報の収集と配布を行うことで，複数の SD-WAN 装置を集中管理する」と説明している。

ここには「独自プロトコル」と書かれているが，SDN でよく使用されているプロトコルは OpenFlow である。

図3中の各拠点の SD-WAN ルータを集中制御するため，図には示されていないものの，SD-WAN コントローラーが別途用意されている。独自プロトコルを用いた SD-WAN 装置の制御を行うべく，SD-WAN コントローラーと SD-WAN 装置は，データトラフィックが流れるネットワークから独立した，制御用ネットワークで接続する。

SDN では，データトラフィックを転送するネットワークのことを「データプレーン」と呼び，SD-WAN コントローラーを含む制御用ネットワークのことを「コントロールプレーン」と呼ぶ。従来の通信装置では，データプレーンとコントロールプレーンが

装置内部に存在しており，データプレーンがパケット転送処理を担い，コントロールプレーンがその制御を担っていた。プレーン構成に着目した，従来の通信機器とSDNを比較した図を次に示す。

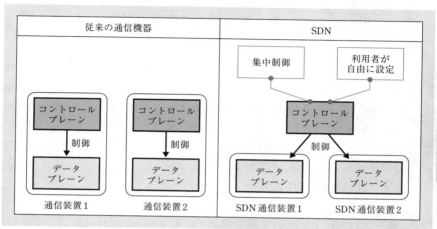

図：データプレーン構成に着目した，従来の通信機器とSDNの比較

　SDNが二つの独立したプレーンで構成されていることを理解できると，〔SD-WAN導入検討〕第2段落，7番目の箇条書きの説明が理解できるようになる。そこには「SD-WAN装置は，VRF（Virtual Routing and Forwarding）による独立したルーティングインスタンス（以下，RIという）を複数もつ。そのうちの一つのRIはコントロールプレーンで用いられ，他のRIはデータプレーンで用いられる」と記述されている。

　つまり，データプレーンは，WAN上で拠点接続の通信を行う。それゆえ，そのルーティングのためにRIが必要になる。コントロールプレーンは，制御用ネットワーク上で「独自プロトコル」による制御用の通信を行う。それゆえ，そのルーティングのために別のRIが必要になる。

　以上の解説で，SD-WANに関する本文の説明を理解できるようになったはずだ。

　なお，SDNは，平成30年午後Ⅰ問1，午後Ⅱ問2，平成29年午後Ⅱ問2問1などで取り上げられている。それら過去問題の解説は付録PDFとして提供されており，その中でSDNについて詳しく解説しているので，興味があれば参考にしていただきたい。

　それでは，WANの冗長化，及びSD-WAN装置について理解できたところで，いよいよ設問の解説に移ろう。

(1)

① ・ｌＰｓｅｃトンネル確立のためのＩＰアドレス （21字）
② ・ｌＰｓｅｃトンネル確立のための鍵情報 （18字）

　問題文は，「本文中の下線⑤について，SD-WAN コントローラーから送られる情報を二つ挙げ（よ）」と記述されている。

　下線⑤は，〔SD-WAN 導入検討〕の第2段落，5番目の箇条書きの中にある。そこには，「SD-WAN コントローラーが SD-WAN 装置に配布する主な情報は，SD-WAN 装置ごとのオーバーレイの経路情報と，⑤ IPsec トンネルを構築するために必要な情報の2種類がある」と記述されている。

　一つずつ解説してゆこう。

●一つ目の解：SD-WAN 装置の IP アドレス

　IPsec トンネルについて，3番目の箇条書きには「オーバーレイネットワークは，SD-WAN 装置間の IPsec トンネルで構築される。IPsec トンネルの確立では SD-WAN 装置の IP アドレスが用いられる」と記述されている。

　本事例では，WAN 回線の上にオーバーレイネットワーク（IPsec トンネルによる仮想的専用線）を構築する。IPsec トンネルは，拠点間の通信区間の一部を占めているので，IPsec のトンネルモードが使用される。

　例えば，本社の PC がデータセンターのサーバに IP パケットを送信するとしよう。PC が送信しサーバが受信する IP パケットは，送信元 IP アドレスが PC であり，宛先 IP アドレスがサーバである。この IP パケットが IPsec トンネル区間に入るときに IPsec でカプセル化され，トンネルモード用 IP ヘッダーが付与される。その IP ヘッダーは，送信元 IP アドレスが本社の SD-WAN 装置の IP アドレスであり，宛先 IP アドレスがデータセンターの SD-WAN 装置の IP アドレスである。

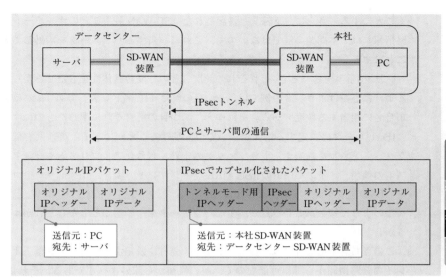

図：本社の PC とデータセンターのサーバ間の IP 通信が IPsec トンネル区間でカプセル化される様子

したがって，SD-WAN 装置が IPsec トンネルを確立するには，自拠点と相手拠点のそれぞれの SD-WAN 装置の IP アドレスを事前に知っておく必要がある。

したがって，下線⑤「IPsec トンネルを構築するために必要な情報」として，SD-WAN コントローラーが SD-WAN 装置に配布する情報は，IP アドレスである。よって，一つ目の正解は「**IPsec トンネル確立のための IP アドレス**」となる。

●二つ目の解：

一見すると，IPsec トンネル確立のための IP アドレスは「送信元 IP アドレス」と「宛先 IP アドレス」の 2 種類あるわけだから，二つの解が導かれたように思える。とはいえ，IP アドレス以外に「IPsec トンネルを構築するために必要な情報」があるならば，それを二つ目の解とすべきである。念の為，確認してみよう。

解を導くための効果的なアプローチは，まず，本文の記述（要件，条件，等）に基づいて考察することである。本文中に手掛かりを見出せなければ，次に，一般的な知識に基づいて考察するのがよい。

一つ目の解は本文の記述に基づいて導いたが，これ以外に IPsec トンネルの構築に関する具体的な手掛かりを本文中から見い出すことができない。

そこで，IPsec トンネルに関する一般的な知識に基づいて考察し，二つ目の解を導

くことにする。さらに，下線⑤と併記された「SD-WAN装置ごとのオーバーレイの経路情報」は，本問題の解ではないので，これに該当するパラメータを除外して考えることにする。

「二つの解」を導くとき，それぞれの粒度（どの程度の具体性をもたせるか）を揃えるように心掛けよう。今の例では，一つ目の解は「IPアドレス」であり，パラメータ項目名に相当する粒度である。それゆえ，二つ目の解もそれに準じたものにする。

IPsecルータに設定する情報は，いくつも挙げることができる。事前共有鍵，セレクタ（トンネルを通過するトラフィックの定義），暗号化アルゴリズムや認証アルゴリズムの種類，メインモードの指定（IKEバージョン1の場合），IPsecプロトコルの指定（ESP），ライフタイム，などがある。

このように複数あるわけだが，主なパラメータを一つ選ぶとしたらどれがよいだろうか。

このうち，事前共有鍵は，通常，トンネル固有に設定する。セレクタは，オーバーレイの経路情報から導出可能なので，解の候補から除外すべきである。それ以外は，特に理由がなければ一律に設定する。

ここでは固有性を重視して，「事前共有鍵」を二つ目の解に選んでみよう。一つ目の解である「IPアドレス」もトンネル固有のものなので，これに準じたパラメータと言えるだろう。

よって，二つ目の正解は「IPsecトンネル確立のための鍵情報」となる。

一般的な知識に基づいて解を導く場合，別解の余地が生じる恐れがある。二つ目の解は，IPsecをよく知る受験者にとって，やや解答しづらかったのではないだろうか。

(2)

解答例

> ＩＰsecトンネルに障害があった場合の検出を高速にする。
>
> (28字)

問題文は，「本文中の下線⑥について，トンネルインタフェースにBFDを設定する目的を，"IPsecトンネル"という用語を用いて…答えよ」と記述されている。

下線⑥は，〔SD-WAN導入検討〕の第3段落，5番目の箇条書きの中にある。そこには，「⑥拠点のSD-WAN装置のトンネルインタフェースで，BFDを有効化する」と記述されている。

BFD について，本文中には「RFC5880 で規定された BFD（Bidirectional Forwarding Detection）」という手掛かりしか見当たらない。

BFD の仕組みについては後述するが，実は本問題は，BFD のことを知らなくても，本文の記述から推論して，部分点がもらえそうな答えを導くことができる。まずは BFD の知識を前提に解を導こう。次に，その知識を前提とせず解答テクニックを使って解を導く方法を示そう。

●解の導出：BFD に関する知識を前提とする解法

BFD は，ネットワーク機器間で可用性を検出するプロトコルである。BFD による死活監視は，双方の機器が相互に Hello パケットを定期的に送信することによって行われる。詳しくは本書の第 6 章「6.2.6 経路の冗長化」の「● BFD」で解説しているので，参照していただきたい。

IPsec は，IKE プロトコルの DPD（Dead Peer Detection）を用いることで，30 秒ごと（Cisco System 社の機器の場合）に IPsec トンネルの死活監視を行う仕組みを装備している。

DPD の代わりに BFD を用いることで，より迅速に障害を検知することができる。なぜなら，BFD は，Hello パケットの送出間隔を 300 ミリ秒〜 255,000 ミリ秒の範囲で自由に設定できるからだ。

設問 4 の冒頭の解説「● WAN の冗長化」で解説したとおり，G 社は拠点間をフルメッシュ構成で接続したオーバーレイネットワークを構築する計画である。オーバーレイネットワークは IPsec トンネルで構築する。拠点間を接続する WAN 回線は，アクティブ／スタンバイ型の冗長化構成である。アクティブの回線は現在使用している L 社 VPN であり，スタンバイの回線はインターネット（IPsec トンネルで構築したインターネット VPN）である。

アクティブ／スタンバイ型の冗長構成でフェールオーバを実現するには，回線の死活監視を実施する必要がある。そのために，IPsec が元から備えている仕組み（IKE プロトコルの DPD）を使ってもよいが，BFD を使用することで，障害検知を高速化することができる。

したがって，拠点の SD-WAN 装置のトンネルインタフェースで BFD を設定する目的は，「**IPsec トンネルに障害があった場合の検出を高速にする。**」であると言える。

よって，正解は解答例に示したとおりとなる。

●解の導出：BFD に関する知識を前提と<u>しない</u>解法（部分点狙い）

解答テクニック（付録 PDF の序章に掲載）の「0.4.4 本文を解析する」で著者は次

のように述べている。「ネットワークスペシャリスト試験で，とりわけ大切な要件は，非機能要件です。主な非機能要件として，信頼性，性能，セキュリティ，運用・保守性，移行，システム環境などがあります」。

本問題では，「トンネルインタフェースにBFDを設定する目的」が問われている。それでは，具体的にどの非機能要件を実現する目的であるのか，本文に記述から探り当ててゆこう。

序文の第1段落に，「SD-WANを活用することで，…WANの冗長化も行うという改善方針が示された」と記されていることを踏まえ，「信頼性」に照準を合わせてみる。

ここで問われている下線⑥は，〔SD-WAN導入検討〕の中にあり，下線⑥のすぐ上の箇条書きの中で「インターネット経由とL社VPN経由でIPsecトンネルを設定する」と説明している。したがって，「信頼性」すなわち「SD-WANを活用したWANの冗長化」を実現することが目的なのではないか，と推論することができる。

設問4の冒頭の解説「● WANの冗長化」で解説したとおり，本事例はアクティブ／スタンバイ型の冗長化構成を採用する。これを実現するには死活監視が必要となるはずだ。

本事例は，その序文から「冗長化」を強調しているが，肝心の死活監視の仕組みはどこに記述されているのだろうか？ ここで，「もしかすると，下線⑥がその記述ではないか。それ以外に特に見当たらないからだ」と推測できる。要するに，「BFDが障害検知に用いられている」と推測できるわけだ[*2]。

(*2) このとき，BFDの名称もヒントになる。BFDは「Bidictional Forwarding Detection」（Detectionは「検知」の意）なので，「BFDが障害検知のために用いられている」という推測は，SD-WANを活用したWANの冗長化という信頼性要件と符合している。
名称中の単語を手掛かりにするアプローチは厳密さに欠けるが，本文でわざわざBFDのフルスペルが示されていることから，これは試験であると割り切り，「出題者からのささやかなヒントである」とみなしてよいだろう。

ここまで考察を進めれば，「拠点のSD-WAN装置のトンネルインタフェースでBFDを設定する目的を答えよ」という問いに対し，「IPsecトンネルに障害があった場合，検知するため」などと答えることができるだろう。

この答えを正解と見比べてみると，残念ながら，検知の高速化まで踏み込んでいないことが分かる。それでも部分点はもらえるのではないか，と著者は考えている。

答案が空白ならば0点である。ここは試験であると割り切り，部分点狙いでもよいからあきらめずに答案を埋めてみよう。

ここで解説したように，ネットワークスペシャリスト試験で「目的」が問われたと

きは,「どのような非機能要件を実現する目的なのか」という観点に立ち,本文の記述
と照らし合わせながら推論し,解を導くことをお勧めしたい。

■設問5

設問5は,〔SD-WAN トンネル検討〕について問うている。

(1)

解答例
TE023, TE032

　問題文は,「本文中の下線⑦について,通常時に本社の PC から支店 V の PC への通
信が通過する TE はどれか。図3中の字句で全て答えよ」と記述されている。

　下線⑦は,〔SD-WAN トンネル検討〕の第2段落,3番目の箇条書きの中にある。そ
こには,「拠点間の通信は,⑦L 社 VPN を優先的に利用し,L 社 VPN が使えないとき
はインターネットを経由する」と記述されている。

　設問4の冒頭「● WAN の冗長化」で解説したとおり,G 社は拠点間をフルメッシュ
構成で接続したオーバーレイネットワークを構築する計画である。オーバーレイネッ
トワークは IPsec トンネルで構築する。拠点間を接続する WAN 回線は,下線⑦に記
されているとおり,アクティブ／スタンバイ型の冗長化構成である。アクティブの回
線は現在使用している L 社 VPN であり,スタンバイの回線はインターネット(IPsec
トンネルで構築したインターネット VPN)である。

　本社の PC から支店 V の PC に IP パケットを送信するとき,通常時は L 社 VPN 上
に構築された IPsec トンネルを経由する。その IPsec の TE は,本社側が TE023,支
店 V 側が TE032 である。

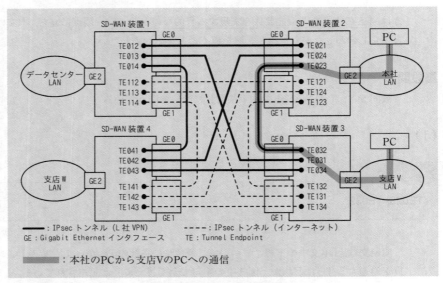

図：通常時に行われる本社の PC から支店 V の PC への通信

よって，正解は「**TE023，TE032**」となる。

(2)

解答例

TE123，TE132

　問題文は，「(1) において支店 V の L 社 VPN 接続回線に障害があった場合，本社の PC から支店 V の PC への通信が通過する TE はどれか。図3中の字句で全て答えよ」と記述されている。

　障害発生時の経路について，〔SD-WAN トンネル検討〕の第2段落，3番目の箇条書き（下線⑦）は，「拠点間の通信は，⑦ L 社 VPN を優先的に利用し，L 社 VPN が使えないときはインターネットを経由する」と記述されている。

　この障害は BFD によって検知される。その後，支店 V のインターネット接続回線を経由した通信に切り替わる。

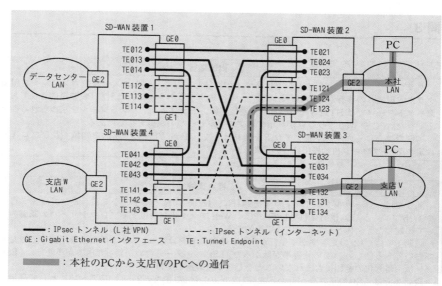

図：支店 V の L 社 VPN 接続回線の障害発生時に行われる本社の PC から支店 V の PC への通信

よって，正解は「**TE123，TE132**」となる。

問3

出題趣旨
クラウドサービスを利用する企業はますます増加しており，社内システムのオンプレミス環境からクラウド環境への移行が進んでいる。また，多くのクラウドサービスは HTTPS で提供されており，企業ネットワークでは HTTPS を中心とした通信制御，トラフィックコントロールを求められることが増えてきた。PC や Web ブラウザが利用するプロキシサーバの制御も必要である。 　本問では，ローカルブレイクアウトを題材として，IPsec VPN の基本的な知識，及びプロキシ自動設定や Web プロキシ自動検出について問う。

採点講評
問3では，ローカルブレイクアウトを題材に，IPsec VPN の基本的な知識，及びプロキシ自動検出や Web プロキシ自動検出を利用して，PC や Web ブラウザが利用するプロキシサーバの制御方法について出題した。全体として正答率は平均的であった。 　設問1では，(2)の正答率がやや低かった。事前共有鍵は IPsec の基本的な技術用語なので是非知っておいてもらいたい。(3)の正答率が低かった。ESP ヘッダーを含めた誤った解答が多かった。ESP ヘッダーは，暗号化の範囲に含まれないことをしっかり理解してほしい。 　設問2では，(3)の正答率が低かった。172.16.0.0 や 172.31.255.255 は IP アドレスとして利用可能であるが，これらを含めない誤った解答が散見された。IP アドレスのアドレス空間を正しく理解することは，ネットワーク技術者として重要である。 　設問3では，(1)オの正答率が低かった。企業などのインターネット接続は，プロキシサーバを組み合わせて構成されることが一般的である。PC や Web ブラウザのプロキシ設定にはどのような種類があり，現場でどのように運用されているか，是非理解を深めてもらいたい。

設問			解答例・解答の要点		備考
設問1	(1)	ア	ハブアンドスポーク		
	(2)		事前共有鍵		
	(3)		鍵が漏えいした際の影響範囲を小さくできる。		
	(4)		IP ヘッダー，元の IP パケット，ESP トレーラ		
	(5)		インタフェースに IP アドレスの割当てを行わない設定		
	(6)		転送負荷の増大		
設問2	(1)		利用しない		
	(2)		proxy.a-sha.jp		
	(3)	最初	172.16.0.0		
		最後	172.31.255.255		
	(4)		本社のプロキシサーバの負荷軽減		
	(5)		UTM プロキシサーバの FQDN が異なるから		
設問3	(1)	イ	DHCP		順不同
		ウ	DNS		
		エ	HTTP		
		オ	URL		
	(2)		不正なプロキシサーバに中継される。		

本問は，複数の支社をもつA社が，インターネットアクセスの負荷軽減を目的として，ローカルブレイクアウト方式を採用したネットワークを構築する事例を取り上げている。

ローカルブレイクアウト方式は平成30年午後Ⅰ問1設問1で取り上げられたことがある。本問と同様，プロキシ自動設定（PAC）が使われているので，参考までに解いてみるとよいだろう。

午後Ⅰ 答1 答2 答3

●本問の構成

本問の構成を概観すると，下記のように整理できる。

見出し	主な内容	主に対応する出題箇所	
		設問	小問
（序文）	● 方針：ローカルブレイクアウトによりネットワークの負荷軽減	—	—
現在のA社のネットワーク構成	● 現在のA社のネットワーク構成(図1) ● ネットワーク構成の概要	—	—
現在のA社のVPN構成	● A社のVPNを構成するIPパケット構造（図2）	1	(1)空欄ア
			(2)～(6)
プロキシサーバを利用した制御	● 各支社のPCから，C社SaaS宛てとその他インターネット宛ての通信の流れ（図3）	—	—
PACファイル導入検討	● PACの説明 ● 大阪支社のUTMのPACファイル（図4）	2	(1)～(5)
WPAD導入検討	● WPADの説明	3	(1)空欄イ～オ
			(2)

それでは，設問の解説に移ろう。

■設問 1

設問1は，〔現在のA社のVPN構成〕について問うている。

(1)

ア：ハブアンドスポーク

本問題は，空欄アに入れる適切な字句を問うている。

ア

空欄アは，〔現在のA社のVPN構成〕の第1段落の中にある。そこには「本社をハブ，各支社をスポークとする ア 型のVPNを構成している」と記述されている。

複数の拠点を接続する構成のうち，代表的なものを挙げると，次のようなものがある。

一つ目は，ハブアンドスポーク型である。この構成は，1か所をハブ（例：本社），残りの拠点をスポーク（例：支社）とし，スポークはハブとだけ接続する構成である。

二つ目は，メッシュ型である。この構成は，ハブアンドスポーク型におけるハブのような中心となる拠点は特に存在せず，拠点間で相互に接続する構成である。

A社の場合，「本社をハブ，各支社をスポークとする」構成になっているので，ハブアンドスポーク型である。

よって，空欄アに入る字句は「**ハブアンドスポーク**」となる。

(2)

事前共有鍵

問題文は，「本文中の下線①について，本社のUTMと支社のUTMのペアで共有する鍵を何と呼ぶか答えよ」と記述されている。

下線①は，〔現在のA社のVPN構成〕の第1段落の中にある。そこには，「IPsecを利用して…2拠点間をトンネル接続している。①本社のUTMと支社のUTMのペアで

は IPsec で暗号化するために同じ鍵を共有している」と記述されている。

本問題は一般的な知識に基づいて解を導くことができる。

IPsec で2拠点間をトンネル接続するとき，トンネルのエンドポイントとなるセキュリティゲートウェイ（本事例では UTM が該当）に事前共有鍵（PSK：Pre-Shared Key）を設定する。

IPsec の暗号化通信では共通鍵が用いられるが，その共通鍵をインターネット上で安全に交換するため Diffie-Hellman 鍵交換方式が利用される。この鍵交換方式は相手を認証する仕組みをもたないため，なりすましを防止するために，IPsec はセキュリティゲートウェイが互いに相手を認証（エンティティ認証）する仕組みを規定している。このエンティティ認証に通常用いられているのが，事前共有鍵である。端的に言うと，これはパスワードである。

よって，正解は「**事前共有鍵**」となる。

(3)

解答例

鍵	が	漏	え	い	し	た	際	の	影	響	範	囲	を	小	さ	く	で	き	る	。

（21字）

問題文は，「本文中の下線②について，鍵は全て同じではなく，ペアごとに異なる値を設定することで得られる効果を，鍵の管理に着目して…答えよ」と記述されている。

下線②は，〔現在の A 社の VPN 構成〕の第1段落の中，下線①のすぐ後にある。そこには，「②この鍵はペアごとに異なる値が設定されている」と記述されている。

「この鍵」とは，下線①に記述された鍵を指しており，設問1（2）で問われた「事前共有鍵」のことである。

本問題は一般的な知識に基づいて解を導くことができる。

事前共有鍵は，トンネルを張るペアごとに異なる値にする。その理由は，あるペアで鍵が漏えいして安全性が失われた場合でも，別のトンネルのペアは鍵が異なっているので安全性が保たれているからである。

よって，正解は「**鍵が漏えいした際の影響範囲を小さくできる。**」となる。

(4)

> IPヘッダー，元のIPパケット，ESPトレーラ

　問題文は，「本文中の下線③について，A社のVPNで利用しているトランスポートモードとした場合は元のIPパケット（元のIPヘッダーと元のIPペイロード）とESPトレーラの範囲を暗号化するのに対し，A社のVPNをトンネルモードとした場合はどの範囲を暗号化するか。図2中の字句で全て答えよ」と記述されている。

　下線③は，〔現在のA社のVPN構成〕の第2段落である。そこには「③ IPsecの通信モードには，トランスポートモードとトンネルモードがあるが，A社のVPNではトランスポートモードを利用している」と記述されている。

　本問題は一般的な知識に基づき，これを図2に当てはめることで解を導くことができる。

　IPsecで暗号化する範囲は，通信モードによって異なる。

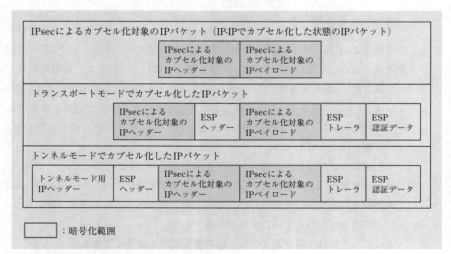

図：IPsecで暗号化したときのパケット構造

　これを，本事例の図2に当てはめて考えてみよう。

　本事例のVPNは，2段階のカプセル化を実施している。その点について，第1段落

には「本社と各支社との間のVPNは，IP in IPトンネリング（以下，IP-IPという）でカプセル化し，さらにIPsecを利用して暗号化することで…2拠点間をトンネル接続している」と記述されている。

最初にIP-IPを用いたカプセル化が行われる。このパケットは，図2（1）の「元のIPパケットをIP-IPでカプセル化したIPパケット」に示されている。上の図に当てはめると，1番目の「IPsecによるカプセル化対象のIPパケット」であり，「元のIPパケット」は，「IPsecによるカプセル化対象のIPペイロード」に該当する。

次にIPsecのトランスポートモードを用いたカプセル化が行われる。このパケットは，図2（2）の「（1）のIPパケットを更にIPsecで暗号化したIPパケット」に示されている。上の図に当てはめると，2番目の「トランスポートモードでカプセル化したIPパケット」に該当する。

本問題で問うているのは，トランスポートモードの代わりにトンネルモードを用いた場合のカプセル化である。上の図に当てはめると，3番目の「トンネルモードでカプセル化したIPパケット」に該当する。

トンネルモードでカプセル化したIPパケットの暗号化範囲は，IPsecによるカプセル化対象のIPヘッダー及びIPペイロード，並びにESPトレーラである。したがって，これを図2中の字句で当てはめると，「**IPヘッダー，元のIPパケット，ESPトレーラ**」となる。よって，これが正解となる。

●参考：本事例のIP-IP over IPsecでトランスポートモードを使用する理由

IPsecのトランスポートモードは，IPsecでカプセル化したIPパケットの通信区間（送信元と宛先）が，カプセル化対象のIPパケットのそれと一致しているときに使用する。したがって，トランスポートモードでカプセル化したパケットのIPヘッダーは，カプセル化対象のIPヘッダーを使用する。

本事例では，IP-IPのカプセル化区間は本社と各支社のVPN区間であり，IPsecのカプセル化区間も同じである。したがって，本事例のIP-IP over IPsecはトランスポートモードを使用している。

(5)

解答例

インタフェースにIPアドレスの割当てを行わない設定 （25字）

　問題文は，「本文中の下線④について，IP Unnumbered 設定とはどのような設定か。“IP アドレスの割当て”の字句を用いて…答えよ」と記述されている。

　下線④は，〔現在の A 社の VPN 構成〕の第４段落の中にある。そこには「VPN を構成するために，本社と各支社の UTM には固定のグローバル IP アドレスを割り当てている。④ IP-IP over IPsec インタフェースでは，IP Unnumbered 設定が行われている」と記述されている。

　A 社の VPN 構成について，〔現在の A 社の VPN 構成〕の第１段落には「A 社は，UTM の IPsec VPN 機能を利用して，本社をハブ，各支社をスポークとするハブアンドスポーク型の VPN を構成している」と記述されている（空欄アを補填）。それゆえ，拠点間を接続する IP-IP over IPsec トンネルのエンドポイントは，各拠点の UTM になる。

　本社の UTM と支社の UTM はそれぞれインターネットで接続されており，固定のグローバル IP アドレスを WAN 側インタフェースに割り当てる。このグローバル IP アドレスは，IPsec でカプセル化する区間の送信元／宛先 IP アドレスになる。

　UTM のグローバル IP アドレスは，設問１（4）の「図：IPsec で暗号化したときのパケット構造」の「トランスポートモードでカプセル化した IP パケット」に示した「IPsec によるカプセル化対象の IP ヘッダー」に，送信元／宛先 IP アドレスとして設定されるわけだ。

　本社の UTM と支社の UTM の間で IPsec トンネルを構築すると，二つの UTM はあたかも１本のリンクで結ばれているようにみえる。この仮想リンクを UTM に収容するインタフェースは，当然ながら，仮想的なものである。この仮想インタフェースが，下線④で「IP-IP over IPsec インタフェース」と呼ばれているものの正体だ。IP パケットは，仮想インタフェースから出入りして仮想リンクを通過する間，IP-IP over IPsec でカプセル化されており，物理的にはインターネット上で転送されている。

　２拠点を１本のリンクで接続する構成を，ポイントツーポイント接続という。今考えている UTM 間の接続は，これに該当する。一般的に言って，ポイントツーポイント接続の収容先となるインタフェースには，通常，IP アドレスを割り当てない。これを Unnumbered 設定と呼ぶ。

　アドレスは，そもそも，通信する相手が複数存在し得る状況下で宛先を識別するために用いる番号である。ポイントツーポイント接続の場合，自分から見て通信相手は対向側しか存在しないので，識別子たる IP アドレスを割り当てる必要がない。これが Unnumbered 設定を行う所以である。

　仮想インタフェースで Unnumbered 設定を行っても無事に通信が行えることを，具体例を使って説明しよう。例えば，大阪支社と東京本社の間で IPsec トンネルを構築

しており，大阪支社の PC から東京本社のサーバに IP パケットを送信するとしよう。
この IP パケットの通信経路は，「大阪支社の PC →大阪支社の UTM →仮想リンク→東
京本社の UTM →東京本社のサーバ」となる。

　大阪支社の UTM から見たネクストホップは，仮想リンクで接続された，東京本社
の UTM である。Unnumbered 設定をしているので，IP アドレスを用いたネクストホッ
プの指定は行えない。その代わり，出口インタフェース「IP-IP over IPsec インタフェー
ス」を指定する。これにより，大阪支社の UTM から東京本社の UTM に向けて，仮
想リンクを経由して IP パケットを転送できるので，何ら問題なく通信できるわけだ。

　したがって，以上をまとめると，ここで問われている「IP Unnumbered 設定」とは，
「**インタフェースに IP アドレスの割当てを行わない設定**」であると言える。

　よって，正解は解答例に示したとおりとなる。

(6)

解答例

転	送	負	荷	の	増	大

（7字）

　問題文は，「本文中の下線⑤について，中継する TCP パケットの IP フラグメントを
防止するための設定を行わず，UTM で IP フラグメント処理が発生する場合，UTM に
どのような影響があるか…答えよ」と記述されている。

　下線⑤は，〔現在の A 社の VPN 構成〕の第 4 段落の中にある。そこには，「⑤ IP-IP
over IPsec インタフェースでは，中継する TCP パケットの IP フラグメントを防止す
るための設定が行われている」と記述されている。

　カプセル化処理は，分かりやすく言うと，カプセル化対象の IP パケットに新たな IP
ヘッダーを付与することである（厳密に言うと，IPsec の ESP トレーラや ESP 認証
データのように，ヘッダー以外のものが付与されることもある）。その結果，カプセル
化した IP パケットのサイズは増大することになる。

　LAN にせよ WAN にせよ，どのリンクも MTU（Max Transfer Unit，最大転送長）が
定められている。ルータは IP パケットを転送する際，そのパケット長が転送先リンク
の MTU を超過していたら，MTU に収まるように IP パケットを分割する。分割した
各々のデータグラムに IP ヘッダーを付加し，複数個の IP パケットを生成するのであ
る。これをフラグメンテーションという。分割された IP パケットは，宛先ノードで再
構築される。フラグメンテーションが行われると，IP パケットを分割するルータ，分

割された IP パケットを再構築する宛先ノードのそれぞれで，負荷を増大させてしまう。

　本事例の場合，下線⑤に記されているとおり，IP-IP over IPsec インタフェースでは「IP フラグメントを防止するための設定」が行われている。それゆえ，カプセル化した IP パケットが MTU を超過した場合，この IP パケットはルータで廃棄される。

　しかし，本問題が問うているのは，下線⑤の IP フラグメントを防止するための設定を行わなかった場合，つまり，フラグメント処理を行った場合の，UTM に与える影響である。

　このとき，IP-IP over IPsec トンネルの入口側エンドポイントである UTM において，IP パケットの分割が発生する。さらに，カプセル化した IP パケットの宛先である IP-IP over IPsec トンネルの出口側エンドポイントである UTM において，分割された IP パケットの再構築が発生する。したがって，それぞれの UTM において処理負荷が増大する。

　指定字数の 10 字に収まるよう，これを一言で表せば，転送負荷が増大すると言える。

　よって，正解は「転送負荷の増大」となる。

■設問2

　設問2は，〔PAC ファイル導入検討〕について問うている。本設問を解くには，〔プロキシサーバを利用した制御〕など他の記述を照らし合わせる必要がある。

　解説に入る前に，設問2全体に共通する諸条件について，かいつまんで説明しよう

●インターネット上のホストにアクセスする際に利用するプロキシサーバ

　インターネット上のホストにアクセスする際に利用するプロキシサーバについて，本文の複数の箇所に情報が記述されている。一つずつ整理してゆこう。

　まず現在の設定について確認すると，〔現在の A 社のネットワーク構成〕の第2段落，2番目の箇条書きには「プロキシサーバは，従業員が利用する PC の HTTP 通信，HTTPS 通信をそれぞれ中継する」と記述されている。このプロキシサーバは，現在使用している「本社のプロキシサーバ」を指している。それゆえ，現在の設定では，PC からインターネット上のサーバにアクセスする際，本社のプロキシサーバを利用している。

　次に，本事例の狙いとするローカルブレイクアウトの方針について確認しよう。序文の第2段落には「ネットワークの負荷軽減を目的に，各支社の PC から C 社 SaaS 宛ての通信を，本社のプロキシサーバを利用せず直接インターネット経由で接続して利

用できるようにする」と記述されている。

この方針に沿って，インターネット上のサーバにアクセスする際のプロキシサーバについて，〔プロキシサーバを利用した制御〕の第1，第2段落の中で説明されている。そこを見ると，支社のPCについては，宛先ごとに利用するプロキシサーバを指定していることが分かる。一方，本社のPCについては言及されていないので，現在のままであることが分かる。

その内容を整理すると次の表のとおりとなる。

表：ローカルブレイクアウトを行うとき，送信元／宛先ごとに利用するプロキシサーバ

	送信元	宛先	利用するプロキシサーバ
1	各支社のPC	C社 SaaS	各支社のUTMプロキシサーバ
2	各支社のPC	上記1以外のインターネット上のサーバ	本社のプロキシサーバ
3	本社のPC	インターネット上の全サーバ	本社のプロキシサーバ
	(本社のPCは，現在の設定と同じ)		

●利用するプロキシサーバに関するPACの定義（大阪支社の例）

利用するプロキシサーバは，プロキシ自動設定ファイル（PACファイル：Proxy Auto-Configurationファイル）で定義されている。図4は，大阪支社のUTMを想定したPACファイルであり，プロキシサーバを決定するための関数が示されている。

この図の見方について，〔PACファイル導入検討〕の第1段落には次のように記述されている。

Bさんは PACファイルの作成方法について調査した。PACファイルはJavaScriptで記述する。PACファイルに記述する FindProxyForURL 関数の第1引数である url にはアクセス先のURLが，第2引数である host にはアクセス先のURLから取得したホスト名が渡される。これらの引数に渡された値を様々な関数を用いて条件分けし，利用するプロキシサーバを決定する。FindProxyForURL 関数の戻り値が "DIRECT" ならば，プロキシサーバを利用せずに直接通信を行う。戻り値が "PROXY host:port" ならば，指定されたプロキシサーバ（host）のポート番号（port）を利用する。

図4に示された関数の引数である「url」はアクセス先のURLを，「host」は同URLから取得したホスト名を表している。この関数の戻り値は，プロキシサーバを利用しない場合は「DIRECT」となり，プロキシサーバを利用する場合は「プロキシサーバ

のホスト名とポート番号」を示す文字列となる。

図４中のソースコードが処理している内容は，同図の右欄で詳しく説明されており，プログラミング言語の知識がなくても問題を解けるように配慮されている。

ここまで理解できれば，本設問を解く準備は整った。それでは，いよいよ設問の解説に移ろう。

（1）

解答例

利用しない

問題文は次のように記述されている。

> 図４について，DMZ にある Web サーバにアクセスする際，プロキシサーバを利用する場合はプロキシサーバ名を答えよ。プロキシサーバを利用しない場合は，"利用しない" と答えよ。

DMZ のサーバについて，〔現在の A 社のネットワーク構成〕の第２段落，３番目の箇条書きには「DMZ や内部ネットワークではプライベート IP アドレスを利用している」と記述されている。

図４の関数に「DMZ にある Web サーバ」のホスト名を渡すと，どうなるだろうか。

処理 b の説明文を見ると，渡されたホスト名の IP アドレスがプライベート IP アドレスであるとき，関数の戻り値として「DIRECT」が返される。この戻り値は，プロキシサーバを利用しないことを表している。

処理名	処理の説明文
(a)	host を IP アドレスに変換し，変数 ip に代入する。
(b)	host が localhost，又は(a)で宣言した ip がプライベート IP アドレスやループバックアドレス，又は host が A 社の社内利用ドメイン名に属する場合，FindProxyForURL 関数の戻り値として"DIRECT"を返す。
(c)	host が C 社 SaaS 利用ドメイン名に属する場合，又は host が C 社 SaaS 利用ドメイン名のシェルグロブ表現に一致する場合，FindProxyForURL 関数の戻り値として"PROXY proxy.osaka.a-sha.jp:8080"を返す。
(d)	(b)，(c)どちらにも該当しない場合，FindProxyForURL 関数の戻り値として"PROXY proxy.a-sha.jp:8080"を返す。

図：処理 b の説明文

　したがって，DMZ にある Web サーバにアクセスする際，プロキシサーバを利用しないことが分かる。

　よって，正解は「**利用しない**」となる。

(2)

解答例

proxy.a-sha.jp

　問題文は次のように記述されている。

　図4について，インターネット上にある https://www.example.com/foo/index.html にアクセスする際，プロキシサーバを利用する場合はプロキシサーバ名を答えよ。プロキシサーバを利用しない場合は"利用しない"と答えよ。

　インターネット上のサーバへのアクセスについて，設問2の冒頭の解説「●インター

ネット上のホストにアクセスする際に利用するプロキシサーバ」の「表：ローカルブ
レイクアウトを行うとき，送信元／宛先ごとに利用するプロキシサーバ」で整理して
いる。

設問2（2）の条件には，送信元が明記されていないものの宛先はC社SaaSではな
いことから，この表の項番2又は項番3に該当することが分かる。したがって，利用
するプロキシサーバは「本社のプロキシサーバ」となる。図4の処理に照らし合わせ
ると，処理dが実行されている。

処理dの戻り値を見ると，プロキシサーバのFQDNは「proxy.a-sha.jp」である。
よって，これが正解となる。

(3)

解答例

最初：172.16.0.0　　最後：172.31.255.255

問題文は次のように記述されている。

> 図4について，isInNet(ip, "172.16.0.0", "255.240.0.0") のアドレス空間は，どこ
> からどこまでか。最初のIPアドレスと最後のIPアドレスを答えよ。

図4中の関数 isInNet() は，処理bの中に書かれている。処理bのソースコードを
見ると，この関数には引数ipが渡されている。対応する説明文を見ると，指定された
プライベートIPアドレスに属するかどうかを判定していることが分かる。

処理名	処理の説明文
(b)	hostがlocalhost，又は(a)で宣言したipがプライベートIPアドレスやループバックアドレス，又はhostがA社の社内利用ドメイン名に属する場合，FindProxyForURL関数の戻り値として"DIRECT"を返す。

```
// (b)
if (localHostOrDomainIs(host, "localhost") ||
  isInNet(ip, "10.0.0.0", "255.0.0.0") ||
  isInNet(ip, "127.0.0.0", "255.0.0.0") ||
  isInNet(ip, "172.16.0.0", "255.240.0.0") ||
  isInNet(ip, "192.168.0.0", "255.255.0.0") ||
  dnsDomainIs(host, ".a-sha.jp")
  ) {
  return "DIRECT";
}
```

図：処理bの isInNet() 関数

したがって，関数 isInNet(ip, "172.16.0.0", "255.240.0.0") が処理している内容は，

具体的に言うと,「第 1 引数で指定された IP アドレスが,アドレス空間『ネットワークアドレス：172.16.0.0,サブネットマスク：255.240.0.0』に属するかどうか」を判定しているに違いない。事実,このアドレス空間は,プライベート IP アドレスを規定した RFC1918 の中で定義されたものだ。

　ここまで分かれば,アドレス空間「172.16.0.0/12」の最初の IP アドレスと最後の IP アドレスを求めれば解を導けたことになる。

　よって,正解は,最初の IP アドレスが「**172.16.0.0**」となり,最後の IP アドレスが「**172.31.255.255**」となる。

(4)

解答例

本	社	の	プ	ロ	キ	シ	サ	ー	バ	の	負	荷	軽	減

（15字）

　問題文は,「図 4 について,変数 ip がプライベート IP アドレスの場合,戻り値を "DIRECT" にすることで得られる効果を,"負荷軽減" の字句を用いて…答えよ」と記述されている。

　変数 ip は,図 4 中の処理 a の日本語の説明に書かれているとおり,宛先ホストの IP アドレスを表している。これがプライベート IP アドレスであるとき,処理 b が実行され,戻り値 "DIRECT" が返る。

　この戻り値は,「プロキシサーバを利用せず直接通信を行う」ことを表している（第 1 段落）。つまり,宛先ホストがプライベート IP アドレスであるとき,プロキシサーバを経由しないことが分かる。

　本問題は,戻り値を "DIRECT" にすることで得られる効果を問うているが,言い換えると,本社のプロキシサーバを経由しないことの効果を問うている。

　ここまで分かれば,あとは一般的な知識に基づいて解を導くことができる。

　本社のプロキシサーバを経由しないことによりもたらされる効果とは,その負荷軽減が図られることである。あとは指定字数に収まるように解答すればよい。

　よって,正解は「**本社のプロキシサーバの負荷軽減**」となる。

（5）

解答例

U	T	M	プ	ロ	キ	シ	サ	ー	バ	の	F	Q	D	N	が	異	な	る	か	ら

（21字）

　問題文は，「本文中の下線⑥について，PAC ファイルは支社ごとに用意する必要がある理由を…答えよ」と記述されている。

　下線⑥は，〔PAC ファイル導入検討〕の第3段落の中にある。そこには，「⑥B さんは各支社の PAC ファイルを作成した」と記述されている。

　設問2の冒頭の解説「●インターネット上のホストにアクセスする際に利用するプロキシサーバ」で解説したとおり，ローカルブレイクアウトの方針に従って，「各支社の PC から C 社 SaaS 宛ての通信を，本社のプロキシサーバを利用せず直接インターネット経由で接続して利用できるようにする」（序文の第2段落）。「表：ローカルブレイクアウトを行うとき，送信元／宛先ごとに利用するプロキシサーバ」の項番1に示したとおり，各支社の PC を送信元とし，C 社 SaaS を宛先とする通信は，各支社の UTM プロキシサーバを利用する。

　図4の処理の中で，この条件に合致するプロキシサーバを決定する箇所は，処理 c である。

　処理 c の戻り値となるプロキシサーバの FQDN（完全修飾ドメイン名）は，大阪支社の UTM プロキシサーバである「proxy.osaka.a-sha.jp」になっている。なぜなら，〔PAC ファイル導入検討〕の第2段落に記されているとおり，図4の PAC ファイルは，「大阪支社の UTM を想定した PAC ファイル」として作成されたものだからだ。

　したがって，PAC ファイルを各支社で使用するには，処理 c の戻り値となるプロキシサーバの FQDN を支社ごとの UTM プロキシサーバに変更しなければならない。

　よって，正解は「UTM プロキシサーバの FQDN が異なるから」となる。

■設問 3

設問 3 は, 〔WPAD 導入検討〕について問うている。

(1)

> イ：DHCP ウ：DNS
>
> エ：HTTP オ：URL

本問題は, 〔WPAD 導入検討〕の空欄イ〜オに入れる適切な字句を問うている。

 イ , ウ , エ

空欄イ〜エは, 〔WPAD 導入検討〕の第 1 段落の中にある。そこには次のように記述されている。

> WPAD は, イ や ウ の機能を利用して, PAC ファイルの場所を配布するプロトコルである。PC や Web ブラウザの Web プロキシ自動検出が有効になっていると, イ サーバや ウ サーバと通信を行い, アプリケーションレイヤープロトコルの一つである エ を利用して エ サーバから PAC ファイルのダウンロードを試みる。

WPAD (Web Proxy Auto-Discovery) は, DHCP や DNS の機能を利用して, プロキシ自動設定ファイル (PAC ファイル) の URL を配布するプロトコルである。PC や Web ブラウザは, WPAD を使って PAC ファイルの URL を取得した後, HTTP を使ってこれを取得することができる。

以上を踏まえると, 空欄イ, ウの正解は「**DHCP**」,「**DNS**」(順不同) となる。空欄エの正解は「**HTTP**」となる。

 オ

空欄オは, 〔WPAD 導入検討〕の第 2 段落の中にある。そこには「WPAD は利用しないことにし, PC や Web ブラウザの Web プロキシ自動検出を無効にすることにした。PC や Web ブラウザには PAC ファイルの オ を直接設定する」と記述されている。

WPAD を利用せずに PAC ファイルを取得するには，PAC の URL を手動で直接設定する。

よって，空欄オの正解は「**URL**」となる。

(2)

解答例

| 不 | 正 | な | プ | ロ | キ | シ | サ | ー | バ | に | 中 | 継 | さ | れ | る | 。 | （17字） |

問題文は，「本文中の下線⑦について，どのような脅威があるか（を）…答えよ」と記述されている。

下線⑦は，〔WPAD 導入検討〕の第2段落の中にある。そこには，「WPAD の利用には，PC や Web ブラウザの Web プロキシ自動検出を有効にするだけでよく，簡便である一方，…⑦ PC や Web ブラウザが脅威にさらされる可能性も指摘されている」と記述されている。

WPAD が規定しているのは，DHCP や DNS を利用した配布方法である。既存のDHCP サーバや DNS サーバに設定することで，WPAD を導入することができる。

DHCP サーバや DNS サーバのなりすましを防止する仕組みは備えていないため，悪意ある者が不正な DHCP サーバや DNS サーバを用意し，悪意ある設定を提供することができる。この結果，利用者は不正なプロキシサーバに中継されることになる。

よって，正解は「**不正なプロキシサーバに中継される。**」となる。

午後II問題

ネットワークスペシャリスト試験
午後II 問題

試験時間	14:30 ～ 16:30 （2時間）

注意事項

1. 試験開始及び終了は，監督員の時計が基準です。監督員の指示に従ってください。

2. 試験開始の合図があるまで，問題冊子を開いて中を見てはいけません。

3. 答案用紙への受験番号などの記入は，試験開始の合図があってから始めてください。

4. 問題は，次の表に従って解答してください。

問題番号	問1，問2
選択方法	1問選択

5. 答案用紙の記入に当たっては，次の指示に従ってください。

(1) B又はHBの黒鉛筆又はシャープペンシルを使用してください。

(2) 受験番号欄に受験番号を，生年月日欄に受験票の生年月日を記入してください。正しく記入されていない場合は，採点されないことがあります。生年月日欄については，受験票の生年月日を訂正した場合でも，訂正前の生年月日を記入してください。

(3) 選択した問題については，次の例に従って，選択欄の問題番号を〇印で囲んでください。〇印がない場合は，採点されません。2問とも〇印で囲んだ場合は，はじめの1問について採点します。

(4) 解答は，問題番号ごとに指定された枠内に記入してください。

(5) 解答は，丁寧な字ではっきりと書いてください。読みにくい場合は，減点の対象になります。

〔問2を選択した場合の例〕

午後II 問1 問2

6. 退室可能時間中に退室する場合は，手を挙げて監督員に合図し，答案用紙が回収されてから静かに退室してください。

退室可能時間	15:10 〜 16:20

7. **問題に関する質問にはお答えできません。**文意どおり解釈してください。

8. 問題冊子の余白などは，適宜利用して構いません。ただし，問題冊子を切り離して利用することはできません。

9. 試験時間中，机上に置けるものは，次のものに限ります。

   なお，会場での貸出しは行っていません。

   受験票，黒鉛筆及びシャープペンシル（B 又は HB），鉛筆削り，消しゴム，定規，時計（時計型ウェアラブル端末は除く。アラームなど時計以外の機能は使用不可），ハンカチ，ポケットティッシュ，目薬

   これら以外は机上に置けません。使用もできません。

10. 試験終了後，この問題冊子は持ち帰ることができます。

11. 答案用紙は，いかなる場合でも提出してください。回収時に提出しない場合は，採点されません。

12. 試験時間中にトイレへ行きたくなったり，気分が悪くなったりした場合は，手を挙げて監督員に合図してください。

試験問題に記載されている会社名又は製品名は，それぞれ各社又は各組織の商標又は登録商標です。

なお，試験問題では，™ 及び ® を明記していません。

問1　データセンターのネットワークの検討に関する次の記述を読んで，設問に答えよ。

　　K 社は国内にデータセンターを所有する大手 EC 事業者である。データセンターの
ネットワークには，VXLAN（Virtual eXtensible Local Area Network）を利用してい
る。K 社の情報システム部は，ネットワークの拡張性を向上させるために EVPN
（Ethernet VPN）の適用を計画しており，EVPN を用いた VXLAN の技術検証を行うこと
を検討している。

〔VXLAN の概要〕
　　RFC 7348 で規定された VXLAN では，VXLAN ヘッダー内の　　　a　　　ビットの VNI
（VXLAN Network Identifier）を用いて，約 1,677 万個のレイヤー2 のオーバーレイ
ネットワークをレイヤー　　　b　　　のネットワーク上に構成できる。VXLAN トンネ
ルの端点である VTEP（VXLAN Tunnel End Point）は，VXLAN のカプセル化及びカプセ
ル化の解除を行う。VTEP 及び VXLAN トンネルの構成例を図1に示す。

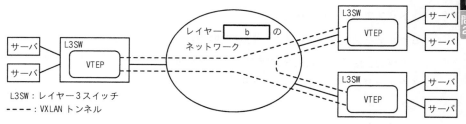

図1　VTEP 及び VXLAN トンネルの構成例

　　図1中の L3SW の VTEP は，サーバから受信したイーサネットフレームに，VXLAN ヘ
ッダー，　　　c　　　ヘッダー及び IPv4 ヘッダーを付加した IP パケット（以下，
VXLAN パケットという）を，宛先の VTEP（以下，リモート VTEP という）に転送する。
転送される VXLAN パケットの送信元及び宛先には，各 VTEP に割り当てられた IP アド
レスを利用する。VXLAN パケットの構造を図2に示す。

IPv4 ヘッダー	c ヘッダー	VXLAN ヘッダー	イーサネットフレーム

図2　VXLAN パケットの構造

VTEP は，イーサネットフレームの宛先に応じて VXLAN パケットの宛先を決定するための情報として，リモート VTEP から受信した VXLAN パケットから次の情報を組み合わせて学習する。

・①リモート VTEP に接続されたサーバの MAC アドレス

・② VXLAN トンネルの VNI

・③リモート VTEP の IP アドレス

K 社の現行のネットワークでは，VTEP は，自身に接続されたサーバからリモート VTEP に接続されたサーバ宛てのイーサネットフレームを，次の方式を選択して転送する。

・イーサネットフレームが，VTEP によって学習されているサーバ宛てのユニキャストの場合には，図2中の IPv4 ヘッダーの宛先 IP アドレスに，リモート VTEP の IP アドレスをセットして転送する。

・④イーサネットフレームが，BUM (Broadcast, Unknown Unicast, Multicast) フレームの場合には，図2中の IPv4 ヘッダーの宛先 IP アドレスに，IP マルチキャストのグループアドレスをセットして転送する。

〔現行の検証ネットワーク〕

K 社は，現行のネットワークの維持管理のために，検証ネットワーク（以下，検証NW という）を構築している。現行の検証 NW を図3に示す。

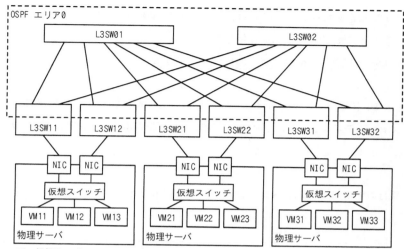

L3SW のループバックインタフェースの IP アドレス

機器名	IP アドレス/プレフィックス長
L3SW01	10.0.0.1/32
L3SW02	10.0.0.2/32
L3SW11	10.0.0.11/32
L3SW12	10.0.0.12/32
L3SW21	10.0.0.21/32
L3SW22	10.0.0.22/32
L3SW31	10.0.0.31/32
L3SW32	10.0.0.32/32

図 3　現行の検証 NW（抜粋）

図 3 の概要を次に示す。

・物理サーバに接続する L3SW のポートには，タグ VLAN を設定している。

・物理サーバの二つの NIC はアクティブ／スタンバイ構成であり，L3SW11，L3SW21 及
び L3SW31 に接続する NIC をアクティブにしている。

・L3SW の経路制御には OSPF を用いている。

・L3SW は，OSPF で交換する LSA（Link State Advertisement）の情報から　　d　
というデータベースを作成する。次に，　　d　　を基に，それぞれの L3SW を根
とする　　e　　ツリーを作成して，ルーティングテーブルに経路情報を登録す
る。

- ⑤LSA に含まれるルータ ID には，それぞれの L3SW のループバックインタフェース に割り当てた IP アドレスを使用している。

- ⑥ OSPF の ECMP (Equal-Cost Multipath) によって，トラフィックを負荷分散して いる。

- PIM-SM (Protocol Independent Multicast - Sparse Mode) による IP マルチキャ ストルーティングを用いており，L3SW01 及び L3SW02 に IP マルチキャストのランデ ブーポイントを設定している。

現行の検証 NW の VLAN，VXLAN 及び VTEP を図 4 に示す。

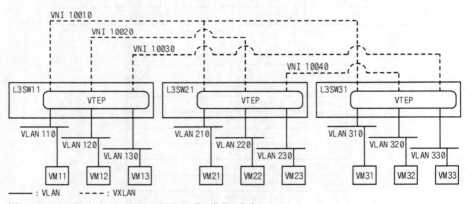

注記　L3SW12，L3SW22 及び L3SW32 の VTEP に係る構成は省略している。

VM の IP アドレスと VLAN ID

VM 名	IP アドレス/プレフィックス長	VLAN ID
VM11	192.168.1.1/24	110
VM12	192.168.1.1/24	120
VM13	192.168.1.1/24	130
VM21	192.168.1.2/24	210
VM22	192.168.1.2/24	220
VM23	192.168.1.2/24	230
VM31	192.168.1.3/24	310
VM32	192.168.1.3/24	320
VM33	192.168.1.3/24	330

VXLAN のカプセル化に用いる対応表

機器名	VLAN ID	VNI	グループアドレス
L3SW11	110	10010	239.0.0.1
	120	10020	239.0.0.2
	130	10030	239.0.0.3
L3SW21	210	10010	239.0.0.1
	220	10020	239.0.0.2
	230	10040	239.0.0.4
L3SW31	310	10010	239.0.0.1
	320	10040	239.0.0.4
	330	10030	239.0.0.3

図 4　現行の検証 NW の VLAN，VXLAN 及び VTEP（抜粋）

図4の概要を次に示す。

・図3の物理ネットワーク上に，VXLANトンネルを論理的に構成している。

・L3SW11，L3SW12，L3SW21，L3SW22，L3SW31及びL3SW32にVTEPを設定している。

・⑦ VTEPのIPアドレスには，それぞれのL3SWのループバックインタフェースに割り当てたIPアドレスを使用している。

・VTEPのBUMフレームの転送には，IPマルチキャストを用いる設定にしている。

・VTEPでは，図4中の"VXLANのカプセル化に用いる対応表"に示す次の三つの情報を対応させてカプセル化を行っている。

  - 受信したイーサネットフレームの"VLAN ID"

  - VXLANトンネルの"VNI"

  - BUMフレームを転送するときに使うIPマルチキャストの"グループアドレス"

レイヤー2のネットワークにおけるVM11及びVM23と各VMの通信可否を表1に示す。

表1　レイヤー2のネットワークにおけるVM11及びVM23と各VMの通信可否（抜粋）

通信元＼通信先	VM11	VM12	VM13	…	VM31	VM32	VM33
VM11	－	×	×	…	○	×	×
VM23	ア	イ	ウ	…	エ	オ	カ

○：通信可　　　　×：通信不可　　　　－：通信元と通信先が同じ

〔現行の検証NWにおけるVTEPの動作〕

図4中のVM11とVM31のARP通信におけるVTEPの動作を，次に示す。

（1）　L3SW11のVTEPでは，⑧ VM11から受信したVM31のMACアドレスを問い合わせるARP要求フレームに対してVXLANのカプセル化を行い，IPマルチキャストのグループアドレスを宛先にして，グループに参加する全てのリモートVTEPに転送する。

（2）　L3SW12，L3SW21，L3SW22，L3SW31及びL3SW32のVTEPでは，受信したVXLANパケットのカプセル化を解除して，対応するVLANにARP要求フレームをブロードキャストする。

（3）　L3SW31のVTEPでは，⑨ VM31から受信したARP応答フレームに対して，VXLAN

午後II 問1 問2

のカプセル化を行い，L3SW11 の VTEP 宛てに転送する。

(4) L3SW11 の VTEP では，受信した VXLAN パケットのカプセル化を解除して，VM11 宛てに ARP 応答フレームを転送する。

(1)～(4)の動作完了後に確認できる，L3SW11 及び L3SW31 が学習した VXLAN についての情報を，表2に示す。

表2　L3SW11 及び L3SW31 が学習した VXLAN についての情報

機器名	VM の MAC アドレス	VNI	リモート VTEP の IP アドレス
L3SW11	AC-α β-F1-00-00-31	キ	ク
L3SW31	AC-α β-F1-00-00-11	ケ	コ

注記1　AC-α β- F1-00-00-11 は，VM11 の MAC アドレスである。
注記2　AC-α β- F1-00-00-31 は，VM31 の MAC アドレスである。

〔EVPN の概要〕

K 社の情報システム部では，S 課長から指示を受けた Q 主任が，EVPN を用いた VXLAN の技術検証を検討することになった。Q 主任が調査した EVPN の概要を示す。

RFC 7432 及び RFC 8365 で規定された EVPN は，RFC 4760 で規定された MP-BGP（Multiprotocol Extensions for BGP-4）を用いて，オーバーレイネットワークを制御するための情報を交換する。VXLAN のネットワークに EVPN を適用した場合，コントロールプレーンに EVPN を用いてオーバーレイネットワークを制御して，データプレーンに VXLAN を用いてイーサネットフレームを転送する。

図1の構成例に対して EVPN を適用した場合の EVPN の主な機能について，Q 主任が K 社の現行のネットワークと比較して確認した内容を次に示す。

機能1：リモート VTEP に関する情報の学習について

　　　　現行のネットワークでは，VTEP は受信した VXLAN パケットからリモート VTEP の情報を学習する。EVPN を適用した場合，VTEP は MP-BGP を用いて，リモート VTEP の IP アドレス及び VNI などの情報をあらかじめ学習する。

機能2：リモート VTEP に接続されたサーバに関する情報の学習について

　　　　現行のネットワークでは，VTEP は受信した VXLAN パケットから，リモート VTEP に接続されたサーバの MAC アドレス，VNI 及びリモート VTEP の IP ア

ドレスの情報を学習する。EVPN を適用した場合，VTEP は MP-BGP を用いて，
リモート VTEP に接続されたサーバの MAC アドレス，VNI 及びリモート VTEP
の IP アドレスなどの情報をあらかじめ学習する。

機能3：サーバとの接続について

　　　現行のネットワークでは，複数の VTEP とサーバの接続にリンクアグリゲ
ーションを利用できない。EVPN を適用した場合，VTEP は MP-BGP を用いて，
自身に接続されたサーバを識別する ESI（Ethernet Segment Identifier）と
いう識別子を交換できるようになる。同じ ESI を設定した論理インタフェー
スをもつ複数の VTEP は，サーバとの接続にリンクアグリゲーションを利用
できる。

〔新検証 NW の設計〕

　Q 主任は，現行の検証 NW を基に，EVPN を用いた VXLAN を検証するためのネットワ
ーク（以下，新検証 NW という）を設計することにした。新検証 NW を図5に示す。

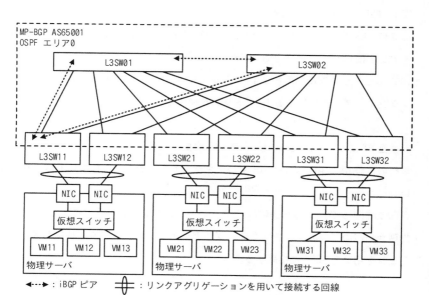

注記　iBGP ピアのうち，L3SW01 と L3SW02 との間，L3SW01 と L3SW11 との間及び L3SW02 と L3SW11
　　との間を例として図示している。

図5　新検証 NW（抜粋）

現行の検証 NW から新検証 NW に流用される設計を次に示す。

- 新検証 NW の L3SW 及び VM には，図3及び図4中の IP アドレス及び VLAN ID と同じ値を割り当てる。
- 物理サーバに接続する L3SW のポートには，タグ VLAN を設定する。
- L3SW の経路制御に OSPF を用いて，現行の検証 NW と同じ設定にする。
- 新検証 NW の VLAN，VXLAN 及び VTEP を図4と同じ論理構成にする。
- L3SW11，L3SW12，L3SW21，L3SW22，L3SW31 及び L3SW32 に VTEP を設定する。
- VTEP には，それぞれの L3SW のループバックインタフェースに割り当てる IP アドレスを使用する。

新検証 NW に追加される EVPN についての設計を次に示す。

- L3SW の EVPN を有効にする。
- L3SW に MP-BGP を設定して，AS を 65001 にする。
- ⑩ L3SW01 及び L3SW02 を MP-BGP のルートリフレクタにして，L3SW01 と L3SW02 との間で iBGP ピアリングを行う。
- L3SW11，L3SW12，L3SW21，L3SW22，L3SW31 及び L3SW32 をルートリフレクタのクライアントにして，L3SW01 及び L3SW02 と iBGP ピアリングを行う。
- iBGP のピアリングに使用する IP アドレスには，それぞれの L3SW のループバックインタフェースに割り当てる IP アドレスを使用する。

新検証 NW における，現行の検証 NW から変更される設計を次に示す。

- 現行の検証 NW で用いていた IP マルチキャストルーティングについては，利用しない。
- VTEP の BUM フレームの転送には，IP ユニキャストを用いる設定にする。
- 物理サーバの二つの NIC をアクティブ／アクティブ構成にして，リンクアグリゲーションを用いて L3SW に接続する。

　Q 主任は，EVPN の機能1～3，図3～5を参照して，新検証 NW の設計及び EVPN の機能を，上司の S 課長に説明した。2人の会話を次に示す。

Q 主任：EVPN の技術検証を行うための新検証 NW を設計しました。図5のとおり，L3SW

に MP-BGP を設定して，EVPN を用いた VXLAN を構成するための物理ネットワークを構築します。VLAN，VXLAN 及び VTEP については，図 4 と同じ論理構成を組みます。

S 課長：新検証 NW で EVPN をどのように利用するのか教えてください。

Q 主任：EVPN の "機能 1" では，L3SW の VTEP は MP-BGP を利用して，リモート VTEP の情報をあらかじめ学習します。BUM フレームを受信した VTEP は，学習したリモート VTEP の情報を参照して，VLAN ID に対応する VNI をもつ各リモート VTEP を宛先に転送できるようになります。VTEP の BUM フレームの転送には，IP ユニキャストを用いる設定にします。

S 課長：IP マルチキャストルーティングを利用できないネットワークであっても拡張できるようになるのですね。ほかの機能についても説明してください。

Q 主任：EVPN の "機能 2" では，VTEP は MP-BGP を利用して，リモート VTEP に接続された VM の MAC アドレス，VNI 及びリモート VTEP の IP アドレスをあらかじめ学習します。VTEP は，リモート VTEP に接続された VM 宛てのイーサネットフレームを，学習した情報を参照して転送します。"機能 2" によって，BUM フレームのうちの 　 f 　 によるフラッディングの発生を低減できます。

S 課長：ネットワーク負荷の軽減を期待できそうですね。ところで，図 5 中の物理サーバと L3SW の接続方法は，図 3 中の接続方法と異なるのですか。

Q 主任：物理サーバと L3SW との間は，⑪ EVPN の "機能 3" によって，リンクアグリゲーションを用いて接続します。同一の物理サーバに接続する 2 台の L3SW に作成するリンクアグリゲーションの論理インタフェースには，同一の物理サーバに接続されていることを識別させるために，同じ 　 g 　 を設定します。

S 課長：新検証 NW を使ってどのようなテストを実施するのか教えてください。

Q 主任：VM 同士の通信可否を確認します。

S 課長：現行の検証 NW から設定を変更する BUM フレームの転送についても，動作を確認してください。

Q 主任：分かりました。⑫ ARP 要求フレームをカプセル化した全ての VXLAN パケットをキャプチャして，宛先 IP アドレスを確認します。

　Q 主任が検討した新検証 NW の設計及びテスト内容は，情報システム部で承認された。Q 主任は EVPN の技術検証の実施のため，新検証 NW の構築に着手した。

設問1　〔VXLAN の概要〕について答えよ。

　(1)　本文，図1及び図2中の　　a　　～　　c　　に入れる適切な字句又は数値を答えよ。

　(2)　本文中の下線①～③について，それぞれの情報が図2中のどのヘッダー又はイーサネットフレームに含まれるか。図2中の字句を用いて答えよ。

　(3)　本文中の下線④について，宛先 IP アドレスを IP マルチキャストのグループアドレスにして転送する目的を，45字以内で答えよ。

設問2　〔現行の検証ネットワーク〕について答えよ。

　(1)　本文中の　　d　　，　　e　　に入れる適切な字句を答えよ。

　(2)　本文中の下線⑤について，K 社においてルータ ID は，OSPF のネットワーク内で何を識別するものか。20字以内で答えよ。

　(3)　本文中の下線⑥について，ECMP を用いるために必要となる設計を，“経路”と“コスト”という字句を用いて45字以内で答えよ。

　(4)　本文中の下線⑦について，VTEP の IP アドレスに物理インタフェースの IP アドレスではなく，ループバックインタフェースの IP アドレスを使用するのはなぜか。45字以内で答えよ。

　(5)　表1中の　　ア　　～　　カ　　に入れる適切な通信可否を，表1の凡例に倣い“○”又は“×”で答えよ。

設問3　〔現行の検証 NW における VTEP の動作〕について答えよ。

　(1)　本文中の下線⑧について，VXLAN パケットの宛先 IP アドレスを答えよ。

　(2)　本文中の下線⑨の動作について，L3SW31 が L3SW11 の VTEP 宛てに転送するために，L3SW11 から ARP 要求フレームを含む VXLAN パケットを受信したときに学習する情報を，45字以内で答えよ。

　(3)　表2中の　　キ　　～　　コ　　に入れる適切な字句を，図3及び図4中の字句を用いて答えよ。

設問4　〔新検証 NW の設計〕について答えよ。

　(1)　本文中の下線⑩について，ルートリフレクタを用いる利点を“iBGP”とい

う字句を用いて 25 字以内で答えよ。また，図 5 中の L3SW01 及び L3SW02 をル
ートリフレクタとして冗長化するときに，ループを防止するために設定する
ID の名称を答えよ。

(2) 本文中の　　　f　　　，　　　g　　　に入れる適切な字句を，本文中の字句
を用いて答えよ。

(3) 本文中の下線⑪について，現行の検証 NW と比較したときの利点を 25 字以
内で答えよ。

(4) 本文中の下線⑫について，VTEP は宛先 IP アドレスにセットするリモート
VTEP の IP アドレスをどのように学習するか。20 字以内で答えよ。

(5) 本文中の下線⑫について，ある VLAN ID をセットされた ARP 要求フレーム
は，VTEP によってどのようなリモート VTEP に転送されるか。"VNI" という
字句を用いて 40 字以内で答えよ。

問2　電子メールを用いた製品サポートに関する次の記述を読んで，設問に答えよ。

　Y 社は，企業向けに IT 製品を販売する会社であり，電子メール（以下，メールという）を使用して，販売した製品のサポートを行っている。Y 社では，取扱製品の増加に伴って，サポート体制の強化が必要になってきた。そこで，サポート業務の一部を，サポートサービス専門会社の Z 社に委託することを決定し，Y 社の情報システム部の X 主任が，委託時のメールの運用方法を検討することになった。

　Y 社のネットワーク構成を図 1 に，外部 DNS サーバ Y が管理するゾーン情報を図 2 に，社内 DNS サーバ Y が管理するゾーン情報を図 3 に示す。

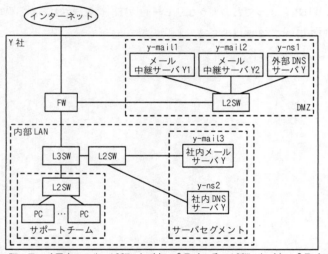

FW：ファイアウォール　L2SW：レイヤー2スイッチ　L3SW：レイヤー3スイッチ
注記　y-ns1, y-ns2, y-mail1, y-mail2, 及び y-mail3 はホスト名である。

図1　Y 社のネットワーク構成（抜粋）

```
$TTL      172800
y-sha.com.                    IN      MX      20      y-mail1.y-sha.com.
y-sha.com.                    IN      MX      1       y-mail2.y-sha.com.
y-mail1.y-sha.com.            IN      A               200.a.b.1
y-mail2.y-sha.com.            IN      A               200.a.b.2
```
注記　200.a.b.1 及び 200.a.b.2 はグローバル IP アドレスである。

図2　外部 DNS サーバ Y が管理するゾーン情報（抜粋）

```
$TTL     172800
y-mail3.y-sha.lan.              IN      A      192.168.1.1
mail.y-sha.lan.          60     IN      A      192.168.0.1
mail.y-sha.lan.          60     IN      A      192.168.0.2
y-mail1.y-sha.lan.              IN      A      192.168.0.1
y-mail2.y-sha.lan.              IN      A      192.168.0.2
```

図3　社内 DNS サーバ Y が管理するゾーン情報（抜粋）

　Y 社では，サポート契約を締結した顧客企業の担当者（以下，顧客という）からの製品サポート依頼を，社内メールサーバ Y に設定された問合せ窓口のメールアドレスである，support@y-sha.com で受け付けている。このメールアドレスはグループアドレスであり，support@y-sha.com 宛てのメールは，Y 社のサポート担当者のメールアドレスに配信される。サポート担当者は，送信元メールアドレスが support@y-sha.com にセットされた製品サポートのメール（以下，サポートメールという）を，社内メールサーバ Y を使用して顧客に返信している。

〔Y 社のネットワーク構成とセキュリティ対策の背景〕

　Y 社のネットワーク構成とメールのなりすまし防止などの情報セキュリティ対策の背景について次に示す。

・サポート担当者が送信したサポートメールが①社内メールサーバ Y からメール中継サーバに転送されるとき，②DNS ラウンドロビンによってメール中継サーバ Y1 又は Y2 に振り分けられる。

・転送先のメール中継サーバが障害などで応答しないとき，社内メールサーバ Y は，他方のメール中継サーバ宛てに転送する機能をもつ。

・顧客が送信したサポートメールがメール中継サーバに転送されるときは，外部 DNS サーバ Y に登録された MX レコードの　　　a　　　値によって，平常時は，ホスト名が　　b　　のメール中継サーバが選択される。

・FW には，インターネットから DMZ のサーバ宛ての通信に対して，静的 NAT が設定されている。

FW に設定されている静的 NAT を表 1 に示す。

表 1　FW に設定されている静的 NAT（抜粋）

宛先のホスト	宛先 IP アドレス	変換後の IP アドレス
y-mail1.y-sha.com	ア	イ
y-mail2.y-sha.com	省略	省略

送信元メールアドレスの詐称の有無に対しては，DNS の　c　と呼ばれる名前解決によって，送信元メールサーバの IP アドレスからメールサーバの FQDN を取得し，その FQDN と送信元メールアドレスのドメイン名が一致した場合，詐称されていないと判定する検査方法が考えられる。しかし，③攻撃者は，自身が管理する DNS サーバの PTR レコードに不正な情報を登録することができるので，ドメイン名が一致しても詐称されているおそれがあることから，検査方法としては不十分である。このような背景から，受信側のメールサーバが送信元メールアドレスの詐称の有無を正しく判定できるようにする手法として，送信ドメイン認証が生まれた。

送信ドメイン認証の技術には，送信元 IP アドレスを基に，正規のサーバから送られたかどうかを検証する SPF（Sender Policy Framework）や，送られたメールのヘッダーに挿入された電子署名の真正性を検証する DKIM（DomainKeys Identified Mail）などがある。Y 社では SPF 及び DKIM の両方を導入している。

〔Y 社が導入している SPF の概要〕

SPF では，送信者のなりすましの有無を受信者が検証できるようにするために，送信者のドメインのゾーン情報を管理する権威 DNS サーバに，SPF で利用する情報（以下，SPF レコードという）を登録する。Y 社では，外部 DNS サーバ Y に SPF レコードを TXT レコードとして登録している。

Y 社が登録している SPF レコードを図 4 に示す。

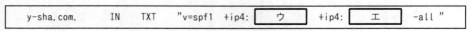

```
y-sha.com.    IN   TXT    "v=spf1 +ip4: ウ    +ip4: エ    -all "
```

図 4　Y 社が登録している SPF レコード

Y社が導入しているSPFによる送信ドメイン認証の流れを次に示す。

（ⅰ）　サポート担当者は，送信元メールアドレスがsupport@y-sha.comにセットされたサポートメールを，顧客宛てに送信する。

（ⅱ）　サポートメールは，社内メールサーバYからメール中継サーバY1又はY2を経由して，顧客のメールサーバに転送される。

（ⅲ）　顧客のメールサーバは，メール中継サーバY1又はY2から，メール転送プロトコルである　　d　　の　　e　　コマンドで指定されたメールアドレスのドメイン名の　　f　　を入手する。顧客のメールサーバは，DNSを利用して，　　f　　ドメインのゾーン情報を管理する外部DNSサーバYに登録されているSPFレコードを取得する。

（ⅳ）　顧客のメールサーバは，④取得したSPFレコードに登録された情報を基に，送信元のメールサーバの正当性を検査する。

（ⅴ）　正当なメールサーバから送信されたメールなので，なりすましメールではないと判断してメールを受信する。なお，正当でないメールサーバから送信されたメールは，なりすましメールと判断して，受信したメールの隔離又は廃棄などを行う。

午後Ⅱ　問1　問2

〔Y社が導入しているDKIMの概要〕

DKIMは，送信側のメールサーバでメールに電子署名を付与し，受信側のメールサーバで電子署名の真正性を検証することで，送信者のドメイン認証を行う。電子署名のデータは，メールの　　g　　及び本文を基に生成される。

DKIMでは，送信者のドメインのゾーン情報を管理する権威DNSサーバを利用して，電子署名の真正性の検証に使用する鍵を公開する。鍵長は，2,048ビットより大きな鍵を利用することも可能である。しかし，DNSをトランスポートプロトコルである　　h　　で利用する場合は，DNSメッセージの最大長が　　i　　バイトという制限があるので，　　i　　バイトに収まる鍵長として，一般に2,048ビットの鍵が利用される。

DKIMの電子署名には，第三者認証局（以下，CAという）が発行した電子証明書を利用せずに，各サイトの管理者が生成する鍵が利用できる。

Y社では，Y社のネットワーク運用管理者が生成した鍵などのDKIMで利用する情報

（以下，DKIM レコードという）を，外部 DNS サーバ Y に TXT レコードとして登録している。

Y 社が登録している DKIM レコードを図 5 に，DKIM レコード中のタグの説明を表 2 に示す。

```
sel.ysha._domainkey.y-sha.com.    IN    TXT    "v=DKIM1; k=rsa; t=s; p=（省略）"
```

注記　sel.ysha は，y-sha.com で運用するセレクター名を示し，y-sha.com. は，電子署名を行うドメイン名を示す。

図 5　Y 社が登録している DKIM レコード

表 2　DKIM レコード中のタグの説明（抜粋）

タグ	説明
v	バージョン番号を示す。指定する場合は "DKIM1" とする。
k	電子署名の作成の際に利用する鍵の形式を指定する。
t	DKIM の運用状態が本番運用モードの場合は "s" を指定する。
p	Base64 でエンコードした ［　オ　］ のデータを指定する。

DKIM における送信側は，電子署名データなどを登録した DKIM-Signature ヘッダーを作成して送信するメールに付加する処理（以下，DKIM 処理という）を行う。DKIM では，一つのドメイン中に複数のセレクターを設定することができ，セレクターごとに異なる鍵が使用できる。セレクターは，DNS サーバに登録された DKIM レコードを識別するためのキーとして利用される。

DKIM-Signature ヘッダー中のタグの説明を表 3 に示す。ここで，DKIM-Signature ヘッダーの構成図は省略する。

表 3　DKIM-Signature ヘッダー中のタグの説明（抜粋）

タグ	説明
b	Base64 でエンコードした電子署名データ
d	電子署名を行ったドメイン名
s	複数の DKIM レコードの中から鍵を取得する際に，検索キーとして利用するセレクター名

Y 社は，顧客宛てのサポートメールに対する DKIM 処理を，メール中継サーバ Y1 及

び Y2 で行っている。Y 社では，ドメイン名が y-sha.com でセレクター名が sel.ysha のセレクターを設定している。Y 社が送信するメールの DKIM-Signature ヘッダー中のsタグには，図 5 中に示したセレクター名の sel.ysha が登録されている。

Y 社が導入している DKIM による送信ドメイン認証の流れを次に示す。

（ⅰ）　サポート担当者は，送信元メールアドレスが support@y-sha.com にセットされたサポートメールを，顧客宛てに送信する。

（ⅱ）　サポートメールは，社内メールサーバ Y からメール中継サーバ Y1 又は Y2 を経由して，顧客のメールサーバに転送される。

（ⅲ）　メール中継サーバ Y1 又は Y2 は，サポートメールに付加する DKIM-Signature ヘッダー中に電子署名データなどを登録して，顧客のメールサーバに転送する。

（ⅳ）　顧客のメールサーバは，DKIM-Signature ヘッダー中の d タグに登録されたドメイン名である y-sha.com と s タグに登録されたセレクター名を基に，DNS を利用して，当該ドメインのゾーン情報を管理する外部 DNS サーバ Y に登録されている DKIM レコードを取得する。

午後II 問1 問2

（ⅴ）　顧客のメールサーバは，⑤取得した DKIM レコードに登録された情報を基に，電子署名の真正性を検査する。

（ⅵ）　正当なメールサーバから送信されたメールなので，なりすましメールではないと判断してメールを受信する。なお，正当でないメールサーバから送信されたメールは，なりすましメールと判断して，受信したメールの隔離又は廃棄などを行う。

〔Z 社に委託するメールの運用方法の検討〕

まず，X 主任は，自社のメールシステムのセキュリティ運用規程に，次の規定があることを確認した。

（あ）　社内メールサーバ Y には，Y 社に勤務する従業員以外のメールボックスは設定しないこと

（い）　社内の PC によるメール送受信は，社内メールサーバ Y を介して行うこと

（う）　メール中継サーバ Y1 及び Y2 にはメールボックスは設定せず，社内メールサーバ Y から社外宛て，及び社外から社内メールサーバ Y 宛てのメールだけを中継す

るこ と

（え） Y 社のドメインを利用するメールには，なりすまし防止などの情報セキュリティ対策を講じること

　次に，メールの運用方法の検討に当たって，X 主任は，Z 社のネットワーク構成とサポート体制を調査した。

　Z 社のネットワーク構成を図 6 に，外部 DNS サーバ Z が管理するゾーン情報を図 7 に示す。

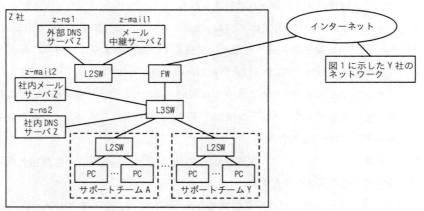

注記1　z-ns1, z-ns2, z-mail1 及び z-mail2 はホスト名である。
注記2　サポートチーム A は，A 社向けのサポート業務を行い，サポートチーム Y は，Y 社向けのサポート業務を行うチームである。

図 6　Z 社のネットワーク構成（抜粋）

```
z-sha.co.jp.              IN    MX    10    z-mail1.z-sha.co.jp.
z-mail1.z-sha.co.jp.      IN    A           222.c.d.1
```
注記　222.c.d.1 はグローバル IP アドレスである。

図 7　外部 DNS サーバ Z が管理するゾーン情報（抜粋）

　Z 社は，複数の企業から受託したメールを用いたサポート業務を，チームを編成して対応している。

　X 主任は，Z 社のネットワーク構成，サポート体制及び Y 社のメールシステムのセキュリティ運用規程を基に，Z 社に委託するメールによるサポート方法を，次のようにまとめた。

・Z社のサポートチームYのサポート担当者は，現在使用している問合せ窓口のメールアドレス support@y-sha.com でサポート業務を行う。

・support@y-sha.com 宛てのメール中から，Z社に委託した製品のサポート依頼メール及びサポート途中のメールが抽出されて，Z社のサポートチームYのグループアドレス宛てに転送されるようにする。

・サポートチームYのサポート担当者は，送信元メールアドレスが support@y-sha.com にセットされたサポートメールを，社内メールサーバZを使用してY社の顧客宛てに送信する。

次に，セキュリティ運用規程の(え)に対応するために，Z社に委託するサポートメールへの SPF と DKIM の導入方法を検討した。

SPF には，⑥ DNS サーバに SPF で利用する情報を登録することで対応できると考えた。

DKIM には，図6中のメール中継サーバZで，送信元メールアドレスが support@y-sha.com のメールに対して DKIM 処理を行うことで対応できると考えた。このとき，顧客のメールサーバが，外部 DNS サーバYを使用して DKIM の検査を行うことができるように，DKIM-Signature ヘッダー中の d タグで指定するドメイン名には $\boxed{}$ を登録し，⑦ s タグで指定するセレクター名は sel.zsha として，Y社と異なる鍵を電子署名に利用できるようにする。また，外部 DNS サーバYに，sel.zsha セレクター用の DKIM レコードを追加登録する。

委託時のメールの運用方法がまとまったので，検討結果を上司のW課長に説明したところ，⑧ "Z社のサポートチームY以外の部署の従業員が，送信元メールアドレスに support@y-sha.com をセットしてサポート担当者になりすました場合，顧客のメールサーバでは，なりすましを検知できない"，との指摘を受けた。そこで，X主任は，追加で実施する対策について調査した結果，S/MIME (Secure/MIME) の導入が有効であることが分かった。

〔S/MIME の調査と実施策〕

S/MIME では，受信者の MUA (Mail User Agent) によるメールに付与された電子署名の真正性の検証で，なりすましやメール内容の改ざんが検知できる。

MUA による電子署名の付与及び電子署名の検証の手順を表4に示す。

表4　MUA による電子署名の付与及び電子署名の検証の手順

処理 MUA	手順	処理内容
送信者の MUA	1	ハッシュ関数 h によってメール内容のハッシュ値 a を生成する。
	2	⑨ハッシュ値 a を基に，電子署名データを作成する。
	3	送信者の電子証明書と電子署名付きのメールを送信する。
受信者の MUA	4	⑩受信したメール中の電子署名データからハッシュ値 a を取り出す。
	5	ハッシュ関数 h によってメール内容のハッシュ値 b を生成する。
	6	⑪ハッシュ値を比較する。

　X 主任は，S/MIME 導入に当たって Y 社と Z 社が実施すべき事項について検討し，次の四つの実施事項をまとめた。

・Y 社のホームページ上で，サポートメールへの S/MIME の導入をアナウンスし，なりすまし防止対策を強化することを顧客に周知する。

・取得した電子証明書は，Z 社にも秘密鍵と併せて提供する。

・Y 社のサポート担当者及び Z 社のサポートチーム Y のサポート担当者は，自身の PC に電子証明書と秘密鍵をインストールする。

・Y 社及び Z 社のサポート担当者は，送信するメールに電子署名を付与する。

　X 主任は，サポートメールに SPF と DKIM だけでなく新たに S/MIME も導入したメールの運用方法と，サポート委託を開始するまでに Y 社及び Z 社で実施すべき事項を W 課長に報告した。報告内容が承認されたので，X 主任は，委託時のメールの運用を開始するまでの手順書の作成，及び Z 社の窓口担当者との調整に取り掛かった。

設問1　〔Y 社のネットワーク構成とセキュリティ対策の背景〕について答えよ。

　(1)　本文中の下線①について，転送先のメール中継サーバの FQDN を答えよ。

　(2)　本文中の下線②について，社内メールサーバ Y からメール中継サーバ Y1 又は Y2 へのメール転送時に，振分けの偏りを小さくするために実施している方策を，25 字以内で答えよ。

　(3)　本文中の　[a]　～　[c]　に入れる適切な字句を答えよ。

　(4)　表1中の　[ア]　，[イ]　に入れる適切な IP アドレスを答えよ。

　(5)　本文中の下線③について，攻撃者が PTR レコードに対して行う不正な操作

の内容を，次に示す図8を参照して45字以内で答えよ。

ホストのIPアドレス	IN	PTR	ホストのFQDN

図8　PTRレコードの形式（抜粋）

設問2　〔Y社が導入しているSPFの概要〕について答えよ。

(1)　図4中の　ウ　，　エ　に入れる適切なIPアドレスを答えよ。

(2)　本文中の　d　～　f　に入れる適切な字句を答えよ。

(3)　本文中の下線④について，正当性の確認方法を，50字以内で答えよ。

設問3　〔Y社が導入しているDKIMの概要〕について答えよ。

(1)　本文中の　g　～　i　に入れる適切な字句又は数値を答えよ。

(2)　図5のDKIMレコードで指定されている暗号化方式のアルゴリズム名，及び表2中の　オ　に入れる適切な鍵名を答えよ。

(3)　本文中の下線⑤について，電子署名の真正性の検査によって送信者がなりすまされていないことが分かる理由を，50字以内で答えよ。

設問4　〔Z社に委託するメールの運用方法の検討〕について答えよ。

(1)　本文中の下線⑥について，登録するDNSサーバ名及びDNSサーバに登録する情報を，それぞれ，図1又は図6中の字句を用いて答えよ。

(2)　本文中の　j　に入れる適切な字句を答えよ。

(3)　本文中の下線⑦について，異なる鍵を利用することによる，Y社におけるセキュリティ面の利点を，50字以内で答えよ。

(4)　本文中の下線⑧について，顧客のメールサーバでは，なりすましを検知できない理由を，40字以内で答えよ。

設問5　〔S/MIMEの調査と実施策〕について答えよ。

(1)　表4中の下線⑨の電子署名データの作成方法を，25字以内で答えよ。

(2)　表4中の下線⑩のハッシュ値aを取り出す方法を，20字以内で答えよ。

(3)　表4中の下線⑪について，どのような状態になれば改ざんされていないと判断できるかを，25字以内で答えよ。

午後Ⅱ問題の解答・解説

注：情報処理推進機構（IPA）が公表している出題趣旨・採点講評・解答例を転載している。

問1

出題趣旨
データセンター事業者や通信事業者のように大規模なネットワークを運用する企業では，ネットワークの拡張性やマルチテナントへの対応は重要な課題である。このような課題に対応するために，VXLAN 及び EVPN を利用する企業は少なくない。 　VXLAN 及び EVPN を利用したネットワークの導入や運用には，レイヤー2及びレイヤー3のネットワーク技術について正しく理解することが重要である。 　本問では，VXLAN を利用して構成されたネットワークに EVPN を適用する事例を通じて，VXLAN 及び EVPN を解説した。データセンターのネットワークに利用される VXLAN 及び EVPN の検討を題材として，受験者が修得した技術と経験が，実務で活用できる水準かどうかを問う。

採点講評
問1では，データセンターのネットワークの検討を題材に，VXLAN の概要と VTEP で行われる処理，VXLAN でカプセル化された IP パケットの転送方式，及び EVPN の概要と特徴について出題した。全体として正答率は平均的であった。 　設問1では，(1)c の正答率が低かった。VXLAN はデータセンターのネットワークなどに採用される事例が少なくない。また，VXLAN のカプセル化は，VXLAN を理解する上で重要な技術の一つである。是非知っておいてもらいたい。 　設問2では，(1)e，(2)の正答率が低かった。OSPF は多くのネットワーク技術者にとって設計，構築及び運用など，様々な場面で必要とされる技術である。OSPF の仕組みや仕様を正しく理解してほしい。 　設問3では，(3)ク，コの正答率がやや低かった。クとコの解答が逆であったり，VM の IP アドレスにしていたりする誤った解答が散見された。L3SW11 及び L3SW31 で行われる処理自体は複雑ではないので，本文をよく読んで正答を導き出すよう心掛けてもらいたい。 　設問4では，(1)の正答率が低かった。設問2の OSPF と同様に，BGP も様々な場面で利用されている重要なネットワーク技術である。BGP についても理解を深めてほしい。

設問			解答例・解答の要点	備考
設問1	(1)	a	24	
		b	3	
		c	UDP	
	(2)	①	イーサネットフレーム	
		②	VXLAN ヘッダー	
		③	IPv4 ヘッダー	
	(3)		同じレイヤー2のネットワークをもつ全てのリモート VTEP に転送するため	

（表は次ページに続く）

設問			解答例・解答の要点	備考
設問2	(1)	d	LSDB	
		e	最短経路	
	(2)		OSPF が動作する各 L3SW	
	(3)		複数ある経路のそれぞれの経路について，コストの合計値を同じ値にする。	
	(4)		一つの物理インタフェースに障害があっても VTEP として動作できるから	
	(5)	ア	×	
		イ	×	
		ウ	×	
		エ	×	
		オ	○	
		カ	×	
設問3	(1)		239.0.0.1	
	(2)		VM11 の MAC アドレス，VNI 及び L3SW11 の VTEP の IP アドレス	
	(3)	キ	10010	
		ク	10.0.0.31	
		ケ	10010	
		コ	10.0.0.11	
設問4	(1)	利点	iBGP ピアの数を減らすことができる。	
		名称	クラスター ID	
	(2)	f	Unknown Unicast	
		g	ESI	
	(3)		二つの回線の帯域を有効に利用できる。	
	(4)		MP-BGP を用いて学習する。	
	(5)		VLAN ID に対応する VNI をもつ全てのリモート VTEP	

午後Ⅱ 答1 答2

　本問は，国内にデータセンターを所有する大手 EC 事業者 K 社が，データセンターのネットワークの拡張性を向上させる目的で，現行の VXLAN（Virtual eXtensible Local Area Network）に EVPN（Ethernet VPN）を適用するための技術検証を行う事例を取り上げている。

　現行の VXLAN は，BUM（Broadcast, Unknown Unicast, Multicast）フレームの転送に IP マルチキャストルーティングを用いている。EVPN を適用した VXLAN に変更することによって，フラッディングの発生を抑制することでネットワーク負荷を軽減することができる。さらに，IP マルチキャストルーティングを利用できないネットワークでも VXLAN を使用できるようになる。

　VXLAN は平成 27 年午後Ⅱ問 2 に続き 2 回目の登場である。本文中にやや詳しく説

609

明されていたので，一部の穴埋め問題を除けば前提知識がなくても解けるように配慮されていた。今回出題された EVPN を適用した VXLAN は初登場であり，本文中にかなり詳しく説明されていたので，一部の設問を除けば前提知識がなくても解けるように配慮されていた。

先ほど言及した平成27年午後Ⅱ問2は，VXLAN が初登場だったため，本問よりも VXLAN の仕組みについて本文中に詳しく解説されている。それ以外の技術（マルチキャスト，等）も取り上げられているので，参考までに解いてみるとよいだろう。

●本問の構成

本問の構成を概観すると，下記のように整理できる。

見出し	主な内容	主に対応する出題箇所	
		設問	小問
VXLAN の概要	・VTEP 及び VXLAN トンネルの構成（図1） ・VXLAN パケットの構造（図2）	1	(1)～(3)
現行の検証ネットワーク	・現行の検証 NW（図3）とその概要 ・現行の検証 NW の VLAN，VXLAN 及び VTEP（図4）とその概要	2	(1)～(5)
現行の検証NWにおける VTEP の動作	・図4中の VM の ARP 通信における VTEP の動作	3	(1)～(3)
EVPN の概要	・EVPN の主な機能	—	—
新検証NWの設計	・新検証 NW（図5） ・現行の検証 NW から新検証 NW に流用される設計 ・新検証 NW に追加される EVPN の設計，現行 NW から変更される設計	4	(1)～(5)

● VXLAN

VXLAN は，レイヤー2のオーバーレイネットワーク（仮想ネットワーク）を，レイヤー3のアンダーレイネットワーク（物理ネットワーク）の上に構成する技術である。

VXLAN の仕組みについて，次の図を使って具体的に説明しよう。これは本文の図1を基に作成したものだ。

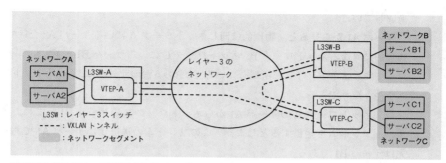

図：VXLAN によって実現されるオーバーレイネットワーク

　ネットワークAがL3SW-Aの配下にあり，ネットワークBがL3SW-Bの配下にあり，ネットワークCがL3SW-Cの配下にある。

　見てのとおり，三つのセグメントはレイヤー3のネットワークを介して接続している。したがって，通常のネットワーク構成では，これらは別々のレイヤー2ネットワークになり，異なるネットワークアドレスが割り当てられる。

　VXLANを用いると，三つのセグメントを一つのレイヤー2ネットワークにし，同じネットワークアドレスを割り当てることができる。このレイヤー2ネットワークは，VNIと呼ばれる識別子によって区別される。VNIのビット数は「24」なので，2の24乗（16,777,216）個の独立したレイヤー2の仮想ネットワークを，レイヤー3の物理ネットワークの上に構成することができる。上図の例では，ネットワークA，B及びCは同じVNIをもっている。

● VXLAN トンネルを介した通信

　VXLANは，レイヤー2のオーバーレイネットワークを実現するため，同じVNIをもつネットワークをVXLANトンネルで仮想的に接続する。このトンネルを通過する際，イーサネットフレームがVXLANでカプセル化される。VXLANトンネルのエンドポイントであるVTEP（VXLAN Tunnel End Point）が，このカプセル化及びカプセル化の解除を行う。レイヤー3のアンダーレイネットワークを通過するのは，このVXLANパケットである。

　先ほどの「図：VXLANによって実現されるオーバレイネットワーク」を使って，イーサネットフレームをVXLANでどのようにカプセル化するのかを具体的に説明しよう。

　ここでは，ネットワークA，ネットワークB，ネットワークCが同じVNIをもち，お互いにVXLANトンネルで接続され，全体として一つのレイヤー2ネットワークを

構成している。

　サーバ A1 から見ると，物理的に同じネットワーク A にいるサーバ A2 だけでなく，物理的に異なるネットワーク B，ネットワーク C にいるサーバ B1 ～ C2 も，一つのブロードキャストドメインに所属している。これら6台のサーバは，イーサネットフレームをやり取りできる。

　今，ネットワーク A のサーバ A1 からネットワーク B のサーバ B1 宛てに，イーサネットフレームを送信するとしよう。このフレームの送信元はサーバ A1 であり，宛先はサーバ B1 である。

　サーバ A1 から送信されたこのイーサネットフレームが VTEP-A に到達すると，VTEP-A はこれをカプセル化して VXLAN パケットを作成し，VTEP-B に転送する。このパケットの送信元は VTEP-A であり，宛先は VTEP-B である。

　VTEP-A から転送されたこの VXLAN パケットが VTEP-B に到達すると，VTEP-B はこのカプセル化を解除してイーサネットフレームを取り出し，サーバ B1 に転送する。このフレームの送信元はサーバ A1 であり，宛先はサーバ B1 である。

　このやりとりをサーバ A1，サーバ B1 から見ると，お互いが同じレイヤー2ネットワークに存在しているかのように見えるわけだ。

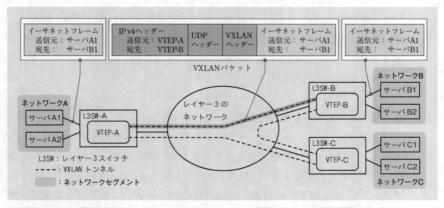

図：同じ VNI で識別されたレイヤー2ネットワークの内部でサーバが送受信するパケット

●リモート VTEP 及びそこに接続されたサーバに関する情報の学習

　実を言うと，この説明のとおりパケットが送受信されるには，VTEP-A は，いくつかの情報を事前に知っておかなければならない。それは，リモート VTEP（通信相手の VTEP）となる VTEP-B の IP アドレスの値，ネットワーク A と同じ VNI をもつネットワーク B が VTEP-B の配下に存在すること，及び，そのネットワーク B にあるサー

バ B1 の MAC アドレスの値，などリモート側のアドレス情報である。

それらアドレス情報を学習する方法は，大きく二つある。

・VXLAN で従来から使用されている方法

一つ目は，リモート VTEP（通信相手の VTEP）から VXLAN パケットを受信したとき，リモート側のアドレス情報を学習する方法である。端的に言うと，これは，イーサネットで L2SW がアドレス学習を行う方法によく似ている。これは VXLAN で従来から使用されているものであり，設問 1 ～ 3 はこの方法に基づいて出題されている。

L2SW は，フレーム受信を契機に「どのポートの先にどのノードの MAC アドレスがあるか」を学習している。VTEP も同様に，フレーム受信を契機に，「どの VXLAN トンネルの先にどのノードの MAC アドレスがあるか」を学習している。このように両者を見比べると分かるとおり，レイヤー 2 のオーバーレイネットワークで構成された仮想ネットワークにおいて，VTEP は，言わば L2SW の役割を果たしているわけだ。

イーサネットフレームが BUM（Broadcast, Unknown Unicast, Multicast）フレームである場合，VTEP がカプセル化した VXLAN パケットの宛先 IP アドレスは，VNI ごとに定められた IP マルチキャストのグループアドレスになる。この振る舞いは，L2SW が BUM フレームをフラッディングすることに対応している。この点は設問 1（3）で出題されているので，詳しくはそこで解説しよう。

・EVPN を適用した VXLAN で使用される方法

二つ目は，MP-BGP を用いて学習する方法である。これは EVPN を適用した VXLAN で使用されているものであり，設問 4 はこの方法に基づいて出題されている。

この方法を用いると，イーサネットフレームが BUM フレームであっても，これをカプセル化した VXLAN パケットの宛先 IP アドレスは，リモート VTEP の IP アドレスになる。この点は設問 4（2），（3）で出題されているので，詳しくはそこで解説しよう。

MP-BGP について，詳しくは本書の第 3 章「3.8.6 BGP」の「● MP-BGP」を参照していただきたい。

ここまで理解できれば，設問を解く準備が整った。それでは，設問の解説に移ろう。

■設問 1

設問 1 は，〔VXLAN の概要〕について問うている。

(1)

解答例

> a：24　　b：3　　c：UDP

本問題は，〔VXLAN の概要〕の空欄 a ～ c に入れる適切な字句を問うている。

a ， b

空欄 a，b は，〔VXLAN の概要〕の第 1 段落の中にある。そこには「RFC7348 で規定された VXLAN では，VXLAN ヘッダー内の ［ a ］ ビットの VNI（VXLAN Network Identifier）を用いて，約 1,677 万個のレイヤー 2 のオーバーレイネットワークをレイヤー ［ b ］ のネットワーク上に構成できる」と記述されている。

上述の解説をこの記述に当てはめてみると，空欄 a に入る字句は「24」となり，空欄 b に入る字句は「3」となる。よって，これが正解となる。

c

空欄 c は，〔VXLAN の概要〕の第 2 段落及び図 2 の中にある。そこには「図 1 中の L3SW の VTEP は，サーバから受信したイーサネットフレームに，VXLAN ヘッダー， ［ c ］ ヘッダー及び IPv4 ヘッダーを付加した IP パケット（以下，VXLAN パケットという）を，宛先の VTEP（以下，リモート VTEP という）に転送する」と記述されている。

図 2 を見ると，空欄 c が入るヘッダーは，IPv4 ヘッダーのすぐ後にある。したがって，このヘッダーのレイヤーはトランスポート層であることが分かる。

本問題は，VXLAN で使われているトランスポート層が何であるかを知っていればもちろん即答できるが，VXLAN のことを詳しく知らなかったとしても，IP マルチキャスト通信に関する知識があれば解くことができる。

VXLAN が IP マルチキャスト通信を行う場合があることについて，〔VXLAN の概要〕の第 4 段落に「イーサネットフレームが，BUM フレームの場合には，図 2 中の IPv4 ヘッダーの宛先 IP アドレスに，IP マルチキャストのグループアドレスをセットして転送する」と記述されている。

トランスポート層プロトコルにTCPを用いると，IPユニキャスト通信しか行うことができない。TCPは，特定の相手と1対1でコネクションを確立した上で，通信を行う仕組みになっている。一方，トランスポート層プロトコルにUDPを用いると，UDPはコネクションを確立せずに通信を行う仕組みになっているため，ユニキャスト／マルチキャスト／ブロードキャスト通信のいずれも行うことができる。

したがって，VXLANがマルチキャスト通信を行う場合があることから，空欄cに当てはまるトランスポート層プロトコルは，「**UDP**」である。よって，これが正解となる。

(2)

解答例

①：イーサネットフレーム　　②：VXLANヘッダー　　③：IPv4ヘッダー

問題文は，「本文中の下線①～③について，それぞれの情報が図2中のどのヘッダー又はイーサネットフレームに含まれるか。図2中の字句を用いて答えよ」と記述されている。

下線①～③は，〔VXLANの概要〕の第3段落の中にある。図2と併せて掲載しよう（図2中の空欄cを補填）。

午後Ⅱ 答1 答2

IPv4ヘッダー	UDPヘッダー	VXLANヘッダー	イーサネットフレーム

図2　VXLANパケットの構造

VTEPは，イーサネットフレームの宛先に応じてVXLANパケットの宛先を決定するための情報として，リモートVTEPから受信したVXLANパケットから次の情報を組み合わせて学習する。

・①リモートVTEPに接続されたサーバのMACアドレス
・②VXLANトンネルのVNI
・③リモートVTEPのIPアドレス

図：本文の図2と下線①～③

冒頭の「●リモートVTEP及びそこに接続されたサーバに関する情報の学習」で解説したとおり，VTEPは，リモートVTEPからVXLANパケットを受信したとき，そのアドレス情報を学習する。

この点について，冒頭の「図：同じVNIで識別されたレイヤー2ネットワークの内部でサーバが送受信するパケット」を使って，具体的に解説しよう。

この図では，VTEP-BがVXLANパケットの受信側になるので，ここで問われている「リモートVTEP」は，送信側のVTEP-Aになる。

レイヤー2のオーバーレイネットワークの内部では，イーサネットフレームが送受信される。その送信元はネットワークAのサーバA1であり，宛先はネットワークBのサーバB1である。レイヤー3のアンダーレイネットワークでは，VXLANパケットが送受信される。その送信元はVTEP-Aであり，宛先はVTEP-Bである。

したがって，VTEP-Bは，送信元サーバのMACアドレスを，VXLANパケットでカプセル化されたイーサネットフレームから学習する。よって，下線①「リモートVTEPに接続されたサーバのMACアドレス」の正解は「イーサネットフレーム」となる。

VTEP-Bは，VXLANトンネルのVNIを，VXLANパケットのVXLANヘッダーから学習する。よって，下線②「VXLANトンネルのVNI」の正解は「VXLANヘッダー」となる。

VTEP-Bは，リモートVTEPのIPアドレスを，VXLANパケットのIPv4ヘッダーから学習する。よって，下線③「リモートVTEPのIPアドレス」の正解は「IPv4ヘッダー」となる。

(3)

解答例

> 同じレイヤー2のネットワークをもつ全てのリモートVTEPに転送するため（35字）

問題文は，「本文中の下線④について，宛先IPアドレスをIPマルチキャストのグループアドレスにして転送する目的を…答えよ」と記述されている。

下線④は，〔VXLANの概要〕の第4段落，2番目の箇条書きの中にある。そこには，「④イーサネットフレームが，BUM（Broadcast, Unknown Unicast, Multicast）フレームの場合には，図2中のIPv4ヘッダーの宛先IPアドレスに，IPマルチキャストのグループアドレスをセットして転送する」と記述されている。

BUM フレームとは，L2SW によってフラッディングされるフレームを指している。それらのフレームは，その名称に示されているとおり，3 種類ある。すなわち，ブロードキャストフレーム，マルチキャストフレーム，宛先ノードのアドレス学習が済んでいないユニキャストフレーム（Unknown Unicast フレーム）である。

本問題を首尾よく解くには，まず，通常のレイヤー 2 ネットワークにおける BUM フレームの転送方法を理解する必要がある。次に，VXLAN を用いたレイヤー 2 のオーバーレイネットワークにおける BUM フレームの転送方法を理解する必要がある。その後，ここで問われている「宛先 IP アドレスを IP マルチキャストのグループアドレスにして転送する目的」を導くことにしよう。

●通常のレイヤー 2 ネットワークにおける BUM フレームの転送方法

さきほど，「BUM フレームとは，L2SW によってフラッディングされるフレームを指している」と説明したとおり，通常のレイヤー 2 ネットワークにおける BUM フレームの転送方法は，他ならぬフラッディングである。

L2SW が BUM フレームをフラッディングする目的は，同じレイヤー 2 ネットワークに存在する全てのノードに BUM フレームを転送するためである。

ブロードキャストフレームであれば，全てのノードが宛先となるため，フラッディングしなければならない。マルチキャストフレームであれば，特定の複数のノードが宛先となるが，どのポートの先にも宛先が存在し得るため，フラッディングしなければならない。Unknown Unicast フレームであれば，宛先ノードは一つであるが，どのポートの先に宛先が存在しているか分からないため，フラッディングしなければならない。

L2SW が行うフラッディングについて，詳しくは本書の第 1 章「1.4.1 アドレス学習機能と転送機能」の「●転送機能」を参照していただきたい。

● VXLAN を用いたレイヤー 2 のオーバーレイネットワークにおける BUM フレームの転送方法

冒頭の「● VXLAN」で，「レイヤー 2 のオーバーレイネットワークで構成された仮想ネットワークにおいて，VTEP は，言わば L2SW の役割を果たしている」と述べた。実を言うと，L2SW による BUM フレームのフラッディングと同様のことが，イーサネットをカプセル化した VXLAN パケットを転送する際にも行われる。

もちろん，レイヤー 3 のアンダーレイネットワークは IP ネットワークであるため，イーサネットのフラッディングとまったく同じ仕組みは存在しない。これと同様のことを実現するため，VXLAN は，IP マルチキャスト通信を用いた配信を行う。

　この点について，冒頭の「図:VXLANによって実現されるオーバーレイネットワーク」を使って，具体的に解説しよう。

　今，ネットワークAのサーバ1がBUMフレームを送信したとしよう。これをVTEP-Aが受け取ると，このBUMフレームをVXLANパケットでカプセル化した後，VTEP-B及びVTEP-Cにこれを転送する。その目的は，ネットワークAと同じレイヤ2ネットワークであるネットワークB及びネットワークCに，BUMフレームを転送するためである。

　この目的を果たすため，VXLANは三つのことを行っている。

[1] VNIごとにIPマルチキャストのグループアドレスをあらかじめ割り当てておく。VNIはレイヤ2のオーバーレイネットワークの識別子の役割を果たしているが，同じようにIPマルチキャストのグループアドレスも識別子の役割を果たしている。

[2] VNIで識別されたレイヤ2ネットワークを配下にもつVTEPに，そのIPマルチキャストのグループアドレスを設定する。

[3] BUMフレームをカプセル化したVXLANパケットを転送する際，その宛先IPアドレスとして，VNIに対応したマルチキャストアドレスをセットする

　三つ目に挙げた点が，下線④で説明されていることだ。このIPマルチキャストパケットは，レイヤ3のアンダーレイネットワーク内でルーティングされ，同じレイヤ2のネットワークをもつ全てのリモートVTEPに転送される。これにより，フラッディングと同様のことを実現することができる。

●解の導出

　ここまで理解できれば，本問題の解を導くことができる。

　ここでは，VTEPがカプセル化するイーサネットフレームがBUMフレームであった場合，「宛先IPアドレスをIPマルチキャストのグループアドレスにして転送する目的」について問われていた。

　その目的は，「**同じレイヤ2のネットワークをもつ全てのリモートVTEPに転送するため**」である。よって，これが正解となる。

■設問2

設問2は，〔現行の検証ネットワーク〕について問うている。

(1)

解答例

> d：LSDB　　e：最短経路

本問題は，〔現行の検証ネットワーク〕の空欄d，eに入れる適切な字句を問うている。

| d | e |

二つの空欄は，〔現行の検証ネットワーク〕の第2段落，4番目の箇条書きの中にある。そこには「L3SWは，OSPFで交換するLSA（Link State Advertisement）の情報から｜ d ｜というデータベースを作成する。次に，｜ d ｜を基に，それぞれのL3SWを根とする｜ e ｜ツリーを作成して，ルーティングテーブルに経路情報を登録する」と記述されている。

OSPFは，ルータ間でLSAを交換し，それぞれのルータでLSDB（Link State Database）というデータベースを作成する。次に，それぞれのルータで，自分を根とする最短経路（Shortest Path）ツリーを作成し，ルーティングテーブルに経路情報を登録する。

よって，空欄dの正解は「**LSDB**」となり，空欄eの正解は「**最短経路**」となる。

(2)

解答例

> ＯＳＰＦが動作する各Ｌ３ＳＷ （14字）

問題文は，「本文中の下線⑤について，K社においてルータIDは，OSPFのネットワーク内で何を識別するものか…答えよ」と記述されている。

下線⑤は，〔現行の検証ネットワーク〕の第2段落，5番目の箇条書きの中にある。そこには，「⑤LSAに含まれるルータID には，それぞれのL3SWのループバックインタフェースに割り当てたIPアドレスを使用している」と記述されている。

OSPF のルータ ID は，OSPF のネットワーク内でルータを識別するために使用される。任意の値を設定できるが，通常，ルータのインタフェースに割り当てた IP アドレスを採用する。インタフェースの IP アドレスはルータに固有のものなので，そのまま識別子として使用するのが，ネットワーク管理者にとって分かりやすいからである。特にループバックインタフェースを設定していれば，これをルータ ID に採用するのがよい。ループバックインタフェースは仮想インタフェースであり，ルータがダウンしない限り存在するため，物理インタフェースより安定しているからだ。

さて，本問題は，「K 社において」と条件を絞った上で，ルータ ID が OSPF のネットワーク内で何を識別するかを問うている。つまり，K 社のネットワークに特化した具体的な解答がここでは求められている。

本文には，K 社の OSPF について，3 番目の箇条書きの中で「L3SW の経路制御には OSPF を用いている」と書かれている。そこで，「L3SW」という字句を含めることで，具体性のある答えを作成できる。

よって，正解は「**OSPF が動作する各 L3SW**」となる。

（3）

解答例

複	数	あ	る	経	路	の	そ	れ	ぞ	れ	の	経	路	に	つ	い	て	，	コ
ス	ト	の	合	計	値	を	同	じ	値	に	す	る	。	(34字)					

問題文は，「本文中の下線⑥について，ECMP を用いるために必要となる設計を，"経路" と "コスト" という字句を用いて…答えよ」と記述されている。

下線⑥は，〔現行の検証ネットワーク〕の第2段落，6 番目の箇条書きである。そこには，「⑥ OSPF の ECMP（Equal-Cost Multipath）によって，トラフィックを負荷分散している」と記述されている。

解を導く前に，現行の検証 NW における OSPF の設定（OSPF のネットワークの範囲，ECMP の適用範囲）について確認しよう。それを踏まえて，解を導こう。

● OSPF のネットワークの範囲

現行の検証 NW の構成は，図3「現行の検証 NW」に示されている。このネットワークは，L3SW01，L3SW02 をスパインとし，L3SW11 〜 L3SW32 をリーフとする，リーフスパイン型の構成をしている。以下，L3SW01，L3SW02 をスパイン L3SW と呼び，

L3SW11 〜 L3SW32 をリーフ L3SW と呼ぶことにしよう。

現行の検証 NW における OSPF の設定に関し，本文には次のように記述されている。

- OSPF のエリア 0 の範囲（図 3 の破線枠）
- L3SW の経路制御には OSPF を用いている（第 2 段落，3 番目の箇条書き）
- ECMP によって，トラフィックを負荷分散している（第 2 段落，6 番目の箇条書き）
- VTEP はリーフ L3SW に設定する（第 4 段落，2 番目の箇条書き）
- VTEP の IP アドレスには，それぞれのリーフ L3SW のループバックインタフェースに割り当てた IP アドレスを使用している（第 4 段落，3 番目の箇条書き）

これらの記述から，OSPF で経路制御しているネットワークの範囲は，大きく 2 種類あると考えられる（*）。

［OSPF 範囲］
［1］リーフ L3SW とスパイン L3SW 間のリンク
［2］リーフ L3SW のループバックインタフェースの IP アドレス

OSPF 範囲［1］は，図 3 から明らかだ。

OSPF 範囲［2］は，VTEP 間通信に着目することで，明らかになる。VTEP の IP アドレスは，リーフ L3SW のループバックインタフェースの IP アドレスである。つまり，VTEP 間の通信はリーフ L3SW 間で行われる。リーフスパイン型の L3SW のネットワーク内に閉じているので，OSPF のネットワークの範囲であると考えるのが妥当である。

(*) リーフ L3SW の物理サーバ側のネットワークは，OSPF の範囲外であると考えられる。パッシブインタフェース等の具体的な説明がないので，できるだけシンプルに考える。

● ECMP の適用範囲

ある宛先ネットワークの経路が，ロンゲストマッチアルゴリズムが一つに絞り込まれなかった場合，つまり，その宛先ネットワークの経路が複数ある場合，OSPF は，コスト（経路上のパスコストの合計値）が最小のものを選択する。

もし，これら複数の経路のコストが等しい場合，経路間でトラフィックを分散する。

これを ECMP（Equal-Cost Multipath）という。分散アルゴリズムとして、通常、フローモード（送信元と宛先の組に基づいて振り分ける方式）が採用される。

ECMP を適用するには、経路が複数存在する通信がなければならないが、OSPF のネットワークの範囲内で、どれが該当するのだろうか。その答えは、VTEP 間通信である。

具体例として、L3SW11 の VTEP を送信元とし、L3SW31 の VTEP を宛先とする VTEP 間通信を取り上げてみよう。

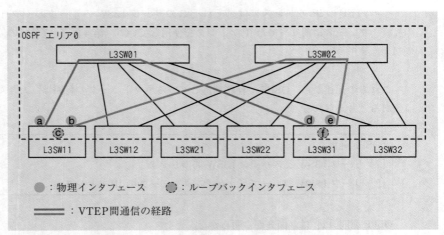

図：L3SW11 の VTEP（ループバックインタフェース c）を送信元とし、L3SW31 の VTEP（ループバックインタフェース f）を宛先とする VTEP 間通信の経路

送信元 VTEP の IP アドレスは、L3SW11 のループバックインタフェース（上図の c）であり、宛先 VTEP の IP アドレスは、L3SW31 のループバックインタフェース（上図の f）である。この VTEP 間通信の経路は二通りある。

[VTEP 間通信の経路]
[1] 送信元：c（ループバックインタフェース）→ a（物理インタフェース）→ L3SW01 → d（物理インタフェース）→宛先：f（ループバックインタフェース）
[2] 送信元：c（ループバックインタフェース）→ b（物理インタフェース）→ L3SW02 → e（物理インタフェース）→宛先：f（ループバックインタフェース）

この例に示したように，VTEP 間通信は複数の経路をもつので，ECMP の適用範囲であることが分かる。

二つの経路のコストを等しく割り当てることで，ECMP によるトラフィック分散が実現される。なお，フローモードで分散する場合，送信元と宛先の組が決まると経路が一つに固定されるが，送信元と宛先の組が変われば別の経路が定まるので，全体で見ると，L3SW01 を経由する経路，L3SW02 を経由する経路のそれぞれにトラフィックが分散される。

これら経路の一方で障害が発生すると他方の経路が選択されるので，経路の冗長化も実現される。

なお，ここで解説した二通りの通信経路は，次の設問 2（4）の解を導くときに役立つので，再び取り上げるつもりだ。

●解の導出

本問題は，ECMP を用いるために必要となる設計を問うている。解答に際し，「経路」と「コスト」という字句を用いるよう求めている。なお，「K 社において」という限定はされていないので，一般的に答えればよい。

上述のとおり，ECMP は，同じ宛先ネットワークの経路が複数あり，かつ，これら経路のコストが等しいときに動作する。OSPF はパス単位（より正確に言うと，インタフェース単位）にコストを割り当てる。それゆえ，設計に際しては，トラフィック分散したい経路の送信元から見た，宛先に至る経路のコスト（経路上のパスコストの合計値）が等しくなるようにしなければならない。

したがって，ECMP を用いるために必要となる設計は，「**複数ある経路のそれぞれの経路について，コストの合計値を同じ値にする。**」となる。よって，これが正解となる。

OSPF の ECMP について，詳しくは本書の第 3 章「3.8.5 OSPF」の「●経路選択」を参照していただきたい。

（4）

解答例

| 一 | つ | の | 物 | 理 | イ | ン | タ | フ | ェ | ー | ス | に | 障 | 害 | が | あ | っ | て | も |
| V | T | E | P | と | し | て | 動 | 作 | で | き | る | か | ら | （34字） | | | | | |

問題文は,「本文中の下線⑦について,VTEP の IP アドレスに物理インタフェース の IP アドレスではなく,ループバックインタフェースの IP アドレスを使用するのは なぜか」と記述されている。

下線⑦は,〔現行の検証ネットワーク〕の第4段落,3番目の箇条書きである。そこ には,「⑦ VTEP の IP アドレスには,それぞれの L3SW のループバックインタフェー スに割り当てた IP アドレスを使用している」と記述されている。

すぐ上の2番目の箇条書きに記されているとおり,VTEP は,リーフ L3SW（L3SW11 ～ L3SW32）に設定される。それゆえ,VTEP 間通信は,リーフ L3SW 間で行われる。

設問2 (3) の「● ECMP の適用範囲」で解説したとおり,VTEP 間通信の経路は二 通りある。二つの経路を見比べると,トラフィックが経由する VTEP の物理インタ フェースが異なっている。

VTEP の IP アドレスはループバックインタフェースの IP アドレスであるため, L3SW 本体が動作している限り,使用できる。それゆえ,VTEP 間通信は,送信元と 宛先の L3SW が動作している限り,一方の経路上の物理インタフェースや物理リンク に障害が発生した場合であっても,OSPF による動的経路制御が働いて,送信元と宛 先はそのままで,他方の経路に切り替わる。この結果,VTEP 間通信の冗長化が実現 される。

もし,VTEP の IP アドレスが物理インタフェースの IP アドレスであったならば,ど うなるだろうか。

その物理インタフェースに障害が発生すると,そこに割り当てられた IP アドレスは 使用できなくなるため,その IP アドレスをもつ VTEP は動作できなくなってしまう。

以上を踏まえると,VTEP の IP アドレスに物理インタフェースの IP アドレスでは なく,ループバックインタフェースの IP アドレスを使用する理由は,「**一つの物理イ ンタフェースに障害があっても VTEP として動作できるから**」である。よって,正解 は解答例に示したとおりとなる。

(5)

> **解答例**
>
> ア：×　　イ：×　　ウ：×
>
> エ：×　　オ：○　　カ：×

本問題は,表1中の空欄ア～カに入れる適切な通信可否を,表1の凡例に倣い"○"

又は"×"で答えるよう求めている。凡例に従えば，通信可であるとき「○」，通信不可であるとき「×」となる。

表1　レイヤー2のネットワークにおける VM11 及び VM23 と各 VM の通信可否（抜粋）

通信元＼通信先	VM11	VM12	VM13	…	VM31	VM32	VM33
VM11	－	×	×	…	○	×	×
VM23	ア	イ	ウ	…	エ	オ	カ

○：通信可　　　　×：通信不可　　　　－：通信元と通信先が同じ

　表1は，〔現行の検証ネットワーク〕の第5段落にある。この表は，図4「現行の検証 NW の VLAN，VXLAN 及び VTEP」に基づいて作成されたものである。

　VXLAN は，同じ VNI をもつレイヤー2ネットワークを VXLAN トンネルで接続することで，レイヤー2のオーバーレイネットワークを実現する技術である。同じ VNI をもつレイヤー2ネットワークのノードは，あたかも自分たちが同じレイヤー2ネットワーク内に存在しているかのように通信できる。一方，異なる VNI をもつレイヤー2ネットワークのノードは，VXLAN トンネルで接続されていない以上，通信できない。

　この点を踏まえて，図4と表1を照らし合わせてみよう。

　まず，VM11 の通信可否を確認する。図4を見ると，L3SW11 配下の VM11 が所属するレイヤー2ネットワークは，VLAN ID が 110，VNI が 10010 である。同じ VNI をもつレイヤー2ネットワークは，L3SW21 配下の VLAN210，L3SW31 配下の VLAN310 である。したがって，表1の中では，VM11 と「通信可」となる VM は，VLAN310 に所属する VM31 となる。

　次に，VM23 の通信可否を確認する。図4を見ると，L3SW21 配下の VM23 が所属するレイヤー2ネットワークは，VLAN ID が 230，VNI が 10040 である。同じ VNI をもつレイヤー2ネットワークは，L3SW31 配下の VLAN320 である。したがって，表1の中では，VM23 と「通信可」となる VM は，VLAN320 に所属する VM32 となる。

午後Ⅱ
答1
答2

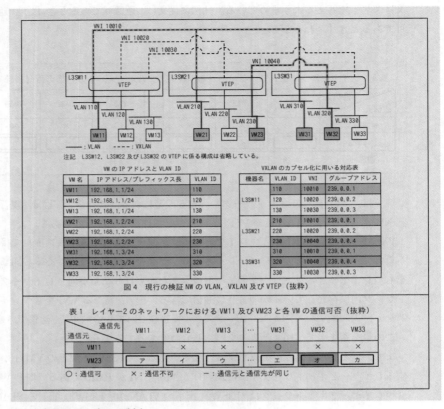

図4　現行の検証 NW の VLAN，VXLAN 及び VTEP（抜粋）

表1　レイヤー2のネットワークにおける VM11 及び VM23 と各 VM の通信可否（抜粋）

通信先 通信元	VM11	VM12	VM13	…	VM31	VM32	VM33
VM11	－	×	×	…	○	×	×
VM23	ア	イ	ウ	…	エ	オ	カ

○：通信可　　　×：通信不可　　　－：通信元と通信先が同じ

図：本文の図4と表1の対応

　よって，正解は，VM32 の空欄オだけが「○」となり，それ以外は全て「×」となる。

■設問3

設問3は，〔現行の検証 NW における VTEP の動作〕について問うている。

(1)

解答例

239.0.0.1

問題文は，「本文中の下線⑧について，VXLAN パケットの宛先 IP アドレスを答えよ」と記述されている。

下線⑧は，〔現行の検証 NW における VTEP の動作〕の第1段落の中にある。この段落は，図4中の VM11 と VM31 の ARP 通信における VTEP の動作を説明している。そこには次のように記述されている。

> 　図4中の VM11 と VM31 の ARP 通信における VTEP の動作を，次に示す。
> (1)　L3SW11 の VTEP では，⑧ VM11 から受信した VM31 の MAC アドレスを問い合わせる ARP 要求フレームに対して VXLAN のカプセル化を行い，IP マルチキャストのグループアドレスを宛先にして，グループに参加する全てのリモート VTEP に転送する。

ARP 要求フレームはブロードキャストフレームなので，BUM フレームの一種である。それゆえ，送信元 VTEP がこのフレームをカプセル化する際，宛先 IP アドレスとして，同じレイヤー2ネットワークの IP マルチキャストのグループアドレスをセットする（設問1（3）の解説を参照）。

図4中の VM11 と VM31 は，同じレイヤー2ネットワークに所属しているので，VNI と IP マルチキャストのグループアドレスが同じである。すなわち，VNI は「10010」であり，IP マルチキャストのグループアドレスは「239.0.0.1」である。

したがって，VM11 から受信した VM31 の MAC アドレスを問い合わせる ARP 要求フレームに対して VXLAN のカプセル化を行うとき，その VXLAN パケットの宛先 IP アドレスとして「239.0.0.1」がセットされる。よって，これが正解となる。

(2)

解答例

```
VM11のMACアドレス，VNI及びL3
SW11のVTEPのIPアドレス （36字）
```

問題文は，「本文中の下線⑨の動作について，L3SW31 が L3SW11 の VTEP 宛てに転送するために，L3SW11 から ARP 要求フレームを含む VXLAN パケットを受信したときに学習する情報を…答えよ」と記述されている。

下線⑨は，〔現行の検証 NW における VTEP の動作〕の第1段落の中にある。この段落は，図4中の VM11 と VM31 の ARP 通信における VTEP の動作を説明している。そこには次のように記述されている。

> 図4中の VM11 と VM31 の ARP 通信における VTEP の動作を，次に示す。
> (3) L3SW31 の VTEP では，⑨ VM31 から受信した ARP 応答フレームに対して，VXLAN のカプセル化を行い，L3SW11 の VTEP 宛てに転送する。

VM31 が ARP 応答フレームを送信した理由は，自身の MAC アドレスを問い合わせる ARP 要求フレームを VM11 から受信したからである。本問題が問うているのは，「L3SW11 から ARP 要求フレームを含む VXLAN パケットを受信したときに学習する情報」である。

冒頭の「●リモート VTEP 及びそこに接続されたサーバに関する情報の学習」で解説したとおり，VTEP は，リモート VTEP から VXLAN パケットを受信したとき，そのアドレス情報を学習する。設問1 (2) で解説したとおり，イーサネットフレームから送信元 MAC アドレスを，VXLAN ヘッダーから VNI を，VXLAN パケットから送信元 VTEP の IP アドレスを，それぞれ学習する。

L3SW31 の VTEP が L3SW11 の VTEP から受信する VXLAN パケットは，VM11 が送信した ARP 要求フレームをカプセル化している。したがって，「L3SW11 から ARP 要求フレームを含む VXLAN パケットを受信したときに学習する情報」は，VM11 の MAC アドレス，VM11 の所属する VNI，リモート VTEP である L3SW11 の VTEP の IP アドレスである。

よって，正解は「VM11 の MAC アドレス，VNI 及び L3SW11 の VTEP の IP アドレス」となる。

(3)

キ：10010　　ク：10.0.0.31
ケ：10010　　コ：10.0.0.11

　本問題は，表2中の空欄キ〜コに入れる適切な字句を，図3及び図4中の字句を用いて答えるよう求めている。

表2　L3SW11及びL3SW31が学習したVXLANについての情報

機器名	VMのMACアドレス	VNI	リモートVTEPのIPアドレス
L3SW11	AC-$\alpha\beta$-F1-00-00-31	キ	ク
L3SW31	AC-$\alpha\beta$-F1-00-00-11	ケ	コ

注記1　AC-$\alpha\beta$-F1-00-00-11は，VM11のMACアドレスである。
注記2　AC-$\alpha\beta$-F1-00-00-31は，VM31のMACアドレスである。

　表2は，〔現行の検証NWにおけるVTEPの動作〕の第2段落の中にある。すぐ前の第1段落は，図4中のVM11とVM31のARP通信におけるVTEPの動作（1）〜（4）を説明している。続く第2段落は，VTEPの一連の動作完了後に確認できる，L3SW11及びL3SW31が学習したVXLANについての情報を説明している。その情報を表にして整理したものが，表2である。

　それでは，空欄に入る値を求めてみよう。

　L3SW31のVTEPは，VM11のARP要求フレームをカプセル化したVXLANパケットをL3SW11のVTEPから受信する。これを契機に，VNI，及び，リモートVTEPであるL3SW11のVTEPのIPアドレスを，それぞれ学習する。このときに学習する情報が，表2の2行目（機器名：L3SW31の行）に記されている。

　図4から，VM11の所属するレイヤー2ネットワークのVNIが「10010」であることが分かる。図3から，L3SW11のVTEPのIPアドレス（L3SW11のループバックインタフェースのIPアドレス）が「10.0.0.11」であることが分かる。したがって，このVNIが空欄ケの解となり，このIPアドレスが空欄コの解となる。

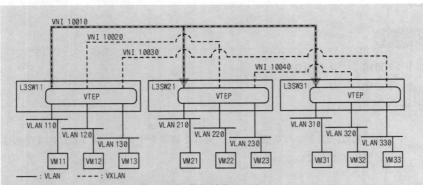

注記　L3SW12, L3SW22 及び L3SW32 の VTEP に係る構成は省略している。

L3SW のループバックインタフェースの IP アドレス

機器名	IP アドレス/プレフィックス長
L3SW01	10.0.0.1/32
L3SW02	10.0.0.2/32
L3SW11	10.0.0.11/32
L3SW12	10.0.0.12/32
L3SW21	10.0.0.21/32
L3SW22	10.0.0.22/32
L3SW31	10.0.0.31/32
L3SW32	10.0.0.32/32

VXLAN のカプセル化に用いる対応表

機器名	VLAN ID	VNI	グループアドレス
L3SW11	110	10010	239.0.0.1
	120	10020	239.0.0.2
	130	10030	239.0.0.3
L3SW21	210	10010	239.0.0.1
	220	10020	239.0.0.2
	230	10040	239.0.0.4
L3SW31	310	10010	239.0.0.1
	320	10040	239.0.0.4
	330	10030	239.0.0.3

図：L3SW31 が学習する，VNI とリモート VTEP の IP アドレスに関する情報

　L3SW11 の VTEP は，VM31 の ARP 応答フレームをカプセル化した VXLAN パケットを L3SW31 の VTEP から受信する。これを契機に，VNI，及び，リモート VTEP である L3SW31 の VTEP の IP アドレスを，それぞれ学習する。このときに学習する情報が，表2の1行目（機器名：L3SW11 の行）に記されている。

　図4から，VM31 の所属するレイヤー2ネットワークの VNI が「10010」であることが分かる。図3から，L3SW31 の VTEP の IP アドレス（L3SW31 のループバックインタフェースの IP アドレス）が「10.0.0.31」であることが分かる。したがって，この VNI が空欄キの解となり，この IP アドレスが空欄クの解となる。

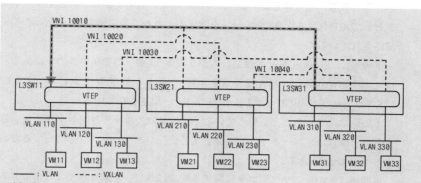

図：L3SW11 が学習する，VNI とリモート VTEP の IP アドレスに関する情報

以上を整理すると，正解は解答例に示したとおりとなる。

■設問 4

設問 4 は，〔新検証 NW の設計〕について問うている。

(1)

解答例

利点： i B G P ピ ア の 数 を 減 ら す こ と が で き る 。 （19字）

名称： クラスター ID

問題文は，「本文中の下線⑩について，ルートリフレクタを用いる利点を "iBGP" と

いう字句を用いて…答えよ。また，図5中のL3SW01及びL3SW02をルートリフレクタとして冗長化するときに，ループを防止するために設定するIDの名称を答えよ」と記述されている。

下線⑩は，〔新検証NWの設計〕の第3段落，3番目の箇条書きの中にある。そこには「⑩ L3SW01及びL3SW02をMP-BGPのルートリフレクタにして，L3SW01とL3SW02との間でiBGPピアリングを行う」と記述されている。

本問題は，二つのことを問うている。一つ目は，ルートリフレクタを用いる利点である。二つ目は，ルートリフレクタを冗長化したとき，ループを防止するために設定するIDの名称である。

本問題は，ルートリフレクタに関する知識に基づいて解を導くことができる。そこでまず，ルートリフレクタについて解説する。次いで，本事例でルートリフレクタがどのように設定されているかについて解説する。それを踏まえて，解を導こう。

● ルートリフレクタ

iBGPルータは，AS内部で経路情報を広告する役割を担っている。

通常，相互に経路情報を広告する方式を採るので，iBGPルータの接続はフルメッシュ構成（全ペアを接続する構成）となる。それゆえ，iBGPルータがN台あるとき，接続するiBGPピア数は$_NC_2 (=N*(N-1)/2)$本になるため，ルータ数が増えるにつれて経路広告の負荷が増加してしまう。

このiBGPピア数を削減するために用いられるのが，ルートリフレクタである。

これは，ハブアンドスポーク構成でiBGPルータを接続し，ハブを経由して経路情報を広告する方式である。ハブとなるiBGPルータをルートリフレクタと呼び，スポークとなるiBGPルータをクライアントと呼ぶ。それゆえ，iBGPルータがハブを含めてN台あるとき，接続するiBGPピア数はN−1本（スポークの数）になる。

iBGPピア数を比較すると，ルータ台数をNとしたとき，フルメッシュ構成は$O(N^2)$のオーダーであるのに対し，ハブアンドスポーク構成は$O(N)$のオーダーになる。したがって，ハブアンドスポーク構成を採るルートリフレクタは，経路広告の負荷を抑える効果がある。

● クラスタ

ルートリフレクタと全クライアントからなるiBGPルータの集合（1つのハブアンドスポーク構成）をクラスタと呼ぶ。

iBGPネットワークが大規模であるとき，iBGPルータの集合を複数のクラスタに分割することができる。経路情報をAS内部に伝搬させるため，各クラスタのルートリ

フレクタ同士を接続し，クラスタ間で経路情報を広告する。

複数のクラスタがあるとき，複数のルートリフレクタにまたがった経路広告が行われると，自分の広告した経路情報が自分に広告されるという，経路広告のループが発生する可能性がある。これを防止するため，クラスタを識別するクラスタ ID を設定する。

ルートリフレクタは，自クラスタ ID を含む経路情報を他のルートリフレクタから広告されたとき，これを自クラスタのクライアントに経路広告しない。この結果，ループが防止される。

●ルートリフレクタの冗長構成

ルートリフレクタを 2 台用意し，クライアントは共通だがルートリフレクタが異なるクラスタを二つ設けることで，クラスタ間の経路広告を冗長化することができる。つまり，一方のクラスタで障害が発生しても他方のクラスタで経路広告ができるわけだ。

このとき，クラスタごとに異なるクラスタ ID を設定した上で，ルートリフレクタ同士を接続する。これにより，冗長化構成を行ったときでもループが発生しない。

●本事例におけるルートリフレクタの設定

図 5「新検証 NW」には，二つのクラスタがある。

一つ目は，L3SW01 をルートリフレクタとし，L3SW11 ～ L3SW32 の 6 台の L3SW をクライアントとするクラスタである。二つ目は，L3SW02 をルートリフレクタとし，一つ目のクラスタと同じ 6 台の L3SW をクライアントとするクラスタである。それぞれのクラスタは，iBGP ピア数が 6 本である。

ここまで理解できれば，解を導くことができる。

●一つ目の解の導出：ルートリフレクタを用いる利点

本事例はルートリフレクタを用いている。クラスタ内に 7 台のルータ（1 台のルートリフレクタと 6 台のクライアント）があるので，iBGP ピア数は 6 本になる。もし同じ 6 台のクライアントでフルメッシュ構成を採用したなら，iBGP ピア数は 15 本（$_6C_2$）になってしまう。

したがって，ルートリフレクタを用いることの利点は，「**iBGP ピアの数を減らすことができる。**」ことである。よって，これが一つ目の正解となる。

●二つ目の解の導出：ループを防止するために設定する ID の名称

　本事例のように，クライアントを共通にしてルートリフレクタを冗長化したとき，経路広告のループ発生を防止するため，クラスタ ID を設定する。

　よって，二つ目の正解は「**クラスタ ID**」である。

(2)

f：Unknown Unicast 　　g：ESI

　本問題は，〔新検証 NW の設計〕の空欄 f, g に入れる適切な字句を問うている。

f

　空欄 f は，〔新検証 NW の設計〕の第 5 段落，Q 主任と S 課長の会話の中，Q 主任の 3 番目の発言の中にある。そこには次のように記述されている。

> 　EVPN の"機能 2"では，VTEP は MP-BGP を利用して，リモート VTEP に接続された VM の MAC アドレス，VNI 及びリモート VTEP の IP アドレスをあらかじめ学習します。VTEP は，リモート VTEP に接続された VM 宛てのイーサネットフレームを，学習した情報を参照して転送します。"機能 2"によって，BUM フレームのうちの　　f　　によるフラッディングの発生を低減できます。

　機能 2 の説明は，〔EVPN の概要〕の第 3 段落の中にある。そこには次のように記述されている。

> 機能 2：リモート VTEP に接続されたサーバに関する情報の学習について
> 　現行のネットワークでは，VTEP は受信した VXLAN パケットから，リモート VTEP に接続されたサーバの MAC アドレス，VNI 及びリモート VTEP の IP アドレスの情報を学習する。EVPN を適用した場合，VTEP は MP-BGP を用いて，リモート VTEP に接続されたサーバの MAC アドレス，VNI 及びリモート VTEP の IP アドレスなどの情報をあらかじめ学習する。

　冒頭の「●リモート VTEP 及びそこに接続されたサーバに関する情報の学習」の

「・VXLAN で従来から使用されている方法」で解説したとおり，VTEP は，言わば L2SW の役割を果たしている。

L2SW は「どのポートの先にどのノードの MAC アドレスがあるか」を学習している。同様に，VTEP は「どの VXLAN トンネルの先にどのノードの MAC アドレスがあるか」を学習している。両者とも，フレーム受信を契機に学習を行っている。

EVPN を適用した VXLAN では，上に引用したとおり，「リモート VTEP に接続されたサーバの MAC アドレス…などの情報をあらかじめ学習」している。つまり，「どの VXLAN トンネルの先にどのノードの MAC アドレスがあるか」を学習ずみである。この状況を L2SW に例えると，「どのポートの先にどのノードの MAC アドレスがあるか」を学習ずみであることに等しい。これは，「Unknown Unicast」が存在しない状態である。

以上を踏まえると，EVPN を適用した VXLAN では，BUM フレームのうちの Unknown Unicast によるフラッディングの発生を低減できることが分かる。

よって，空欄 f の正解は「**Unknown Unicast**」となる。

---

g

空欄 g は，〔新検証 NW の設計〕の第 5 段落，Q 主任と S 課長の会話の中，Q 主任の 4 番目の発言の中にある。そこには次のように記述されている。

> 物理サーバと L3SW との間は，⑪ EVPN の "機能 3" によって，リンクアグリゲーションを用いて接続します。同一の物理サーバに接続する 2 台の L3SW に作成するリンクアグリゲーションの論理インタフェースには，同一の物理サーバに接続されていることを識別させるために，同じ g を設定します。

機能 3 の説明は，〔EVPN の概要〕の第 3 段落の中にある。そこには次のように記述されている。

> 機能 3：サーバとの接続について
> 　現行のネットワークでは，複数の VTEP とサーバの接続にリンクアグリゲーションを利用できない。EVPN を適用した場合，VTEP は MP-BGP を用いて，自身に接続されたサーバを識別する ESI（Ethernet Segment Identifier）という識別子を交換できるようになる。同じ ESI を設定した論理インタフェースをもつ複数の VTEP は，サーバとの接続にリンクアグリゲーションを利用できる。

午後Ⅱ
答1
答2

635

機能3の説明を見ると，サーバを識別する ESI を用いることで，VTEP とサーバ間の接続にリンクアグリゲーションを利用できることが分かる。

よって，空欄 g の正解は「ESI」となる。

(3)

解答例

| 二 | つ | の | 回 | 線 | の | 帯 | 域 | を | 有 | 効 | に | 利 | 用 | で | き | る | 。 | （18字） |

問題文は，「本文中の下線⑪について，現行の検証 NW と比較したときの利点を…答えよ」と記述されている。

下線⑪は，〔新検証 NW の設計〕の第5段落，Q 主任と S 課長の会話の中，Q 主任の4番目の発言の中にある。そこには「物理サーバと L3SW との間は，⑪ EVPN の"機能3"によって，リンクアグリゲーションを用いて接続します」と記述されている。

現行の検証 NW（図3）では，物理サーバの2枚の NIC は「アクティブ／スタンバイ構成」の NIC チーミングを設定している。アクティブ側は「L3SW11，L3SW21 及び L3SW31」である（〔現行の検証ネットワーク〕の第2段落，2番目の箇条書き）。

例えば図3中の L3SW21 と L3SW22 は，同じ物理サーバと接続しているものの，正常時は L3SW21 側のリンクしかトラフィックが使われていない。

これに対し，新検証 NW（図5）では，L3SW21 と L3SW22 は，物理サーバとの間でリンクアグリゲーションを行っている。物理サーバの2枚の NIC は，アクティブ／アクティブ型の NIC チーミングを設定している。2本の回線は，リンクアグリゲーションで束ねられて論理的に1本の回線になっている。2台の L3SW は，論理的に1台の L3SW として動作している。

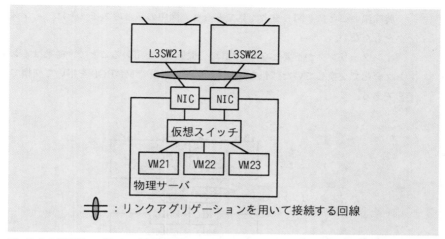

図：1台の物理サーバとその対向側の2台のL3SWの間の2本の回線をリンクアグリゲーションで接続している

　リンクアグリゲーションを用いたアクティブ／アクティブ構成を採ることで，正常時は，L3SW21側のリンクとL3SW22側の両方のリンクにトラフィックを分散することができる。その分散アルゴリズムには様々なものがあるが，例えば，送信元と宛先の組でリンクを選択する方式であれば，送信元と宛先の組が変われば選択されるリンクが変わるので，負荷分散が実現される。

　L3SWと物理サーバ間の接続に関し，アクティブ／スタンバイ構成を採る現行NWと，アクティブ／アクティブ構成を採る新検証NWを比較すると，新検証NWは二つのリンクの帯域を有効利用していることが分かる。したがって，この点が，現行NWと比較したときの新検証NWの利点である。

　よって，正解は解答例に示したとおりとなる。

●参考：EVPNマルチホーミング

　図5は，1台の物理サーバとその対向側の2台のスイッチ（例えば，L3SW21とL3SW22）の間を2本の回線で接続し，リンクアグリゲーションで束ねることで，アクティブ／アクティブ型の冗長化構成を実現している。

　このとき，2台のスイッチは，論理的に1台のL3SWとして動作している。この振る舞いを実現するため，通常，2台のスイッチをインターリンクで接続し，セッション情報などを交換する必要がある。この接続は「スタック接続」と呼ばれ，ネットワークスペシャリスト試験で何度も出題されている。

　興味深いことに，図5をよく見てみると，図中の2台のスイッチは，インターリンクをもたない。

　インターリンクが不要となる理由は，"機能3"を用いることで，従来はインターリンク経由で交換していた情報を，ネットワーク経由でMP-BGPを用いて交換できるからである。

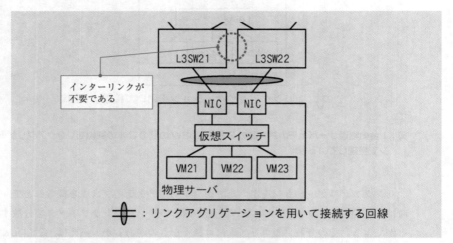

図：EVPNマルチホーミングを適用すると，2台のL3SW間はインターリンクが不要である

　この技術は「EVPNマルチホーミング」と呼ばれるものであり，RFC7432で標準化されている。"機能3"はこの技術をごく手短かに説明している。

　この技術を用いると，アクティブ／アクティブ型の冗長化構成を行うスイッチを，異なるベンダーの機器で構成したり（標準化技術の恩恵），別々の拠点にあるスイッチで構成したり（広域災害に備えた冗長化），3台以上のスイッチで構成したり（高信頼性の実現）することができる。

(4)

解答例

M	P	-	B	G	P	を	用	い	て	学	習	す	る	。

（15字）

　問題文は，「本文中の下線⑫について，VTEPは宛先IPアドレスにセットするリモー

ト VTEP の IP アドレスをどのように学習するか」と記述されている。解答に際し,「20字以内」で答えるよう求めている。

下線⑫は,〔新検証 NW の設計〕の第5段落,Q 主任と S 課長の会話の中,Q 主任の6番目の発言の中にある。そこには「⑫ ARP 要求フレームをカプセル化した全てのVXLAN パケットをキャプチャして,宛先 IP アドレスを確認します」と記述されている。

下線⑫を踏まえると,問題文の「宛先 IP アドレスにセットするリモート VTEP のIP アドレス」は,VXLAN パケットにセットする IP アドレスを指している。この VXLANパケットは,ARP 要求フレーム,すなわち BUM フレームをカプセル化している。

EVPN を適用した VXLAN を使用することで,VTEP の BUM フレームの転送に,IPユニキャストフレームを用いることが可能となる。この点は,Q 主任の2番目の発言の中で,次のように記述されている。

> EVPN の "機能1" では,L3SW の VTEP は MP-BGP を利用して,リモートVTEP の情報をあらかじめ学習します。BUM フレームを受信した VTEP は,学習したリモート VTEP の情報を参照して,VLAN ID に対応する VNI をもつ各リモート VTEP を宛先に転送できるようになります。VTEP の BUM フレームの転送には,IP ユニキャストを用いる設定にします。

機能1の説明は,〔EVPN の概要〕の第3段落の中にある。そこには次のように記述されている。

> 機能1:リモート VTEP に関する情報の学習について
>   現行のネットワークでは,VTEP は受信した VXLAN パケットからリモートVTEP の情報を学習する。EVPN を適用した場合,VTEP は MP-BGP を用いて,リモート VTEP の IP アドレス及び VNI などの情報をあらかじめ学習する。

Q 主任の2番目の発言と機能1の説明から分かるとおり,EVPN を適用した VTEPは,リモート VTEP の IP アドレス,リモート VTEP がもつ VNI などの情報を,MP-BGP を用いてあらかじめ学習している。

VTEP は,配下のレイヤー2のオーバーレイネットワークの VM から ARP 要求フレームを受信した時点で,そのレイヤー2のオーバーレイネットワークの VNI を把握できるので,その VNI をもつ他の全ての VTEP の IP アドレスが分かる。それら VTEPが,BUM フレームの宛先となるリモート VTEP だ。

639

VTEPは，ARP要求フレームをカプセル化する際，宛先となるリモートVTEPごとにVXLANパケットを1個ずつ生成し，各々のリモートVTEPのIPアドレスをその宛先IPアドレスにセットする。その後，リモートVTEPにそれぞれIPユニキャストパケットを送信する。

本問題は，VTEPが宛先IPアドレスにセットするリモートVTEPのIPアドレスをどのように学習するかを問うている。上述の説明から，「**MP-BGPを用いて学習する。**」という解を導くことができる。よってこれが正解となる。

指定字数が20字以内なので，答えは簡潔なものになった。指定字数が短い場合，的を射たキーワードを用いて答えることが大切である。本問題の場合，「MP-BGP」がキーワードとなる。

MP-BGPについて，詳しくは本書の第3章「3.8.6 BGP」の「● MP-BGP」を参照していただきたい。

(5)

解答例

V	L	A	N	I	D	に	対	応	す	る	V	N	I	を	も	つ	全	て	の	リ	モ	ー	ト	V	T	E	P

(28字)

問題文は，「本文中の下線⑫について，あるVLAN IDをセットされたARP要求フレームは，VTEPによってどのようなリモートVTEPに転送されるか。"VNI"という字句を用いて…答えよ」と記述されている。

下線⑫は設問4（4）の解説で既出であるため，ここでの引用は割愛する。

物理サーバは，図3に示されているとおり，仮想化されている。例えば，図4中のL3SW11配下の物理サーバは，仮想化により三つのレイヤー2ネットワークが構築されている。すなわち，VLAN110，VLAN120，VLAN130だ。

図5を見ると，1台の物理サーバと1台のL3SW間のリンクは，物理的に1本である。しかし，仮想化により複数のレイヤー2ネットワークが存在しているので，レイヤー2ネットワークの数だけ仮想的なリンクがある。この仮想的なリンクを実現するため，1台の物理サーバと1台のL3SW間のリンクにタグVLANを設定している。VLAN IDは，隣接するVTEPと物理サーバ間で識別可能であればよい（同じVNIをもつレイヤー2ネットワークであっても，VTEPが異なれば別のVLAN IDを用いても構わない）。

　それゆえ，問題文にある「ある VLAN ID をセットされた ARP 要求フレーム」は，物理サーバと L3SW 間のリンクを流れるとき，VLAN タグフレームになっている。つまり，物理サーバから出るときに VLAN タグが挿入され，対向側の L3SW に入るときに VLAN タグが除去される。同フレームの VLAN タグの中に，物理サーバの VM が所属する VLAN の VLAN ID がセットされている。

　L3SW は，VLAN タグフレームにセットされた VLAN ID を取得すると，レイヤー2ネットワークを識別できるので，レイヤー2ネットワークの識別子である VNI を取得することができる。

　その VNI に所属するリモート VTEP の IP アドレスはあらかじめ学習ずみなので，設問4（4）で解説したとおり，各々のリモート VTEP を宛先とする VXLAN パケットを送信する。

　したがって，ARP 要求フレームをカプセル化した VXLAN パケットのリモート VTEP は，「**VLAN ID に対応する VNI をもつ全てのリモート VTEP**」となる。よって，これが正解となる。

問 2

設問			解答例・解答の要点	備考
設問 1	(1)		mail.y-sha.lan	
	(2)		TTL を 60 秒と短い値にしている。	
	(3)	a	Preference	
		b	y-mail2	
		c	逆引き	
	(4)	ア	200.a.b.1	
		イ	192.168.0.1	
	(5)		メールサーバの FQDN に，詐称したメールアドレスのドメイン名を登録する。	
設問 2	(1)	ウ	200.a.b.1	順不同
		エ	200.a.b.2	
	(2)	d	SMTP	
		e	MAIL FROM	
		f	y-sha.com	
	(3)		送信元のメールサーバの IP アドレスが，SPF レコードの中に登録されていること	

（表は次ページに続く）

設問			解答例・解答の要点		備考
設問3	(1)	g	ヘッダー		
		h	UDP		
		i	512		
	(2)	アルゴリズム名	RSA		
		オ	公開鍵		
	(3)	受信したメールが正規のメールサーバから送信されたものかどうかが分かるから			
設問4	(1)	DNSサーバ名	・外部DNSサーバY ・y-ns1		
		登録する情報	・メール中継サーバZのIPアドレス ・z-mail1のIPアドレス		
	(2)	j	y-sha.com		
	(3)	メール中継サーバZから鍵が漏えいしても，Y社で実施中のDKIMの処理は影響を受けない。			
	(4)	なりすましメールも，メール中継サーバZから社外に転送されるから			
設問5	(1)				
	(2)	不備により設問が成立しない。			
	(3)				

本問は，企業向けにIT製品を販売するY社が，電子メール（以下，メールと称する）を使用した製品サポートの体制を強化するため，サポートサービス専門会社のZ社にサポート業務の一部を委託する事例を取り上げている。

出題趣旨に記されているとおり，標的型メール攻撃は，なりすましメールによって行われることが多い。対策を怠ると，攻撃の被害者になるだけでなく加害者になってしまうこともある。この点を踏まえ，なりすまし対策に有効な送信ドメイン認証が出題されている。加えて，S/MIME（Secure/MIME）による電子署名の付与も設問5で出題された。ただし，設問5は出題の不備により不成立の扱いとなった（経緯は設問5の解説で取り上げる）。

さて，送信ドメイン認証は，SPF（Sender Policy Framework）とDKIM（DomainKeys Identified Mail）があり，どちらも本問に登場する。

SPFは平成26年午後Ⅱ問2，平成28年午後Ⅰ問1に続き3回目の登場であり，午前問題でも何度か出題されていた。そのような背景もあり，本文中の説明はやや簡素である。SPFで正当性を確認する方法が問われた問題は，SPFの仕組みに関する基本的な知識があることを前提にしていた（設問2(1)，(3)）。

これに対し，DKIMは初登場であった。本文中で詳しく説明されており，本文を読めば基本的な仕組みを理解できるように配慮されていた。

送信ドメイン認証について，詳しくは本書の第8章「8.3.5 迷惑メール対策」の「● 送信ドメインのなりすまし防止」を参照していただきたい。

先ほど言及した平成26年午後Ⅱ問2は，標的型メール攻撃対策を出題している。入口対策（侵入を防ぐ），出口対策（活動を抑え，発見する）の観点から様々な技術が取り上げられており，送信ドメイン認証は入口対策の一つとして登場する。参考までに解いてみるとよいだろう。

●本問の構成

本問の構成を概観すると，下記のように整理できる。

見出し	主な内容	主に対応する出題箇所	
		設問	小問
（序文）	・Y社のネットワーク構成（図1） ・外部DNSサーバYが管理するゾーン情報（図2） ・社内DNSサーバYが管理するゾーン情報（図3）	―	―
Y社のネットワーク構成とセキュリティ対策の背景	・Y社ネットワーク構成となりすまし防止などの情報セキュリティ対策の背景 ・FWに設定されている静的NAT（表1）	1	(1)〜(5)
Y社が導入しているSPFの概要	・Y社が登録しているSPFレコード（図4） ・Y社が導入しているSPFによる送信ドメイン認証の流れ	2	(1)〜(3)
Y社が導入しているDKIMの概要	・DKIMの説明 ・Y社が登録しているDKIMレコード（図5） ・DKIMの電子署名の説明（表3） ・Y社が導入しているDKIMによる送信ドメイン認証の流れ	3	(1)〜(3)
Z社に委託するメールの運用方法の検討	・Y社のセキュリティ運用規程 ・Z社のネットワーク構成（図6） ・Z社に委託するメールによるサポート方法 ・SPFとDKIMの導入方法	4	(1)〜(4)
S/MIMEの調査と実施策	・電子署名の付与及び電子署名の検証の手順（表4）	5	(1)〜(3)

注記) IPAは，設問5が出題の不備により成立しないと発表している（2024/6/7）。

■設問 1

設問 1 は，〔Y 社のネットワーク構成とセキュリティ対策の背景〕について問うている。

(1)

mail.y-sha.lan

問題文は，「本文中の下線①について，転送先のメール中継サーバの FQDN を答えよ」と記述されている。

下線①は，〔Y 社のネットワーク構成とセキュリティ対策の背景〕の第 1 段落，1 番目の箇条書きの中にある。そこには「サポート担当者が送信したサポートメールが①社内メールサーバ Y からメール中継サーバに転送されるとき，②DNS ラウンドロビンによってメール中継サーバ Y1 又は Y2 に振り分けられる」と記述されている。

本問題を解くには，社内メールサーバ Y が名前解決を問い合わせる DNS サーバ，及び，同サーバが管理するゾーン情報を理解する必要がある。それを踏まえて解を導こう。

●社内メールサーバ Y が名前解決を行う DNS サーバ

図 1「Y 社のネットワーク構成」に示された Y 社のネットワーク構成は，内部 LAN，DMZ の二つのセグメントに分かれている。

それぞれのセグメントに，DNS サーバがある。すなわち，DMZ の外部 DNS サーバ Y，内部 LAN の社内 DNS サーバ Y である。ここで問われている社内メールサーバ Y は，内部 LAN にある。

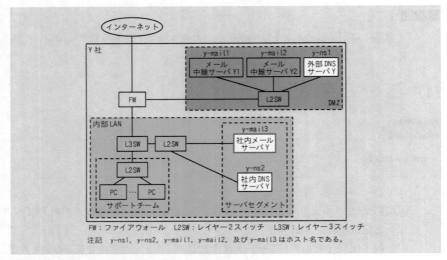

図：Y社のDNSサーバ，社内メールサーバY

　外部DNSサーバYは，外部向けのDNSサーバである。その根拠はゾーン情報（図2）に示されている。そこでは，外部向けのレコード（MXレコード）が定義されており，AレコードのIPアドレスとしてグローバルIPアドレスが使用されているので，外部からの名前解決に応答するDNSサーバであることが分かる。

　これに対し，社内DNSサーバYは，内部向けDNSサーバである。その根拠もゾーン情報（図3）に示されている。そこでは，RFC6762で標準化されたプライベートDNS名前空欄（組織内でのみ使用できるTop Level Domain）の「.lan」が使用されており，AレコードのIPアドレスとしてプライベートIPアドレスが使用されているので，社内からの名前解決に応答するDNSサーバであることが分かる。

　無論，これらDNSサーバの役割はサーバ名から推察できるが，技術者向けの試験なので確たる根拠を求めるように心掛けたい。

　以上を踏まえると，社内メールサーバは内部LANにあることから，社内メールサーバが名前解決を問い合わせるDNSサーバは，社内DNSサーバYであることが分かる。

●社内メールサーバYが管理するゾーン情報

　上に引用した1番目の箇条書きには「②DNSラウンドロビンによってメール中継サーバY1又はY2に振り分けられる」と記述されていた。ゾーン情報（図3）の中でラウンドロビンが設定されているところは，ホスト名「mail.y-sha.lan」のAレコードである。

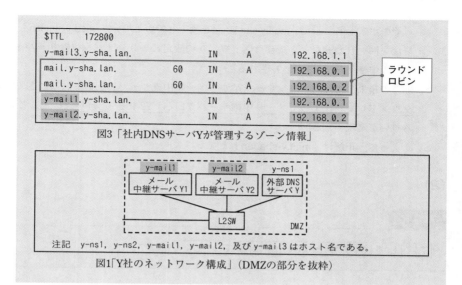

```
$TTL    172800
y-mail3.y-sha.lan.                IN    A    192.168.1.1
mail.y-sha.lan.            60     IN    A    192.168.0.1
mail.y-sha.lan.            60     IN    A    192.168.0.2
y-mail1.y-sha.lan.                IN    A    192.168.0.1
y-mail2.y-sha.lan.                IN    A    192.168.0.2
```
ラウンド
ロビン

図3「社内DNSサーバYが管理するゾーン情報」

```
        y-mail1      y-mail2     y-ns1
        メール        メール      外部DNS
      中継サーバY1   中継サーバY2   サーバY

              L2SW              DMZ
```
注記 y-ns1, y-ns2, y-mail1, y-mail2, 及びy-mail3はホスト名である。

図1「Y社のネットワーク構成」（DMZの部分を抜粋）

図：ラウンドロビンの設定

　ラウンドロビンの設定により，このホスト名の名前解決の問合せに対して，二つの
IPアドレス「192.168.0.1」，「192.168.0.2」が順繰りに応答される。

　これらIPアドレスを図3中のAレコードと照らし合わせると，一つ目のIPアドレ
スはホスト名「y-mail1.y-sha.lan」のAレコードとして，二つ目のIPアドレスはホス
ト名「y-mail2.y-sha.lan」のAレコードとして登録されている。

　これらホスト名を図1中のDMZのサーバと照らし合わせると，一つ目のホスト名
は「メール中継サーバY1」に，二つの目のホスト名は「メール中継サーバY2」に対
応している。

　以上をまとめると，「mail.y-sha.lan」の名前解決の問合せに対して，メール中継サー
バY1又はメール中継サーバY2のIPアドレスが応答されることが分かる。
ここまで理解できれば，解を導くことができる。

●解の導出

　本問題は，社内メールサーバYの転送先であるメール中継サーバのFQDN（Fully
Qualified Domain Name：完全修飾ドメイン名）を問うていた。

　下線①に「①社内メールサーバYからメール中継サーバに転送される」とあるので，
社内メールサーバYは，転送先のメール中継サーバに転送するように設定しているこ
とが分かる。

午後Ⅱ
答1
答2

そのホスト名として「mail.y-sha.lan」を設定している場合,「mail.y-sha.lan」の名前解決を問い合わせたとき,ラウンドロビンの設定により,メール中継サーバ Y1 又はメール中継サーバ Y2 が応答される。

この結果,「①社内メールサーバ Y からメール中継サーバに転送されるとき,②DNSラウンドロビンによってメール中継サーバ Y1 又は Y2 に振り分けられる」,という振る舞いを実現できる。

よって,正解は「mail.y-sha.lan」となる。

(2)

解答例

T	T	L	を	6	0	秒	と	短	い	値	に	し	て	い	る	。

（17字）

問題文は,「本文中の下線②について,社内メールサーバ Y からメール中継サーバ Y1 又は Y2 へのメール転送時に,振分けの偏りを小さくするために実施している方策を…答えよ」と記述されている。

下線②は設問1(1)の解説で既出であるため,ここでの引用は割愛する。

メール中継サーバ Y1 又は Y2 への振分けは DNS ラウンドロビンで行われている。この点を踏まえ,今,下記の仮説が成立したとしよう。

［仮説］
• 社内メールサーバ Y がメール中継サーバに転送するとき,毎回,名前解決を問い合わせる。

名前解決の都度,メール中継サーバ Y1,Y2 の順に IP アドレスが応答されるので,メール中継サーバへの転送先は,毎回,メール中継サーバ Y1,Y2 の順に入れ替わる。したがって,このとき偏りは生じない。

本問題は「メール中継サーバ Y1 又は Y2 へのメール転送時に,振分けの偏りを小さくするために実施している方策」を問うている。ここから,

• 偏りが生じることを前提にしている以上,上記の仮説が成立しない。
• 上記の仮説にできるだけ近い状態を実現したならば,偏りを小さくできる。それゆえ,これを実現する方策が,求める解になるはずだ。

ということが分かる。

そもそもこの仮説が成立しない理由は，DNS の名前解決の仕組みから明らかだ。

DNS クライアントは，DNS サーバから A レコードなどリソースレコードが応答されたとき，一定期間，キャッシュする仕組みになっている。リソースレコードのキャッシュが有効である間，DNS クライアントは DNS サーバに当該リソースレコードの問合せを行わない。リソースレコードのキャッシュの有効期間は，「TTL」(Time To Live) と呼ばれている。以降，この名称を使って解説する。

DNS クライアントがもつキャッシュの仕組みを，本事例に当てはめてみよう。社内メールサーバ Y がメール中継サーバに転送するとき，ひとたび名前解決が行われたならば，キャッシュが有効である間，前回と同じサーバに中継する。つまり，「毎回，名前解決を問い合わせる」わけではないので，仮説は成立しないのだ。

それでは，上記の仮説にできるだけ近い状態を実現するには，どうすればよいだろうか。その答えは，TTL をできるだけ短く設定することである。

この点を踏まえ，図3のゾーン情報に設定された TTL を見てみよう。

図：メール中継サーバの A レコードに設定された TTL（図3）

ゾーン情報全体で共通の TTL は，上図の1行目の「$TTL」で定義された「172,800 秒」(＝2日) である。

メール中継サーバの A レコードは，設問1 (1) で解説したとおり，上図の赤枠で囲ったリソースレコードである。この TTL は「60 秒」である。DNS のゾーン情報は，リソースレコードごとに TTL を設定した場合，ゾーン情報全体で共通の設定よりも優先される仕様になっている。

それでは，図3において，メール中継サーバの A レコード固有の TTL をわざわざ設定し，しかも「60 秒」というきわめて短い時間を設定したのはなぜだろうか。それは，上記の仮説にできるだけ近い状態を実現し，「偏りを小さくするため」であると推論で

きる。

したがって，この設定が，ここで問われている「方策」である。

よって，正解は「TTL を 60 秒と短い値にしている。」となる。

この解答例には「60 秒」という具体的な数値が含まれている。これは図3から導かれた値である。

「方策」を問うている本問題が例示しているとおり，問題の事例に特化した設問に答えるとき，具体性をもたせるのがよい。この点について，Web 付録の「午後問題の解答テクニック」の「0.3.5 問題を解く①：重要テクニック」の中で「事例に特化した問題を解くときには，具体的に解答することが重要です」と解説している。詳しくは「午後問題の解答テクニック」を参照していただきたい。

●参考：TTL が長くなると，振分け数の偏りが大きくなる理由

本問題について，採点講評は，「設問1では，（2）の正答率が低かった」と述べている。難易度が高かったことがうかがえるので，参考までに，TTL が長くなると偏りが大きくなる理由について解説する。

次の図は，社内メールサーバ Y が転送するメールの推移の例を示している。

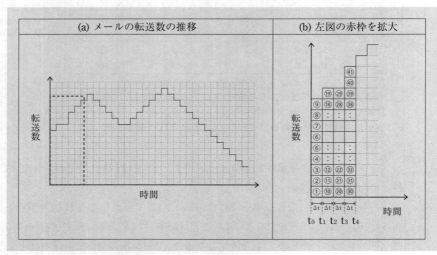

図：社内メールサーバ Y が転送するメールの推移の例

この図では，時刻 t_0 ～ t_1 の間に 1 通目から 9 通目のメール（計 9 通）を転送し，時刻 t_1 ～ t_2 の間に 10 通目から 19 通目のメール（全 10 通）を転送している。

今，この図に示した時間軸の1マスの期間を Δt とし，その長さが短いものとする。メール中継サーバの A レコードの TTL について，二つのケースを考えてみよう。

(a) TTL = Δt
(b) TTL = $N \times \Delta t$ （N は正の整数で，大きな数であるとする）

TTL の期間中，振分け先のメール中継サーバは変わらない。TTL が満了して問合せを行ったタイミングで，振分け先のメール中継サーバが入れ替わる。この条件で，ある期間が経過したときの，メール中継サーバ Y1，Y2 に振り分けられるメールの転送数と転送平均数を，次の図に示す。

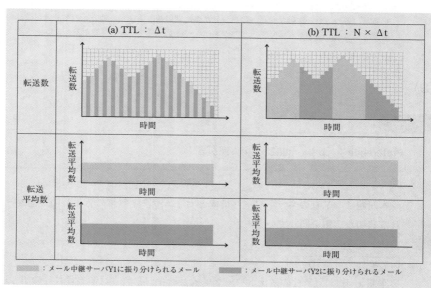

図：振り分けられるメールの転送数と転送平均数

二つのメール中継サーバに振り分けられたメール転送の平均数の「差」に着目しよう。この図から分かるとおり，ケース（a）と（b）を比較すると，ケース（b）の方が「差」が大きい。

ケース（a）は，TTL が短いので，隣り合う TTL を比べると転送数の差が小さい。一方、ケース（b）は，TTL が長いので，TTL の期間内でメール転送数の変動の影響を受けている。それゆえ，隣り合う TTL を比べると転送数の差が大きくなる。

　以上をまとめると，ケース（a）と（b）の本質的な相違点は，この「差」である。ケース（a）は，「差」がほぼゼロのまま推移している。つまり，二つのメール中継サーバに振り分けられたメール転送はどの時点でもほぼ同じである。一方，ケース（b）は，「差」がある程度の大きさをもちながら推移している。統計の用語で補足すると，「差」の分散はケース（b）が大きい，と言える[*1]。

　したがって，TTLが長くなると，二つのメール中継サーバの間で偏りが大きくなる。

[*1] 単純に考えれば，きわめて長い期間で見ると，ケース（a），（b）のどちらにおいても，メール中継サーバY1，Y2に振り分けられるメール転送の平均数は，同じ値になることが期待される。つまり，両者の「差」がゼロになることが期待される。ただし，ケース（b）に関しては，下記のような特殊な状況が生じない場合，そのように言える。

[特殊な状況の例]
• メール転送数の変動に周期性が見られ，偶然にもTTL長が，その周期の繁忙期と閑散期に符合している。一方のメール中継サーバへの振分けが繁忙期に常に重なり，他方への振分けが閑散期に常に重なることで，周期ごとに必ず，一方のメール中継サーバへの振分け数が多くなる。

（3）

解答例

a：Preference　　　b：y-mail2　　　c：逆引き

　本問題は，〔Y社のネットワーク構成とセキュリティ対策の背景〕の空欄a～cに入れる適切な字句を問うている。

> a ，　b

　空欄a，bは，〔Y社のネットワーク構成とセキュリティ対策の背景〕の第1段落，3番目の箇条書きの中にある。そこには「顧客が送信したサポートメールがメール中継サーバに転送されるときは，外部DNSサーバYに登録されたMXレコードの　a　値によって，平常時は，ホスト名が　b　のメール中継サーバが選択される」と記述されている。

　顧客がサポートメールをY社に送信するとき，顧客が利用しているメールサーバは，Y社の外部DNSサーバYにMXレコードを問い合わせる。

　図2「外部DNSサーバYが管理するゾーン情報」を見ると，MXレコードが2行あり，プリファレンス値（メールサーバの優先度）が異なっていることが分かる。

```
$TTL     172800
y-sha.com.              IN      MX      20      y-mail1.y-sha.com.
y-sha.com.              IN      MX      1       y-mail2.y-sha.com.
y-mail1.y-sha.com.      IN      A               200.a.b.1
y-mail2.y-sha.com.      IN      A               200.a.b.2
```

　　　　　：MXレコードのプリファレンス値

図：MXレコードの設定（図2を抜粋）

　MXレコードが複数あるとき，プリファレンス値が<u>小さい順</u>にリソースレコードが評価され，メールサーバが選択される。このメールサーバに障害が発生したとき，次点となったメールサーバが選択される。

　よって，空欄aに入る字句は「**Preferance**」となる。

　本事例の場合，平常時に選択されるメールサーバは，2行目のMXレコードの値が「1」であり最小なので，「**y-mail2.y-sha.com**」が選択される。

　よって，空欄bはホスト名を問うているので，ここに入る字句は「**y-mail2**」となる。

　　| **c** |

　空欄cは，〔Y社のネットワーク構成とセキュリティ対策の背景〕の第3段落の中にある。そこには「DNSの　　c　　と呼ばれる名前解決によって，送信元メールサーバのIPアドレスからメールサーバのFQDNを取得（する）」と記述されている。

　IPアドレスからFQDNを取得する名前解決は「**逆引き**」と呼ばれている。よって，これが空欄cの正解となる。

　逆引きのドメインツリーは，正引きとは独立に存在する「in-addr.arpa」ドメインとして構成されている。各ゾーンの権威DNSサーバは，自ドメインに割り当てられたIPアドレスブロックの範囲について，「in-addr.arpa」ゾーンから，逆引きの名前解決を委譲されている。

　逆引きについて，詳しくは本書の「4.2.2 名前解決の仕組み」の「●逆引きの仕組み」を参照していただきたい。

午後Ⅱ　答1　答2

(4)

> ア：200.a.b.1　　イ：192.168.0.1

　本問題は，表1中の空欄ア，イに入れる適切な IP アドレスを答えるよう求めている。

<table>
<tr><th colspan="3">表1　FW に設定されている静的 NAT（抜粋）</th></tr>
<tr><th>宛先のホスト</th><th>宛先 IP アドレス</th><th>変換後の IP アドレス</th></tr>
<tr><td>y-mail1.y-sha.com</td><td>ア</td><td>イ</td></tr>
<tr><td>y-mail2.y-sha.com</td><td>省略</td><td>省略</td></tr>
</table>

　表1は，〔Y社のネットワーク構成とセキュリティ対策の背景〕の第2段落の中にある。これは，FW の静的 NAT の設定を示した表だ。表1中の空欄ア，イは，宛先ホストが「y-mail1.y-sha.com」の行にある。

　FW の静的 NAT について，すぐ前の第1段落の4番目の箇条書きには，「FW には，インターネットから DMZ のサーバ宛ての通信に対して，静的 NAT が設定されている」と記述されている。

　ホスト名「y-mail1.y-sha.com」に関し，図2「外部 DNS サーバ Y が管理するゾーン情報」を見ると，ホスト名「y-mail1」に対応する IP アドレスは，「200.a.b.1」であり，グローバル IP アドレスになっている。一方，図3「社内 DNS サーバ Y が管理するゾーン情報」を見ると，ホスト名「y-mail1」ホスト名に対応する IP アドレスは，「192.168.0.1」であり，プライベート IP アドレスになっている。

　図1と照らし合わせると，このホスト名をもつサーバはメール中継サーバ Y1 である。つまり，このサーバに対して，図2にはグローバル IP アドレスが，図3にはプライベート IP アドレスが，それぞれ登録されているわけだ。通常，サーバは1個の IP アドレスを割り当てるので，二つある IP アドレスの一方は物理的に割り当てられたものであり，他方は仮想的に割り当てられたものである。

　この点を念頭に置いて，FW の静的 NAT がどのように設定されているかを思い起こしてみよう。第1段落の4番目の箇条書きには，FW の静的 NAT が，「インターネットから DMZ のサーバ宛ての通信に対して」設定されていると説明されている。

したがって、インターネット上のメールサーバ X から Y 社にメールを送信するとき、次のように動作する。以下の説明では、「メール中継サーバ Y2 が稼働停止しているため、メール中継サーバ Y1 が Y 社ドメインのメールサーバとして選択される」ものとしている。

[インターネットから Y 社にメールを送信するときの動作シーケンス]

[1] メールサーバ X は、外部 DNS サーバ Y にメールサーバを問い合わせる。この結果、メール中継サーバ Y1 が Y 社ドメインのメールサーバとして選択される。

[2] メールサーバ X は、メール中継サーバ Y1 宛てにメールを転送する。この IP パケットの宛先 IP アドレスは、外部 DNS サーバ Y から応答されたグローバル IP アドレス「200.a.b.1」である。

[3] メール転送の経路上に FW があるので、メール転送の IP パケットが FW を経由する際、FW の静的 NAT によって、宛先 IP アドレスが変換される。

[4] メール転送の IP パケットをメール中継サーバ Y1 が受信する。

動作 [3] で、静的 NAT による宛先 IP アドレスの変換が行われている。

変換前の IP アドレスは、動作 [2] の宛先 IP アドレス「200.a.b.1」である。変換される以上、これは仮想的に割り当てられたものである。

変換後の IP アドレスは、動作 [4] の宛先 IP アドレスである。この IP アドレスで受信するので、これが物理的に割り当てられたものである。変換前の IP アドレスは「200.a.b.1」であったので、変換後の IP アドレス「192.168.0.1」となる。

以上をまとめると、変換前の IP アドレスは「200.a.b.1」であり、これが空欄アの正解となる。

変換後の IP アドレスは「192.168.0.1」であり、これが空欄イの正解となる。

(5)

解答例

メ	ー	ル	サ	ー	バ	の	F	Q	D	N	に	、	詐	称	し	た	メ	ー	ル
ア	ド	レ	ス	の	ド	メ	イ	ン	名	を	登	録	す	る	。	(36字)			

問題文は次のように記述されている。

> 本文中の下線③について，攻撃者がPTRレコードに対して行う不正な操作の内容を，次に示す図8を参照して45字以内で答えよ。

ホストのIPアドレス　　　　　IN　　　PTR　　　　　ホストのFQDN

図8　PTRレコードの形式（抜粋）

　本問題を解くには，PTRレコードについて理解する必要がある。PTRレコードについては，幸いにも，本文中の逆引きに関する説明と図8が用意されている。これらのヒントを活用することで，PTRレコードに関する詳細な知識がなくても，本問題を解くことができる。

　そこで，IPAが用意したヒントに基づき，まず，逆引きの名前解決について解説しよう。次いで解を導こう。

●逆引きの名前解決

　PTRレコードは，逆引きの名前解決で使用されるリソースレコードである。「逆引き」は設問1（3）空欄cで問われていた。逆引きについて，〔Y社のネットワーク構成とセキュリティ対策の背景〕の第3段落には「DNSの逆引きと呼ばれる名前解決によって，送信元メールサーバのIPアドレスからメールサーバのFQDNを取得（する）」と記述されている（空欄cを補填）。

　逆引きは正引きと対照をなしており，両者を整理すると次のようになる。

表：正引きと逆引きの入出力

	リソースレコード	入力：DNSへの問合せ	出力：DNSからの応答
正引き	Aレコード	ホストのFQDN	ホストのIPアドレス
逆引き	PTRレコード	ホストのIPアドレス	ホストのFQDN

　本問題は「攻撃者がPTRレコードに対して行う不正な操作」を問うていたが，「不正な操作」とは，PTRレコードに不正な定義を登録する行為を指している。

　実を言うと，Aレコード，PTRレコードともに，出力する内容については自由度が高い。そのため，不正な登録が可能である。その点を理解するため，まず，読者にとってなじみが深い正引き（Aレコード）を取り上げよう。

　正引きの問合せの入力は，「ホストのFQDN」である。自サイトが管理しているのは，正引きのドメインツリーのうち自ドメインの部分のみで，上位ドメインから委譲される形でゾーン情報を定義している。そのため，入力の自由度は限定的であり，「自ドメインに属するホストのFQDN」しか定義できない。

正引きの問合せの出力は,「ホストのIPアドレス」である。こちらは自由度が高く,「任意のIPアドレス」を定義できる。つまり,「自ドメインに割り当てられていないIPアドレスブロックの範囲内にあるIPアドレス」を定義できるのだ。もちろん,「自ドメインのホストのFQDN」の問合せを受けている以上,「自ドメインのIPアドレス」を応答するのが適切である。通常このように運用されるが,合理的な理由(冗長化,等)により任意のIPアドレスを出力したいケースがあり得るので,技術的には,いかなるIPアドレスも登録できる仕様になっている。この仕組みを悪用してホストのIPアドレスを詐称した攻撃が,キャッシュポイズニングである。

Aレコードの出力が詐称可能であることが理解できたので,いよいよ逆引きについて説明しよう。

逆引きの問合せの入力は,「ホストのIPアドレス」である。逆引きのドメインツリーは,正引きとは独立に存在する「in-addr.arpa」ドメインとして構成されている。その点を除けば,ゾーン情報の定義は逆引きも正引きと同じ要領で行われている。つまり,自サイトが管理しているのは,逆引きのドメインツリーのうち,自ドメインに割り当てられたIPアドレスブロックの部分のみであり,上位ドメインから委譲される形でゾーン情報を定義しているわけだ。そのため,入力の自由度は限定的であり,「自ドメインに割り当てられたIPアドレスブロックの範囲内のIPアドレス」しか定義できない。

逆引きの問合せの出力は,「ホストのFQDN」である。正引きと同様,こちらは自由度が高く,「任意のホストのFQDN」を定義できる。つまり,技術的には,「自ドメインに属さないホストのFQDN」を定義できるわけだ。

ここまで理解できれば,本問題の解を導くことができる。

●解の導出

下線③を含む第3段落には次のように記述されている。

送信元メールアドレスの詐称の有無に対しては,DNSの逆引きと呼ばれる名前解決によって,送信元メールサーバのIPアドレスからメールサーバのFQDNを取得し,そのFQDNと送信元メールアドレスのドメイン名が一致した場合,詐称されていないと判定する検査方法が考えられる。しかし,③攻撃者は,自身が管理するDNSサーバのPTRレコードに不正な情報を登録することができるので,ドメイン名が一致しても詐称されているおそれがあることから,検査方法としては不十分である。

657

　下線③に書かれている「不正な情報を登録」とは，上述のとおり，PTRレコードの出力である「ホストのIPアドレス」に不正な定義を登録する行為を指している。

　攻撃者は，自サイトの逆引きゾーン情報を詐称し，自サイトのメールサーバのFQDNとして，「y-sha.com」に属するホスト名を不正に登録することができる。この結果，PTRレコードの内容だけ見れば，Y社からメールが送信されているかのように，なりすますことができる。

　よって，正解は「**メールサーバのFQDNに，詐称したメールアドレスのドメイン名を登録する。**」となる。

■設問2

　設問2は，〔Y社が導入しているSPFの概要〕について問うている。

　この設問は，送信ドメイン認証技術の一つである，SPF（Sender Policy Framework）を取り上げている。SPFについて，第1段落には次のように説明されている。

　SPFでは，送信者のなりすましの有無を受信者が検証できるようにするために，送信者のドメインのゾーン情報を管理する権威DNSサーバに，SPFで利用する情報（以下，SPFレコードという）を登録する。

　送信者のなりすましの有無を受信者が検証する方法は，第3段落で次のように説明されている。

（ⅳ）（受信者の）メールサーバは，④取得したSPFレコードに登録された情報を基に，送信元のメールサーバの正当性を検査する。

（ⅴ）正当なメールサーバから送信されたメールなので，なりすましメールではないと判断してメールを受信する。

　（ⅳ）に，「送信元のメールサーバの正当性を検査する」と記されている。

　本文には明記されていないが，SPFによる送信ドメイン認証は，「送信元メールサーバのグローバルIPアドレスが，送信元ドメインの権威DNSサーバのSPFレコードに登録されている」ことを以て，当メールサーバが送信元ドメインの正当なメールサーバであることを確認している。この点は，本設問の（1），（3）を解くのに必要な前提知識となっている。

　SPFについて，より詳しくは本書の第8章「8.3.5 迷惑メール対策」の「●送信ドメインのなりすまし防止」，「● SPF」を参照していただきたい。

(1)

ウ：200.a.b.1　　エ：200.a.b.2

　本問題は，図4中の空欄ウ，エに入れる適切なIPアドレスを問うている。

| ウ | , | エ |

　二つの空欄は，〔Y社が導入しているSPFの概要〕の第2段落，図4の中にある。
図4は，Y社が登録しているSPFレコードを示している。

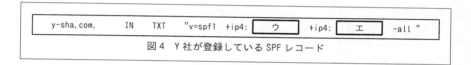

```
y-sha.com.      IN    TXT    "v=spf1  +ip4:[  ウ  ]  +ip4:[  エ  ]  -all "
```
図4　Y社が登録しているSPFレコード

　SPFレコードには，メールサーバのグローバルIPアドレスを登録する。そのIPアドレスを記述する箇所が，空欄ウ，エになっている。

　Y社が外部向けに使用しているメールサーバは，二つある。一つ目はメール中継サーバY1であり，二つ目はメール中継サーバY2である。

　メール中継サーバY1のホスト名は，図1より，「y-mail1」であることが分かる。そのグローバルIPアドレスは，図2中の「y-mail1」のAレコードより，「200.a.b.1」であることが分かる。

　メール中継サーバY2のホスト名は，図1より，「y-mail2」であることが分かる。そのグローバルIPアドレスは，図2中の「y-mail2」のAレコードより，「200.a.b.2」であることが分かる。

　したがって，これら二つのグローバルIPアドレスが，求める解となる。

　よって，空欄ウ，エの正解は「**200.a.b.1**」，「**200.a.b.2**」（順不同）となる。

(2)

解答例

> d：SMTP　　e：MAIL FROM　　f：y-sha.com

| d | , | e | , | f |

　三つの空欄は，〔Y社が導入している SPF の概要〕の第3段落，（ⅲ）の中にある。第3段落は，Y社が導入している，SPF によるドメイン認証の流れを説明している。（ⅲ）には次のように記述されている。

> 　顧客のメールサーバは，メール中継サーバ Y1 又は Y2 から，メール転送プロトコルである　 d 　の　 e 　コマンドで指定されたメールアドレスのドメイン名の　 f 　を入手する。

　メール転送に使用するプロトコルは，「**SMTP**」である。よって，これが空欄 d の正解となる。

　送信元メールサーバは，SMTP の「**MAIL FROM**」コマンドを使って，送信元メールアドレスを通知する。よって，これが空欄 e の正解となる。

　文脈上，送信元となっているのは Y 社である。したがって，そのドメインである「**y-sha.com**」が空欄 f の正解となる。

　空欄 e に関して補足すると，IPA の解答例は「MAIL FROM」であるが，SMTP の仕様を定めている RFC（2024 年時点の最新版は 5321）は，「MAIL」コマンドと定義している。MAIL コマンドは，「MAIL FROM:」という文字列の後にエンベロープ From アドレスを指定する書式になっているため，「MAIL FROM」コマンドという通称で知られている。その現状を踏まえて，この解答例を公表したものと考えられる。

(3)

解答例

送	信	元	の	メ	ー	ル	サ	ー	バ	の	Ｉ	Ｐ	ア	ド	レ	ス	が	,	Ｓ
Ｐ	Ｆ	レ	コ	ー	ド	の	中	に	登	録	さ	れ	て	い	る	こ	と	（38字）

　問題文は,「本文中の下線④について,正当性の確認方法を…答えよ」と記述されている。

　下線④は,〔Y社が導入しているSPFの概要〕の第3段落,(ⅳ)の中にある。第3段落は,Y社が導入している,SPFによるドメイン認証の流れを説明している。(ⅳ)には,「④取得したSPFレコードに登録された情報を基に,送信元のメールサーバの正当性を検査する」と記述されている。

　本問題は,設問2の冒頭で解説した,SPFの仕組みに関する知識に基づいて解を導くことができる。

　SPFで送信元メールサーバの正当性を確認する方法は,設問2の冒頭ですでに説明している。

　SPFによる送信ドメイン認証は,「送信元メールサーバのグローバルIPアドレスが,送信元ドメインの権威DNSサーバのSPFレコードに登録されている」ことを以て,当メールサーバが送信元ドメインの正当なメールサーバであることを確認している。

　よって,正解は解答例に示したとおりとなる。

■設問3

　設問3は,〔Y社が導入しているDKIMの概要〕について問うている。

　この設問は,送信ドメイン認証技術の一つである,DKIM(DomainKeys Identified Mail)を取り上げている。DKIMについて,第1～2段落には次のように説明されている。

　DKIMは,送信側のメールサーバでメールに電子署名を付与し,受信側のメールサーバで電子署名の真正性を検証することで,送信者のドメイン認証を行う。
…(中略)…

　DKIMでは,送信者のドメインのゾーン情報を管理する権威DNSサーバを利用して,電子署名の真正性の検証に使用する鍵を公開する。

　DKIMは,ネットワークスペシャリストの午後試験に初登場であり,この後の段落でさらに詳しく説明されている。それゆえ,DKIMについては,本設問を解説しながら,適宜,説明を加えることにしよう。

　DKIMについて,詳しくは本書の第8章「8.3.5迷惑メール対策」の「●送信ドメインのなりすまし防止」,「●DKIM」を参照していただきたい。

午後Ⅱ
答1
答2

（1）

g：ヘッダー　　h：UDP　　i：512

　本問題は，〔Y社が導入している DKIM の概要〕の空欄 g ～ i に入れる適切な字句又は数値を問うている。

g

　空欄 g は，〔Y社が導入している DKIM の概要〕の第１段落の中にある。そこには，DKIM で使用する電子署名について，「電子署名のデータは，メールの　g　及び本文を基に生成される」と記述されている。

　本問題は，DKIM に関する知識があれば即答できるが，実は DKIM のことを知らなくても，メールに関する一般的な知識から推論して解を導くことができる。ここでは，推論して答えを導くことにする。

　まず，メールの一般的な知識を振り返ってみよう。

　メールのメッセージは，ヘッダーとボディから構成される。ヘッダーは，件名，送信元／宛先メールアドレスなどのヘッダーフィールドからなり，ボディは，本文及び添付ファイルからなる（厳密に言うと，ボディは，MIME 規格に基づいてエンコードされた状態になっている）。

　この一般的な知識に基づけば，メールを電子署名の対象とする以上，ヘッダーとボディの両方が署名の対象になっていると考えられる。

　空欄 g を含む文は「電子署名のデータは，メールの　g　及び本文を基に生成される」と記述されているので，空欄 g に入る字句は「ヘッダー」であると推論できる。

　よって，これが正解となる。

　参考までに，署名対象に選ばれるヘッダーフィールドは，通常，From，To，Subject，Date など重要なフィールドである。DKIM-Signature フィールドの h タグに，どのフィールドが選ばれたのかが記載されている。

h ， i

　空欄 h，i は，〔Y社が導入している DKIM の概要〕の第２段落の中にある。そこには，「DNS をトランスポートプロトコルである　h　で利用する場合は，DNS メッ

セージの最大長が　　i　　バイトという制限がある」と記述されている。

　本問題は，DNS に関する知識に基づいて解を導くことができる。

　DNS は，問合せ及び応答メッセージのサイズが 512 バイト以下であるとき，UDP の 53 番ポートを使用する。メッセージのサイズが 512 バイトを超えるとき，TCP の 53 番ポートを使用するか（TCP フォールバック），あるいは，EDNS0（RFC6891 で標準化された，UDP で 512 バイト超のメッセージを応答する方式）に則って UDP の 53 番ポートを使用するか，いずれかの方法を採る。

　空欄 h，i を含む文は，バイト数の制限について言及している。したがって，文脈上，トランスポート層として UDP を用いるものの，EDNS0 に対応していないことを前提にしていると解釈できる。それゆえ，512 バイトの制限が生じる旨の説明をしているものと推論できる。

　よって，空欄 h の正解は「**UDP**」となり，空欄 i の正解は「**512**」となる。

(2)

解答例

アルゴリズム名：RSA
オ：公開鍵

　本問題は二つのことを問うている。

　一つ目は，図 5 の DKIM レコードで指定されている暗号化方式のアルゴリズム名である。

　二つ目は，表 2 中の空欄オに入れる適切な鍵名である。

　図 5 及び表 2 は，〔Y 社が導入している DKIM の概要〕の第 5 段落の中にある。図 5 は，Y 社が登録している DKIM レコードを示しており，表 2 は，DKIM レコード中のタグを説明している。

```
sel.ysha._domainkey.y-sha.com.    IN    TXT    "v=DKIM1; k=rsa; t=s; p=（省略）"
```
注記　sel.ysha は，y-sha.com で運用するセレクター名を示し，y-sha.com.は，電子署名を行うド
メイン名を示す。

図5　Y社が登録している DKIM レコード

表2　DKIM レコード中のタグの説明（抜粋）

タグ	説明
v	バージョン番号を示す。指定する場合は "DKIM1" とする。
k	電子署名の作成の際に利用する鍵の形式を指定する。
t	DKIM の運用状態が本番運用モードの場合は "s" を指定する。
p	Base64 でエンコードした　オ　のデータを指定する。

●一つ目の解の導出

表2によれば，DKIM レコードの k タグは，「電子署名の作成の際に利用する鍵の形式」を記載している。図5の DKIM を見ると，k タグの値は「rsa」になっている。

この「rsa」は，電子署名の作成と検証に公開鍵暗号アルゴリズムが使用されているという一般的な知識に照らして考えるなら，公開鍵暗号化アルゴリズムの一つである RSA を指していることは明白だ。

したがって，図5の DKIM レコードで指定されている暗号化方式のアルゴリズム名は「**RSA**」であり，これが一つ目の正解となる。

●二つ目の解の導出

本問題は，DKIM レコードの p タグに関する知識があれば即答できる。

結論から言おう。正解は，署名の検証に使用する鍵，すなわち「**公開鍵**」である。

実を言うと，DKIM レコードのことを知らなくても，電子署名に関する一般的な知識から推論して解を導くことができる。少々込み入っているが，ここでは推論して答えを導くことにする。

DKIM は，メールに電子署名を付与している。電子署名の真正性を受信者が検証するには，公開鍵（検証鍵ともいう）が必要である。この点について，〔Y社が導入している DKIM の概要〕の第2，第3段落には次のように記述されている。

> DKIM では，送信者のドメインのゾーン情報を管理する権威 DNS サーバを利用して，電子署名の真正性の検証に使用する鍵を公開する。…（中略）…
>
> DKIM の電子署名には，第三者認証局（以下，CA という）が発行した電子証明書を利用せずに，各サイトの管理者が生成する鍵が利用できる。

この記述から二つのことが分かる。

一つ目は，「電子署名の真正性の検証に使用する鍵を公開」する手段として，「送信者のドメインのゾーン情報を管理する権威 DNS サーバを利用して（いる）」，ということである。

どのように権威 DNS サーバを「利用」するかが明記されていないが，SPF 方式が SPF レコードで IP アドレスを公開していることから類推すれば，DKIM 方式でも同様にリソースレコードが利用されていると考えられる。つまり，DKIM が利用するリソースレコードである DKIM レコードに，「電子署名の真正性の検証に使用する鍵」が公開されているものと推論できる。

二つ目は，鍵を公開するにあたって，「電子署名」を利用していない，ということである。つまり，DKIM レコードに公開鍵が直接登録されているわけだ。

ここまでは，本文中の記述から導ける。だからといって，ここで問われている p タグの正体までは，演繹することができない。

ここから先は，解答テクニックを使って解を導いてみよう。

本書の Web 付録「午後問題の解答テクニック」の「0.3.6 問題を解く②：応用テクニック」，4 番目の解答テクニック「出題の意図を汲み取れないときは，出題分野の重要トピックを思い巡らしてみる」を用いてみよう。

> 問題文を読んでみたものの，何が問われているのかを絞り込めないこともあります。行き詰ったら一歩引いて，出題されている分野について思い巡らしてください。そこで問われている要素技術の長所／短所は何か？ そこで問われている出来事の一般的な解決策は何か？ などを考えてみるのです。
>
> 試験では，特殊な知識や閃きがなければ解けないような，いわゆる奇問珍問の類は出題されません。むしろ，出題者は，「出題に値する重要なテーマ」を選定しようと，良問を作ろうと，努力しているはずです。問われているポイントは，ネットワークエンジニアにとって必要なスキルであるはずです。そんな観点から分析してみると，おそらく，解答の糸口が見えてくるはずです。

この解答テクニックを本問題に当てはめるなら，「DKIM レコードに関し，出題に値する重要な事柄は何だろうか」と思い巡らしてみるわけだ。このように考えてみると，上述した「DKIM レコードに公開鍵が登録されていること」は，DKIM レコードを語る上で欠かせないものであり，本来であれば図 5 や表 2 の中で当然言及されるべき重要な事柄である，と言えないだろうか。

しかしながら，図 5 や表 2 には，この点が明記されていない。その代わり，図 5 中

のpタグが「省略」され（意図的に伏せられ），かつ，表2中のpタグに関する説明を一部空欄にしている。その空欄が，ここで問われている。

これは，「pタグの正体が，電子署名の公開鍵を登録するタグである」と考えれば，辻褄が合う。

ここまで考察を進めれば，本問題の解を導くことができる。よって，空欄オの正解は「公開鍵」となる。

なお，ここで紹介した解答テクニックは，正答が得られることを保証するものではない。とはいえ，答案が空欄のままであれば得点できないので，ペーパーテストであると大胆に割り切り，確からしい答えを推論してみることをお勧めしたい。

(3)

解答例

受	信	し	た	メ	ー	ル	が	正	規	の	メ	ー	ル	サ	ー	バ	か	ら	送
信	さ	れ	た	も	の	か	ど	う	か	が	分	か	る	か	ら	（36字）			

問題文は，「本文中の下線⑤について，電子署名の真正性の検査によって送信者がなりすまされていないことが分かる理由を…答えよ」と記述されている。

下線⑤は，〔Y社が導入しているDKIMの概要〕の第9段落，（ⅴ）の中にある。そこには「顧客のメールサーバは，⑤取得したDKIMレコードに登録された情報を基に，電子署名の真正性を検査する」と記述されている。

電子署名の真正性は，「電子署名を作成した秘密鍵の対になる公開鍵」を公開した上で，「この公開鍵を用いて，電子署名を検査すること」によって確認できる。

この点を踏まえ，第9段落を考察してみよう。ここでは，Y社が導入している，DKIMによる送信ドメイン認証の流れを説明している。

送信元メールサーバであるY社のメール中継サーバは，メールの送信時，DKIM-Signatureフィールドをメッセージヘッダーに付与する。第9段落（ⅲ），（ⅳ）によれば，そのフィールドには，

- 電子署名データ（電子署名の秘密鍵を使って作成）
- ドメイン名（y-sha.com）

などが記載されている。

宛先メールサーバである顧客のメールサーバは，DKIM-Signature フィールドに記載されたドメイン（y-sha.com）を基に，Y 社ドメインの権威 DNS サーバから DKIM レコードを取得する。

Y 社の DKIM レコードには，設問 3（2）で解説したとおり，電子署名の公開鍵が登録されている。この公開鍵の対になる秘密鍵を所有しているメールサーバは，Y 社の正規のメールサーバのみである。

したがって，顧客のメールサーバが，メールに付与された電子署名の検証に成功したとき，このメールが，Y 社の正規のメールサーバから送信されたものであることが分かる。

本問題は，「送信者がなりすまされていないことが分かる理由」を問うている。よって，正解は **「受信したメールが正規のメールサーバから送信されたものかどうかが分かるから」** となる。

DKIM を使って検証できるのは，秘密鍵が安全に管理されているという前提の下，「正規のメールサーバから送信された」という点である。悪意ある者が送信者になりすまし，正規のメールサーバを踏み台にしてメールを送信した場合，DKIM の検証に成功する。本事例では，その解決策として S/MIME を導入する。

■設問 4

設問 4 は，〔Z 社に委託するメールの運用方法の検討〕について問うている。

本設問の解説に入る前に，この委託の全体像について説明しよう。

● Z 社に委託するメールの運用方法の全体像

序文の第 1 段落にあるとおり，Y 社は「サポート業務の一部を，サポートサービス専門会社の Z 社に委託することを決定」し，委託時のメール運用を検討している。

Z 社への委託に際し，「Y 社のメールシステムのセキュリティ運用規程」に基づく必要がある（〔Z 社に委託するメールの運用方法の検討〕の第 5 段落）。このセキュリティ運用規程が，第 1 段落の（あ）〜（え）に記述されている。

Z 社のネットワーク構成は，第 3 段落の図 6「Z 社のネットワーク構成」に記されている。

Z 社は，「複数の企業から受託したメールを用いたサポート業務を，チームを編成して対応」している（第 4 段落）。Y 社向けのサポート業務は，Z 社のサポートチーム Y が対応する（図 6 の注記 2）。

セキュリティ運用規程に基づいて，サポートチーム Y が行うメールによるサポート方法が，第 5 段落に三つの箇条書きで記述されている。

　セキュリティ運用規程（え）で「なりすまし防止」対策を講じることが規定されているため，Z 社に委託するサポートメールに，SPF と DKM を導入する。SPF については第 7 段落，DKIM については第 8 段落に記述されている。

　Z 社のサポートチーム Y 以外の部署の従業員がサポート担当者になりすました場合，顧客のメールサーバでは，なりすましを検知できない。その対策として，S/MIME を導入する。その点が第 9 段落に記述されている。S/MIME については，続く〔S/MIME の調査と実施策〕で詳しく説明されている。

記述されている内容	記述されている箇所
Y 社のセキュリティ運用規程	第 1 段落の（あ）～（え）
Z 社のネットワーク構成	第 3 段落の図 6
Z 社のサポートチーム Y が行う，メールによるサポート方法	第 5 段落の箇条書き
Z 社への SPF の導入	第 7 段落
Z 社への DKIM の導入	第 8 段落
Z 社のサポートチーム Y への S/MIME の導入	第 9 段落

　それでは，これらの点を踏まえつつ，設問の解説に移ろう。

(1)

解答例

DNS サーバ名：・外部 DNS サーバ Y
　　　　　　　・y-ns1
登録する情報：・メール中継サーバ Z の IP アドレス
　　　　　　　・z-mail1 の IP アドレス

　問題文は，「本文中の下線⑥について，登録する DNS サーバ名及び DNS サーバに登録する情報を，それぞれ，図 1 又は図 6 中の字句を用いて答えよ」と記述されている。

　下線⑥は，〔Z 社に委託するメールの運用方法の検討〕の第 7 段落の中にある。そこには，SPF の導入に関して，「⑥ DNS サーバに SPF で利用する情報を登録することで対応できると考えた」と記述されている。

　本問題は，二つのことを問うている。一つ目は，SPF で利用する情報を登録する DNS サーバ名である。二つ目は，同 DNS サーバに登録する情報である。

　本問題の解を導くには，まず，セキュリティ運用規程に基づいた，Z社のサポートチームYが行うメールによるサポート方法を理解する必要がある。次に，ここにSPFを導入する方法を理解する必要がある。これを踏まえて，解を導こう。

● Z社のサポートチームYが行うメールによるサポート方法

　Z社のサポートチームYのメールによるサポート方法は，第5段落の箇条書きに記述されている。その内容を整理すると次のようになる。

表：Z社のサポートチームYのメールによるサポート方法

送受信の種別	送信元メールアドレス	宛先メールアドレス	箇条書きの番号
受信	（顧客）	support@y-sha.com	2
送信	support@y-sha.com	（受信時の送信元）	3

　SPFによる送信ドメイン認証を適用するのは，送信／受信のうち，送信だけである。したがって，これ以降の解説は，「送信」にのみ着目することにしよう。

　サポートチームYが行うメールの運用に対し，Y社のセキュリティ運用規程を適用する。

　同規程（い）は，社内のPCによるメール送受信は社内メールサーバを介して行う旨を定めており，同規程（う）は，社外とのやり取りはメール中継サーバを介して行う旨を定めている。

　したがって，この規程をZ社のネットワーク構成に適用すると，メール送信時の転送経路は次のようになる。

サポート担当者のPC　→　社内メールサーバZ　→　メール中継サーバZ　→　顧客

午後Ⅱ　答1　答2

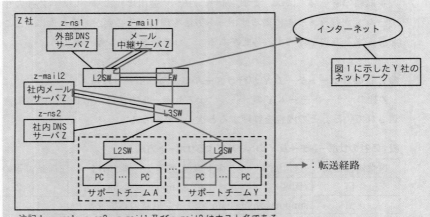

注記1　z-ns1，z-ns2，z-mail1 及び z-mail2 はホスト名である。
注記2　サポートチーム A は，A 社向けのサポート業務を行い，サポートチーム Y は，Y 社向けの
　　　　サポート業務を行うチームである。

図：メール送信時の転送経路

● Z 社への SPF の導入

　SPF による送信ドメイン認証を適用するのは，Z 社のサポート担当者が顧客にメールを送信するときである。

　〔Y 社が導入している SPF の概要〕の第3段落に説明されている，「Y 社が導入している SPF による送信ドメイン認証の流れ」を，Z 社のサポート担当者から送信されるメールの転送経路に当てはめて，送信ドメイン認証がどのように実施されるのかを考察してみよう。

　「Z 社へ導入する SPF による送信ドメイン認証の流れ」を，「Y 社が導入している SPF による送信ドメイン認証の流れ」に倣って，記述してみよう。Z 社へ導入するために変更する部分を下線で示す。

Z 社へ導入する SPF による送信ドメイン認証の流れ

（ⅰ）サポート担当者は，送信元メールアドレスが support@y-sha.com にセットされたサポートメールを，顧客宛てに送信する。

（ⅱ）サポートメールは，社内メールサーバ Z からメール中継サーバ Z を経由して，顧客のメールサーバに転送される。

（ⅲ）顧客のメールサーバは，メール中継サーバ Z から，SMTP の MAIL FROM

コマンドで指定されたメールアドレス（support@y-sha.com）のドメイン名の「y-sha.com」を入手する。顧客のメールサーバは，DNS を利用して，y-sha.com ドメインのゾーン情報を管理する外部 DNS サーバ Y に登録されている SPF レコードを取得する。

（ⅳ）顧客のメールサーバは，取得した SPF レコードに登録された情報を基に，送信元メールサーバの正当性を検査する。

（ⅴ）正当なメールサーバから送信されたメールなので，なりすましメールではないと判断してメールを受信する。

　上に示した手順の中で，Z 社へ SPF を導入するために変更された部分（下線で示した部分）は，メールサーバである。一方，（ⅲ）で使用される DNS サーバは変更されない。なぜなら，送信元メールアドレスのドメインは y-sha.com のまま変わらないからだ。

　設問 2（3）で解説したとおり，（ⅳ）で実施される正当性の検査は，送信元メールサーバのグローバル IP アドレスが SPF レコードに登録されていることを以て，成功する。

　したがって，この検査に成功するには，顧客メールサーバからみた送信元メールサーバである，メール中継サーバ Z の IP アドレスを，外部 DNS サーバ Y の SPF レコードに登録する必要がある。

　ここまで理解できれば，本問題の解を導くことができる。

●解の導出

　本問題は，二つのことを問うていた。

　一つ目は，SPF で利用する情報を登録する DNS サーバ名であった。それは「**外部 DNS サーバ Y**」（**y-ns1**）である。これが一つ目の正解となる。

　二つ目は，同 DNS サーバに登録する情報である。それは「**メール中継サーバ Z の IP アドレス**」（**z-mail1 の IP アドレス**）である。これが二つ目の正解となる。

(2)

解答例

j：y-sha.com

本問題は,〔Z社に委託するメールの運用方法の検討〕の空欄jに入れる適切な字句を問うている。

j

空欄jは,〔Z社に委託するメールの運用方法の検討〕の第8段落の中にある。そこには,DKIMの導入に関して,次のように記述されている。

> DKIMには,図6中のメール中継サーバZで,送信元メールアドレスがsupport@y-sha.comのメールに対してDKIM処理を行うことで対応できると考えた。このとき,顧客のメールサーバが,外部DNSサーバYを使用してDKIMの検査を行うことができるように,DKIM-Signatureヘッダー中のdタグで指定するドメイン名には　　j　　を登録（する）。

ここに,「外部DNSサーバYを使用してDKIMの検査を行う」と記されている。これは何を意味しているのだろうか。

Y社が導入しているDKIMによる送信ドメイン認証の流れを振り返ってみよう。〔Y社が導入しているDKIMの概要〕の第9段落は,その流れを説明している。外部DNSサーバYは,(iv) に登場する。その (iv),及び後続の (v) には,次のように記述されている。

> (iv) 顧客のメールサーバは,DKIM-Signatureヘッダー中のdタグに登録されたドメイン名であるy-sha.comとsタグに登録されたセレクター名を基に,DNSを利用して,当該ドメインのゾーン情報を管理する外部DNSサーバYに登録されているDKIMレコードを取得する。
> (v) 顧客のメールサーバは,取得したDKIMレコードに登録された情報を基に,電子署名の真正性を検査する。

DKIMレコードは,DKIMの検査に使用される。顧客のメールサーバは,このDKIMレコードを外部DNSサーバYから取得する。それは,DKIM-Signatureヘッダー中のdタグに,y-sha.comが登録されているからだ。

したがって,Z社へDKIMを導入するとき,「顧客のメールサーバが,外部DNSサーバYを使用してDKIMの検査を行うことができる」ようにするには,「DKIM-Signatureヘッダー中のdタグで指定するドメイン名」に,「y-sha.com」を登録する必要がある。

よって,正解は「**y-sha.com**」となる。

(3)

解答例

> メール中継サーバZから鍵が漏えいしても，Y社で
> 実施中のDKIMの処理は影響を受けない。　（43字）

　問題文は，「本文中の下線⑦について，異なる鍵を利用することによる，Y社におけるセキュリティ面の利点を…答えよ」と記述されている。

　下線⑦は，〔Z社に委託するメールの運用方法の検討〕の第8段落の中，空欄jのすぐ後にある。そこには「⑦sタグで指定するセレクター名はsel.zshaとして，Y社と異なる鍵を電子署名に利用できるようにする。また，外部DNSサーバYに，sel.zshaセレクター用のDKIMレコードを追加登録する」と記述されている。

　本問題を解くには，まず，下線⑦中の「Y社と異なる鍵を電子署名に利用できるようにする」という記述を理解するため，DKIMで複数の鍵を利用するために必要な設定について理解する必要がある。これを踏まえて，異なる鍵を利用することによる，Y社におけるセキュリティ面の利点を考察しよう。これが求める解となる。

● DKIMで複数の鍵を利用するために必要な設定

　DKIMは，署名の作成鍵（秘密鍵）／検証鍵（公開鍵）のペアを1個以上用意することができる。

　これら複数の鍵ペアを電子署名に利用するためには，公開鍵，秘密鍵のそれぞれについて設定が必要である。つまり，合わせて二つの設定が必要である。

　一つ目は，公開鍵を権威DNSサーバへ登録する必要がある。公開鍵はDKIMレコードに登録されるので，言い換えると，権威DNSサーバへのDKIMレコードの登録が必要である。

　二つ目は，秘密鍵を送信元メールサーバへ登録する必要がある。

[1] 公開鍵を権威DNSサーバへ登録すること

　複数の鍵を使用するためのDKIMレコードの設定について，〔Y社が導入しているDKIMの概要〕の第6段落には次のように記述されている。

> 　DKIMでは，一つのドメイン中に複数のセレクターを設定することができ，セレクターごとに異なる鍵が使用できる。セレクターは，DNSサーバに登録された

> DKIM レコードを識別するためのキーとして利用される。

　この記述から分かるとおり，鍵ペアごとに DKIM レコードを登録する必要がある。それら DKIM レコードを識別するためにセレクターが用いられている。

　Z 社への DKIM の導入に際し，下線⑦にあるとおり，「Y 社と異なる鍵を電子署名に利用できるようにする」。それゆえ，続く文にあるとおり，「外部 DNS サーバ Y に，sel.zsha セレクター用の DKIM レコードを追加登録する」わけだ。

　したがって，Y 社の権威 DNS サーバである公開 DNS サーバ Y に，二つの公開鍵が登録されることが分かる。一つ目は，Y 社が従来からサポート業務で利用している公開鍵であり，セレクター名「sel.ysha」の DKIM レコードとして既に登録されている。二つ目は，Z 社に委託するサポート業務で利用する公開鍵であり，セレクター名「sel.zsha」の DKIM レコードとして新たに登録する。

sel.ysha._domainkey.y-sha.com.　IN　TXT	Y 社がサポート業務で利用する公開鍵などの情報
sel.zsha._domainkey.y-sha.com.　IN　TXT	Z 社がサポート業務で利用する公開鍵などの情報

図：Y 社の権威 DNS サーバに登録する DKIM レコード

[2] 秘密鍵を送信元メールサーバへ登録すること

　Z 社のサポートチーム Y の担当者がサポートメールを送信するとき，メール中継サーバ Z から顧客のメールサーバにメールが転送される。

　メール中継サーバ Z について，下線⑦の前の文には「送信元メールアドレスが support@y-sha.com のメールに対して DKIM 処理を行う」と記述されている。この処理を具体的に言うと，電子署名を作成すること，及び，DKIM-Signature フィールドをメッセージヘッダーに付与すること（〔Y 社が導入している DKIM の概要〕の第 9 段落，（ⅲ））を指している。

　電子署名の作成には秘密鍵が必要である。したがって，メール中継サーバ Z に，Z 社に委託するサポート業務で利用する秘密鍵を登録することが分かる。

●解の導出

　これまでの解説で，Z 社に委託するサポート業務で異なる鍵を用いるため，その公開鍵を公開 DNS サーバ Y に登録し，その秘密鍵をメール中継サーバ Z に登録することが分かった。

つまり，Y社は，Z社へサポート業務を委託するために，電子署名に利用する秘密鍵を，Z社のメール中継サーバZに登録するわけだ。

Z社へ委託するとはいえ，従来Y社が用いていた秘密鍵をZ社に開示することは，甚だ不適切な運用である。なぜなら，通常，公開鍵暗号化方式の鍵運用では，秘密鍵が外部に漏えいしないように厳重に管理すべきものだからだ。Y社で実施中のDKIM処理用の秘密鍵を開示することなく，Z社へサポート業務を委託するため，従来とは異なる鍵を用意した次第である。

メール中継サーバZはZ社の管轄下にある。万が一，Z社側の責によりメール中継サーバZから，Z社用の秘密鍵が漏えいするかもしれない。その場合でもY社用の秘密鍵はY社が安全に管理しているので，Y社で実施中のDKIMの処理は影響を受けることがない。こうしたリスク分散を実現できることは，異なる鍵を利用することによってもたらされた，セキュリティ面の利点であると言えよう。

本問題は「異なる鍵を利用することによる，Y社におけるセキュリティ面の利点」を問うていた。よって，正解は解答例に示したとおりとなる。

(4)

解答例

> なりすましメールも，メール中継サーバZから
> 社外に転送されるから （31字）

午後Ⅱ 答1 答2

問題文は，「本文中の下線⑧について，顧客のメールサーバでは，なりすましを検知できない理由を…答えよ」と記述されている。

下線⑧は，〔Z社に委託するメールの運用方法の検討〕の第9段落の中にある。そこには次のように記述されている。

> ⑧"Z社のサポートチームY以外の部署の従業員が，送信元メールアドレスにsupport@y-sha.comをセットしてサポート担当者になりすました場合，顧客のメールサーバでは，なりすましを検知できない"，との指摘を受けた。

ここに書かれている「Z社のサポートチームY以外の部署」は，例えば，図6中のサポートチームA（A社向けのサポート業務を行うチーム）などである。

Z社内で実施するDKIMの処理は，メール中継サーバZである。このDKIM処理に

ついて，第 8 段落には「送信元メールアドレスが support@y-sha.com のメールに対して DKIM 処理を行う」と記述されている。つまり，DKIM の処理をするか否かは，送信元メールアドレスのみで判断していることが分かる。

したがって，下線⑧で懸念されているとおり，「送信元メールアドレスに support@y-sha.com をセットしてサポート担当者になりすました」場合，メール中継サーバ Z は DKIM 処理を実施してしまうので，そのまま社外に転送されてしまう。DKIM 処理が実施されている以上，顧客のメールサーバで DKIM の検査に成功するので，このなりすましを検知することができない。

よって，正解は「**なりすましメールも，メール中継サーバ Z から社外に転送されるから**」となる。

■設問 5

IPA は，出題の不備により設問 5 が成立しないと発表した。

URL	https://www.ipa.go.jp/news/2024/shiken_20240607.html
公表日	2024 年 6 月 7 日
令和 6 年度春期ネットワークスペシャリスト試験 午後 II 問 2 設問 5 の不備とその対応について	
令和 6 年 4 月 21 日に実施いたしましたネットワークスペシャリスト試験午後 II 問 2 設問 5 に関して，不備があることが判明いたしました。 当該不備により問 2 設問 5 は成立しないと判断し，問 2 を選択した受験者全員について，設問 5 (1) 〜 (3) を正解として取り扱うこととしました。 受験者の皆様には心からお詫び申し上げます。今後の出題に当たっては，細心の注意を払い，再発防止に努めてまいります。	

出題ミスはあってはならないことであるが，幸いにも早い段階で不備が判明したため，問 2 を選択した受験者が不利益を被らないように設問 5 (1) 〜 (3) を正解扱いとし，採点が行われた。

IPA は，このたびの出題の不備について，具体的な内容を開示していない。それを踏まえ，どのような不備があったのかについて，憶測に基づく詮索は控えることにしたい。

著者は，過去問題は「未来の問題」を解くために活用すべきものだと考えている。設問 5 で取り上げられた内容は，出題に値すると IPA はみなしている。それゆえ，「何が問われていたのか」を分析し，来るべき本試験に備えて「何をどの程度まで勉強したらよいのか」について，手短にコメントすることにしよう。

●設問 5 で問われていたことは，「電子署名の作成と検証の手順」である。

設問 5 は，〔S/MIME の調査と実施策〕について問うている。

「S/MIME」というキーワードに目が向いてしまうと，一見すると「S/MIME が出題された」かのように思えるかもしれない。

しかし，実際に本文と問題文を読むなら，ここで出題されたのは，「電子署名の作成と検証の手順」であることが分かる。

〔S/MIME の調査と実施策〕の本文には，S/MIME に関する技術的な説明（動作の流れ，仕組み，仕様など）が述べられていない。技術的な事柄を詳しく取り上げているのは，表 4「MUA による電子署名の付与及び電子署名の検証の手順」である。設問 5（1）～（3）は，まさにこの表 4 から出題されている。

したがって，設問 5 の出題の趣旨は，S/MIME そのものではなく，「MUA による電子署名の作成と検証の手順」であったことが伺える。これは，問 2 全体を貫くテーマである「なりすまし防止対策」に沿ったものだ。

●電子署名について，IPA が求めている技術レベル

電子署名は，午前問題と午後問題で繰り返し登場する，きわめて重要な要素技術である。きっと，読者の皆様も十分勉強しておられるに違いないし，熟知していると自負しておられるかもしれない。

この設問は，表 4 を掘り下げる形で数問を出題している。問うている内容を 20 ～ 25 字程度で「記述」するよう求めている。ここから，ネットワークスペシャリスト試験が求める技術レベルを推察できる。

すなわち，電子署名の作成と検証の手順に関し，自力でアウトプットできるレベルを求めている，と言うことができる[*2]。

[*2] もう少し言葉を補って具体的に述べると，「電子署名の作成と検証の手順に関しては，表 4 に書かれている程度の詳細度で，自力でアウトプットできることを目標に勉強しましょう」と言うことができる。

ただし，表 4 に関しては，技術的な観点からコメントすべき点がある。実を言うとこの表は，S/MIME の仕様に照らすと，やや説明不足なのである。表 4 は，「S/MIME を厳密に説明することを意図したものではなく，署名対象をメール内容のハッシュ値のみにすると仮定した場合の，電子署名の作成と検証の手順を説明したものである」と割り切って考えるとよいだろう。

技術全般に敷衍すると，ネットワークスペシャリスト試験は，「基本となる要素技術に関して，その動作や仕組みについて，他者に的確に説明できる程度まで，知識を正確に体系的に理解しているレベル」を求めている，と著者は考えている。

そのレベルに到達している技術者が，現実世界の様々な事例において，ネットワー

ク技術を適用して，課題を解決できる。必要であればS/MIMEのような応用技術を調査できるし，それを正確に理解した上で，課題解決に活用できる。そして，課題とその解決策を，「他者」（上長や顧客）に的確に説明できる。

そのような技術者は，ネットワークスペシャリストの名にふさわしいと言えるだろう。

●電子署名に関する勉強

電子署名は，きわめて重要な要素技術である。上述のとおり，「他者に的確に説明できる」程度までしっかり理解しておく必要がある。

本書の第8章「8.2.2 認証方式」の「●デジタル署名」は，過去問題で出題された技術レベルを踏まえて，電子署名について解説している。暗号化技術の厳密な仕様はけっこう複雑であり，どこまで詳細に覚えるかの判断に迷うかもしれない。この点について，著者は，過去問題の出題例に基づいて判断すればよいと考えている。本書の傍注「試験に出る」で過去問題の出題例を掲載しているので，読者の皆様もご自身で確認してみるとよいだろう。

ご存知のとおり，デジタル署名は，公開鍵暗号技術を土台にしている。問2で登場した暗号化アルゴリズムはRSAであったが，近年では楕円曲線暗号（ECC：Elliptic Curve Cryptography）の利用も広がりつつある。楕円曲線暗号は，デジタル署名の検証の手順がRSAと若干異なっている。楕円曲線暗号はRSAより複雑であるが，今後の勉強のため，本書の解説を参考にしていただきたい。

楕円曲線暗号まで視野に入れると，署名作成を「秘密鍵を用いて暗号化する」と言うべきではないし，署名検証を「公開鍵を用いて復号する」と言うべきではない。シンプルに，「秘密鍵を用いて作成する」，「公開鍵を用いて検証する」と表現するのが適切である。詳しくは「8.2.2 認証方式」のコラム（デジタル署名の仕組みを説明する際，「暗号化」，「復号」という表現を用いてよいか？）に掲載しているので，ご興味があればこちらにも目を通していただきたい。

●電子証明書に関する勉強

電子署名の作成／検証，及びその礎をなす公開鍵暗号の仕組みは，電子証明書を取り上げた過去問題でも出題されている。近年の例を挙げると，令和4年午後Ⅱ問1設問3がこれに該当する。

電子証明書もまた，午前問題と午後問題で繰り返し登場する，きわめて重要な要素技術である。

電子署名と併せて，同技術も「他者に的確に説明できる」程度までしっかり理解し

ておく必要がある。詳しくは，本書の第8章「8.2.2 認証方式」の「●第三者認証と電子証明書」を参照していただきたい。

● S/MIME に関する勉強

もしかすると，S/MIME がいつの日か試験で取り上げられるかもしれない。なぜなら，電子署名の作成と検証を出題するための題材として使えるからだ。もし S/MIME が本格的に取り上げられたならば，ネットワークスペシャリスト試験では初登場になる。

S/MIME の仕様はけっこう複雑であり，複数の要素技術からなる「応用技術」に位置付けられる。

こうした応用技術が題材として取り上げられる場合，とりわけ初登場の場合は，その中核をなす基本仕様は本文中に説明されており，当該技術のことを詳しく知らない受験者でも問題を解けるように配慮される。ちょうど，本問における DKIM の扱いと同様である。

したがって，試験対策の観点からコメントすると，S/MIME については，細かな仕様を無理に暗記する必要はない，と著者は考えている。

もちろん，余力があれば勉強する価値はある。複雑な仕様に見えるが，どれも必要性があってのことである。電子署名の実際の活用例として，こうした応用技術に目を向けることは，なりすまし防止に関する知見を深める機会になり，実務にも役立つに違いない。

S/MIME を含む迷惑メール対策について，本書の第8章「8.3.5 迷惑メール対策」を参照していただきたい。詳しく解説していないものの，S/MIME について「●送信者のなりすまし防止と改ざん検知」で取り上げている。

索引

著者

ICT ワークショップ

ネットワークスペシャリスト試験を始めとする，情報通信技術の難関試験対策プロジェクト。

山下真吾（やました・しんご）：

ICT ワークショップの代表であり，本書の執筆者である。多数の方々のお力添えなくしては本書の執筆は成り立たなかった。その思いを込め，著者名を「ICT ワークショップ」にしている。

有限会社アイティー・エージェンシー代表取締役。昭和44年生まれ。独立系ソフトハウス数社にて，オブジェクト指向設計及び開発，データベース設計，ネットワーク構築設計及び運用管理などの業務に従事した後，30代前半で起業する。以来，20年以上にわたり，情報処理技術者試験対策（スペシャリスト系）を始めとする技術系研修を受け持っている。更に，某地方自治体で技術コンサルティング，執筆，試験問題作成なども行っている。近年，AIベンダーにジョインしてAI開発に従事し，機械学習の特許を複数取得している。
仕事の傍ら，公益社団法人日本技術士会 情報工学部会 幹事を務め，日本ディープラーニング協会主催のE資格（エンジニア資格）の合格者コミュニティに参加し，エンジニアとの研鑽や交流を楽しんでいる。
主な保有資格は，技術士（情報工学），システムアーキテクト，データベーススペシャリスト，ネットワークスペシャリスト，情報セキュリティスペシャリスト（情報処理安全確保支援士），アプリケーションエンジニア，プロダクションエンジニア，E資格（日本ディープラーニング協会），など。
主な著書は，『情報処理教科書データベーススペシャリスト』（共著／2008年～2014年，翔泳社），『情報処理教科書テクニカルエンジニア（データベース）』（共著／2002年～2007年，翔泳社），など。
E-Mail：shingo.yamashita@it-agency.biz

装　丁　　　　結城 亨（SelfScript）
カバーイラスト　大野 文彰
Ｄ　Ｔ　Ｐ　　株式会社シンクス

情報処理教科書
ネットワークスペシャリスト 2025年版

2024年　9月25日　初 版　第1刷発行

著　　者　　ICT ワークショップ
発 行 人　　佐々木 幹夫
発 行 所　　株式会社翔泳社（https://www.shoeisha.co.jp）
印　　刷　　昭和情報プロセス株式会社
製　　本　　株式会社国宝社

ISBN978-4-7981-8829-4　　　　　　　　　　　Printed in Japan